This special edition of the Book of Joshua
is lovingly dedicated by
Asher David Milstein
on the occasion of the thirteenth *yahrzeit* of his grandfather
Rabbi Elazar Kahanow ז״ל
הגאון רבי אלעזר בן הגאון ר׳ אורי מאיר הכהן זצוק״ל
נפטר ר״ח ניסן תשס״ב
an extraordinary talmid chacham, Rav,
and Rosh Yeshiva of Yeshiva Torah Vodaath.
תנצב״ה

And in memory of
ע״ה Henrietta Milstein — מרת הינדא בת אברהם הלוי ע״ה
his brother
ז״ל Betzalel Milstein — הילד בצלאל בנימין ז״ל ב״ר אליעזר פסח שליט״א
his great-uncles
ז״ל Aaron Kahan — אהרן בן הגאון ר׳ אורי מאיר הכהן ז״ל
ז״ל Yankel Basch — יעקב בן יהושע ז״ל
and his great-aunt
ע״ה Hanka Kozlovsky — הנקא בת הגאון ר׳ אורי מאיר הכהן ז״ל

And in honor of his parents
Lazer and Ziporah Milstein שיחי׳
his grandparents
Monroe and Judy Milstein שיחי׳ Rebbetzin Rochel Kahanow שיחי׳
and in tribute to
Rabbi Jeff Seidel, Rabbi Efraim Weingot, and Rabbi Ezriel Munk

…HASHEM, that HASHEM said to Joshua …y servant has died. Now, arise, cross …hat I give to them, to the Children of …t will tread I have given to you, as I … until the great river, the Euphrates …oward the setting of the sun will be …ays of your life; as I was with Moses …ill I forsake you. [6] Be strong and … inherit the Land that I have sworn

…servant of HASHEM (24:29).

…his death is mentioned before he is given …HASHEM. This is meant to imply that he …d even after his death, because he strove …provement, but for the perfection of his … of such a *tzaddik* does not end with his …complishments live on in his survivors …r as long as his teachings bear fruit.

…*oses My servant has died.* Were Moses …ad the people across the Jordan; since …t lead (*Rashi*).

…icken over the loss of his teacher. G d …e comforted him by saying that Moses … reward, as G d's *servant*; and the time …nd the time to enter the Land has ar-…

…*ry place* . . . Even places outside the … verse 4 can be annexed to the Land …uidelines] (*Rashi*). Although I assure …st actually set foot in the lands you …ht for them (*Abarbanel*).

…*t Sea,* i.e., the Mediterranean Sea.

…*the setting of the sun*, i.e., the west. …*rael* sets over the Mediterranean, the …west."

…*No man will stand up to you.* No Jew …s leadership (*Malbim*). In this sense, …eater than Moses' who suffered from …uch defamation. G d goes on to …*lease* His guiding, helping hand, nor …o coincidence; He would always re-…

… *and courageous.* This expression …es 6,7, and 9) in this exhortation. …ealous in three major areas of his …f the Land among the tribes [be-…ention when land is being divided …sing observance of the command-… the conquest of the Land (*Rashi*). …e distribution of land is especially

א

HAFTARAS VEZOS HA-BERACHAH
Ashkenazim: 1:1-18
Sephardim: 1:1-9

א וַיְהִ֗י אַחֲרֵ֛י מ֥וֹת מֹשֶׁ֖ה עֶ֣בֶד יְדוָ֑ד וַיֹּ֤אמֶר יְדוָד֙ אֶל־יְהוֹשֻׁ֣עַ בִּן־נ֔וּן מְשָׁרֵ֥ת מֹשֶׁ֖ה
ב לֵאמֹֽר׃ מֹשֶׁ֥ה עַבְדִּ֖י מֵ֑ת וְעַתָּה֩ ק֨וּם עֲבֹ֜ר אֶת־הַיַּרְדֵּ֣ן הַזֶּ֗ה אַתָּה֙ וְכָל־הָעָ֣ם הַזֶּ֔ה אֶל־
ג הָאָ֕רֶץ אֲשֶׁ֧ר אָנֹכִ֛י נֹתֵ֥ן לָהֶ֖ם לִבְנֵ֥י יִשְׂרָאֵֽל׃ כָּל־מָק֗וֹם אֲשֶׁ֨ר תִּדְרֹ֧ךְ כַּף־רַגְלְכֶ֛ם בּ֖וֹ
ד לָכֶ֣ם נְתַתִּ֑יו כַּאֲשֶׁ֥ר דִּבַּ֖רְתִּי אֶל־מֹשֶֽׁה׃ מֵהַמִּדְבָּ֨ר וְהַלְּבָנ֜וֹן הַזֶּ֗ה וְעַד־הַנָּהָ֤ר הַגָּדוֹל֙
ה נְהַר־פְּרָ֗ת כֹּ֚ל אֶ֣רֶץ הַחִתִּ֔ים וְעַד־הַיָּ֥ם הַגָּד֖וֹל מְב֣וֹא הַשָּׁ֑מֶשׁ יִהְיֶ֖ה גְּבוּלְכֶֽם׃ לֹא־
יִתְיַצֵּ֥ב אִישׁ֙ לְפָנֶ֔יךָ כֹּ֖ל יְמֵ֣י חַיֶּ֑יךָ כַּאֲשֶׁ֨ר הָיִ֤יתִי עִם־מֹשֶׁה֙ אֶהְיֶ֣ה עִמָּ֔ךְ לֹ֥א אַרְפְּךָ֖
ו וְלֹ֥א אֶעֶזְבֶֽךָּ׃ חֲזַ֖ק וֶאֱמָ֑ץ כִּ֣י אַתָּ֗ה תַּנְחִיל֙ אֶת־הָעָ֣ם הַזֶּ֔ה אֶת־הָאָ֕רֶץ אֲשֶׁר־נִשְׁבַּ֥עְתִּי

רש״י

רד״ק

מצודת דוד

מצודת ציון

This special edition of a Foundation classic

The Book of Joshua

is presented with gratitude to friends and patrons of the

ArtScroll Mesorah Heritage Foundation

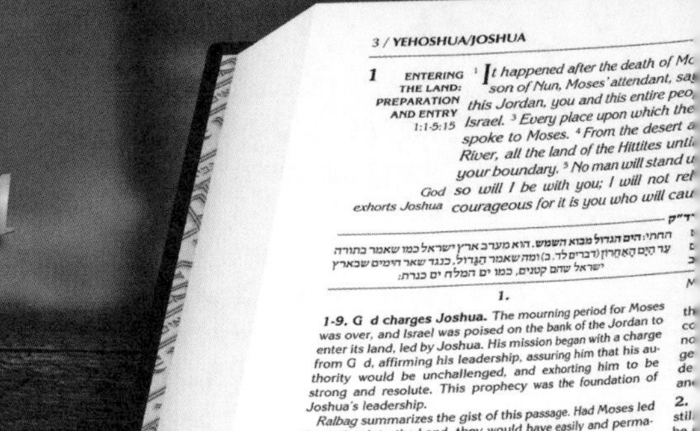

This edition includes major Hebrew commentaries — *Rashi, Radak, Metzudos* — English translation, commentary, and overview.

Please read on.
See what the Foundation does — and how you can be part of the Torah renaissance.

Before and After

Before ArtScroll and Mesorah Heritage Foundation began its work, there were vast numbers of Jews who were unaware of the riches of our literary and spiritual heritage, who had never known that the Torah speaks to us as much and as eloquently as it did to our ancestors across the ocean.

They were Jews who *would have* reveled in the beauty of Torah — but a language barrier stood in the way.

There were men and women who had a yeshivah education, but who longed for a Torah literature in their own language.

After

Now the Mesorah Heritage Foundation is tearing down the language barrier — and hundreds of our brothers and sisters are rushing into a new world of Torah, Talmud, Prayer, Jewish Law, Jewish History, Biography, and Self-help. Jewish life and learning are thriving, in homes and boardrooms, on planes and commuter trains, in schools and in shuls. People are learning and loving it, growing, striving, achieving — and even turning a football stadium into a *beis midrash*, as they did when 90,000 filled MetLife Stadium to celebrate the completion of the last Daf Yomi cycle in 2012.

And all this is happening because generous, visionary patrons partnered with brilliant, dedicated scholars to produce a Torah literature that already comprises over 1,600 titles — and is still growing.

Here's what we do

- ❖ **Sponsor literature** that celebrates the rich Jewish heritage
- ❖ **Create works** of intensive scholarship and beauty

- ❖ **Recruit and support world-class scholars and editors** who devote themselves to bring Torah to their brethren in their own language: English, Modern Hebrew, French, and Spanish
- ❖ **Produce books** of distinction that will be read, studied, and cherished for generations
- ❖ **Create Apps** and **eBooks** that will harness technology to Torah

How does the Foundation do it?

Nearly 200 scholars in America, Israel, and Europe are rendering our classic texts in today's languages and presenting them in beautifully produced and literarily graceful books and state-of-the-art Apps.

Sample Catalog of Accomplishments

Talmud

- ❖ The ***Schottenstein Editions of the Babylonian ("Bavli") Talmud*** — 73 volumes in the English Edition and 73 in the Hebrew Edition. In the words of Lord Immanuel Jakobovits, the late Chief Rabbi of the British Commonwealth, it is "one of the most momentous publishing efforts gracing the entire length of Jewish history."

  These two elucidated editions have "enrolled" many tens of thousands of people in Talmud study every day, all over the world. The Schottenstein Edition of the Talmud is proving that Jews thirst for Torah, and these editions are quenching that thirst.

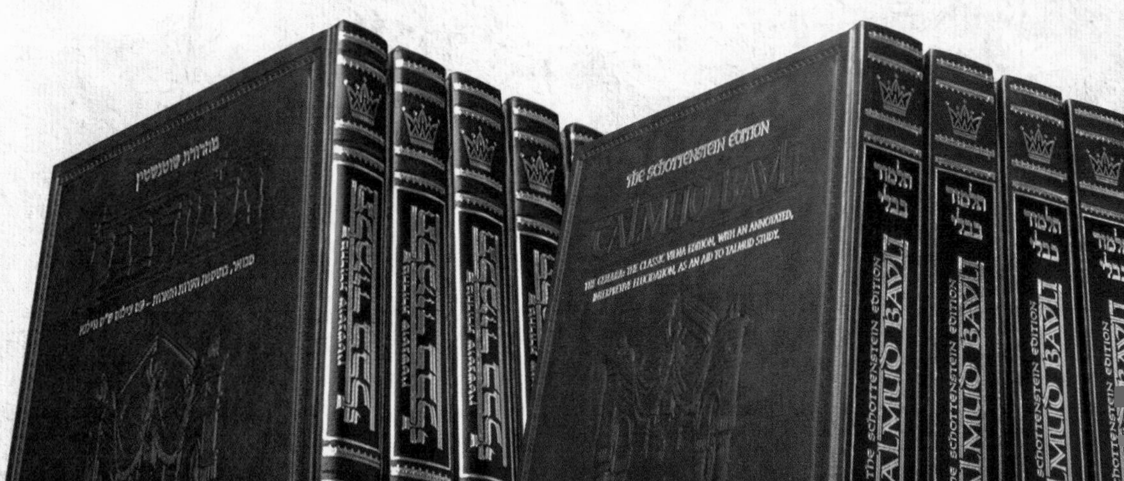

❖ The still-ongoing ***Schottenstein Edition of the Jerusalem (Yerushalmi) Talmud,*** compiled about 1,650 years ago, has long been the most neglected of our greatest classics. Never elucidated in the vernacular, very complex and difficult, it has been closed to all but exceptional scholars. These new editions of the **Jerusalem Talmud, in both English and Hebrew**, are opening eyes and minds to this basic treasure. *These ongoing unprecedented editions of the Jerusalem Talmud are truly historic; dedication opportunities are still available.*

This monumental undertaking has been made possible thanks to the generosity of **Jay and Jeanie Schottenstein and family** of Columbus, Ohio, and more than 250 visionary patrons who have dedicated Sedarim and volumes, and those who have become Talmud Associates.

❖ The ongoing ***Edmond J. Safra Edition of the Talmud in French*** is bringing our Torah heritage to thousands of French-speaking Jews worldwide — in France, Europe, Canada, Israel, and elsewhere. *Dedication opportunities are available.*

Tefillah/Liturgy

❖ ***The Classic ArtScroll Siddur and Machzor Series*** — with nearly 2 million copies in print, have become standard in home and synagogue, thanks to their clear translations, inspirational and informative commentaries, user-friendly instructions, and magnificent typography. These Siddurim and Machzorim are indispensable to experienced users and beginners alike. That is why we have also published a Russian Edition of the Siddur and the *Fischmann Edition Spanish Siddur.*

❖ ***The Wasserman Edition of the ArtScroll Siddur*** — This newly expanded edition is dedicated by **Stanley and Ellen Wasserman.** It has all the admired features of the original ArtScroll Siddur, but it has more. The type is larger, it has a new Overview, and many new features, including the laws and customs relating to the Land of Israel, and prayers that are recited at the holy places in the Holy Land. This new Siddur is quickly gaining popularity throughout the English-speaking world.

❖ ***The Schottenstein Interlinear Series*** — This innovative patented series is dedicated by Jay and Jeanie Schottenstein and family. It presents Siddur, Machzor, and Haggadah with the translation directly under the Hebrew — in addition to the classic ArtScroll commentary. The reader sees the Hebrew and English simultaneously, and an ingenious *patented format* helps readers avoid the distraction of reading the Hebrew and English in two different directions. *The Interlinear Series* includes translations and commentaries on Chumash, Siddur and Machzor, *Tehillim, Pirkei Avos, the Tishah B'Av service,* and *Hoshanos.*

❖ ***The Seif Edition Transliterated Series*** — dedicated by **Heshe and Harriet Seif**, rolls out a welcome mat to people with difficulty reading Hebrew. The Seif Editions present the both the translation and the pronunciation of the Hebrew words in English letters — so that non-Hebrew readers can feel at home in the synagogue. The Seif series includes Siddurim, Machzorim, *Tehillim/*Psalms, and the Haggadah.

Tehillim/Psalms

For almost 3,000 years King David's Book of Psalms has been the companion of the Jew. It speaks to everyone's needs, in times of joy, spiritual striving, and supplication for success, health, and salvation. The Foundation has a selection of *Tehillims* for every taste.

❖ ***Schottenstein Interlinear Edition of Tehillim*** (see above) — This innovative treatment, explained above, makes the recitation of *Tehillim* a more moving service of the heart.

❖ *Seif Transliterated Edition of Tehillim* (see above)

❖ *The Large Type Tehillim Yitzchak Isaac* — presents King David's timeless words in a format that is easy on the eyes. The larger Hebrew type makes it easier to recite, but the reader still has the benefit of the acclaimed ArtScroll translation, instructions, and an abridged commentary, so that reading and meaning go together. This volume is dedicated by **Zvi and Goldie Bloom**.

❖ *The Scharf / Diamond Edition Chinuch Tehillim, for Young People* — Dedicated by the **Scharf and Diamond Families**, this new volume is designed especially to introduce youngsters to the recitation of *Tehillim* so that it will become a lifelong practice. The type is large and each psalm is introduced in clear and simple English, the lines are numbered, and the binding is reinforced. Perfect for young people.

Torah, Nevi'im, Kesuvim / The Holy Scriptures

❖ *The Stone Edition of the Chumash,* with 1.5 million copies in print, is the Chumash of choice throughout the English-speaking world. Its flowing, inspiring translation and commentary speak to today's Jews. It is sparking renewed interest in the Torah across the spectrum.

❖ *The Edmond J. Safra Edition of the Chumash in French* — This translation and commentary in French is bringing the beauty of the famed ArtScroll commentary to French-speaking Jews.

❖ *The Rabbi Sion Levi Edition of the Chumash in Spanish.* Thanks to a visionary group of Panamanian Jews, led by **David Harari**, the classic ArtScroll Chumash is now available in Spanish. This edition is dedicated to the memory of the late Rabbi Sion Levi, who led the Panamanian community for half a century.

❖ *The Hebrew Edition of the Stone Edition of the Chumash* — Over the years, many people have urged us to make the ArtScroll Chumash available in a modern Hebrew version, because nothing quite like it exists in Hebrew. In response to popular demand in Israel, a Hebrew edition of the ArtScroll Chumash will soon be published.

❖ *The Schottenstein Interlinear Edition of the Chumash* — In a five-volume edition and a one-volume complete edition, the classic ArtScroll Chumash is now available in the revolutionary interlinear format. Now, in addition to the renowned commentary, the reader will have both the Hebrew and the translation of each word in the glimpse of an eye.

❖ *New Hebrew Czuker Edition Mikraos Gedolos Chumash* — With new features and an unprecedented array of classic commentaries on the page. In addition to the commentaries found in standard Mikraos Gedolos Chumashim, the Czuker Edition has *Rabbeinu Bachaya* and *Chizkuni*, plus an original compilation of source citations from Talmud Bavli and Yerushalmi that refer to the verses of the Chumash, and an original collection of translations culled from the *Metzudos* commentary to the Prophets and Writings that define words used in the Chumash. Every commentary is *menukad*. The paper is specially milled and acid-free, the binding is extra-sturdy, and each volume has a large section of full-color maps, diagrams, and illustrations. No wonder this Chumash has become enormously popular in only a few months. Dedicated by **Edward Mendel and Elissa Czuker**, this will be the Mikraos Gedolos Chumash of choice for decades to come.

- ***The Jaffa Edition Shul Chumash*** — All Hebrew, clear type, this Chumash, in its various sizes, makes it a pleasure not only to follow the Torah reading, but also for personal study. Overnight, it has become the standard in its time. It includes *Targum, Rashi, Ikkar Sifsei Chachamim*, and *Baal HaTurim*. Dedicated by **Elan and Nomi Jaffa**.

- ***Chumash Chinuch Tiferes Michael*** — This set is designed for children — for school and home — but adults will love it too. In five volumes, large clear type, with *Rashi* in both vowelized and standard editions, and a wealth of full-color maps, charts, and diagrams. As an important addition to learning, each volume has a section showing the *shorashim* (roots) of the words.

- ***The Stone Edition of Tanach*** — with the full Hebrew text and flowing English translation in one volume. It features an annotated, concise commentary on all twenty-four Books of the Bible.

- ***English-only Stone Edition of Tanach*** — For the multitudes of Jews who are the targets of intensive missionary activity, this English-only translation of the Hebrew Scriptures features a concise commentary that explains the passages that are misinterpreted by those who try to ensnare our unlearned brethren.

- ***The Rubin Edition of the Early Prophets*** — comprises the Books of ***Joshua-Judges, Samuel,*** and ***Kings***. What the Stone Edition does for the Chumash, this series does for the Prophets. The illuminating commentary sheds light on the framework of our history, and these volumes include the major Hebrew commentaries.

- ***The Milstein Edition of the Later Prophets*** — is opening up the beauty and profundity of the Later Prophets. The Books of ***Isaiah, Jeremiah,*** and ***Twelve Prophets*** have been published. The Book of ***Ezekiel*** will follow soon. This series is dedicated by **Asher David Milstein.**

Classic Commentaries in English

- ***The Sapirstein Edition of Rashi*** — shines new light on the premier commentary on the Torah. Acclaimed by scholars and students, this Chumash has a clear and accurate phrase-by-phrase translation and elucidation of *Rashi*, the "father of commentators." Dedicated by the late **Irving Stone.**

- ***Ramban's Commentary on Chumash*** — This seven-volume set elucidates Ramban's seminal, extraordinary commentary on the Chumash. It is justly acclaimed as a classic. It is unexcelled in its depth, breadth, scope, and profundity — and it is exceedingly complex. In this edition, Ramban's commentary is explained with unparalleled clarity.

- ❖ *The Graff-Rand Popular-Size Edition of Ramban* — dedicated by **Jacob M.M. and Pnina Graff**, makes this masterpiece available in a smaller, more convenient size.
- ❖ *The Davis Edition Baal HaTurim on Chumash*, dedicated by **Yosef and Edie Davis**, translates and annotates an early classic on the Chumash. The original Hebrew is very brief and filled with allusions that were hard to understand — until this extraordinary edition illuminated and explained it.
- ❖ *The Kleinman Edition of Midrash Rabbah* — This collection of teachings by the Talmudic Sages is the sourcebook of commentary, stories, ethics, and interpretation of the Chumash and Megillos. The Midrash peers below the surface of the narrative and the commandments, and offers an infinite wealth of spiritual insight. Our stellar team of international scholars provides not only a translation and elucidation, but also special "Insights" drawn from early and contemporary Chassidic and Mussar commentators. This newly-typeset edition includes several classic Hebrew commentaries. Dedicated by **Elly and Brochie Kleinman**, this series follows the pattern of the Schottenstein Talmud. Dedication opportunities are available.

The Mishnah

- ❖ *The ArtScroll Mishnah Series* with the *Yad Avraham* commentary — Dedicated by **Mr. and Mrs. Louis Glick**, this series translates and explains the Mishnah with unparalleled clarity and a wealth of commentary drawn from centuries of Rabbinic scholarship. A pocket-sized slip-cased edition is available as well.
- ❖ *The Ryzman Hebrew Edition of the Mishnah* — A multilevel Hebrew elucidation of Mishnah for the layman and *talmid chacham* alike. This new edition, dedicated by **Zvi and Betty Ryzman**, combines ease, clarity, and thoroughness. Everyone can learn at his level of choice — quickly or in depth. After each *perek*, there is review of the halachos of the Mishnah as they appear in the *Shulchan Aruch*. Dedications of individual volumes are available.
- ❖ *Schottenstein Edition Mishnah Elucidated* — Dedicated by **Jay and Jeanie Schottenstein** and family, this enhanced English translation of the Mishnah with a flowing commentary provides a clear, accurate understanding of the Mishnah. This edition illuminates and clarifies the basic, concise, and often complex commentary of the *Rav, R' Ovadiah of Bertinoro*, and provides introductions and background so that the reader has a clear comprehension of

the Mishnah. It is ideal for people who want broad knowledge, who study for a *yahrzeit*, or to help their children. Already widely acclaimed, this new series opens a new vista of Mishnah study, with the clarity and beauty of the Schottenstein Edition of the Talmud. Dedications opportunities of individual volumes are available.

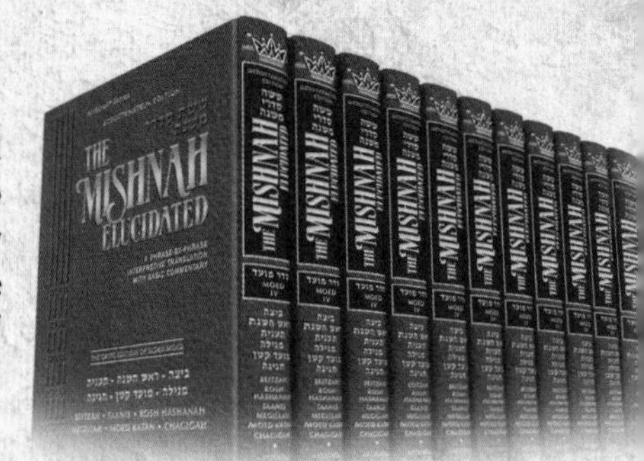

Classic Works of Jewish Law and Ethics

- ***The Schottenstein Edition Sefer HaChinuch / The Book of 613 Mitzvos.*** Dedicated by **Jay and Jeanie Schottenstein** and family. This medieval classic is now becoming available with the trademark ArtScroll treatment. With the **Jan Czuker Family Elucidation of the Torah's Commandments**, dedicated by **Edward Mendel and Elissa Czuker**, it lists all 613 commandments with reasons and a digest of laws. Outstanding scholars are now presenting this classic with unprecedented clarity. Seven of the ten volumes have been published. Dedication opportunities for the final volumes are available.
- ***The Kleinman Edition of Kitzur Shulchan Aruch,*** dedicated by **Elly and Brochie Kleinman**, explains the "*Kitzur*," the very popular *Code of Jewish Law*. This edition also cites the *Mishnah Berurah* and Rabbi Moshe Feinstein's *Igros Moshe* where they differ with, or expand upon, the *Kitzur Shulchan Aruch*. This trailblazing edition is bringing a classic halachic work to new generations of readers and scholars.
- ***The Kleinman Edition of Limud Yomi — A Daily Dose of Torah*** — In only 18 minutes a day, the reader gets an insight on the weekly Torah reading, a Mishnah, a selection from the Talmud, a Mussar thought, a halachah, and a comment on the Siddur. *Limud Yomi* provides an inspirational boost to anyone's day. Dedicated by **Elly and Brochie Kleinman**, each volume offers four weeks of daily enrichment. The project, now complete, comprises fourteen volumes a year for three years of daily study, a total of 42 Torah-filled volumes.
- ***The Kleinman Mishkan Interactive DVD and Deluxe Mishkan/Tabernacle Book*** — Thanks to modern technology, this fascinating new Interactive DVD enables us to "build" a virtual *Mishkan*, by moving and assembling astonishingly vivid computer images of the *Mishkan*'s components. The DVD visually depicts and explains the Torah verses, and shows how the items and vessels were made and incorporated into the *Mishkan*, item by item, vessel by vessel; it includes an audio explanation by a master teacher. We move the components around, assemble them, and thoroughly understand the Chumash and *Rashi*.

Also available are **full-color, deluxe, coffee-table volumes as well as compact-size volumes in Hebrew and in English.**

❖ ***The Jaffa Edition Mesillas Yesharim*** — Rabbi Moshe Chaim Luzzatto's classic is one of the greatest of all Mussar works. It is the road map of personal ethics and spiritual growth. Dedicated by **Jack and Chani Jaffa**, it is now available in the unique ArtScroll manner, with unprecedented grace and clarity. So great is *Mesillas Yesharim* that the Vilna Gaon said that he would have gone across Europe on foot to learn from its author, Ramchal. Also available in a Digital Edition.

❖ **The Foundation sponsors a host of other projects**, including works of **practical Halachah and Torah commentary**. An important education service is a High School Literature Series that teaches literature and analytical reading and writing skills on a high standard, while incorporating the values and morals that are increasingly absent from many modern textbooks.

The ArtScroll Digital Library / Wasserman Digital Initiative

The explosive innovations of modern technology are being harnessed for the cause of Torah study. The first offering in this pioneering project was the ***Schottenstein Digital Edition of Talmud Bavli,*** which is available on Apple and Android phones and tablets. Now the touch of a finger brings you the entire Talmud — translation, cross-referencing of English and Hebrew, text of sources from other tractates and the classic commentaries, and much more — all before your eyes on your screen. **Take the whole Talmud with you wherever you go with this astounding new App**.

The Wasserman Digital Initiative, dedicated by **Stanley and Ellen Wasserman**, presents a host of ArtScroll classics, with more coming online constantly. Currently available, in app and ebook digital formats, are: the **Talmud**, the **Wasserman Edition Siddur, Kleinman Edition Kitzur Shulchan Aruch, Kleinman Edition Daily Dose of Torah, and Jaffa Edition Mesillas Yesharim** — with many more to come.

❖ ***The Wasserman Digital Edition "Smart" Siddur*** is truly revolutionary. It is programmed to present whatever text is needed for the day: *Yaaleh v'Yavo, Hallel, and Mussaf* when needed, the correct offering for each day of Chol HaMoed, *Al HaNissim*, and so on. It provides the proper halachic schedule for wherever you are praying; it's a "tefillah GPS." All these features and more are absolutely unique. It has the universally popular ArtScroll page design and what is probably the most beautiful Hebrew font available in any Siddur. In short, it's a pleasure to use, in every way.

Classic after classic will be presented in this revolutionary advance in the presentation of Torah. No expense is being spared in our pursuit of excellence.

You can see it for yourself. Go to the Apple App store or the Google Play store and search for "ArtScroll." You'll be astounded.

You can dedicate individual works or an entire series of Apps. This is an exceptional opportunity for visionary people to associate their names with this advance to the future frontier of Torah dissemination.

The Mesorah Heritage Foundation has proven itself — shouldn't you be part of it?

Why the need for a Foundation to do this?

The amount of research and intensive review necessary to produce such a voluminous literature cannot be supported by the commercial market. Look at the most important secular cultural undertakings: great universities, libraries, orchestras, even medical research — all must have substantial public and private support. The production of a great Torah literature is no different. **Without generous public participation, it cannot be created; thanks to the generosity of visionary people, it *is* being created.**

What can you do to help this work go on?

Everyone can be a part of this monumental undertaking. People of vision and means can do more. Everyone can contribute something. There are many alternatives:

- ❖ **Dedicate a volume** in honor or memory of a loved one. All dedications are in perpetuity. Dedications within sets are mentioned in every single volume, so your dedication will be mentioned in millions of volumes over the years.
- ❖ If you can't undertake a dedication on your own, you may wish to join family and friends in doing so.
- ❖ **Be acknowledged in an individual volume**, for a relatively modest contribution.
- ❖ **Be a contributor** so that Jews from Jerusalem to Johannesburg, from Moscow to Melbourne, from London to Los Angeles, will benefit from your generosity for generations.

Look at it this way:

Whatever your means, you can be a partner in projects that have been acclaimed by great scholars and leaders throughout the world as "the greatest English-language Torah dissemination undertaking in history." Your help will bring Torah literacy to countless Jews.

Your contribution is tax-deductible

The Mesorah Heritage Foundation is an IRS-recognized, not-for-profit 501(c)(3) trust. Every contribution is tax-deductible to the full extent permitted by law. And every dollar goes to support the work of bringing Torah to all of the People of the Book.

We extend our heartfelt blessings for good health, success, and nachas. And may all our brethren everywhere enjoy peace and security.

To send your generous tax deductible contribution, please write or call:
Mesorah Heritage Foundation
4401 SECOND AVENUE ⁘ BROOKLYN, N.Y. 11232
Phone: 718 / 921-9000 option 5 ⁘ Fax: 718 / 680-1875
email: heritage@mesorahheritage.org
web: www.MesorahHeritage.org
FOR YOUR CONVENIENCE:
You can now charge your tax-deductible donation to your credit card online at:
www.MesorahHeritage.org
VISA
MasterCard
DISCOVER
Mesorah Heritage Foundation is a 501(c)(3) not-for-profit organization.

The cutting-edge App for all your digital devices, that is revolutionizing Torah Study and Prayer...

TRY IT FREE! *Download this app for free from the Apple or Google Play App Stores, and get FREE samples of our best-selling Digital Editions. For more information, and a video of the cutting-edge features and convenience of the new ArtScroll Talmud App, visit* **www.artscroll.com/app**

This program will let you study Torah and pray as never before. Featuring the familiar look and feel of the print editions, but with many enhancements to enrich your understanding and retention. Traveling, office, home — wherever you are, the entire Schottenstein Edition Talmud, Kleinman Edition Kitzur Shulchan Aruch, Kleinman Edition Daily Dose of Torah, Jaffa Edition Mesillas Yesharim, Wasserman Edition Siddur and many more of ArtScroll's best-selling titles will be with you.

ArtScroll Digital Library
wasserman digital initiative

WASSERMAN DIGITAL INITIATIVE
dedicated by Stanley and Ellen Wasserman

brings you

the schottenstein digital edition
TALMUD BAVLI

SCHOTTENSTEIN DIGITAL EDITION TALMUD BAVLI
dedicated by Jay and Jeanie Schottenstein
Joseph and Lindsay, Jonathan, Jeffrey

the kleinman digital edition
KITZUR SHULCHAN ARUCH קיצור שלחן ערוך

KLEINMAN DIGITAL EDITION
KITZUR SHULCHAN ARUCH and **DAILY DOSE OF TORAH**
dedicated by Elly and Brochie Kleinman

the wasserman digital edition
The Expanded ArtScroll Siddur סדור בית יוסף
Wasserman Edition

WASSERMAN DIGITAL EDITION SIDDUR
dedicated by Stanley and Ellen Wasserman

Talmud Bavli Vilna folios are adapted from the Moznaim Nehardaa Edition.

Note: This app does not require connection to the internet for daily use.
Following the ruling of leading rabbinic authorities, web devices should be used only with filters.

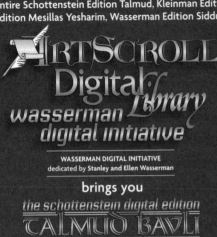

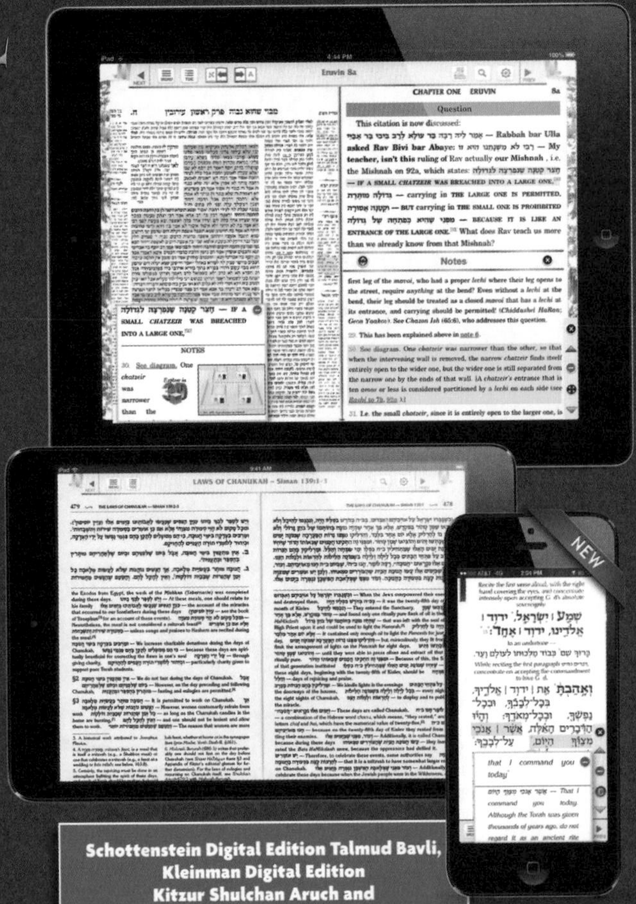

Schottenstein Digital Edition Talmud Bavli, Kleinman Digital Edition Kitzur Shulchan Aruch and Daily Dose of Torah (series 2 and 3) **available for Apple™ and Android™ devices**

Wassermann Digital Edition Siddur available for Apple™ devices, Weekday Nusach Ashkenaz only. Nusach Sefard and Android™ version in preparation

Dedication opportunities are available: 718/921-9000 option 5 • heritage@mesorahheritage.org

THE MILSTEIN SPECIAL HERITAGE EDITION
OF THE BOOK OF JOSHUA ❖ ספר יהושע

THE RUBIN EDITION

EARLY PROPHETS

נביאים ראשונים

ArtScroll® Series

Rabbi Nosson Scherman/Rabbi Meir Zlotowitz
General Editors

A PROJECT OF THE

Mesorah Heritage Foundation

נביאים ראשונים

עם פירוש רש״י, רד״ק, מצודת דוד ומצודת ציון

prophets

The ArtScroll® Series
Published by
ArtScroll®
Mesorah Publications, ltd

The Milstein Special Heritage Edition of the Book of Joshua ❖ ספר יהושע

THE RUBIN EDITION OF THE EARLY PROPHETS

WITH A COMMENTARY

ANTHOLOGIZED FROM THE RABBINIC WRITINGS

by

Rabbi Nosson Scherman

Contributing Editors:

Rabbi Meir Zlotowitz

Rabbi Feivel Wahl

Designed by

Rabbi Sheah Brander

FIRST FULL-SIZE EDITION OF JOSHUA/JUDGES
First Impression . . . August 2000

FIRST SPECIAL EDITION OF JOSHUA
First Impression . . . April 2015

Published and Distributed by
MESORAH PUBLICATIONS, Ltd.
4401 Second Avenue
Brooklyn, New York 11232

Distributed in Europe by
LEHMANNS
Unit E, Viking Business Park
Rolling Mill Road
Jarrow, Tyne & Wear NE32 3DP
England

Distributed in Australia & New Zealand by
GOLDS WORLD OF JUDAICA
3-13 William Street
Balaclava, Melbourne 3183
Victoria Australia

Distributed in Israel by
SIFRIATI / A. GITLER — BOOKS
Moshav Magshimim
Israel

Distributed in South Africa by
KOLLEL BOOKSHOP
Northfield Centre, 17 Northfield Avenue
Glenhazel 2192, Johannesburg, South Africa

THE ARTSCROLL® SERIES
MILSTEIN SPECIAL HERITAGE EDITION OF THE BOOK OF JOSHUA
IN THE RUBIN EDITION OF THE EARLY PROPHETS
MID-SIZE EDITION

ISBN 10: 1-4226-1574-X
ISBN 13: 978-1-4226-1574-4

Typography by Compuscribe at ArtScroll Studios, Ltd.
Custom bound by **Sefercraft, Inc.,** Brooklyn, N.Y.

את מהדורת הנ״ך אנחנו מקדישים לכבוד

״חתונת הזהב״

של הורינו היקרים שיזכו לאורך ימים טובים:

ר׳ חיים זוסמן נועם ב״ר נחום הלוי רובין
ובתיה בת ר׳ צבי־הרשל יששכר ממשפחת רוזמרין

אבא שיחי׳ הקדיש את חייו לעסוק בצרכי ציבור באמונה. לפני פרוץ המלחמה היה חבר בהנהגת בני־עקיבא בליטא, ואף אירגן קיבוץ הכשרה בסלבודקה ועמד בראשו. בשנות שהותו בארץ למד בישיבות פתח־תקוה וחברון, ואחר כך עסק בקליטתם וחינוכם של עליית הנוער ובשיקום רוחני של בני נוער משכונות העוני בירושלים.

פרשה מפוארת בחייו היא התנדבותו מיד לאחר המלחמה במסגרת פלוגות הסעד של מוסדות הישוב, לסייע בשיקומם הפיסי והרוחני של שארית הפליטה בגרמניה. כחניך ישיבות ליטאיות, מידת החסד היתה נר לרגליו: ״עולם חסד יבנה״. הוא החדיר בין שרידי החרב את האמונה והבטחון בדברי נעים זמירות ישראל (תהלים נ): ״ושם דרך אראנו בישע אלקים״, ודרשו חז״ל על זה (מועד קטן ה, א): כל השם אורחותיו זוכה ורואה בישועת הקב״ה.

בעת התנדבותו בגרמניה, הכיר את אשתו **בתיה רוזמרין** ממוצא חסידי גור־רדומסק, אשה מחוננת במידות תרומיות, אהבת חסד וטוב לב. ובעזרת השם הצליחו להקים בית נאמן בישראל, אחיי ואחותי: חנה פרנקטהל, נחום, ויהושע.

בדרכי הנדודים שלהם בתפקידים ציבוריים בצפון אפריקה, מכסיקו ולוס אנג׳לס היה להם בית פתוח לרווחה לכל נצרך ולכל עובר אורח.

אנחנו מאחלים להם הרבה שנים של בריאות, אושר ויצירה, והרבה נחת מילדיהם ונכדיהם: ״עוד ינובון בשיבה דשנים ורעננים יהיו״.

כן אנחנו מביעים הכרת טובה להורינו מבית גאלדשטיין בלוס אנג׳לס:

ר׳ אברהם אהרן לייב אלתר בן ר׳ חיים צבי גאלדשטיין שיחי׳,

עסקן ציבורי, אוהב צדקה וחסד ומתן בסתר לקשיי יום.

חיה ריסה בת הרב ברוך ביים תחי׳,

אשה נפלאה ומליאת חן, ״אשה יראת ד׳ היא תתהלל״.

ולכבוד הסבתא

בריינדל בת ר׳ דוד אלבין תחי׳

יהי רצון שיזכו לאורך חיים טובים.

דוד רובין הלוי ורעייתו גיטל רבקה ממשפחת גאלדשטיין

ובניהם: אלישבע רחל, דב יששכר, צבי אשר, פרומה אסתר, מנוחה שרה, וברוך אריה.

הספר מוקדש ג״כ לעילוי נשמות זקנינו ובני דודינו ז״ל:

זקנינו, מצד אבי: ר׳ נחום בר׳ יהושע אייזיק הלוי הי״ד פרומה בת ר׳ יונה דוד גורדון הי״ד.

דודים ודודות מצד אבי: ר׳ דוד בר׳ נחום הלוי ניצול שואה ז״ל, ר׳ ניסן בר׳ נחום הלוי הי״ד
ר׳ דב בר׳ נחום הלוי הי״ד ר׳ חנוך בר׳ נחום הלוי הי״ד ר׳ יהושע אייזיק בר׳ נחום הלוי הי״ד.
ריינה בת ר׳ נחום הלוי ע״ה ראשה בת ר׳ נחום הלוי הי״ד.

זקנינו, מצד אמי: ר׳ צבי־הרשל יששכר בן ר׳ מרדכי רוזמרין ניצול שואה ז״ל אסתר בת ר׳ חיים פישל ניצולת שואה ז״ל.

דודים ודודות מצד אמי: ר׳ אריה בר׳ צבי־הרשל יששכר הי״ד ר׳ קלמן יחיאל בר׳ צבי־הרשל יששכר הי״ד
מרים בת ר׳ צבי־הרשל יששכר הי״ד דבורה בת ר׳ צבי־הרשל יששכר הי״ד.

זקנינו מצד משפחת גאלדשטיין: ר׳ חיים צבי בר׳ אברהם דב גאלדשטיין ניצול שואה ז״ל
מנוחה בת ר׳ אריה לייב דרוקר ניצולת שואה ז״ל הרב ברוך בן ר׳ אהרן אשר ביים ז״ל

תנצב״ה

This volume of Tanach is dedicated in honor of the
Golden Wedding Anniversary of our beloved parents,
may they enjoy many more happy, healthy and fruitful years together,

Chaim Zussman Noam Halevi and Basya (Rozmarin) Rubin

Our father has always dedicated his life to faithful community service. Before WW II, he was a leader in Bnei Akiva, Lithuania, where he organized and led a kibbutz hachsharah in Slabodka. In Israel, he studied in the famed yeshivos of Petach Tikvah and Chevron, and was active in the absorption and education of the Aliat Hanoar. He was directly responsible for the spiritual rehabilitation of people in the most deprived neighborhoods of Jerusalem.

A glorious chapter of Noam's life was his selfless devotion to the Holocaust survivors. After the war, he volunteered in the religious units of the Jewish Agency to provide for the physical and spiritual rebirth of the survivors. As a product of the great Lithuanian yeshivos, Noam had absorbed the ethical teachings of kindness and the doctrine that God built the world on a foundation of generosity. He imbued the survivors of the Holocaust with faith in the words of the great Psalmist of Israel, that "One who orders [his] way, I will show him the salvation of G-d" *(Psalms 50:23).*

While serving as Displaced Persons Field Coordinator, he met Basya Rozmarin, a descendant of the chassidim of Gur-Radomsk, a young woman graced with a sterling character, lovingkindness, and deep regard for family. Together they established a religious home in Israel. The Rubins have four children, Chana Rubin Frankenthal, Nachum, Joshua and David. Noam Rubin's position at the Jewish Agency took the family to several countries including North Africa, Mexico and the United States. Wherever they lived, they established an open door policy to anyone in need.

Our Parents,
Avraham Aharon Leib and Chaya Risa (Baim) Goldstein
and Grandmother, **Breindel Albin**
join in wishing the Rubins Mazal Tov.

David and Gitel Rivkah Rubin
Elisheva Rachel, Dov Yissacher, Tzvi Asher,
Fruma Esther, Menuchah Sarah and Baruch Arieh

◆§ *Publisher's Preface to the Milstein Special Heritage Edition*

We are proud to present this **MILSTEIN SPECIAL HERITAGE EDITION OF THE BOOK OF JOSHUA** to the friends and supporters of the ArtScroll Mesorah Heritage Foundation. It was originally published together in a larger format in one volume with the Book of Judges as the inaugural volume in the Rubin Edition of the Early Prophets. It is good example of the work that our supporters are making possible. Thanks to them, the treasures of our Torah literature are being made accessible to Jews the world over in their own languages.

This special edition is dedicated by **ASHER DAVID MILSTEIN**, a dear personal friend and a patron of many important Foundation volumes. Publication of this volume coincides with the thirteenth yahrzeit of his grandfather, Harav HaGaon R' Elazar Kahanow z"l, a great talmid chacham who was rosh yeshivah of Torah Vodaath and a revered rav. Asher devotes himself to spreading Torah and to fostering the cause of kiruv and supporting those who dedicate themselves to bring our brethren close to the Torah. As such, Asher is a credit to his grandfather, whose memory he keeps alive in the most meaningful way. We are proud that he distributes ArtScroll works to kiruv organizations throughout the world as part of his mission.

Graciously he expresses his appreciation to **RABBI JEFF SEIDEL**, who directs Jewish outreach for college students and others from scores of countries; to **RABBI EFRAIM WEINGOT**, a noted sofer in Israel, who writes beautiful *sifrei kodesh* for people from many countries; and to **RABBI EZRIEL MUNK** of Torah Links in Lakewood, who is dedicated to building Torah communities throughout America. It is typical of Asher that he deflects credit from himself and directs it to others.

In addition to Asher's dedication of the **MILSTEIN EDITION OF THE LATER PROPHETS**, Asher has dedicated **SEDER NASHIM** in the **SCHOTTENSTEIN EDITION OF TALMUD YERUSHALMI**, and the **FIVE MEGILLOS** in the **KLEINMAN EDITION OF MIDRASH RABBAH**.

We are grateful to everyone who has helped make the **MESORAH HERITAGE**

FOUNDATION and **ARTSCROLL/MESORAH** major forces for good in Jewish life. As the introductory section of this work details, the Foundation supports a large "academy" of distinguished scholars — a yeshivah without walls — that enables them to make their scholarship available to our entire nation.

The Foundation has reached this level of service thanks to the vision and generosity of many people. The work goes on and your support is still needed. Many dedication and other opportunities are available.

Please read the color introductory section of this Book to see how you can be a part of this historic achievement.

Rabbi Meir Zlotowitz / Rabbi Nosson Scherman

Nissan 5775
April 2015

◆§ *Preface to the Inaugural Volume in the Rubin Edition of the Early Prophets*

This is the first volume of a new ArtScroll / Mesorah project, one that we hope will bring new levels of knowledge and understanding to the study of *Nach* — the Prophets and the sacred Writings. In a sense, this work is an outgrowth of the positive reaction to, and the results produced by, the now classic Stone Edition of the Chumash. With hundreds of thousands of copies in print and its acknowledged status as the standard Chumash of the English-speaking world, the Stone Edition sparked many requests for the same kind of commentary on the Prophets and Writings. This Rubin Edition is the response.

What is this work and how is it different from other ArtScroll / Mesorah commentaries? First, let us say what it is not. It is not an extended, detailed, phrase-by-phrase commentary, like the existing ArtScroll commentaries on such Books as Genesis, Joshua, and Ezekiel. Nor is it simply a translation with a very brief commentary, like the one-volume Stone Edition of Tanach.

Rather, the commentary in this volume introduces and explains, inspires and clarifies, guides the reader through the chapters and verses so that they are easily comprehensible and so that even such complex issues as the civil war in Gibeah and Samson's personal and military activities are understood as elucidated by the Sages and classic commentators. Everywhere, the language and concepts are developed with the modern reader in mind. The results, we think, will justify the effort and open new windows of understanding and appreciation for countless readers and students.

To make this work even more useful for greater numbers of people, we have added the newly typeset classic commentaries of *Rashi, Radak,* and *Metzudos,* taken from the standard *Mikraos Gedolos* texts. In addition, this work has many maps and tables, all designed to make the text and its messages more easily comprehensible. In aggregate, this volume comprises an unprecedented array of features. It is our sincere hope that, with Hashem's help, it will introduce countless numbers of people to the beauty and profundity of the Word of Hashem, as expressed through His prophets.

The Books of the *Neviim Rishonim* — The Early Prophets — are dedicated by **MR. AND MRS. DAVID RUBIN** of Los Angeles. The Rubins are one of their community's most respected and beloved younger couples, and deservedly so. They are backbones of the kehillah and have helped raise the standards of Torah education throughout Los Angeles. We are proud to count them as personal friends and generous supporters of the Foundation. This work is dedicated in honor of the golden wedding anniversary of Mr. Rubin's parents. **RABBI AND MRS. NOAM RUBIN** are products of the vibrant Jewish life of pre-War Lithuania and Poland, respectively. After the Holocaust, they helped succor and settle the survivors, and spent most of their lives in the service of our people, in addition to raising a wonderful family. This volume, as a contribution to the Torah knowledge of the Jewish people, is a fitting tribute to a magnificent couple. It is a privilege to share in the gesture of David and Gitel Rubin to their parents.

We are grateful to **RABBI MEYER MAY**, a dear friend and yeoman worker for the benefit of Klal Yisrael. He was instrumental in helping make this project possible. **ZEV WOLMARK** is a good friend of long standing, whose involvement in a host of Torah causes has earned him the respect and gratitude of many, including ourselves.

The atttractive and conveniently designed page which includes *Rashi, Radak* and *Metzudos,* cannot but elicit amazed admiration, especially from connoisseurs of the graphics arts. For that we are deeply grateful to our dear friend and colleague **REB SHEAH BRANDER**, who is not only a genius of his craft, but a talmid chacham of note.

We are grateful also to the entire staff of ArtScroll Mesorah and to **REB AVROHOM BIDERMAN**, who coordinates much of the work.

The author thanks **RABBI FEIVEL WAHL** and **RABBI REUVEN JACOBSON**, who read the manuscript and offered many valuable suggestions and new information. The extensive ArtScroll commentary to the Book of Joshua, by **RABBI REUVEN DRUCKER**, was a valuable source of commentary, maps, and diagrams.

The Hebrew text and commentaries were proofread by **RABBI MOSHE ROSENBLUM** and by **RABBIS EZRA BLOCH, SHMUEL MUNK, YEHUDAH MUNK, CHAIM SINAI OHRBACH,** and **YITZCHAK RUBELOW. MRS. FAIGIE WEINBAUM** did her usual meticulous proofreading of the English.

Finally, we express our profound thanks to Hashem Yisbarach for granting us the greatest of all privileges: to have a share in bringing His Torah to His people. May the time soon come when *the earth will be as filled with knowledge of* HASHEM *as water covering the sea bed* (Isaiah 11:9).

Rabbi Meir Zlotowitz / Rabbi Nosson Scherman

Menachem Av 5760
August 2000

An Overview/ Prophets and Prophecy*

תָּנוּ רַבָּנָן אַרְבָּעִים וּשְׁמֹנָה נְבִיאִים וְשֶׁבַע נְבִיאוֹת נִתְנַבְּאוּ לָהֶם לְיִשְׂרָאֵל וְלֹא פִּחֲתוּ וְלֹא הוֹתִירוּ עַל מַה שֶּׁכָּתוּב חוּץ מִמִּקְרָא מְגִילָּה ... תַּנְיָא הַרְבֵּה נְבִיאִים עָמְדוּ לָהֶם לְיִשְׂרָאֵל כִּפְלַיִם כְּיוֹצְאֵי מִצְרַיִם אֶלָּא נְבוּאָה שֶׁהוּצְרְכָה לְדוֹרוֹת נִכְתְּבָה שֶׁלֹּא נִצְרְכָה לֹא נִכְתְּבָה

The Rabbis taught: Forty-eight prophets and seven prophetesses prophesied to Israel, and they did not detract from or add to that which is written in the Torah, except for [instituting the mitzvah of] reading the Megillah [on Purim] . . . It is taught: Many prophets arose for Israel — twice as many as those who left Egypt — however [only a] prophecy needed for future generations was recorded [in the twenty-four books of Scripture] and that which was not needed was not recorded (*Megillah* 14a).

The word *navi* [נָבִיא], which is commonly translated *prophet,* is one of the most basic to the study of Scripture — and one of the most misunderstood.

The prophecies of only fifty-five people were recorded because only theirs were "needed by future generations." What constitutes a "needed" prophecy?

What is a *navi* and what is his function? If the prophets added nothing to the Torah and changed nothing, why were they needed? The prophecies of only fifty-five people, forty-eight men and seven women, were recorded because only theirs were "needed by future generations." What constitutes a "needed" prophecy? And what did the other prophets do? If there were "twice as many as those who left Egypt," we have a grand total of at least 1,200,000. What sort of prophecies did they receive and what teachings did they deliver?

---

*This overview to the Prophets is based primarily on *Mevo HaShe'arim* by Rabbi Klonimos Kalmish Schapiro הי״ד and *Nevi'ei Emes* by Rabbi Avraham Yitzchok Klein ז״ל.

I. What Is a Prophet?

The Cover and the Book

Very often in human experience we tend to confuse what someone does with what someone is.

Very often in human experience, perhaps especially in the study of spiritual matters, we tend to confuse what someone *does* with what someone *is*. What is a great rosh yeshivah [seminary dean]? Some people might speak of his characteristic garb, that he lectures on the Talmud, heads a yeshivah, frequently performs public functions and so on. What is a chassidic rebbe? He, too, has a characteristic garb, is the primary factor in the life of his disciples, has a distinctive life style, presides at functions and so on. These descriptions are accurate, but they fall far short of the truth, because they are limited to appearance rather than essence. If the rosh yeshivah or rebbe is truly great, his outstanding scholarship, piety, and unremitting efforts at self-improvement will have made him a superior human being. He will have become the sort of person whom *Chazon Ish* describes as "an angel in the garb of mortal man." It is his *inner* worth that qualifies him for whatever communal and institutional responsibilities and honors he is given. To describe him merely as the uniquely garbed performer of a long list of tasks is as superficial — and inaccurate — as it is to say that happiness is a smile or that a train is a means of getting from here to there.

Similarly, there is an ancient fable about blind men coming across an elephant for the first time. One clutches his ear and says an elephant is a fan. Another gropes along his huge side and says he is a wall, and so they continue, each feeling a different part of the beast. His tusk — an elephant is a spear! His leg — he is a tree! His tail — he is a rope! His trunk — he is a snake! All the blind men have felt the elephant and all have discovered something about him, but even the combination of all their perceptions does not tell them what an elephant is. Because they cannot see, they lack the one sense that will make a coherent whole out of all the parts.

It is natural that our image of a prophet is based on the narratives we find in the Scriptures. There we find prophets who teach, lead, exhort, and chastise, so that we visualize a prophet as someone with a national, public role — and if he is a private, secluded person then he is not a prophet. It is as if prophecy is a "profession" of sorts, so to speak. Accordingly, just as an outstanding Torah scholar cannot be called a *rosh yeshivah* unless he heads or lectures in an academy, so too the popular conception is that only someone with a public role is a prophet. As we shall see below, however, such a mission is only one possible aspect of prophecy, but the vast majority of prophets had no such role. Instead, what makes someone a prophet is that God has revealed himself to that person, in one way or another, whether or not God commanded him to share the revelation with anyone else. Let us explore prophecy and prophets.

What makes someone a prophet is that God has revealed himself to that person, whether or not God commanded him to share the revelation

Different Roles

The word נָבִיא, prophet, is an example of a descriptive noun, one that describes what the person does.

THE WORD נָבִיא, *PROPHET,* IS AN EXAMPLE OF A DESCRIPTIVE NOUN, one that describes what a person *does,* rather than what he is. *Rashi* writes (*Exodus* 7:1) that the word נָבִיא is derived from נִיב שְׂפָתָיִם, *speech* (or *fruit*) *of the lips* (*Isaiah* 57:19), because a prophet "proclaims and causes the nation to hear words of rebuke." *Rashi* concludes by translating this function of a prophet with the Old French word for "preacher." In other words, the familiar word נָבִיא [*navi*] refers to the prophet's role as the transmitter of a Divine message. Accordingly, *Abarbanel* explains, the Sages' statement (*Sanhedrin* 93b) that Daniel was not a *navi* should be taken to mean only that he was not a "preacher" like an Isaiah or a Jeremiah, but Daniel *was* a prophet in the sense that God spoke to him directly. His *mission* was not that of a prophet, because none of his prophecies were to be transmitted to the people. Technically speaking, therefore, Daniel can be described as a חוֹזֶה, one who receives a חָזוֹן, *vision,* but not as a נָבִיא, *preacher,* to the nation.

There was a period in Israel's history when prophecy had become relatively rare. We are told that when the future prophet Samuel was young, וּדְבַר ה׳ הָיָה יָקָר בַּיָּמִים הָהֵם אֵין חָזוֹן נִפְרָץ, *the word of HASHEM was precious in those days, vision* [of God] *was not widespread* (*I Samuel* 3:1). During those days, even the few existing prophets were very seldom dispatched to reprove the nation. Then, a prophet's main function was to help people find solutions to questions that were beyond human intelligence. So it was that when the future king Saul was unable to find his father's lost donkeys, he was advised to seek the help of the prophet Samuel (ibid. 9:1-6). Clearly, Saul was not seeking a spiritual message, a proclamation of the word of God. He sought guidance in a very mundane matter indeed: "Where can we find my father's lost donkeys?" Scripture itself expresses this distinct nature of the prophetic role as it had evolved in Samuel's day:

> לְפָנִים בְּיִשְׂרָאֵל כֹּה אָמַר הָאִישׁ בְּלֶכְתּוֹ לִדְרוֹשׁ אֱלֹהִים לְכוּ וְנֵלְכָה עַד הָרֹאֶה כִּי לַנָּבִיא הַיּוֹם יִקָּרֵא לְפָנִים הָרֹאֶה
> *Formerly in Israel, this is what someone said when he went to inquire of God: "Come let us go to the seer," for the navi of today was formerly called "the seer"* (*I Samuel* 9:9).

Before Samuel's maturity, when it was rare that God sent a prophet to chastise the people, prophets were called "seers."

Before Samuel's maturity, when it was rare that God sent a prophet to chastise the people, prophets were called "seers," a word that described them as people who were privileged to see Godly visions and hear Divine messages. From Samuel's day onward, when prophecy became more common, and especially in later years when the spread of idolatry and sinfulness required that God send such great men as Elijah, Elisha, Hoshea, Isaiah, Jeremiah, and Ezekiel to chastise the nation and influence it to repent, people began to differentiate: One who delivered God's message to Israel was called a נָבִיא, *preacher;* while one who merely received communications from God might still be called a רֹאֶה, *seer,* or חֹזֶה, *visionary* (*Chasam Sofer, Even Ha'ezer* II, *responsa* 40).

A Changed Era

A turning point in Jewish history and in the function of the prophets.

INDEED, THE ABOVE VERSE, which ostensibly contains an insignificant bit of information, marks a turning point in Jewish history and in the function of the prophets. The prophet Samuel was the last of the judges. As the one who would anoint Saul and David as the first Jewish kings, he would soon usher in the era of monarchy, the era when leadership would pass from father to son. During the era of the Judges, the leadership was never dynastic; no judge was succeeded by his son. When the nation wanted Gideon to become the founder of a dynasty, he adamently refused, insisting that only HASHEM should rule the nation (*Judges* 8:22-23). HASHEM as Ruler? — certainly, but what were the judges, if not rulers? Were the judges less rulers than a king would be?

Were the judges less rulers than a king would be?

The answer is simple. The judges were chosen by God as individuals of outstanding merit. When they ruled, it was as if God ruled, because they were righteous people who served as His emissaries. They were qualified to be the spiritual, as well as the temporal, leaders of Israel, which indeed they were, as is attested by the Books of Joshua and Judges. When a new judge was needed, all the righteous people of the nation were candiates for the position, not only the children of the previous judge. In such a time, prophets were not needed as "preachers" — נְבִיאִים — the judges served that function, by and large. With a few exceptions (see Judges 2:1-3) a prophet was a רֹאֶה, *a seer,* as Samuel was when Saul was in pursuit of his father's lost donkeys. Leadership was provided by the judges.

But in Samuel's day, God ordained that the period of monarchy should begin. Unlike individually invested judges, however, kings could not be relied upon to be spiritual giants. The Jewish people had a David, a Solomon, a Hezekiah, but they also had a Jeraboam, a Menashe, an Ahab. For the new era, the mantle of spiritual leadership required a new type of person — a prophet chosen and dispatched by God to teach, preach, and guide. To mark this sea change, the above verse tells us that in earlier times, Jews had "seers," but from Samuel's day onward, they would need "prophets" to lead them (*Rabbi Yaakov Kamenetsky*).

Unlike individually invested judges, kings could not be relied upon to be spiritual giants.

The Prophet as Forecaster

FOR MOST PEOPLE IN MODERN TIMES, the word "prophet" conjures visions of someone who foretells future events. True, many prophets made predictions, and the most common way for a prophet to prove his authenticity was by making predictions that came true in every detail. An even greater proof of a prophet's authenticity would be his performance of miracles like those performed by Moses and Elijah, but such feats were not required; it was sufficient if he demonstrated a consistent ability to predict the future in accurate detail (*Hil. Yesodei HaTorah* 10:1-3).

That the prophet's ability to foretell events is only incidental to his primary function is apparent from Scripture's introduction of the institution of prophecy as a vital part of Israel's national fabric:

The prophet's ability to foretell events is only incidental to his primary function.

וַיֹּאמֶר ה׳ . . . נָבִיא אָקִים לָהֶם מִקֶּרֶב אֲחֵיהֶם כָּמוֹךָ וְנָתַתִּי דְבָרַי בְּפִיו וְדִבֶּר אֲלֵיהֶם אֵת כָּל אֲשֶׁר אֲצַוֶּנּוּ

HASHEM said . . . I will set up a prophet for them from among their brethren like you [i.e. Moses]; *I will place My word in his mouth and he will tell them* [i.e. Israel] *all that I will command him* (*Deuteronomy* 18:17-18).

Israel's possession of prophecy derives from its need to have a "spokesman" of God.

Clearly, though the prophet may predict events and perform miracles, those are not his primary tasks, nor are they the reasons why God allowed His voice to be heard and His visions to be seen by mortal men. Israel's possession of prophecy derives from its need to have a "spokesman" of God, who will direct the people in His ways and inform them of His commands. In this role of the prophet, the verse calls him נָבִיא, literally *preacher.* (As we shall discuss below there are other aspects of prophecy.)

II. A Different Kind of Person

The Prophets' Essence

Among the foundations of the religion is to know that God makes people prophets . . .

Very few people became prophets, *Rambam* describes the sort of person he must be:

> Among the foundations of the religion is to know that God makes people prophets. Prophecy can rest only on a scholar who is great in wisdom, powerful in character, whose inclination cannot subdue him in any matter on earth. Rather his intellect always conquers his inclination, and he possesses vast and exceedingly reliable wisdom. A person filled with all these traits, who is sound in body — when he enters the "orchard [of hidden wisdom]" and continues in those exalted subjects, and attains the reliable wisdom needed to understand and grasp, and he continues sanctifying himself and withdraws from the attitudes of the common people who conform to the darkness of times, but instead continuously prods himself, training his soul not to give a thought to any vain matters or to the vicissitudes and conspiracies of the time; rather, his mind is always free for higher things . . . concentrating on the wisdom of the Holy One, Blessed is He . . . recognizing His greatness — thereupon, the spirit of holiness will rest upon him. And when that spirit rests upon him, his soul will be sweetened by the loftiness of the angels . . . He will become transformed into a different person and understand with his own intellect that he is not what he was before, but has risen above the level of other wise human beings, as it is written with regard to Saul (*I Samuel* 10:6): *You will prophesy with them and be transformed into a different person* (*Hil. Yesodei HaTorah* 7:1).

And when that spirit rests upon him, his soul will be sweetened by the loftiness of the angels.

Proof of Achievement

RAMBAM MAKES VERY CLEAR that the essence of prophecy is the attainment of an unusually high degree of holiness, not by some magic formula, but by hard, unrelenting efforts. In his *Introduction to Mishnah, Rambam* writes that Elijah, Elisha, and other prophets had no need to perform breathtaking miracles to prove themselves — their reputations were already well established. Rather they had their own good reasons for wishing the respective miracles to happen, and so great was their closeness to God that He fulfilled their wishes.

The essence of the prophet's task is to remove the material, physical barrier that separates him from God.

The essence of the prophet's task is to remove the material, physical barrier that separates him from God. If he is successful, he can aspire to prophecy, meaning that he will hear God's voice. *That* is the accomplishment that is basic to prophecy; predictions, preachments, and miracles are secondary.

How can man approach the angels if style, ideology, and passion drag him back?

In his attempts to become close to God, the ordinary man is repulsed by his human urges, his tendency to rationalize, the fashionable intellectual environment that demands conformity to its whims and dictates. How can man approach the angels if style, ideology, and passion drag him back? If he divests himself of his earthliness, making his body the servant of his soul, he can expect God's spirit to rest upon him to a commensurate degree, but how can he and his comrades know how successful he has been? The spirit of prophecy is proof — he would not have it if he had not fashioned himself to be an appropriate vessel. The miracles performed by Joshua or Elijah were great because they testified to the enormous striving of the prophet. Having made himself — all of himself, body as well as soul — a sacred being, he could command the obedience of material objects and forces.

That God rested His spirit upon such people had the further effect of assisting them toward their goal of attaining ever higher spiritual elevations, for His spirit enabled them to perceive secrets of the Torah, so that they would know how to direct their lives toward higher plateaus of holiness.

This aspect of the Jew's service continues even today in the absence of prophecy.

This aspect of the Jew's service continues even today in the absence of prophecy, for we remain with the challenge of subduing our animal passions and self-delusive inclinations. In ancient times, the reward could be prophecy; today, it is a lesser aspect of holiness, but the fray is the same and so is the goal. Then, the temptation was idolatry; today, it is whatever vices are fashionable in various social and economic strata, intellectual circles, or countries. And just as the spiritual victor in ancient times became transformed into a new person, so today's saint is as removed from the sinner as Elijah was from Ahab (*Shaarei Kedushah* of *R' Chaim Vital*).

Power of the Word

SCRIPTURE AND THE SAGES TEACH REPEATEDLY that Israel's adherence to the commandments will guarantee peace, prosperity, and even military dominance. Speaking about the Messianic king, Isaiah (11:4) says, *he will strike the [wicked of the] earth with the rod of his mouth and with the breath of his lips he will slay the wicked* — Isaiah spoke not of Messiah's army, but of the power of righteous words. When appointing the young and reluctant Jeremiah as His prophet, God told him,

"See I have appointed you this day over the nations and over the kingdoms, to uproot and to smash, to destroy and to overthrow, to build and to plant" (*Jeremiah* 1:10). Jeremiah neither had nor would ever have an army or the power of government at his disposal, but God addressed him as though he were a mighty potentate, for, indeed, the bearer of God's word is stronger than the mightiest ruler.

Such promises must be understood in the sense of the Sages' teaching that, for example, honest judges and observers of the Sabbath become God's partners in the creation of heaven and earth. Since God had a reason for bringing the universe into existence, it stands to reason that people whose deeds achieve His goal are important components of His plan.

Although only God can bring the world into being, only Israel can make His handiwork endure.

In this light, *R' Chaim Vital* explains how God speaks to Israel and the prophets as though *they* had the power to create and destroy, to plant and uproot. Although only God can bring the world into being, only Israel can make His handiwork endure, because the continued existence of the universe depends on man's fulfillment of God's will as expressed in the Torah. Therefore, prophecy was the necessary means to provide man with inspiration and guidance regarding the will of the Creator. Just as man can turn the animal and vegetable world into implements of holiness — tefillin, mezuzos, shofars, Torah scrolls, sacred books — so prophets and great people can influence and elevate their neighbors. People change for the better when they are in the proximity of saintly individuals, or in the company of people sincerely dedicated to spiritual striving and self-improvement; sincerity and dedication rub off, and so does personal sanctity. When Saul joined the company of prophets, he prophesied with them (*I Samuel* 9:10-12).

People change for the better when they are in the proximity of saintly individuals, or with a company of people sincerely dedicated to spiritual striving and self-improvement.

Nevertheless, not all people respond identically to a spiritual stimulus. A hundred people can spend an evening with a scholar or saint. They will all recognize that they have been in the presence of greatness, but each one will be affected differently. Some may change their lives; others may go away with nothing more than a conversation piece and an anecdote or two. Some will marvel at the content of the great man's words; others will discuss his vocabulary and delivery. Some will ponder his spiritual breadth; others will discuss the extent of his eloquence and the quality of his rhetoric. With such matters we are all familiar; we have lived through them many times. But there is another layer of difference that is beyond our realm of experience.

Although Torah scholarship is a prerequisite of prophecy, a prophet's Torah knowledge is not qualitatively different from that of other scholars.

Let us imagine that we could go back three thousand years and stand in the presence of a prophet. If he expounded upon the Torah in an elementary way, perhaps we might grasp his trend of thought. Although Torah scholarship is a prerequisite of prophecy, a prophet's Torah knowledge is not qualitatively different from that of other scholars (see *Rambam, Intro. to Mishnah,* and *Hil. Yesodei HaTorah* 9:4).

Though we might understand the prophet's intellectual teachings, however, we would not be able to enter his spiritual, prophetic world. None of us would become capable of prophesying in a prophet's presence as did Saul. In all probability we would not even sense that we were in a prophetic presence. Since prophecy has not been part of the Jewish experience of twenty-four centuries, we are not attuned to sense it. Among the masses who watched Elijah on Mount Carmel, even the commonest folk, the simplest idolaters, had been exposed to such men of the spirit, and were capable of recognizing the difference between the Prophet of God and the rabble of impostors masquerading as prophets. They lived in an age of prophecy. They knew prophecy as well as we know cars, but we know as little about prophecy as they did about the internal combustion engine.

They knew prophecy as well as we know cars, but we know as little about prophecy as they did about the internal combustion engine.

It is axiomatic that the absence of prophecy for so many centuries makes it impossible for us to comprehend what that spiritual phenomenon was. Nevertheless, some of the principles of prophecy are discussed by *Rambam* (*Hil. Yesodei HaTorah* Ch. 7-10), *Ramchal* (*Derech Hashem* part III Ch. 3-5) and others. We will offer a few highlights.

Some Aspects of Prophecy

Prophecy and רוּחַ הַקֹּדֶשׁ, Divine Inspiration, *are not synonymous, although both are forms of Godly assistance.*

Whatever the form of the Divine Inspiration, its recipient will know that he has been Divinely inspired.

PROPHECY AND רוּחַ הַקֹּדֶשׁ, *DIVINE INSPIRATION* [lit. *Spirit of Holiness*], are not synonymous, although both are forms of Godly assistance. Divine Inspiration enables man to achieve a perception of things or events that are ordinarily accessible to the human intellect, but Divine Inspiration will enable him to know them *more clearly* than otherwise possible. Or Divine Inspiration may bring him a step further and teach him to analyze the course of future events or hidden secrets — matters that are beyond the grasp of unassisted human intellect. Whatever the form of this Divine Inspiration, its recipient will know that he has been Divinely inspired to raise his own intelligence to a higher level. This inspiration, however, is inferior to prophecy.

How clearly an individual prophet can "see" the prophetic vision depends on his own stature. Thus, the prophecy of a Samuel was infinitely "clearer" than that of his many students, and even clearer than that of most prophets whose words are recorded in Scripture. Another factor can enhance the degree of an individual's perception: the needs of the nation. The classic example of this is Moses. Because of his pivotal role in the genesis of Israel's nationhood, he was granted a clarity of vision and an accessibility to God's word that were in a class by themselves. Moses' level of prophecy was unprecedented and would never again be equaled by anyone, even if he were to attain Moses' degree of righteousness.

One who experiences prophecy actually feels an attachment to God, as it were, an attachment that is tangible and unmistakable to him, as if he were touching an object. Obviously, no human being — even Moses — can attach himself *directly* to God or see him as if He were a human being. Prophecy is transmitted through intermediaries, which filter and obscure God's holiness until it can be perceived by the mortal prophet.

Prophecy is transmitted through intermediaries, which filter and obscure God's holiness until it can be perceived by the mortal prophet.

The intermediaries that convey prophecy are described by the Sages as אַסְפַּקְלַרְיוֹת, *mirrors* (or *lenses*). Given the fact that no one can see God, a prophetic vision is likened to something reflected by a series of mirrors. The more "mirrors" are involved and the less clear they are, the more blurred the vision will be. Moses' prophecy is described as אַסְפַּקְלַרְיָא הַמְּאִירָה, *a clear mirror,* that is, his perception of God was as unobscured as any prophecy can ever be. Lesser prophets, however, will perceive their visions infinitely less clearly, though the degree of obscurity will vary from prophet to prophet. We can visualize the difference between prophecies by first looking at ourselves in a brightly polished mirror and then viewing ourselves in a series of dusty, dirty mirrors reflecting from one to another. Moses' prophecy was like the first looking glass. Others' prophecies were like the last reflection in the series. In both cases, the prophet did not see God — he saw only a reflection of the reality that was the source of his vision, but the clarity of the visions were not comparable to one another. Nevertheless, every prophet, even the least accomplished, was granted a full awareness of whatever prophecy God wanted him to receive. Even the most inferior prophecy, however, is far superior to Divine Inspiration, because even a dull prophecy involves an actual attachment to God.

Lesser prophets will perceive their visions infinitely less clearly, though the degree of obscurity will vary from prophet to prophet.

Since prophecy involves a degree of real attachment to God, the human body is an impediment. The animal part of man — even after he has sublimated it — cannot tolerate the "glare" of revelation. Therefore, all prophets with the exception of Moses lost control of their senses during their prophetic experiences; they might lose consciousness and fall into a trance or they might experience their visions in a dream. Only Moses could receive prophecy while he was wide awake.

All prophets with the exception of Moses lost control of their senses during their prophetic experiences.

Some prophets received messages to be transmitted to the entire nation or to individuals. Others were granted private visions that served only to elevate their own levels of spirituality. Some prophets were shown only visions and devised their own words to express what they had seen. Others were given the exact words that they were to relay; but even in such cases God chose words that were suited to the individual nature and experience of the prophet. In the simile of the Sages, Ezekiel may be likened to a villager who saw the king, whereas Isaiah may be likened to a city dweller who saw [and was accustomed to seeing] the king (*Chagigah* 13b), and this difference in background would express itself in the sophistication of the prophetic expression. Sometimes, especially in the early stages of a prophet's development, he might not be aware that a spiritual experience was actually a prophecy. This occurred when Moses first saw the burning bush (*Exodus* 3:3) and when young Samuel first heard God's voice (*I Samuel* 3:4-5) — in both cases, they did not realize at first that they were receiving prophecies.

Sometimes, especially in the early stages of a prophet's development, he might not be aware that a spiritual experience was actually a prophecy.

Sometimes, the words conveyed to a prophet can have nuances that are not revealed to him, even though God allows him to know everything that is required for the fulfillment of his mission. Jonah, for example, was sent to Nineveh with a message that the city would be "overturned" (*Jonah* 3:4). He understood this to mean physical destruction. As events developed, the Ninevites repented to such an extent that the Divine decree was withdrawn — but this was not a contradiction of Jonah's prophecy. Nineveh had *indeed* been overturned — but in the spiritual rather than the physical sense of the word.

It must be understood, moreover, that when we speak of a prophet "hearing God's voice," we do not imply that God has organs of speech or even a voice, any more than the statement that Moses gazed at the image of God (*Numbers* 12:8) means that God has a physical form. Rather, God causes the human ear to hear sounds audible to it, just as he causes the eye to see visions comprehensible to it. The essence of God is infinitely beyond man's power of comprehension, but by means of prophecy He allows man to receive whatever manifestations of it He deems appropriate.

We do not imply that God has organs of speech; rather, God causes the human ear to hear sounds audible to it.

III. The Scriptural Prophets

Had Israel Not Sinned

How did the prophets serve the *nation*? We do not speak of the profound influence on the individual recipient of God's spiritual gift. As *Rambam* (*Hil. Yesodei HaTorah* 7:7) and all commentators stress, prophecy can be a *private* gift, one that enriches one's own development without any apparent benefit to the nation. True, since Israel is the sum of its individual members, the quality of national life is enhanced in proportion to the spiritual growth of its individual components, but what of the *direct* benefits to the nation? What was the role of the primary prophets and how, if at all, was it supplemented by their colleagues who are not mentioned in Scripture?

In a sense, the recorded teachings of the prophets reflect poorly on the state of Israel's spiritual development. "Had Israel not sinned, it would have been given only the Five Books of Moses and the Book of *Joshua,* which contains the boundaries of *Eretz Yisrael*" (*Nedarim* 22a). Had Israel not sinned, we would surely have had many more *prophets,* because prophecy is a spiritual dimension associated with very high degrees of righteousness, but we would not have had *books* of prophecy. That most books of Scripture — eighteen out of twenty-four — were required because of Israel's sins suggests that *recorded* prophecy is intended to combat national downfall. *Rashi* makes this point explicitly in explaining why the prophecies of the forty-eight men and seven women are called נְבוּאָה שֶׁהוּצְרְכָה לְדוֹרוֹת, *prophecy that was needed by future generations. Rashi* says their prophecies were needed לִלְמוֹד תְּשׁוּבָה אוֹ הוֹרָאָה, *to teach repentance or laws* [lit. *teaching*] (*Megillah* 14a).

In a sense, the recorded teachings of the prophets reflect poorly on the state of Israel's spiritual development.

Rashi's few words require clarification, however. Even a cursory glance at Scripture shows many, many chapters that do not qualify as teachings of either repentance or law. Some books consist almost exclusively of narrative, predictions, and praises of God's greatness or miraculous interventions. Furthermore, why is the special gift of prophecy a prerequisite to chastisement of the people? Is that not a task that any wise *tzaddik* can carry out? Conversely, can it be that none of the unrecorded prophets had anything to say about repentance or law?

Can it be that none of the unrecorded prophets had anything to say about repentance or law?

In any era, a generation has only a limited number of people who can be considered its greatest spiritual leaders. The rest of the nation will look to them for guidance, but be unable to see them, hear them, understand them fully. Their personalities and messages will be too sophisticated, too lofty for most people. Consequently, mediators are needed. There will be teachers, scholars, interpreters, and leaders of varying degrees of competence. Assuming that conditions are ideal, the availability of such intermediaries will enable the influence and message of the leaders to filter to all strata of society. So it was in the age of prophets. Only fifty-five prophets and prophetesses are mentioned in Scripture, but hundreds of thousands of unknown prophets exerted a profound influence on the nation.

Only fifty-five are mentioned in Scripture, but hundreds of thousands exerted a profound influence.

The fifty-five recorded prophets were the primary bearers of God's word. Their teachings related not only to their own generation, but also to every Jew to this day. Their teachings were valid for as long as Israel would require leaders and teachers, so their prophecies were made part of the Written Torah. But, those prophecies had to be translated somehow into the heart-talk of every troubled Jew, interpreted to fit the unique situation of every family, understood in the perspectives of new generations and new situations. Thus the experiences recorded in the Book of Judges apply to the nobility in Isaiah's time, and Samuel's insistence that Israel "had no need for a king because *Hashem your God is your King*" (*I Samuel* 12:12) applied equally to the Jerusalem of Zedekiah, just before the destruction of the First Temple, when Jeremiah and Ezekiel tried vainly to salvage a vestige of the monarchy. But how were a prophet's contemporaries to understand all the layers of his message and how were unborn generations to know how it applied to their own changed circumstances? For this, thousands upon thousands of other prophets were needed. They interpreted and applied, explained and reiterated. In a sense they may be described as spokesmen and commentators rather than bearers of new messages. Therefore, their teachings were not recorded.

How were a prophet's contemporaries to understand all the layers of his message and how were unborn generations to know how it applied to their own changed circumstances?

But what of the countless Scriptural passages that do not discuss admonition or law? Why were they recorded?

The Prophet as Interpreter

God spoke to people to give them illumination concerning many vital areas of life.

WE ARE MISTAKEN IF WE THINK that fiery messages that burn our ears and fill our hearts with remorse are the only calls to repentance, or if we think the only valid teachings are those that affect daily activities. God spoke to people to give them illumination concerning many vital areas of life.

It is characteristic of people that they wish to see themselves in a good light. Decent people cannot live with the idea that they are evil or callous. Inevitably, therefore, they interpret situations in accord with their own deep, inner needs and conditions. Impatient people will see everywhere calls for decisive action; diffident souls will counsel deliberation and delay. Some will find evil under every rug and others will justify every lapse. When legions of wise and sincere people line up behind opposing points of view, how are we to know where a people has *genuinely* gone wrong? Scripture, especially when it is leavened and enriched by the traditions and interpretations of the Sages, is filled with instances of confusion and dispute, where strong cases could be made for every point of view. Who is right? If we were there, we might have thrown up our hands in despair and said, "Only God knows!" True — only God knew, but He sent His prophets to tell *us,* not just for the sake of the people living through the dilemma, but so that future generations would know, as well.

Even when the prophet appears in Scripture as a miracle worker, there is a vital lesson for the future.

Even when the prophet appears in Scripture as a miracle worker, there is a vital lesson for the future. Since we know the supreme spiritual effort that is needed to turn an ordinary mortal into an exalted being touched by God's presence, we know the source of his ability to alter nature. That a prophet could bring prosperity to destitute widows, resuscitate a dead child, or cure leprous generals is possible because his righteousness made him a "partner" of the One Who created nature. Joshua could stop the sun in Gibeon (10:12) because he had made himself superior to nature. Knowing that, each experience with a prophet's ability to perform a miracle reaffirms our faith in the Torah's message that observance of the commandments is the only assurance of prosperity and reward. When tragedy was salved by God's emissary, those who suffered could not help but recognize that "no one injures his finger below unless it was decreed upon him from above" (*Chullin* 7b).

Perhaps most important, the prophet interprets events for people.

Perhaps most important, the prophet interprets events for people. As the Overview and Commentary to the ArtScroll *Ezekiel* set forth graphically, people can easily misinterpret history, with often tragic results. Living under Babylonian domination shortly before the destruction of the First Temple, Ezekiel's generation knew that a large segment of Jerusalem's scholars and disciples had been transported to servitude in Babylon — but the remaining Jerusalemites deluded themselves as being the *deserving* remnant whose future was secure, because they were the guardians of the Temple. Ezekiel taught them — though most would not believe him — that the exiles were the true builders of the Jewish future while the survivors were doomed to be destroyed together with the Temple. To the contrary, Ezekiel proclaimed that the supposed adherents of the Temple were the very ones whose sins had stripped it of its holiness. Deborah's victory over Sisera, like many other miraculous victories in Scripture, could surely have been explained by natural causes. Deborah's song put the entire era into its true perspective.

Let us not delude ourselves that the spiritually blind saw more clearly in ancient times than they do today.

Let us not delude ourselves that the spiritually blind saw more clearly in ancient times than they do today. In our daily prayers we thank God *for Your daily miracles with us and for Your wonders and favors at all times,* but if we were to ask someone to tell us about the most recent miracles he has witnessed, he would probably look at us as if we were dangerous. The prophets, with their pronouncements, predictions, threats, and praises gave perspective and interpretation to events, letting people know when miracles had occurred and how their own deeds, good and bad, affected events. In so doing, they helped people realize that every breath and every sunrise were part of God's *daily miracles* and His *wonders and favor at all times.*

And now, we have lost prophecy; all we have left are the chronicles of forty-eight men and seven women.

Why Prophecy Was Removed

The Sages prayed that God remove the passion for idolatry, and He granted their request.

HARAV GEDALIAH SCHORR EXPLAINS why the gift of prophecy was removed from Israel. In the early days of the Second Temple era, the Men of the Great Assembly feared for Israel's future. They knew what destruction had been caused by the passion for idolatry in the period of the Judges and the First Temple. If Israel in its new commonwealth were to be subject to the same desire, the resultant destruction would be too terrible to contemplate. The Sages prayed that God remove the passion for idolatry, and He granted their request (*Yoma* 69b).

Modern man studies the Scriptural chapters on idolatry with an incomprehension bordering almost on disbelief. We read of our ancestors worshiping clods of clay, statues of wood and gold. How could they be so foolish, we wonder. Even *we* — without the benefit of a Temple, God's tangible Presence, and prophets — know that idolatry is ludicrous. How could *they* be so misguided? The question is a good one. That we have so little belief in, even curiosity about, idol worship is the greatest proof that the prayer of the Sages was successful. In ancient times, even some great men could not resist the lure of idols, while to us idols are not even worthy of notice, because the passion for them was removed by Divine intervention. It is not unlikely that many sins that are rampant in modern times were virtually non-existent in those days, because the spiritually charged atmosphere inoculated people against temptation.

Life on earth is a system of delicate balances, and when one thing goes, another is affected.

But life on earth is a system of delicate balances, and when one thing goes, another is affected. In order to permit man to choose freely between good and evil, God must allow evil to have an appeal strong enough to deceive sensible people. If the appeal of good is compelling beyond doubt and evil is foolish beyond temptation, then man's choice of good is no freer than is the choice between drinking fresh water and rancid poison. Idolatry had been appealing because its adherents could point to its "prophets" and their "miracles," to its "philosophies" and "results." If that persuasiveness were removed, but God's righteous, true prophets still walked the earth, how could anyone ever doubt the truth? And if the truth was so obvious, why should anyone deserve to be rewarded for following its dictates?

Therefore, with the removal of idolatry as a serious force in Jewish life, prophecy had to be removed as well. Thus was the balance preserved.

Therefore, with the removal of idolatry as a serious force in Jewish life, prophecy had to be removed as well. Thus was the balance preserved. Undoubtedly, the price has been heavy, but its fairness was determined by the One Who balances human intellect and inclination.

The prophets are not with us, nor are their disciples who, touched by God's presence, interpreted their words. But, as the Sages teach:

> מִיּוֹם שֶׁחָרַב בֵּית הַמִּקְדָּשׁ, אַף עַל פִּי שֶׁנִּיטְּלָה נְבוּאָה מִן הַנְּבִיאִים מִן הַחֲכָמִים לֹא נִיטְּלָה
>
> *From the time the Temple was destroyed, even though prophecy was removed from the prophets, it was not removed from the Torah scholars* (*Bava Basra* 12a).

Just as prophecy is God's gift, so the proper use of the intellect is a gift.

Just as prophecy is God's gift, so the proper use of the intellect is a gift. The world suffers grievously from people who are brilliant but not wise. By allowing Israel's wise men to glimpse the wonders of His Torah and glean its teachings, God filled the vacuum left by the absence of prophecy in its ancient form (see *Maharal, Chiddushei Aggados* ibid.). The balance is intact, because humanity has any number of philosophies and scholars competing with the Torah's teachings for our attention. But we have Scripture and the Oral Torah, and we have our Sages past and present to illuminate their meaning.

Joshua יהושע

As the Sages express it, the face of Moses was like the sun and the face of Joshua was like the moon. This is not a criticism of Joshua; neither he nor anyone else could approach Moses' level of prophecy. Rather, it is a compliment to Moses' primary disciple and Divinely designated successor that he was a faithful reflection of his master's teachings.

It was Joshua's mission to plant the seeds of Torah in the Land of Israel, and to mold the entirely new existence in which the people found themselves. In the Wilderness, they had been nestled in a cocoon of miracles. Their food, water, and protection from attack was provided by God. Now, upon entering the land, they would have to plow and plant, dig wells and irrigate fields, in addition to fighting wars of conquest and defense. If they maintained their allegiance to God and His Torah, He would give them victory and prosperity; if not, their future would be in peril.

Joshua had to inculcate the people with this fundamental truth. He had to gain their confidence and loyalty. He had to lead them in battle and imbue them with the conviction that Jewish warriors may not neglect their religious and moral responsibilities. He had to fulfill the commandment that the Canaanites who refused to make peace could not be allowed to survive, difficult though this was for a nation that was weaned on mercy. He had to divide the land among the tribes and establish the eternal borders of the land and its individual provinces. He had to assure that there would be national unity amid tribal diversity, especially in the case of the two-and-a-half tribes that had chosen to remain on the east bank of the Jordan. He succeeded to an astounding degree.

Interspersed in the successes were hints of a failure of national will, which mushroomed into the tragedies that marred the succeeding centuries. Despite Joshua's urgings that the tribes strengthen their resolve and complete the conquest of the land, most of them allowed pockets of Canaanites to remain in the country. They had been warned that this would lead to a seepage of idolatry into Israel, but they held back from further warfare; bloodshed was not in their spritual genes. The results of their weakness emerged later, primarily in the Book of Judges, and that distressing history would prove how necessary it was for them to remove every trace of Canaanite influence.

The Book of Joshua closes with the moving valedictory of Joshua, the "moon," who proved to his last breath that he radiated the wisdom and holiness of Moses.

א

HAFTARAS VEZOS HA-BERACHAH
Ashkenazim: 1:1-18
Sephardim: 1:1-9

א וַיְהִי אַחֲרֵי מוֹת מֹשֶׁה עֶבֶד יהוה וַיֹּאמֶר יהוה אֶל־יְהוֹשֻׁעַ בִּן־נוּן מְשָׁרֵת מֹשֶׁה
ב לֵאמֹר: מֹשֶׁה עַבְדִּי מֵת וְעַתָּה קוּם עֲבֹר אֶת־הַיַּרְדֵּן הַזֶּה אַתָּה וְכָל־הָעָם הַזֶּה אֶל־
ג הָאָרֶץ אֲשֶׁר אָנֹכִי נֹתֵן לָהֶם לִבְנֵי יִשְׂרָאֵל: כָּל־מָקוֹם אֲשֶׁר תִּדְרֹךְ כַּף־רַגְלְכֶם בּוֹ
ד לָכֶם נְתַתִּיו כַּאֲשֶׁר דִּבַּרְתִּי אֶל־מֹשֶׁה: מֵהַמִּדְבָּר וְהַלְּבָנוֹן הַזֶּה וְעַד־הַנָּהָר הַגָּדוֹל
ה נְהַר־פְּרָת כֹּל אֶרֶץ הַחִתִּים וְעַד־הַיָּם הַגָּדוֹל מְבוֹא הַשָּׁמֶשׁ יִהְיֶה גְּבוּלְכֶם: לֹא־
יִתְיַצֵּב אִישׁ לְפָנֶיךָ כֹּל יְמֵי חַיֶּיךָ כַּאֲשֶׁר הָיִיתִי עִם־מֹשֶׁה אֶהְיֶה עִמָּךְ לֹא אַרְפְּךָ
ו וְלֹא אֶעֶזְבֶךָּ: חֲזַק וֶאֱמָץ כִּי אַתָּה תַּנְחִיל אֶת־הָעָם הַזֶּה אֶת־הָאָרֶץ אֲשֶׁר־נִשְׁבַּעְתִּי

רש״י

(א) ויהי אחרי מות משה. מחובר על סדר התורה המסיימת בפטירת משה, וזה מחובר לה: **(ב) משה עבדי מת.** ואילו היה קיים, בו הייתי חפץ, ורבותינו דרשוהו (תמורה טז א) על שלשת אלפים הלכות שנשתכחו בימי אבלו של משה, בא יהושע ושאל, אמר לו הקדוש ברוך הוא. משה עבדי מת, והתורה על שמו נקראת, לומר לך אי אפשר, לא וטורדן במלחמה: **(ג) כל מקום אשר תדרך.** כיוצא בו נאמר למשה ושנינו בספרי (פ׳ עקב כד) אם ללמד על תחומי ארץ ישראל, הרי הוא אומר מִן הַמִּדְבָּר וְהַלְּבָנוֹן (דברים יא, כד), אם כן למה נאמר אֲשֶׁר תִּדְרֹךְ, אף חוצה לארץ. משתכבשו את הארץ, כל מה שתכבשו מחוצה לארץ יהיה קדוש ויהיה שלכם: **(ד) מהמדבר והלבנון הזה.** הוא מדבר קדש, מדבר צין שעל ידי אדום, שהיה במקצוע דרומית מזרחית ודרך שם נכנסו לארץ, שנאמר וְהִנֵּה אֲנַחְנוּ בְקָדֵשׁ וגו׳ (במדבר כ, טז). ומנין שהיה בדרומית מזרחית, שנאמר וְהָיָה לָכֶם פְּאַת נֶגֶב מִמִּדְבַּר צִן עַל יְדֵי אֱדוֹם (שם לד, ג): **ועד הנהר הגדול נהר פרת.** זה רחבה מדרום לצפון. **כל ארץ החתים.** בכלל הזה: **ועד הים הגדול מבוא השמש.** לארכה, מן המזרח למערב: **(ו) חזק ואמץ.** בדרך ארץ, כמו שהוא אומר כִּי אַתָּה תַּנְחִיל:

רד״ק

(א) ויהי אחרי מות משה עבד ה׳. מנהג הלשון לכתוב במקומו וי״ו שלא להוסיף ולחבר דבר אל דבר, כמו וַיְהִי בַּיּוֹם הַשְּׁלִישִׁי (בראשית לד, כה) וַיִּשָּׂא אַבְרָהָם אֶת עֵינָיו (בראשית כב, ד) וְאֵלֶּה בְנֵי צִבְעוֹן וְאַיָּה וַעֲנָה (שם לו, כד) וַתֵּשֶׁב תָּמָר (שמואל־ב יג, כ) נִרְדָּם וְרֶכֶב וָסוּס (תהלים עו, ז) והדומים להם, וכבר כתבנו בספר מכלל אשר חברנו כי יש לפרשם לתוספת עם חסרון מעט לפי ענין כל אחד מהם לפי דרך המקרא, ומלת וַיְהִי תמצא בהתחלת הדברים ואף בראשית הספרים כמו זה, וכן וַיְהִי אַחֲרֵי מוֹת יְהוֹשֻׁעַ (שופטים א, א), וַיְהִי אִישׁ אֶחָד מִן הָרָמָתַיִם (שמואל־א א, א), וַיְהִי בִּשְׁלֹשִׁים שָׁנָה (יחזקאל א, א), וַיְהִי בִּימֵי שְׁפֹט הַשֹּׁפְטִים (רות א, א), וַיְהִי בִּימֵי אֲחַשְׁוֵרוֹשׁ (אסתר א, א), וכן ווי״ן אחרים בראשי הספרים, ואם נאמר כי הטעם להדביק ספר אל ספר וענין זה אל הקודם לא יספיק הטעם בכולן, ואמרו המפרשים כי הוי״ו הזאת היא כפ״ה רפה בלשון ישמעאל. ודקדוק מלת יהי פירשתיה בספר מכלל בחלק הדקדוק ממנו, כי בהיות המלה בהפסק אמרו יֶהִי (יחזקאל טז, טו), תֶּהִי (ראה איכה ג, לז) בסגול האות הנוספת וחירק הה״א, וכן יֶחִי (ראה דברים ד, לג), תֶּחִי, והוא בהפוך התנועות מן יפן יקן מפני שרצו להסתיר היו״ד כמשפטם להסתיר אותיות אהו״י, וכן מלת יהי תהי יחי תחי שהקלו תחלה המלה עוד והפכו בה התנועות ונקדו שו״א ה״א יהיה והחי״ת יחיה תחת אות הנוספת בחירק האות הנוספת ביהיה יחיה תחת הה״א והחי״ת: **אחרי.** לשון רבים בשקל אַשְׁרֵי (תהלים א, א) אלא שמלת אשרי רבים לעולם לא ימצא יחיד, ולא כן מלת אַחֲרֵי כי ימצא יחיד, אַחַר הַדְּבָרִים הָאֵלֶּה (בראשית טו, א), וזולתו. ורבוי מלת אשרי לפי שענינו טובות רבות כי לא יאושר האדם בטובה אחת שתמצא בו, או בהצלחה אחת שתזדמן אליו, לפיכך המלה בלשון רבים לעולם, ורבוי מלת אחרי כמו רבוי מלת לפני כי האחורים כנגד הפנים, אלא שהפנים לא ימצאו בלשון יחיד לעולם לפי שהרואה אותם והפונה אליהם ימצאו בעיניו רבים לעולם ולא יוכל לראות אבר אחד אשר בפנים מבלי חברו, כי אברי הפנים שנים שנים גבות העינים והעינים ואפים ולחיים ושניים ושפתים, ולא כן העורף שהוא אחר הפנים שהוא אחד כנגד הפנים, וכאשר ימצא בלשון יחיד לפי שהוא אחד, וכאשר ימצא בלשון רבים לפי שהוא אחר הפנים שהם רבים וכן כל צורת האדם לפניו מפותחות באיברים ולאחריו גוף שוה, ולפני ואחרי יאמרו על גוף האדם וממנו נשאלים לשאר הדברים, כמו וַיִּחַן אֶת פְּנֵי הָעִיר (בראשית לג, יח) מֵאַחֲרֵי הָעִיר (יהושע ח, ד) וְהַחֹנִים לִפְנֵי הַמִּשְׁכָּן (במדבר ג, לח) אַחֲרֵי הַמִּשְׁכָּן יַחֲנוּ (שם ג, כג) והדומים להם. ויאמר לפני ואחרי על קדימת הזמן ועל התאחרו, כי הפנים נקראים גם כן קדם ואחוריהם אחור כמו שנאמר אָחוֹר וָקֶדֶם צַרְתָּנִי (תהלים קלט, ה) ולכן נקראו הפנים קדם לפי שהם תחלת ההכרה באדם וההבדלה בו לפיכך שמו קדימת הזמן והתאחרו בשימוש לפני ואחרי, לִפְנֵי בּוֹא יוֹם ה׳ (מלאכי ג, כג) אחרי וְאַחֲרֵי הַדְּבָרִים הָאֵלֶּה (בראשית כב, כ) והדומים להם. וממנו אַחֲרֵי מוֹת מֹשֶׁה, ואינו רוצה לומר אחרי מות משה מיד אלא אחר זמן, כמו שנפרש בפסוק מִקְצֵה שְׁלֹשֶׁת יָמִים (לקמן ג, ב): **עבד ה׳.** מי ששם כל כחו וכוונתו וכל השגחותיו בשם יתברך, ואף בהתעסקו בעניני העולם מתכוין לעבודת האל יתברך, הוא יקרא עבד ה׳, כמו אַבְרָהָם עַבְדִּי (בראשית כו, כד), דָּוִד עַבְדִּי (מלכים־א יא, יג) עֲבָדַי הַנְּבִיאִים (מלכים־ב ט, ז), שהם כמו העבד לאדון: **בן נון.** בחירק כמו בסגול, ואמר בכל מקום בִּן נוּן בחירק ולא יאמר באחד מהם בסגול כמו שהוא מנהג ברוב, לפי שהן נדבקות שתי המלות לעולם מפני שהם מלות זעירות ונדבקות ובהדבקם תקל הקריאה בחירק ולא כן בסגול: **משרת משה.** והוא היה במקום משה לצאת ולבוא לפני ישראל, ואחר שמת משה צוהו הקב״ה לעבור הירדן עם ישראל: **לאמר.** לפי שנשתמשו במלת אמור עם הלמ״ד יותר משאר אותיות השמוש, הסתירו האל״ף עם הלמ״ד מה שלא עשו כן עם השאר, שאמרו בֶּאֱמֹר לָהֶם עַם ה׳ וגו׳ (יחזקאל לו, כ), וַיְהִי כֶּאֱמֹר יְהוֹשֻׁעַ (לקמן ו, ח) בהנעת האל״ף, ופירוש לֵאמֹר לאמר לישראל שהקדוש ב״ה צוהו לעבור את הירדן כי הבטיחם בכָל מָקוֹם אֲשֶׁר תִּדְרֹךְ כַּף רַגְלְכֶם בּוֹ וגו׳ (לקמן פסוק ג): **(ב) קום עבר.** קום ענין זירוז וכן קוּם מְשָׁחֵהוּ (שמואל־א טז, יב), קוּמוּ וְעִבְרוּ (שמואל־ב יז, כא), קוּם הִתְהַלֵּךְ (בראשית יג, יז): **להם וגו׳.** לבני ישראל כמו יְבִיאֶהָ אֵת תְּרוּמַת ה׳ (שמות לה, ה), וַתִּרְאֵהוּ אֶת הַיֶּלֶד (שם ב, ו): **(ג) כל מקום אשר תדרך וגו׳.** כיון שתעברו את הירדן כל מקום אשר תדרוך בו לכם יהיה, כלומר אני אתן לכם כח כדי שתכבשו הכל, ואחר כך זכר קצת הגבולים. ובדרש (ספרי דברים נא) כָּל מָקוֹם אֲשֶׁר תִּדְרֹךְ וגו׳ לרבות חוצה לארץ: **(ד) מהמדבר.** הוא מדבר צין שהוא גבול נגב: **והלבנון הזה.** הוא מקום ידוע בארץ ישראל, ואמר הַזֶּה אף על פי שהוא מעבר הירדן

מצודת דוד

(א) ויהי. באה הוי״ו להוסיף ולחבר למה שהשלימה התורה בספור מיתת משה, ואמר שאחרי זה אמר ה׳ אל יהושע וכו׳: **(ב) משה עבדי מת.** רצה לומר, אילו היה עדיין חי לא יכולתם לעבור את הירדן כי עליו נגזר לבל יעבור: **ועתה.** הואיל והוא מת, קוּם עֲבֹר וכו׳: **(ג) בו.** מוסב על תחלת המקרא, אכָּל מָקוֹם: **(ד) מבוא השמש.** שהוא ברוח מבוא השמש: **(ה) לא יתיצב.** רצה לומר, לא יתגבר להיות נצב הקומה: **לא ארפך.** לא אתן לך רפיון ממני: **(ו) חזק ואמץ.** בהנהגת העם כראוי:

מצודת ציון

(א) בן נון. בן בחיר״ק, כמו בן בסגו״ל, ולפי שהן מלות זעירות ודבוקות, תקל הקריאה בחיר״ק מבסגו״ל: **(ב) קום.** הוא ענין זרוז, כמו קוּם לֵךְ לְמַסַּע (דברים י, יא): **(ג) תדרך.** מלשון דרך, וענינו הליכה וצעידה. **(ד) והלבנון.** כן שם היער, ואולי גדלו בו אילני לבנה: **מבוא.** ענין שקיעה, כמו כִּי בָא הַשֶּׁמֶשׁ (בראשית כח, יא): **(ו) ואמץ.** אף הוא ענין חוזק, כמו מְאַמֶּץ כֹּחַ (משלי כד, ה):

ENTERING THE LAND: PREPARATION AND ENTRY
1:1-5:15

1 [1] *It happened after the death of Moses, servant of HASHEM, that HASHEM said to Joshua
son of Nun, Moses' attendant, saying,* [2] *"Moses My servant has died. Now, arise, cross
this Jordan, you and this entire people, to the land that I give to them, to the Children of
Israel.* [3] *Every place upon which the sole of your foot will tread I have given to you, as I
spoke to Moses.* [4] *From the desert and this Lebanon until the great river, the Euphrates
River, all the land of the Hittites until the Great Sea toward the setting of the sun will be
your boundary.* [5] *No man will stand up to you all the days of your life; as I was with Moses
so will I be with you; I will not release you nor will I forsake you.* [6] *Be strong and
courageous for it is you who will cause this people to inherit the Land that I have sworn*

God exhorts Joshua

רד"ק

לפי שהיה נראה משם לכם, וכן אמר משה הָהָר הַטּוֹב הַזֶּה וְהַלְּבָנֹן (דברים ג, כה) או אמר הַזֶּה על הידיעה כמו זֶה סִינַי (שופטים ה, ה), זֶה עָנִי (תהלים לד, ז), לִוְיָתָן זֶה (שם קד, כו): **כל ארץ החתים.** כי באותה הפאה היה יושב החתי: **הים הגדול מבוא השמש.** הוא מערב ארץ ישראל כמו שאמר בתורה עַד הַיָּם הָאַחֲרוֹן (דברים לד, ב) ומה שאמר הַגָּדוֹל, כנגד שאר הימים שבארץ ישראל שהם קטנים, כמו ים המלח ים כנרת:

1.

1-9. God charges Joshua. The mourning period for Moses was over, and Israel was poised on the bank of the Jordan to enter its land, led by Joshua. His mission began with a charge from God, affirming his leadership, assuring him that his authority would be unchallenged, and exhorting him to be strong and resolute. This prophecy was the foundation of Joshua's leadership.

Ralbag summarizes the gist of this passage. Had Moses led the nation into the Land, they would have easily and permanently conquered all, because of his greatness and the miracles that would have accompanied him, but Moses was prevented from doing so because the nation was not worthy (*Deuteronomy* 1:37). Great though Joshua was, he was not the equal of Moses, and so did not succeed in conquering all of the Land (see Ch. 13 and *Judges* Chapters 1-2). However, God encouraged Joshua to pursue his mission undaunted and unafraid, because he would prevail over the Canaanite nations wherever he fought them. God cautioned Joshua especially not to deviate from the commandments of the Torah and to be zealous in Torah study, because the Torah is the primary means for a Jew to achieve personal fulfillment.

1. עֶבֶד ה׳ . . . מְשָׁרֵת מֹשֶׁה — *Servant of HASHEM . . . Moses' attendant.* The greatness of these two leaders is expressed in the titles given them in this verse. Moses was the *servant,* literally, the *slave* of God. A slave is a person with no possessions, no will, no legal status, no authority of his own. He is totally subservient to his master. To an ordinary human being, "slave" is the most degraded title imaginable; to a servant of God, it is the loftiest. After Moses' death, Scripture testifies that he had lived for only one reason: to serve God with no thought of himself. No greater compliment can be given to any man.

Joshua was *Moses' attendant.* He stayed at Moses' side, as his student, disciple, and servant. He absorbed Moses' teachings by example, as well as through discourse. His contemporaries likened Moses to the sun and Joshua to the moon (*Shabbos* 75a), and indeed, Joshua was a "reflection" of Moses' brilliance; this was His greatness and this was why God chose him to succeed Moses. It is a tribute to Joshua's fulfillment of his mission that at the end of his life God gave him Moses' title: עֶבֶד ה׳, *servant of HASHEM* (24:29).

Malbim notes that his death is mentioned before he is given the title *servant of HASHEM.* This is meant to imply that he continued to serve God even after his death, because he strove not merely for self-improvement, but for the perfection of his generation. The work of such a *tzaddik* does not end with his death, because his accomplishments live on in his survivors and their offspring, for as long as his teachings bear fruit.

2. מֹשֶׁה עַבְדִּי מֵת — *Moses My servant has died.* Were Moses still alive, he would lead the people across the Jordan; since he is not, Joshua must lead (*Rashi*).

Joshua was grief stricken over the loss of his teacher. God told him two things: He comforted him by saying that Moses was receiving his great reward, as God's *servant*; and the time for mourning is over and the time to enter the Land has arrived (*Abarbanel*).

3. . . . כָּל מָקוֹם — *Every place . . .* Even places outside the boundaries assigned in verse 4 can be annexed to the Land [under strict Halachic guidelines] (*Rashi*). Although I assure you of success, you must actually set foot in the lands you wish to conquer and fight for them (*Abarbanel).*

4. הַיָּם הַגָּדוֹל — *The Great Sea,* i.e., the Mediterranean Sea.

מְבוֹא הַשָּׁמֶשׁ — *Toward the setting of the sun*, i.e., the west. Since the sun in *Eretz Yisrael* sets over the Mediterranean, the "sea" is a synonym for "west."

5. לֹא־יִתְיַצֵּב אִישׁ לְפָנֶיךָ — *No man will stand up to you.* No Jew would challenge Joshua's leadership (*Malbim*). In this sense, Joshua's blessing was greater than Moses' who suffered from many challenges and much defamation. God goes on to promise that He will not *release* His guiding, helping hand, nor will He abandon Joshua to coincidence; He would always remain at Joshua's side.

6. חֲזַק וֶאֱמָץ — *Be strong and courageous.* This expression appears three times (verses 6,7, and 9) in this exhortation. God urges Joshua to be zealous in three major areas of his responsibilities: division of the Land among the tribes [because there is always contention when land is being divided (*Abarbanel*)], uncompromising observance of the commandments and Torah study, and the conquest of the Land (*Rashi*).

The verse implies that the distribution of land is especially

ז לַאֲבוֹתָ֖ם לָתֵ֥ת לָהֶֽם׃ רַק֩ חֲזַ֨ק וֶאֱמַ֜ץ מְאֹ֗ד לִשְׁמֹ֤ר לַעֲשׂוֹת֙ כְּכָל־הַתּוֹרָ֗ה אֲשֶׁ֤ר צִוְּךָ֙
ח מֹשֶׁ֣ה עַבְדִּ֔י אַל־תָּס֥וּר מִמֶּ֖נּוּ יָמִ֣ין וּשְׂמֹ֑אול לְמַ֣עַן תַּשְׂכִּ֔יל בְּכֹ֖ל אֲשֶׁ֥ר תֵּלֵֽךְ׃ לֹֽא־
יָמ֡וּשׁ סֵפֶר֩ הַתּוֹרָ֨ה הַזֶּ֜ה מִפִּ֗יךָ וְהָגִ֤יתָ בּוֹ֙ יוֹמָ֣ם וָלַ֔יְלָה לְמַ֙עַן֙ תִּשְׁמֹ֣ר לַעֲשׂ֔וֹת כְּכָל־
ט הַכָּת֖וּב בּ֑וֹ כִּי־אָ֛ז תַּצְלִ֥יחַ אֶת־דְּרָכֶ֖ךָ וְאָ֥ז תַּשְׂכִּֽיל׃ הֲל֤וֹא צִוִּיתִ֙יךָ֙ חֲזַ֣ק וֶאֱמָ֔ץ אַל־
י תַּעֲרֹ֖ץ וְאַל־תֵּחָ֑ת כִּ֤י עִמְּךָ֙ יְהוָ֣ה אֱלֹהֶ֔יךָ בְּכֹ֖ל אֲשֶׁ֥ר תֵּלֵֽךְ׃ וַיְצַ֣ו יְהוֹשֻׁ֔עַ אֶת־
יא שֹׁטְרֵ֥י הָעָ֖ם לֵאמֹֽר׃ עִבְר֣וּ ׀ בְּקֶ֣רֶב הַֽמַּחֲנֶ֗ה וְצַוּ֤וּ אֶת־הָעָם֙ לֵאמֹ֔ר הָכִ֥ינוּ לָכֶ֖ם צֵידָ֑ה
כִּ֞י בְּע֣וֹד ׀ שְׁלֹ֣שֶׁת יָמִ֗ים אַתֶּם֙ עֹבְרִים֙ אֶת־הַיַּרְדֵּ֣ן הַזֶּ֔ה לָבוֹא֙ לָרֶ֣שֶׁת אֶת־הָאָ֔רֶץ
יב אֲשֶׁר֙ יְהוָ֣ה אֱלֹֽהֵיכֶ֔ם נֹתֵ֥ן לָכֶ֖ם לְרִשְׁתָּֽהּ׃ וְלָרֻֽאוּבֵנִי֙ וְלַגָּדִ֔י וְלַחֲצִ֖י שֵׁ֣בֶט
יג הַֽמְנַשֶּׁ֑ה אָמַ֥ר יְהוֹשֻׁ֖עַ לֵאמֹֽר׃ זָכוֹר֙ אֶת־הַדָּבָ֔ר אֲשֶׁ֨ר צִוָּ֥ה אֶתְכֶ֛ם מֹשֶׁ֥ה עֶבֶד־יְהוָ֖ה
יד לֵאמֹ֑ר יְהוָ֤ה אֱלֹֽהֵיכֶם֙ מֵנִ֣יחַ לָכֶ֔ם וְנָתַ֥ן לָכֶ֖ם אֶת־הָאָ֥רֶץ הַזֹּֽאת׃ נְשֵׁיכֶ֣ם טַפְּכֶם֮
וּמִקְנֵיכֶם֒ יֵשְׁב֕וּ בָּאָ֕רֶץ אֲשֶׁ֨ר נָתַ֥ן לָכֶ֛ם מֹשֶׁ֖ה בְּעֵ֣בֶר הַיַּרְדֵּ֑ן וְאַתֶּם֩ תַּעַבְר֨וּ חֲמֻשִׁ֜ים
טו לִפְנֵ֣י אֲחֵיכֶ֗ם כֹּ֚ל גִּבּוֹרֵ֣י הַחַ֔יִל וַעֲזַרְתֶּ֖ם אוֹתָֽם׃ עַ֠ד אֲשֶׁר־יָנִ֨יחַ יְהוָ֥ה ׀ לַאֲחֵיכֶם֮ כָּכֶם֒

רש״י

(ז) רק חזק ואמץ מאד. בתורה, כמו שהוא אומר לִשְׁמֹר לַעֲשׂוֹת כְּכָל הַתּוֹרָה: **תשכיל.** תצליח: **(ח) ספר התורה הזה.** ספר משנה תורה היה לפניו (ב״ר ו,ט): **והגית בו.** והתבוננת בו, כל הגיון שבתורה בלב, כמה דאת אמר וְהֶגְיוֹן לִבִּי לְפָנֶיךָ (תהלים יט, טו) לִבְּךָ יֶהְגֶּה אֵימָה (ישעיהו לג, יח): **(ט) הלוא צויתיך חזק ואמץ.** במלחמה, כמו שנאמר אַל תַּעַרְצוּ וְאַל תֵּחַתּוּ, והיכן צוהו, בימי משה שנאמר וַיְצַו אֶת יְהוֹשֻׁעַ בִּן נוּן וגו׳ (דברים לא, כג): **(י) ויצו יהושע.** ביום שתמו ימי בכי אבל משה: **(יא) הכינו לכם צדה.** כל דבר הצריך לדרך וכלי זיינם למלחמה אמר להם לתקן, שאם אתה אומר במאכל ובמשתה, הרי היו מסתפקים במן שבכליהם עד ט״ז בניסן, וכן הוא אומר וַיִּשְׁבֹּת הַמָּן מִמָּחֳרָת (לקמן ה, יב) (מפי רבי): **בעוד שלשת ימים.** בסוף שלשת ימים, בעוד שתהיו כאן שלשת ימים ואחר תעברו: **(יד) כל גבורי החיל.** שבכם יעברו חלוצים:

רד״ק

(ז) אל תסור ממנו. שב אל משה, ופירושו מדרכו הטובה, או פירושו מִמֶּנּוּ מספר התורה, ואף על פי שלא זכר הספר הנה זכר התורה, ובמסרה סבירין ממנה: **תשכיל.** פירוש תצליח, וכן תרגם יונתן בְּדִיל דְתִצְלַח וכן תרגם אנקלוס לְמַעַן תַּשְׂכִּיל (ראה דברים כט, ח) בְּדִיל דְתִצְלַח: **(ח) לא ימוש.** נחלקו רבותינו ז״ל בזה הפסוק (מנחות צט, ב), יש אומרים שהוא מצוה לכל ימי האדם ואפילו ידע כל התורה כולה, ויש אומרים שהוא ברכה. והנראה כי היתה מצוה ליהושע וכן לכל אדם עד שידע התורה, ואחר כך ילמוד החכמות: ופירוש **והגית בו יומם ולילה.** אחר שאמר לֹא יָמוּשׁ הוא כפל דבר לחזק, או פירוש וְהָגִיתָ הגיון הלב כמו וְהֶגְיוֹן לִבִּי לְפָנֶיךָ ה׳ (תהלים יט, טו). ופירוש יוֹמָם וָלַיְלָה, לפירוש הראשון נראה שיהגה בו ביום ובלילה כל עת שימצא פנאי מעסקי מחיתו: **תצליח את דרכך.** חסר יו״ד הרבים מן המכתב, והדומים לו כתבנו בספר מכלל בחלק הדקדוק ממנו. ואמר תַּצְלִיחַ שהוא פועל יוצא ואף על פי שאין ההצלחה ביד האדם, לפי שבשמרו מצות ה׳ ובשכרם תבוא לו ההצלחה הרי הוא כאילו מצליח דרכו, או יהיה תַּצְלִיחַ פועל עומד ויהיה אֶת דְּרָכֶךָ כמו בדרכיך: **ואז תשכיל.** זה תרגם יונתן תַּכְשַׁט לפי שהוא קרוב לתצליח שלא לכפול את הלשון, והוא קרוב לענין ההצלחה: **(ט) הלא צויתיך.** מלת זרוז וכן הֲלֹא שָׁמַעַתְּ בִּתִּי (רות ב, ח), הֲלֹא שְׁלַחְתִּיךָ (שופטים ו, יד) והדומים להם: **כי עמך ה׳ אלהיך.** כמו וְאֶל מֹשֶׁה אָמַר עֲלֵה אֶל ה׳ (שמות כד, א), וְאֶת יִפְתָּח וְאֶת שְׁמוּאֵל (שמואל־א יב, יא): **(יא) הכינו לכם צדה.** פירוש מיני מאכלים זולתי הלחם, כי עדיין היה יורד להם המן בכל מקום שהיו נוסעים עד ממחרת הפסח (לקמן ה, יא). ולפי מה שאמרו חז״ל בו ביום שמת משה פסק המן, אמרו הם גם כן כי בשבעה באדר שמת משה לקטו מן שהסתפקו בו עד חמשה עשר בניסן (קידושין לח, א): **בעוד שלשת ימים.** כתרגומו בְּסוֹף תְּלָתָא יוֹמִין: **(יג) זכור.** מקור: **(יד) נשיכם טפכם.** חסר וי״ו השימוש, כמו שֶׁמֶשׁ יָרֵחַ (חבקוק ג, יא), רְאוּבֵן שִׁמְעוֹן (שמות א, ב) והדומים להם: **חמושים.** כמו חלוצים:

מצודת דוד

(ז) רק וגו׳. כי לולא זאת לא תועיל כלום בהנהגת העם כראוי: **למען.** בעבור שמירת התורה תשכיל: **(ח) הזה.** האמור במקרא שלפניו (פסוק ז) אֲשֶׁר צִוְּךָ מֹשֶׁה: **למען תשמר.** כי כשימוש מפיך, פן תשכח מה: **כי אז.** כשתשמור לעשות וגו׳, אָז תַּצְלִיחַ: **(ט) צויתיך.** אני מצוה לך חזק במלחמה מול האויב ואל תירא: **כי עמך ה׳ וגו׳.** ולא אמר כי עמך אני, אף שה׳ היה המדבר, ודוגמתו וַיִּשְׁלַח וכו׳ וְאֶת שְׁמוּאֵל (שמואל־א יב, יא), והמדבר היה שמואל: **(יא) וצוו וכו׳.** אף כי נאמר קודם שילוח המרגלים, מכל מקום על כרחך הצווי היה אחרי זה, כי ביום שהלכו המרגלים לנו ביריחו (פרק ב, א), ובהר התעכבו שלשה ימים (שם פסוק כב) ובחזירתם לנו במקומם (פרק ג, א), וביום שאחריו לנו אצל הירדן (שם), וממחרת עברו הירדן (שם פסוק ה): **הכינו.** עם כי עדיין אכלו את המן, מכל מקום היה בידם מפרי האדמה, ממה שהביאו להם תגרי עובדי כוכבים, ואת זה צוום להכין: **(יג) זכור.** עליכם לזכור: **מניח.** נותן לכם מקום מנוחה, בתת לכם הארץ הזאת שבעבר הזה: **(טו) עד אשר יניח.** עד אשר יתן ה׳ מקום מנוחה גם להם:

מצודת ציון

((ז) **תשכיל.** ענינו הצלחה, וכן וַיְהִי דָוִד לְכָל דְּרָכָו מַשְׂכִּיל (שמואל־א יח, יד), כי המצליח נראה להבריות שעושה מעשיו בהשכל: **(ח) ימוש.** יסור, כמו לֹא יָמוּשׁוּ מִפִּיךָ (ישעיהו נט, כא): **והגית.** פעם תשמש לדבור, כמו, וּלְשׁוֹנִי תֶּהְגֶּה (תהלים לה, כח), ופעם תשמש למחשבה, כמו וְהָגוּת לִבִּי (שם מט, ד): **(ט) הלוא.** המלה ההיא תורה לזרז ולחזק, כמו הֲלֹא שְׁלַחְתִּיךָ (שופטים ו, יד): **תערץ ותחת.** שתיהם ענין פחד, כמו לֹא תַעֲרֹץ מִפְּנֵיהֶם (דברים ז, כא) וכמו וְאַל תֵּחָת (שם א, כא): **(י) שוטרי.** הם הממונים להשמיע להעם דברי המושל ולהכריח על קיומם, כמו שֹׁפְטִים וְשֹׁטְרִים (שם טז, יח): **(יא) צדה.** מזון, כמו לֶחֶם צֵידָם (יהושע ט, ה): **בעוד.** תרגומו, בְּסוֹף: **(יד) חמשים.** מזויינים, כמו וַחֲמֻשִׁים עָלוּ (שמות יג, יח):

---

important because it is in fulfillment of God's oath to the Patriarchs.

According to *Malbim*, the exhortation to be strong flows from verse 5: Joshua is told that no one would challenge his authority — provided he exercises his leadership with strength and firmness. Weak leaders invite opposition.

to their fathers to give them. [7] Only be very strong and courageous, to observe, to do,
according to the entire Torah that Moses My servant commanded you; do not deviate
from it to the right or to the left, in order that you may succeed wherever you will go.

Constant Torah study

[8] This Book of the Torah shall not depart from your mouth; rather you should contemplate
it day and night in order that you observe to do according to all that is written in it; for then
you will make your way successful, and then you will act wisely. [9] Behold, I have
commanded you, 'Be strong and courageous,' do not fear and do not lose resolve, for
HASHEM, your God, is with you wherever you will go."

Joshua prepares the nation . . .

[10] Joshua then ordered the marshals of the people, saying, [11] "Circulate in the midst of
the camp and command the people, saying, 'Prepare provisions for yourselves, because
in another three days you will be crossing this Jordan to come to take possession of the
land that HASHEM, your God, is giving you, to inherit it.' "

. . . and reinforces the promise of Reuben, Gad, and Manasseh

[12] To the Reubenite, to the Gadite, and to half the tribe of Manasseh, Joshua spoke,
saying: [13] "Remember the matter that Moses, servant of HASHEM, commanded you,
saying, 'HASHEM, your God, gives you rest and He will give you this land.' [14] Your
wives, your children, and your cattle will settle in the land that Moses had given
you across the Jordan; then you — all the mighty warriors — will cross over, armed,
before your brothers and help them, [15] until HASHEM gives your brothers rest, like you,

---

7-8. Verse 7, which stresses the tradition received from Moses, refers to the Oral Law. *Rambam* states that Joshua was made responsible to preserve and transmit the oral tradition (*Introduction* to *Mishnah Torah*). Verse 8 refer clearly to the Written Torah. It is indicative of the Oral Law's importance that it is mentioned first, for only it provides correct guidance on how to understand the Written Torah.

7. The commandments of the Torah are not open to change; it is forbidden to add to them *(to the right)* or to nullify any of them *(to the left)*, and they must be interpreted according to the Oral Law, as taught by Moses.

אֲשֶׁר צִוְּךָ מֹשֶׁה עַבְדִּי — *That Moses My servant commanded you.* Rather than saying "That I commanded," God stressed Moses' command, for two reasons: (a) Obedience to the commandments must be based on the revelation to Moses (*Hil. Melachim* 8:11); and (b) a Jew must base his life on the tradition passed on from Moses, and not on his own logic (*Darash Moshe*).

8. לֹא יָמוּשׁ סֵפֶר הַתּוֹרָה הַזֶּה מִפִּיךָ — *This Book of the Torah shall not depart from your mouth.* The Talmud posits that man is born to strive for perfection (*Job* 5:7). Should it be in material pursuits, for general knowledge, or for accomplishment in Torah? From this verse the Talmud shows that man's unending struggle should be for excellence in Torah knowledge (*Sanhedrin* 99b). Just as the earth has the ability to produce crops, but only according to what is planted and how it is nurtured, so it is axiomatic that man must devote his entire life to developing the potential God gave him. The highest level of human accomplishment is to come close to God's own wisdom, and this can only be achieved through constant effort and growth in knowledge of the Torah (*Maharal*). Only then can a person be *successful* and *act wisely* in the most meaningful way.

וְהָגִיתָ בּוֹ יוֹמָם וָלַיְלָה — *Rather you should contemplate it day and night.* Based on this verse, *Rambam* rules that one must set aside some time for Torah study day and night (*Hil. Talmud Torah* 1:8); whenever one is free from earning his livelihood and other necessary pursuits, one should engage in Torah study (*Radak*).

The Torah is the essence of Creation, and "Time" encompasses the entirety of one's existence. Therefore it is inconceivable that one would squander his time on anything other than Torah. However, this applies only to extraneous matters; it is permitted to study what one needs in order to understand the functioning of the world (*Maharal*).

10-11. Prepare to enter the Land. At the end of the thirty-day mourning period for Moses, Joshua instructed the marshals to inform the people that in three days, on 10 Nissan, they would cross the Jordan to enter *Eretz Yisrael*. It was on this day (or perhaps a few days earlier according to *Ralbag*) that Joshua sent spies to Jericho, as described in Chapter 2.

12-15. A reminder of a promise. In preparation for the crossing of the Jordan, Joshua sent for the two-and-a-half tribes that had chosen to take their share of the Land on the east bank of the Jordan, in the lands Moses conquered from Sichon and Og. They had promised Moses that their fighting men would accompany their brother tribes across the Jordan and be in the forefront of the battles against the Canaanites (see *Numbers* 32). Now Joshua wanted to be sure that they intended to honor their pledge.

14. כֹּל גִּבּוֹרֵי הַחַיִל — *All the mighty warriors.* Apparently Joshua did not ask for all the men of fighting age, only the *mighty warriors.* This would account for an apparent discrepancy: According to the census in *Numbers* 26, there were over 100,000 fighters in the three tribes, but only 40,000 participated in the very first battle for *Eretz Yisrael* (4:12-13); they were the *mighty warriors* (*Chida*).

15. לַאֲחֵיכֶם כָּכֶם — *Your brothers . . . like you.* Joshua stressed an ethical reason for the tribes to join the war. They had already received their lands and their wives and children were securely

וְיָרְשׁוּ גַם־הֵמָּה אֶת־הָאָרֶץ אֲשֶׁר־יהוה אֱלֹהֵיכֶם נֹתֵן לָהֶם וְשַׁבְתֶּם לְאֶרֶץ
יְרֻשַּׁתְכֶם וִירִשְׁתֶּם אוֹתָהּ אֲשֶׁר ׀ נָתַן לָכֶם מֹשֶׁה עֶבֶד יהוה בְּעֵבֶר הַיַּרְדֵּן מִזְרַח
טז הַשָּׁמֶשׁ: וַיַּעֲנוּ אֶת־יְהוֹשֻׁעַ לֵאמֹר כֹּל אֲשֶׁר־צִוִּיתָנוּ נַעֲשֶׂה וְאֶל־כָּל־אֲשֶׁר
יז תִּשְׁלָחֵנוּ נֵלֵךְ: כְּכֹל אֲשֶׁר־שָׁמַעְנוּ אֶל־מֹשֶׁה כֵּן נִשְׁמַע אֵלֶיךָ רַק יִהְיֶה יהוה
יח אֱלֹהֶיךָ עִמָּךְ כַּאֲשֶׁר הָיָה עִם־מֹשֶׁה: כָּל־אִישׁ אֲשֶׁר־יַמְרֶה אֶת־פִּיךָ וְלֹא־יִשְׁמַע
אֶת־דְּבָרֶיךָ לְכֹל אֲשֶׁר־תְּצַוֶּנּוּ יוּמָת רַק חֲזַק וֶאֱמָץ:

HAFTARAS SHELACH 2:1-24

ב א וַיִּשְׁלַח יְהוֹשֻׁעַ בִּן־נוּן מִן־הַשִּׁטִּים שְׁנַיִם אֲנָשִׁים מְרַגְּלִים חֶרֶשׁ לֵאמֹר לְכוּ רְאוּ
אֶת־הָאָרֶץ וְאֶת־יְרִיחוֹ וַיֵּלְכוּ וַיָּבֹאוּ בֵּית אִשָּׁה זוֹנָה וּשְׁמָהּ רָחָב וַיִּשְׁכְּבוּ־שָׁמָּה:
ב וַיֵּאָמַר לְמֶלֶךְ יְרִיחוֹ לֵאמֹר הִנֵּה אֲנָשִׁים בָּאוּ הֵנָּה הַלַּיְלָה מִבְּנֵי יִשְׂרָאֵל לַחְפֹּר
ג אֶת־הָאָרֶץ: וַיִּשְׁלַח מֶלֶךְ יְרִיחוֹ אֶל־רָחָב לֵאמֹר הוֹצִיאִי הָאֲנָשִׁים הַבָּאִים אֵלַיִךְ

רש"י

(טו) מזרח השמש. עבר מזרחי של ירדן: **(יח) ימרה.** יקניט את דבריך: **(א) וישלח יהושע וגו'.** על כרחי אני צריך לומר שבתוך ימי אבל משה שלחם, שהרי לסוף שלשה ימים שתמו ימי אבל משה עברו את הירדן, שמשם אנו למדים שמת משה בשבעה באדר כשאתה מונה שלשים ושלשה למפרע מיום שעלו מן הירדן בעשור לחדש הראשון, ועל כרחך משנשתלחו המרגלים לא עברו את הירדן עד יום החמישי, שנאמר וַיֵּשְׁבוּ שָׁם שְׁלֹשֶׁת יָמִים עַד שָׁבוּ הָרֹדְפִים, (לקמן כב), ובו בלילה וַיַּעַבְרוּ וַיָּבֹאוּ אֶל יְהוֹשֻׁעַ בִּן נוּן (שם פסוק כג) וַיַּשְׁכֵּם יְהוֹשֻׁעַ בַּבֹּקֶר וַיִּסְעוּ מֵהַשִּׁטִּים (פרק ג, א), הרי יום רביעי, וַיָּלִנוּ שָׁם טֶרֶם יַעֲבֹרוּ (שם), נמצא שלא עברו עד יום חמישי: **חרש.** פְּרָז, כך תרגם יונתן, אמר להם עשו עצמכם כחרשים, כדי שלא יסתירו דבריהם מפניכם. דבר אחר חֶרֶשׂ חרס, הטעינו עצמיכם קדרות, כדי שתהיו נראין כקדרין: **ראו את הארץ ואת יריחו.** והלא יריחו בכלל היתה ולמה יצאת, אלא שהיתה קשה כנגד כולם, לפי שהיתה יושבת על הספר. וכיוצא בו וַיִּפָּקְדוּ מֵעַבְדֵי דָוִד תִּשְׁעָה עָשָׂר אִישׁ וַעֲשָׂה־אֵל (שמואל־ב ב, ל) והלא עשה־אל בכלל היה, ולמה יצא, אלא שהיה קשה כנגד כולם, כיוצא בו וְהַמֶּלֶךְ שְׁלֹמֹה אָהַב נָשִׁים נָכְרִיּוֹת רַבּוֹת וְאֶת בַּת פַּרְעֹה, (מלכים־א יא, א) והלא בת פרעה בכלל היתה, ולמה יצאת, אלא שהיה מחבבה כנגד כולם, וכלפי חטא שהחטיאה אותו יותר מכולן, כך שנויה בספרי (עקב נב): **אשה זונה.** תרגם יונתן פּוּנְדְּקִיתָא, מוכרת מיני מזונות: **(ב) לחפר.** לרגל, כמו מִשָּׁם חָפַר אֹכֶל (איוב לט, כט):

רד"ק

(יז) רק יהיה ה' אלהיך עמך. כלומר שתלך בדרך משה שיהיה ה' עמך כאשר היה עם משה: **(יח) רק חזק ואמץ.** דרשו רבותינו ז"ל (סנהדרין מט, א) יומת יכול אפילו לדבר עבירה תלמוד לומר רק, אכין ורקין מיעוטין הן: **(א) שנים אנשים.** פירוש אנשים טובים, ולא כאותן שהלכו בשליחות משה (במדבר פרק יג): **חרש לאמר.** הזהירם שילכו בשתיקה, הולכים כחרשים שלא ירגישו בהם, כמו וַיִּתְחָרְשׁוּ כָל הַלַּיְלָה (שופטים טז, ב), ותרגום יונתן בְּרָז לְמֵימָר רצה לומר בסתר שלחם, כי לא רצה שידעו כל ישראל כדי שלא יפחדו בשלחו מרגלים, והוא לא שלחם אלא לפי שידע שיצליחו בשליחותם וירחיבו לב ישראל בבשורות טובות. ובדרש (במדבר רבה טז, א) חֶרֶשׂ כמו חרס הטעינם קדרות כדי שיראו קדרים ולא ירגישו בהם, מהם אמרו כלי נגרות היה בידם כמה דאת אמר מַעֲשֵׂה חָרַשׁ אֶבֶן (שמות כח, יא) ומהם פירשו כמשמעו ופשוטו, אמר להם יהושע עשו עצמכם כחרשים ועמדו על רזיהם (ספרי זוטא י): **את הארץ וגו'.** הארץ בכלל ואת יריחו בפרט, לפי שהיתה עיר גדולה: **זונה.** כמשמעה, או מוכרת מזון כמו שתרגם יונתן פּוּנְדְּקִיתָא, והוא בשקל טובה, והאמת דעת יונתן זונה ממש, כי כן דרכו במקומות לתרגם זונה פונדקית, וכן שְׁתַּיִם נָשִׁים זֹנוֹת (מלכים־א ג, טז) פּוּנְדְּקָן, ואף על פי שתרגם מקצתן נָפְקַת בָּרָא (בראשית לד, לא), ודעתו לפי שהזונה כפונדקיתא שמפקרת עצמה לכל: **וישכבו שמה.** להודיע כי לא היו שם אלא לילה אחד, ובאותו לילה יצאו משם: **(ב) ויאמר.** בפתח המ"ם כמו תִּשָּׁבַר (יחזקאל לב, כח), וַתִּשָּׁכַב, וַתֵּעָצַר הַמַּגֵּפָה (במדבר יז, יג) והדומים להם:

מצודת דוד

וירשתם. רצה לומר, אז תאחזו בה מבלי מערער הואיל ותקיימו התנאי: **מזרח השמש.** בעבר המזרחי: **(יז) רק וכו'.** רצה לומר, לא נשמע אליך רק כשיהיה ה' עמך וכו', אבל לא בזולת זה: **(יח) רק חזק.** לענוש המורדים ולא למחול על כבודך: **(א) מרגלים חרש.** מחפשים מחשבות הבריות, אם נמס לבבם: **לאמר.** רצה לומר, וכה אמר:

מצודת ציון

(יח) ימרה. מלשון מרי ומרד, כמו סוֹרֵר וּמוֹרֶה (דברים כא, יח): **(א) מרגלים.** ענין חיפוש כמו לַחְקֹר וְלַהֲפֹךְ וּלְרַגֵּל (דברי הימים־א יט, ג): **חרש.** ענינו מחשבה, כמו אַל תַּחֲרֹשׁ עַל רֵעֲךָ רָעָה (משלי ג, כט): **זונה.** מוכרת מזון: **(ב) הנה.** להעיר הזאת: **לחפר.** לרגל ולחפש, כמו יַחְפְּרוּ בָעֵמֶק (איוב לט, כא), על שם שהמחפש דבר מה בקרקע חופר בה:

---

established there. Moreover, they had not had to fight for their territory, since Moses defeated Sichon and Og easily. Therefore, Joshua implied, the people of Reuben, Gad, and Mannaseh were morally obligated to remain with their brethren until they were as secure in their own homes.

16-18. The tribes reaffirm Joshua's leadership. The Gadites, Reubenites, and Mannasites go beyond Joshua's request. Not only do they intend to keep their earlier promise, they lend powerful support to Joshua's authority. Not only did they agree to accept his leadership, they acknowledged his status as a "king," who has the extralegal authority to punish rebels with death, should he decide that the situation calls for it (*Rambam, Hil. Melachim* 3:8).

17. Their allegiance to Joshua was subject to only one condition: that God be with him. This implied that Joshua himself must be faithful to the Torah and that events do not show that God is displeased with him.

18. רַק חֲזַק וֶאֱמָץ — *Only be strong and courageous.* The word *only* is a limitation: The king has absolute authority only if his commands do not violate the Torah (*Sanhedrin* 49a). Thus, they told Joshua to *be strong* in obeying the Torah, for otherwise the people would not obey him. Alternatively, they urged him to be strong in exercising his authority over the nation because a flock must have a shepherd (*Ralbag*)

and they too take possession of the land that HASHEM, your God, gives them. Then you
will return to the land of your inheritance and possess it — that which Moses, servant of
HASHEM, gave you across the Jordan, toward the rising of the sun."

They affirm their loyalty to him

16 They answered Joshua, saying, "All that you have commanded us we will do, and
wherever you send us we will go. 17 As fully as we heeded Moses, so shall we heed you,
provided that HASHEM, your God, is with you as He was with Moses! 18 Any man who will
rebel against your utterance or will not listen to your words, in whatever you may
command him, will be put to death. Only be strong and courageous!"

2

The reconnaissance mission

1 Joshua son of Nun dispatched two men — spies — from Shittim, secretly saying, "Go,
observe the land and Jericho." So they went and arrived at the house of a woman
innkeeper whose name was Rahab, and slept there.

The king discovers the spies . . .

2 It was told to the king of Jericho, saying, "Behold, men have come here this night
from the Children of Israel to spy out the land."
3 The king of Jericho sent to Rahab, saying, "Bring out the men who have come to you,

2.

Joshua dispatches spies. As Israel camped near the bank of the Jordan, ready to enter *Eretz Yisrael*, Joshua sent two spies to reconnoiter the area of Jericho, which would be the people's first objective. Moses had sent a similar expedition thirty-nine years before, with disastrous results (see *Numbers* 13:1-14:38), but this did not deter Moses from sending spies before the battles for the east bank of the Jordan (*Numbers* 13:18), nor did it deter Joshua now. Instead of sending a large spying mission which was noisily demanded by an unruly crowd (see *Deuteronomy* 1:23) — which was the reason for the original mission's failure — the later missions of Moses and Joshua were done quietly, and consisted of few men who reported not to the entire nation, but only to Moses and Joshua.

Joshua did not send spies to determine whether or not to enter the land, or whether or not the land was good and fertile; God had commanded him to cross the Jordan and had assured him of victory, and had praised the "land flowing with milk and honey" — Joshua did not doubt God's word. Rather he sent the spies because he was sure they would come back with the sort of report that would boost the morale of the people, so that they would cross into *Eretz Yisrael* with undiluted confidence that God would deliver the country into their hands (*Radak, Ralbag*). Also he wanted to know the state of preparedness of individual cities, to determine how many men to assign to each battle (*Or Hachaim*). (As the spies' mission developed, they were forced into hiding, and could not reconnoiter individual cities.)

The primary destination of the spies was Jericho because it was a fortress; if it could be conquered, the way would be open for more victories.

1. שְׁנַיִם אֲנָשִׁים — *Two men.* The two spies were Caleb and Phinehas (*Bamidbar Rabbah* 16:1). Caleb had distinguished himself as the one who stood up against the traitorous spies in Moses' time, and Phinehas was the one whose heroism had put a stop to the orgy of idolatry and immorality at Shittim (*Numbers* 25:1-9). These men had proven themselves, and Joshua could be confident that they would succeed.

חֶרֶשׁ — *Secretly.* Joshua did not tell the Jews about the spies, so that they should not think that even he was afraid of what might face them in Canaan. Alternatively, חֶרֶשׁ can be rendered *deaf-mute.* Joshua instructed them to act as if they could not hear, so that the Canaanites would speak freely in their presence (*Radak*). *Rashi* cites the Midrash that the word can be read as if the final letter is a *sin*: חֶרֶשׂ, *earthenware*, meaning that Joshua told them to disguise themselves as sellers of earthenware pots, to deflect suspicion (*Rashi*).

Rahab. The spies visited Rahab, a famous woman whose home was against the wall of Jericho, and whose outer window was in the wall itself. Scripture says that she was a זוֹנָה, which *Rashi*, following *Targum*, renders as innkeeper. However, *Rashi* to verse 15 apparently understands the word as *harlot*, which is how *Radak* renders it. Commentators explain that the two interpretations go together, because the hospitality of the inn helped attract clients. The Sages teach that Rahab was a great beauty (*Megillah* 15a) and a very popular courtesan, who was visited by the great men and monarchs of the country (*Zevachim* 115a). Since so many people frequented her premises, she knew the mood of the people and would be able to tell the spies if the Canaanites were demoralized at the impending Israelite invasion or if they were ready for war.

The Sages teach that God seeks out righteous people from the nations and draws them to his faith. As examples, the Sages cite Jethro and Rahab. She repented her misdeeds and declared her acknowledgment that God rules heaven and earth (v. 11), converted to Judaism and so sincere was her repentance that Joshua married her. Not only that, but eight prophets, including Jeremiah, descended from her (*Megillah* 14b).

2-7. Rahab protects the spies.

3. It was customary that visitors were entitled to the special protection of their host (see *Genesis* 19:8 and *Judges* 19:23), so that it would have been improper for Rahab to expel them. The king couched his demand in terms that would assure Rahab that she had no moral obligation to her guests. Thus he said that whether they posed as have *come to you*, i.e., in your profession as a harlot, or they *have come to your house*, i.e., to enjoy your hospitality as an innkeeper, they have deceived

ד אֲשֶׁר־בָּאוּ לְבֵיתֵךְ כִּי לַחְפֹּר אֶת־כָּל־הָאָרֶץ בָּאוּ׃ וַתִּקַּח הָאִשָּׁה אֶת־שְׁנֵי
ה הָאֲנָשִׁים וַתִּצְפְּנוֹ וַתֹּאמֶר כֵּן בָּאוּ אֵלַי הָאֲנָשִׁים וְלֹא יָדַעְתִּי מֵאַיִן הֵמָּה׃ וַיְהִי
הַשַּׁעַר לִסְגּוֹר בַּחֹשֶׁךְ וְהָאֲנָשִׁים יָצָאוּ לֹא יָדַעְתִּי אָנָה הָלְכוּ הָאֲנָשִׁים רִדְפוּ מַהֵר
ו אַחֲרֵיהֶם כִּי תַשִּׂיגוּם׃ וְהִיא הֶעֱלָתַם הַגָּגָה וַתִּטְמְנֵם בְּפִשְׁתֵּי הָעֵץ הָעֲרֻכוֹת לָהּ
ז עַל־הַגָּג׃ וְהָאֲנָשִׁים רָדְפוּ אַחֲרֵיהֶם דֶּרֶךְ הַיַּרְדֵּן עַל הַמַּעְבְּרוֹת וְהַשַּׁעַר סָגָרוּ
ח אַחֲרֵי כַּאֲשֶׁר יָצְאוּ הָרֹדְפִים אַחֲרֵיהֶם׃ וְהֵמָּה טֶרֶם יִשְׁכָּבוּן וְהִיא עָלְתָה עֲלֵיהֶם
ט עַל־הַגָּג׃ וַתֹּאמֶר אֶל־הָאֲנָשִׁים יָדַעְתִּי כִּי־נָתַן יהוה לָכֶם אֶת־הָאָרֶץ וְכִי־נָפְלָה
י אֵימַתְכֶם עָלֵינוּ וְכִי נָמֹגוּ כָּל־יֹשְׁבֵי הָאָרֶץ מִפְּנֵיכֶם׃ כִּי שָׁמַעְנוּ אֵת אֲשֶׁר־הוֹבִישׁ
יהוה אֶת־מֵי יַם־סוּף מִפְּנֵיכֶם בְּצֵאתְכֶם מִמִּצְרָיִם וַאֲשֶׁר עֲשִׂיתֶם לִשְׁנֵי מַלְכֵי
יא הָאֱמֹרִי אֲשֶׁר בְּעֵבֶר הַיַּרְדֵּן לְסִיחֹן וּלְעוֹג אֲשֶׁר הֶחֱרַמְתֶּם אוֹתָם׃ וַנִּשְׁמַע וַיִּמַּס
לְבָבֵנוּ וְלֹא־קָמָה עוֹד רוּחַ בְּאִישׁ מִפְּנֵיכֶם כִּי יהוה אֱלֹהֵיכֶם הוּא אֱלֹהִים בַּשָּׁמַיִם
יב מִמַּעַל וְעַל־הָאָרֶץ מִתָּחַת׃ וְעַתָּה הִשָּׁבְעוּ־נָא לִי בַּיהוה כִּי־עָשִׂיתִי עִמָּכֶם חָסֶד
יג וַעֲשִׂיתֶם גַּם־אַתֶּם עִם־בֵּית אָבִי חֶסֶד וּנְתַתֶּם לִי אוֹת אֱמֶת׃ וְהַחֲיִתֶם אֶת־אָבִי

רש״י

(ד) **ותצפנו.** יש מקראות מדברים על הרבים כיחיד, לפי שמיהרה בהטמנתם, ובמקום צר, כאילו היה יחידי, ומדרש אגדת תנחומא יש (שלח א) פנחס וכלב היו, ופנחס עמד לפניהם ולא ראוהו לפי שהיה כמלאך. דבר אחר וַתִּצְפְּנוֹ, כל אחד ואחד בפני עצמו, ודוגמתו מצינו שֶׁמֶן וּקְטֹרֶת יְשַׂמַּח לֵב (משלי כז, ט), ולא אמר ישמחו לב: (ו) **בפשתי העץ.** פשתים בגבעוליהן: (ז) **על המעברות.** מקום מעבר המים, שהיו סבורים שחזרו לאחוריהם אל ערבות מואב, והירדן מפסיק ביניהם: **והשער סגרו.** השוערים: (יא) **ולא קמה עוד רוח באיש.** אפילו לשכב עם אשה, אמרו אין לך כל שר ונגיד שלא בא אל רחב הזונה, ובת עשר שנים היתה כשיצאו ישראל ממצרים, וזנתה כל ארבעים שנה (זבחים קטז, ב): (יב) **אות אמת.** שתעשו כשתבאו ותכבשו את העיר, שתכירו האות ותחיוני:

רד״ק

(ג) **לחפר.** כמו לָתוּר (שם יג, יז) כי התר מחפש דבר: (ד) **ותקח האשה.** כבר לקחה אותם וצפנתם טרם הכנס שלוחי המלך לביתה כשהרגישה שנודע הדבר למלך: **ותצפנו.** כל אחד לבדו, כדי שלא יכירו מקומם אם יעלו לגג, ובדרש (במדבר רבה טז) אלו שני המרגלים היו כלב ופינחס, ועמד לפניהם פינחס ולא הכירוהו ולא ראוהו לפי שהיה מלאך, ואמר וַתִּצְפְּנוֹ על כלב לבדו: (ה) **ויהי השער לסגור.** עומד לסגור שחשך היום: (ו) **והיא העלתם הגגה ותטמנם.** כבר אמר למעלה וַתִּצְפְּנוֹ (פסוק ד) ועתה אמר וַתִּטְמְנֵם להודיע איך טמנה אותם: **בפשתי העץ.** רצה לומר שהיו עדיין הפשתים בגבעוליהם, והעלתם הגגה ליבשם והטמינה אותם בתוכם, ופשתי העץ כמו עצי פשתים, וכן שְׁנִי תוֹלַעַת (ויקרא יד, ד) תּוֹלַעַת שָׁנִי (שמות כח, ו): **הערכות.** הפשתים לשון נקבות, האחת פשתה והרבים פשתים, כמו מן חטה חטים, והיו ערוכות לה על הגג ליבשן: (ז) **והאנשים רדפו אחריהם.** לפי מחשבתם: **על.** כמו עד, וכן וְיַרְכָתוֹ עַל צִידֹן (בראשית מט, יג) וכן יְנַהֲגֵנוּ עַל מוּת (תהלים מח, טו) כמו עד מות כי הוא שתי מלות: **המעברות.** בשוא הבי״ת מגיזרה מעבר בצרי, ואם לא, נמצא הַמַּעְבָּרוֹת נִתְפָּשׂוּ (ירמיהו נא, לב) בקמץ הבי״ת מגזרת מעבר בקמץ: **סגרו.** המרגלים, או אנשי הבית והוא הנכון, כי הם לא ירדו מהגג מפחדם להם ושם שכבו להם: **אחרי וגו׳.** אינו תוספת ביאור, אלא אם היה אומר אחרי אשר יצאו ידמה אחר זמן, והם לא אחרו לסגור השער מפחדם להם, ואם היה אומר כאשר יצאו ולא אמר אחרי, ידמה כי תכף בצאתם מן השער סגרו, ואם היו עושין כן היו מרגישים הרודפים כי המרגלים נחבאים שם, אלא כשהרחיקו האנשים מהשער עד שלא ירגישו בסגירת השער סגרוהו, וזה טעם אַחֲרֵי כַּאֲשֶׁר: (ח) **והמה טרם ישכבון.** טרם שישנו: **עלתה עליהם.** כמו אליהם, כמו וַיֵּלֶךְ אֶלְקָנָה הָרָמָתָה עַל בֵּיתוֹ (שמואל־א ב, יא) כמו אל ביתו, וְדִבַּרְתִּי עַל הַנְּבִיאִים (הושע יב, יא) כמו אל הנביאים, ורבים כהם כמו שכתבנו בספר מכלל: (יא) **ונשמע וימס לבבנו ולא קמה.** כי האדם המפחד כאילו נפלה רוחו כדרך אַל יִפֹּל לֵב אָדָם עָלָיו (שמואל־א יז, לב), ויונתן תרגם וְלֹא קָמָה, וְלָא אִשְׁתְּאָרַת: (יב) **כי עשיתי עמכם חסד.** החסד הוא הטובה שיעשה אדם עם אחר שאין לו גמול עליו, והיא עשתה עמהם חסד בהחביאם אותם כי הם לא גמלוה טובה עד הנה, לפיכך אמרה להם וַעֲשִׂיתֶם גַּם אַתֶּם עִם בֵּית אָבִי חֶסֶד, ולא אמרה עמי כי בהחיותם אותה הוא אמת וחובה עליהם כי היא החייתה אותם, ובהחיותם בית אביה הוא חסד לפיכך אמרו לה הם גם כן, וְעָשִׂינוּ עִמָּךְ חֶסֶד וֶאֱמֶת (פסוק יד) אמת להחיותה וחסד להחיות בית אביה: **אות אמת.** האות שתתנו לי שתקיימו אותו ואל תכזבו בי:

מצודת דוד

(ד) **ותצפנו.** כל אחד במקום מיוחד, כי יותר נוח להטמין אחד אחד: **האנשים.** אשר תשאלו עליהם: **ולא ידעתי.** בעת בואם: (ה) **ויהי השער.** רצה לומר, בעת בוא זמן סגירת שער העיר, כאשר חשך היום: **כי תשיגום.** היות זה מקרוב יצאו: (ו) **ותטמנם.** הוסיפה להטמינם במקום יותר נסתר: **בפשתי העץ.** בפשתים שהם עדיין בתוך העץ, והם הקנים של פשתן: **הערכות.** בכדי שלא ירגישו שיש מי טמון שם: (ז) **אחריהם.** כן חשבו הרודפים לפי דעתם: **סגרו.** לפי שרצו לבקשם עוד בעיר, לזה סגרו שומרי השער את השער, שלא יצאו מעתה: (ח) **והמה.** המרגלים: (ט) **וכי נפלה וכו׳.** ולא נעצר כח להלחם בכם: (יא) **ולא קמה וכו׳.** רצה לומר, כל איש רוחו נמוכה ושפלה: **הוא אלהים.** אם כן היכולת בידו על כולם: (יב) **ועתה.** הואיל והדבר ברור: **חסד.** היות כי עדיין לא עשיתם לי טובה מאומה: **ועשיתם וכו׳.** לזה גם אתם עשו חסד עם בית אבי מבלי הקדמת טובה מהם: **אות אמת.** סימן אמיתי, למען ידעו כל ישראל לבל ישלחו בנו יד:

מצודת ציון

(ד) **ותצפנו.** הסתירה אותו, כמו יִצְפֹּן לַיְשָׁרִים (משלי ב, ז): **כן.** ענינו אמת, כמו כֵּן דִּבַּרְתָּ (שמות י, כט): **מאין.** מאיזה מקום: (ה) **אנה.** לאיזה מקום: (ו) **הערוכות.** מלשון עריכה וסדור: (ז) **על.** ענינו כמו עד, וכן וְיַרְכָתוֹ עַל צִידֹן (בראשית מט, יג): **המעברות.** מקום מעבר הירדן: (ח) **עליהם.** ענינו כמו אליהם, באל״ף: (ט) **אימתכם.** מלשון אימה ופחד: **נמגו.** נמסו: (י) **הוביש.** מלשון יבש: **החרמתם.** ענין מיתה וכליון:

who have come to your house, for they have come to spy out the entire land." 4 *The woman had taken the two men and hidden them. She said, "It is true; the men did come to me, but I do not know from where they are.* 5 *When the city gate was about to close at dark, the men went out; I do not know where the men went. Pursue them quickly, for you can overtake them!"* 6 *But she had brought them up to the roof and hidden them in the stalks of flax that had been arranged for her on the roof.*

. . . but Rahab protects them

7 *So the men pursued them in the direction of the Jordan to the crossings; and they closed the gate soon after the pursuers had gone out after them.*

8 *They had not yet gone to sleep when she came up to them on the roof.* 9 *She said to the men, "I know that* HASHEM *has given you the land, and that fear of you has fallen upon us, and all the inhabitants of the land have dissolved because of you;* 10 *for we have heard how* HASHEM *dried up the waters of the Sea of Reeds for you when you went forth from Egypt and what you did to the two kings of the Amorites who were across the Jordan — to Sihon and to Og — whom you utterly destroyed.* 11 *We heard and our hearts melted — no spirit remained in any man because of you — for* HASHEM*, your God, He is God in the heavens above and on the earth below.* 12 *Now, I beseech you, swear to me by* HASHEM*, since I have done kindness with you, that you too will do kindness with my father's household and give me a trustworthy countersign,* 13 *that you will keep alive my father,*

Rahab's plea

---

you. They are spies and as such you are not obligated to them (*Abarbanel*).

4. וַתִּקַּח הָאִשָּׁה — *The woman had taken.* Anticipating that her guests might have been seen, Rahab had already hidden them.

וַתִּצְפְּנוֹ — *And hidden them* [lit. *him*]. Although the word is in the singular, *Targum* and *Rashi* apply it to both spies. To account for the singular form, *Rashi* offers two explanations: either she had both men in a cramped space that was suitable for one man, or she had them in separate places.

Alshich renders *she hid* **it**, literally, meaning that she hid her knowledge of the spies whereabouts.

כֵּן — *It is true.* She could not deny that the men had come to her home, but she insisted that she did not know they were spies; had she known, she would have turned them in.

6. וְהִיא הֶעֱלָתַם הַגָּגָה — *But she had brought them up to the roof.* The verse now describes how she had hidden them before the king's emissaries came searching (*Radak*). Alternatively, after the search party had left, she hid them better, making sure that no one would suspect that anyone could be hiding under the pile of flax (*Abarbanel*).

7. The gate was closed behind the pursuers in case the spies were still concealed in the city.

8-14. Rahab's plea and the spies' response. Having sent the king's police on a wild-goose chase, Rahab went up to the spies' hiding place and made her case. She explained that her treatment of them was not treason against her government, but a result of her recognition that God, the Ruler of the universe, had ordained that the land of Canaan would belong to Israel. Her declaration that the Canaanites were frightened to the point of demoralization was what the spies had been sent to learn, so that their mission was now a success — if they could make their way back to the camp without being caught. She proposed to help them escape, provided they guarantee protection to her and her family. The spies swore to do so.

10. אֲשֶׁר־הוֹבִישׁ ה׳ אֶת־מֵי יַם־סוּף — *How* HASHEM *dried up the waters of the Sea of Reeds.* Although this miracle took place forty years before, when Rahab was ten years old (*Zevachim* 116b), its demoralizing effect still remained. Indeed, Rahab echoed the expression Moses used in the Song at the Sea: *all the dwellers of Canaan dissolved* (or *melted).* Although the Canaanites had heard about the other miracles, and Rahab mentioned the defeat of Sichon and Og, the miracle at the Sea was the quintessential proof that God ruled nature as He wished.

11. The Sages (*Yalkut Shimoni* 247:10) praise Rahab ecstatically for praising God's mastery even in the heavens, which she could not see. As a reward for this great faith, her descendant, the prophet Ezekiel, was privileged actually to see God's greatness in heaven, as he said, *the Heavens opened and I saw visions of God* (*Ezekiel* 1:1).

12. כִּי־עָשִׂיתִי עִמָּכֶם חָסֶד — *Since I have done kindness with you.* Up to this point, the spies had done nothing for her, her act of saving their lives was pure *kindness*; it would not be a "kindness" for them to spare her — they *owed* that to her. But it would be a kindness of them to save her family, which is what she now requested (*Radak*).

Malbim comments that her acceptance of God's sovereignty signified her conversion to Judaism, and as a convert, she was exempt from the commandment that all the Canaanites who opposed Israel must be killed. However, she asked for similar mercy for her family.

אוֹת אֱמֶת — *A trustworthy countersign.* She needed a tangible, visible sign that would tell the conquering Israelites that she and her family were not to be harmed (*Rashi*).

וְאֶת־אִמִּי וְאֶת־אַחַי וְאֶת־°אחותי [°אַחְיוֹתַי ק׳] וְאֵת כָּל־אֲשֶׁר לָהֶם וְהִצַּלְתֶּם
יד אֶת־נַפְשֹׁתֵינוּ מִמָּוֶת: וַיֹּאמְרוּ לָהּ הָאֲנָשִׁים נַפְשֵׁנוּ תַחְתֵּיכֶם לָמוּת אִם לֹא תַגִּידוּ
טו אֶת־דְּבָרֵנוּ זֶה וְהָיָה בְּתֵת־יְהֹוָה לָנוּ אֶת־הָאָרֶץ וְעָשִׂינוּ עִמָּךְ חֶסֶד וֶאֱמֶת: וַתּוֹרִדֵם
טז בַּחֶבֶל בְּעַד הַחַלּוֹן כִּי בֵיתָהּ בְּקִיר הַחוֹמָה וּבַחוֹמָה הִיא יוֹשָׁבֶת: וַתֹּאמֶר לָהֶם
הָהָרָה לֵּכוּ פֶּן־יִפְגְּעוּ בָכֶם הָרֹדְפִים וְנַחְבֵּתֶם שָׁמָּה שְׁלֹשֶׁת יָמִים עַד שׁוֹב הָרֹדְפִים
יז וְאַחַר תֵּלְכוּ לְדַרְכְּכֶם: וַיֹּאמְרוּ אֵלֶיהָ הָאֲנָשִׁים נְקִיִּם אֲנַחְנוּ מִשְּׁבֻעָתֵךְ הַזֶּה אֲשֶׁר
יח הִשְׁבַּעְתָּנוּ: הִנֵּה אֲנַחְנוּ בָאִים בָּאָרֶץ אֶת־תִּקְוַת חוּט הַשָּׁנִי הַזֶּה תִּקְשְׁרִי בַּחַלּוֹן
אֲשֶׁר הוֹרַדְתֵּנוּ בוֹ וְאֶת־אָבִיךְ וְאֶת־אִמֵּךְ וְאֶת־אַחַיִךְ וְאֵת כָּל־בֵּית אָבִיךְ תַּאַסְפִי
יט אֵלַיִךְ הַבָּיְתָה: וְהָיָה כֹּל אֲשֶׁר־יֵצֵא מִדַּלְתֵי בֵיתֵךְ ׀ הַחוּצָה דָּמוֹ בְרֹאשׁוֹ וַאֲנַחְנוּ
כ נְקִיִּם וְכֹל אֲשֶׁר יִהְיֶה אִתָּךְ בַּבַּיִת דָּמוֹ בְרֹאשֵׁנוּ אִם־יָד תִּהְיֶה־בּוֹ: וְאִם־תַּגִּידִי
כא אֶת־דְּבָרֵנוּ זֶה וְהָיִינוּ נְקִיִּם מִשְּׁבֻעָתֵךְ אֲשֶׁר הִשְׁבַּעְתָּנוּ: וַתֹּאמֶר כְּדִבְרֵיכֶם כֶּן־
כב הוּא וַתְּשַׁלְּחֵם וַיֵּלֵכוּ וַתִּקְשֹׁר אֶת־תִּקְוַת הַשָּׁנִי בַּחַלּוֹן: וַיֵּלְכוּ וַיָּבֹאוּ הָהָרָה וַיֵּשְׁבוּ
שָׁם שְׁלֹשֶׁת יָמִים עַד־שָׁבוּ הָרֹדְפִים וַיְבַקְשׁוּ הָרֹדְפִים בְּכָל־הַדֶּרֶךְ וְלֹא מָצָאוּ:

רש״י

(טו) **ותורדם בחבל בעד החלון.** באותו חבל וחלון היו הנואפים עולין אליה. אמרה, רבונו של עולם, באלו חטאתי באלו תמחול לי (זבחים שם): (טז) **עד שוב הרדפים.** ראתה ברוח הקדש שישובו לסוף שלשת ימים (ספרי דברים כב): (יז) **נקים אנחנו.** הרי אנו תולין הדבר בך לעשות האות הזה: (יח) **את תקות.** לשון קו וחבל: (יט) **דמו בראשו.** עון הריגתו על ראשו תהא, כי הוא יגרום מיתתו: **דמו בראשנו.** עון הריגתו תהא עלינו:

רד״ק

(יד) **נפשנו תחתיכם למות.** אנו נמסור עצמינו תחתיכם למות למי שירצה להמית אתכם: **תגידו.** הראשון בוי״ו, כנגדה וכנגד בית אביה, כי אי אפשר שלא היה שם עמה מבית אביה כי לא היתה יושבת יחידה, או אפשר שאמרו כנגד בית אביה ואף על פי שלא היו שם, כמו שאמרו גם כן נַפְשֵׁנוּ תַחְתֵּיכֶם לָמוּת. והשני תַּגִּידִי (פסוק כ) ביו״ד כנגדה, והסימן דודי, ומה היה דבר זה שאמרו לה שלא תגיד, לא אמרו על דבר היותם שם בביתה, שלא חשדו אותה שתגלה אותם בצאתם מביתה שהרי כסתה עליהם לשלוחי המלך, אבל לאחר זמן כשבאו ישראל על העיר אי אפשר שלא נגלה הדבר כיון שאספה בית אביה לביתה, אלא מה אמרו לה שלא תגיד דבר האות שהיה להם עמה, שאם תגיד יעשו גם כן האחרים שהיה להם בית בחומה להנצל, והם יטעו בדבר זה: (טו) **ותורידם בחבל.** כדי שלא ירגישו השכנים אם יצאו דרך שער ביתה אם תפתח אותו בעוד לילה אחרי אשר סגרו אותו, ולפיכך הורידה אותם בחבל דרך החלון, וזה היה כשכלתה לדבר עמהם או אחר שישנו מעט: **ובחומה היא יושבת.** אף על פי שהיה לה בית בחומה היה אפשר שהיה עיקר ישיבתה בתוך העיר, לפיכך אמר וּבַחוֹמָה הִיא יוֹשָׁבֶת: (טז) **ונחבתם שמה.** חסר אל״ף נחבא, או שרשו חבה בה״א כי נמצאו בשורש הזה בה״א: **שלשת ימים.** אמרו רז״ל (רות רבה ב, א) מגיד ששרתה רוח הקדש על רחב שישובו לסוף שלשת ימים, שאילו לא שרתה עליה רוח הקדש מאין היא יודעת שעתידין לחזור לסוף שלשת ימים, ועל דרך הפשט כי מדרך הסברה אמרה זה, כי מיריחו עד הירדן יום אחד או יותר מעט, וחשבה כי בין הליכתן ושובם וחפירתם וחפוש בכל הדרך יהיו שלשת ימים: **שוב.** בחולם: (יז) **נקים אנחנו.** פירוש בתנאי זה הִנֵּה אֲנַחְנוּ בָאִים (פסוק יח) כלומר, הרי אנו תולין הדבר בך לעשות האות הזה וּנְקִיִּם אֲנַחְנוּ חסר יו״ד הרבים מהמכתב והיו״ד הכתוב למ״ד הפעל ונדגשת כמו יו״ד ענייה, והם בשקל נְחִתִּים (מלכים־ב ו, ט) שְׁעִפִּים (איוב ד, יג): **משבעתך הזה.** פירוש מדבר שבועתך זה, ואף על פי שלא ספר הכתוב שנשבעו לה, כיון שאמרה להם הִשָּׁבְעוּ נָא לִי (לעיל פסוק יב) נראה שנשבעו לה כשאמרו לה נַפְשֵׁנוּ תַחְתֵּיכֶם לָמוּת (לעיל פסוק יד) או הִשָּׁבְעוּ נָא לִי בַּה׳ היא השבועה שהשביעה אותם, והם קבלו השבועה כי אמרו לה נַפְשֵׁנוּ תַחְתֵּיכֶם לָמוּת, והדבר ההוא היא קבלת שבועה: **השבעתנו.** בקמץ התי״ו ומשפטו בחירק, ויש אומרים כי מפני ההפסק נתחלפה התנועה. ואחר שירדו אמרו לה זה ושנו התנאי ונתנו לה אות: (יח) **את תקות חוט השני.** פירוש קו שזור ועשוי מחוטי שני, ויונתן תרגם תּוֹרָא דְחוּט זְהוֹרִיתָא, ותרגום שָׂפָה [יִהְיֶה] לְפִיו סָבִיב (שמות כח, לב) תּוֹרָא יְהֵא מַקַּף לְפוּמֵיהּ, אם כן לפי דעתו פירוש תִּקְוַת חוּט הַשָּׁנִי שפת בגד אדום, ואמרו הַזֶּה שראו אותו בבית טרם שירדו, ומה שאמרו תִּקְשְׁרִי בַּחַלּוֹן בעת כבוש העיר, ויש פותרין תִּקְוַת כמו וַיִּכְלוּ בְּאֶפֶס תִּקְוָה (איוב ז, ו) לשון קו וחבל: **הורדתנו.** בא התי״ו בצרי במקום חירק, כי יבאו זה במקום זה כמו יפעיל ויפעל: (יט) **דמו בראשו.** הוא נתחייב בדמו שלא שמר עצמו: (כא) **ותשלחם.** בדבור, כלומר אמרה להם לכו לשלום: **ותקשר.** לא קשרה אותו עתה אחר שיצאו, אלא ספר הכתוב כי כן עשתה כמו שצוו אותה שקשרה התקוה בחלון בעת כבוש העיר:

מצודת דוד

(יד) **נפשנו וכו׳.** אם מי ירצה לשלוח בכם יד, נמסור עצמנו למיתה בכדי להציל אתכם: **את דברנו זה.** את האות שאת מבקשת ונתנה לך, כי אם תגידי לגלות האות, הרבה יעשוהו להציל עצמם: **חסד ואמת.** היות את עשית עמנו חסד אבל צפית לתשלום גמול, אבל אנו נעשה עמך חסד של אמת מבלי תקות תשלום גמול: (טו) **בעד החלון.** כי שערי העיר סגרו: **בקיר החומה.** פני החלון אל מחוץ לחומה: (טז) **פן יפגעו.** כשתלכו עתה לדרכיכם, פן יפגשו בכם הרודפים בשובם: **שמה.** בההר: (יז) **נקים.** רצה לומר, רוצים אנחנו להיות נקיים מעון בטול שבועה, ולזה נפרש הדבר היטב: (יח) **אנחנו באים.** רצה לומר, בעת נבוא בארץ: **הזה.** אשר הורדתנו בו: **תקשרי.** להיות לאות וסימן: **בו.** מוסב על החלון ורצה לומר, דרך בו: (יט) **דמו בראשו.** רצה לומר, עון מיתתו על עצמו כי פשע בנפשו: **ואנחנו נקים.** כי לא היה מהאפשר לשומרו מן המיתה: (כ) **זה.** הסימן והאות הזה: (כא) **כן הוא.** רצה לומר, זהו הדרך הנכון: **ותשלחם.** לפי שהלכו אל ההר בעצתה, אמר ותשלחם: **ותקשר.** בעת שבאו ישראל בארץ:

מצודת ציון

(טו) **בקיר.** בכותל: (טז) **יפגעו.** ענין פגישה: **ונחבתם.** מלשון מחבואה, ורצה לומר, תסתרו במקום מחבואה: (יח) **תקות.** מלשון קו וחבל, וכן נָטָה קָו (ישעיהו מד, יג): **השני.** רצה לומר, צבוע בצבע אדום, כמו וְתוֹלַעַת שָׁנִי (שמות כה, ד): **תאספי.** ענין הכנסה, כמו וְאֵין אִישׁ מְאַסֵּף אוֹתָם (שופטים יט, טו):

my mother, my brothers, and my sisters, and all that is theirs, and that you will save our
souls from death."

The spies' conditional promise

14 *Then the men said to her, "Our souls will die instead of yours, if you do not relate this*
discussion of ours. And it will be when HASHEM *gives us the land that we will do kindness*
and truth with you."
15 *She lowered them by the rope through the window, for her house was in a wall of the*
fortification, and she lived in the fortification. 16 *She said to them, "Go to the mountain,*
lest the pursuers encounter you. Conceal yourselves there for three days until the
pursuers turn back; then you may continue on your way."
17 *The men said to her, "We are absolved from this oath of yours which you made us*
swear [unless]: 18 *Behold, when we come into the land, you shall tie this cord of scarlet*
thread in the window through which you lowered us; and your father and your mother
and your brothers and your father's entire household you shall bring in to you, into the
house. 19 *Then it shall be that anyone who leaves the doors of your house for the outside,*
his blood will be on his head, and we will be absolved. But regarding anyone who will be
with you inside the house, his blood will be on our head, if a hand will be [laid] upon him.
20 *But if you relate this discussion of ours, we will be absolved of your oath that you have*
made us swear." 21 *She said, "As you say, so it is." She sent them forth, and they went;*
and she tied the cord of scarlet thread in the window.
22 *They went and arrived at the mountain and stayed there three days until the*
pursuers turned back; the pursuers searched along the entire way but they did not find
[them].

14. נַפְשֵׁנוּ תַחְתֵּיכֶם לָמוּת — *Our souls will die instead of yours.* They accepted her oath and proclaimed that they were ready to lay down their own lives to protect her and her family, but only if she did not reveal the countersign to anyone else, for if she did, many other Canaanites would put up such a sign and pretend that they were her relatives (*Radak*).

חֶסֶד וֶאֱמֶת — *Kindness and truth.* Saving her life would be an act of "truth," i.e., a reward she was entitled to for having saved their lives. In addition, they promised her "kindness," in the form of honor and generous gifts (*Abarbanel*).

15-21. They spell out the conditions. The spies had agreed to save Rahab's family. Now they agreed on the countersign and the conditions of their promise.

15. וַתּוֹרִדֵם בַּחֶבֶל בְּעַד הַחַלּוֹן — *She lowered them by the rope through the window.* In the plain sense, she lowered them through the window so that they would not be seen (*Radak*).

The word "the" implies that this was a specific rope. Following the version that she was a harlot, *Rashi* comments that she used the same rope [perhaps a rope ladder] that her clients used to climb up to her premises, as if to say, "God, with this rope I sinned; let this rope be the vehicle for me to earn forgiveness!"

Rahab's descendant, the prophet Jeremiah, was cast into a slimy pit for "daring" to warn the people to repent or suffer exile. When he was released, he was pulled up from the mud painfully with an uncomfortable rope. He begged for a ladder, but God said, as it were, "Just as your grandmother Rahab lowered the spies with a rope, so you will be saved by a rope" (*Yalkut Shimoni* 326). This shows how sensitive one must be when helping someone: Rahab saved their lives, but failed to consider the discomfort the rope must have caused them (*Be'er Moshe*).

17. נְקִיִּם אֲנַחְנוּ — *We are absolved.* The spies had no intention of freeing themselves from the oath, rather they wished to clarify it in such way that it would be possible to fulfill it, because if there were no way to identify Rahab's relatives, it would be necessary to spare every Canaanite because he or she *might* be a relative. Therefore they qualified the oath by imposing the condition that her relatives must be with her in the house (*Ralbag*).

Me'am Loez contends that they meant to say that even if there were no oath they would be obligated to save her and her family in gratitude for what she was doing for them.

18. The "countersign" would be the scarlet thread in the window. The Jewish soldiers would be instructed to look for it even if the spies were not present to identify Rahab.

20. The oath had to remain secret, otherwise everyone in Jericho would hang out a crimson thread and the Jews would be unable to capture the city (*Malbim*).

22-24. The spies report to Joshua. After hiding for three days, as Rahab had advised, the spies returned and reported to Joshua. In verse 24, they declared what was the main purpose of their mission: Fear had so permeated Canaanite society that it was clear that God had given the land to Israel.

כג וַיָּשֻׁבוּ שְׁנֵי הָאֲנָשִׁים וַיֵּרְדוּ מֵהָהָר וַיַּעַבְרוּ וַיָּבֹאוּ אֶל־יְהוֹשֻׁעַ בִּן־נוּן וַיְסַפְּרוּ־לוֹ
כד אֵת כָּל־הַמֹּצְאוֹת אוֹתָם: וַיֹּאמְרוּ אֶל־יְהוֹשֻׁעַ כִּי־נָתַן יְהוָה בְּיָדֵנוּ אֶת־כָּל־
ג א הָאָרֶץ וְגַם־נָמֹגוּ כָּל־יֹשְׁבֵי הָאָרֶץ מִפָּנֵינוּ: וַיַּשְׁכֵּם יְהוֹשֻׁעַ בַּבֹּקֶר
וַיִּסְעוּ מֵהַשִּׁטִּים וַיָּבֹאוּ עַד־הַיַּרְדֵּן הוּא וְכָל־בְּנֵי יִשְׂרָאֵל וַיָּלִנוּ שָׁם טֶרֶם יַעֲבֹרוּ:
ב־ג וַיְהִי מִקְצֵה שְׁלֹשֶׁת יָמִים וַיַּעַבְרוּ הַשֹּׁטְרִים בְּקֶרֶב הַמַּחֲנֶה: וַיְצַוּוּ אֶת־הָעָם לֵאמֹר
כִּרְאוֹתְכֶם אֵת אֲרוֹן בְּרִית־יְהוָה אֱלֹהֵיכֶם וְהַכֹּהֲנִים הַלְוִיִּם נֹשְׂאִים אֹתוֹ וְאַתֶּם
ד תִּסְעוּ מִמְּקוֹמְכֶם וַהֲלַכְתֶּם אַחֲרָיו: אַךְ ׀ רָחוֹק יִהְיֶה בֵּינֵיכֶם °ובינו [°וּבֵינָיו ק׳]
כְּאַלְפַּיִם אַמָּה בַּמִּדָּה אַל־תִּקְרְבוּ אֵלָיו לְמַעַן אֲשֶׁר־תֵּדְעוּ אֶת־הַדֶּרֶךְ אֲשֶׁר

רש״י

(כג) **ויעברו.** את הירדן: (ג) **והלכתם אחריו.** נשתנה המסע הזה משאר מסעות, שכל זמן שמשה היה קיים היה עמוד הענן נוסע תחלה, ומראה להם הדרך, והארון נוסע אחר שני דגלים, עכשיו הארון נוסע תחלה (סוטה לג, ב): **והכהנים הלוים.** לפי שאלו כולם מלוי (אבי) אבי עמרם נקראו לוים, כמו שפירשו רבותינו בבראשית רבה בארבעים ושמונה מקומות (יבמות פו, ב ובחולין כד, ב, ובכורות ד, א, ותמיד כז, א איתא בעשרים וארבעה מקומות) נקראו הכהנים לוים, וזה טעמו של דבר (מפי רבי): (ד) **אך רחוק יהיה.** כבודו של מקום הוא: **ובינו.** כמו ובינו, ודומה לו יִשְׂמַח יִשְׂרָאֵל בְּעֹשָׂיו. (תהלים קמט, ב) דבר אחר שני ארונות היו, של שכינה ושל יוסף מהלכין יחד: **באלפים אמה.** כדי שתהיו יכולין לילך ולהתפלל לפניו בשבת, כך מפורש במדרש תנחומא (במדבר סימן ט), לפי שידע שעתידין להיות נריס לפני יריחו בשבת: **למען אשר תדעו.** מוסב על וַהֲלַכְתֶּם אַחֲרָיו:

רד״ק

(כג) **וישבו.** שבו אל הדרך, כי כבר היו נחבאים בהר מפני הרודפים ובסוף שלשה ימים יצאו מן המחבוא ושבו להם אל הדרך ללכת לדרכם: (כד) **ויאמרו אל יהושע כי נתן ה׳.** זהו סוף דבריהם ממה שספרו לו, כי מלת כִּי הוא טעם אל הקודם: (ב) **מקצה שלשת ימים.** הנה ראינו בתורה (דברים א, ג) כי בשנת הארבעים בחדש שבט הוכיח משה רבינו עליו השלום את ישראל, ובו בחדש מת או בתחלת אדר, שהרי בניסן עברו ישראל את הירדן עם יהושע וכבר מת משה ועברו ימי אבלו טרם נסעם מהשטים. ואמרו רז״ל (קידושין לח, א) כי בשבעה באדר מת משה וראו זה מן הפסוקים אחר הקבלה, כיצד, חשוב אחרי שבעה ימים באדר שלשים יום ימי אבל משה תמצא שנשלמו השלשים יום בשבעה בניסן, ושלשה ימים שהזהירם טרם עברם את הירדן להכין צידה, נמצא סוף אותן שלשת ימים הוא עשרה בניסן ובו ביום עלו מן הירדן כמו שכתוב וְהָעָם עָלוּ מִן־הַיַּרְדֵּן בֶּעָשׂוֹר לַחֹדֶשׁ הָרִאשׁוֹן (לקמן ד, יט) ולא נוכל לאמר כי לא שלמו ימי האבל עד עברם את הירדן, שהרי בעודם בשטים בערבות מואב שלמו ימי האבל, כמו שכתוב בְּעַרְבֹת מוֹאָב שְׁלֹשִׁים יוֹם (דברים לד:ח). אבל לולי הקבלה יוכל לומר האומר כי בשבט מת משה או באדר קודם שבעה בו וכן מצינו בדברי רז״ל (מכילתא בשלח ד, ה) כי יש מהם שאמרו בשבעה בשבט מת משה, אף על פי שסוגית התלמוד היא כי בשבעה באדר מת משה. ונראה כי הקבלה נכונה כן היא, כי לא יתכן לפרש שהיו שם ימים בטלים אחרי מות משה, אלא היו ימי אבלו, ואחר עבור ימי אבלו צוה הקב״ה את יהושע לעבור את הירדן, והנה יהיה פירוש אַחֲרֵי מוֹת מֹשֶׁה (לעיל א, א) אחר עבור ימי אבלו והוא שלשים יום, כי אין רוח הקדש שורה על אבל ועל עצב (מדרש תהלים מזמור כד) כמו שאמר אלישע וְעַתָּה קְחוּ לִי מְנַגֵּן וגו׳ (מלכים־ב ג, טו) ואמר ביעקב אבינו וַתְּחִי רוּחַ יַעֲקֹב (בראשית מה, כז) ותרגם אונקלוס וּשְׁרַת רוּחַ נְבוּאָה עַל יַעֲקֹב אֲבוּהוֹן, כי כל ימי התאבלו על יוסף לא שרתה עליו רוח הקדש. והנה ביום שלשים שהוא שבעה בניסן אמר הקב״ה ליהושע קוּם עֲבֹר (לעיל א, ב) ובו ביום צוה יהושע לעבור בקרב המחנה ולומר הָכִינוּ לָכֶם צֵידָה כִּי בְּעוֹד שְׁלֹשֶׁת יָמִים אַתֶּם עֹבְרִים אֶת הַיַּרְדֵּן (שם פסוק יא), והוא עשרה בניסן שעברו את הירדן כמו שכתוב (פרק ד, יט), ויהיה פירוש מִקְצֵה שְׁלֹשֶׁת יָמִים ביום שעברו שהוא סוף שלשה ימים למה שצום הָכִינוּ לָכֶם צֵדָה, אבל המרגלים שלחם יהושע תוך ימי אבל ושבו אל יהושע בשמנה בניסן, והשכים יהושע בבוקר ונסעו מהשטים בתשעה בניסן וילינו שם על שפת הירדן, ובו ביום אמר יְהוֹשֻׁעַ אֶל הָעָם הִתְקַדָּשׁוּ כִּי מָחָר, רצה לומר בעשרה בניסן, יַעֲשֶׂה ה׳ עִמְּכֶם נִפְלָאוֹת (פסוק ה). תוספ״ת, כתב הרב רבי יהודה ז״ל בענין צדקתך שאומרין בשבת במנחה, יש אומרים לכך אנו אומרים שלשה פסוקים של צדוק הדין לפי שנפטר משה רבינו עליו השלום במנחה בשבת, ואינו כך, ויש להוכיח מפרקא קמא דקדושין (לח, א) על ידי חשבון מכח אבלו של משה שהיו שלשים יום, ובעשור לחודש אחר כי נסעו ללכת על יריחו ויריחו נלכדה בשבת (בראשית רבה מז), וכאשר נשלך החשבון למפרע נמצא שלא מת בשבת: (ג) **ויצוו את העם לאמר כראותכם וגו׳.** וְאַתֶּם תִּסְעוּ מִמְּקוֹמְכֶם וַהֲלַכְתֶּם אַחֲרָיו וגו׳, אמרו רז״ל (סוטה לג, ב) תנו רבנן כיצד עברו ישראל את הירדן, בכל יום ויום היה ארון נוסע אחר שני דגלים, ואותו היום נסע תחלה, שנאמר הִנֵּה אֲרוֹן הַבְּרִית אֲדוֹן כָּל הָאָרֶץ עֹבֵר לִפְנֵיכֶם בַּיַּרְדֵּן (לקמן פסוק יא), ופירש רש״י ז״ל נשתנה המסע הזה משאר המסעות, שכל זמן שמשה קיים היה עמוד הענן נוסע תחלה ומראה להם הדרך, שנאמר הַהֹלֵךְ לִפְנֵיכֶם בַּדֶּרֶךְ לָתוּר לָכֶם מָקוֹם וגו׳ וּבֶעָנָן יוֹמָם (דברים א, לג), והארון אחר שני דגלים שנאמר וְנָסַע אֹהֶל מוֹעֵד מַחֲנֵה הַלְוִיִּם בְּתוֹךְ הַמַּחֲנֹת וגומר (במדבר ב, יז), ועכשו הארון נוסע תחלה שנאמר הִנֵּה אֲרוֹן הַבְּרִית וגו׳ עֹבֵר לִפְנֵיכֶם בַּיַּרְדֵּן כלומר מקדים לפניכם ליכנס בתוך הירדן, ומה שאמר וַיִּסְעוּ מֵהַר ה׳ דֶּרֶךְ שְׁלֹשֶׁת יָמִים וַאֲרוֹן בְּרִית ה׳ נֹסֵעַ לִפְנֵיהֶם (במדבר י, לג) ארונו של משה היה שהיו בו שברי לוחות (מנחות צט, א), ולשון עובר מלשון וַיַּעֲבֹר אֶת הַכּוּשִׁי (שמואל־ב יח, כג) לישנא דאקדומי הוא, עד כאן: **והכהנים הלוים.** עד עתה הלויים היו נושאים הארון, ועתה נשאוהו הכהנים להקדישו יותר מפני הנס שנעשה לפניו עתה, ואמרו רז״ל (סוטה לג, ב) בשלשה מקומות נשאו הכהנים את הארון, כשעברו את הירדן וכשסבבו את יריחו (לקמן ו, יב) וכשהחזירוהו למקומו וזה היה כשהיה דוד בורח מפני אבשלום שנאמר וַיָּשֶׁב צָדוֹק וְאֶבְיָתָר (הכהן) אֶת אֲרוֹן הָאֱלֹהִים יְרוּשָׁלָם (שמואל־ב טו, כט) וכל זה להגדלת קדושתו, ועוד מצינו במקום אחר בבנין הבית שהעלוהו הכהנים מעיר דוד והביאוהו לבית קדשי הקדשים (מלכים־א ח, א־י) ואפשר כי לפני שנתנוהו במקומו היה שם לעולם, לא מנו אלא שלש מקומות ובכלל שהחזירוהו למקומו הוא, ועד עתה היה הארון נוסע אחר שני דגלים, ועתה נסע תחלה: (ד) **ובינו.** ובינו כתיב וּבֵינָיו קרי, והכל אחד כי ימצא בלשון יחיד ובלשון רבים, ויש בו דרש כי שני ארונות היו של יוסף ושל שכינה והיו מהלכין יחד (סוטה יג, א): **באלפים אמה במדה.** הכ״ף כ״ף

מצודת דוד

(כד) **כי נתן.** במקרא שלפניו נאמר שספרו המוצאות אותם, וכאשר תמו לספר, אמרו הנה תכלית הדבר הוא דע כִּי נָתַן ה׳ וכו׳: (א) **שם.** אצל הירדן: (ב) **שלשת ימים.** וכמו שנאמר בְּעוֹד שְׁלֹשֶׁת יָמִים וכו׳ (לעיל א, יא): (ג) **ארון ברית ה׳.** הארון שבו הלוחות שכרת ה׳ ברית עם ישראל בעת אשר נתנם (שמות לד, כז): **ואתם.** ואז אתם תסעו: (ד) **ובינו** .ובין הארון: **כאלפים.** אלפים מצומצמים, שנאמר בַּמִּדָּה, והכ״ף באה לאמיתת הדבר, וכן מִכְרָה כַיּוֹם (בראשית כה, לא): **למען וכו׳.** מוסב למקרא שלפניו, לומר לכו אחר הארון למען תדעון הדרך כי לא עברתם בה מעולם:

מצודת ציון

(כג) **המצאות.** מה שקרה להם:

The spies return to Joshua

[23] *The two men then returned and descended from the mountain; they crossed [the Jordan] and came to Joshua son of Nun and told him all that had happened to them.*
[24] *They said to Joshua, "HASHEM has given the land into our hands; and all the inhabitants of the land have even melted because of us."*

3

The Ark leads the way

[1] *Joshua arose early in the morning, and they journeyed from Shittim and arrived at the Jordan, he and all the Children of Israel, and they lodged there before they crossed.*
[2] *It was at the end of three days that the marshals circulated in the midst of the camp.*

Joshua's directives

[3] *They commanded the people, saying, "When you see the Ark of the Covenant of HASHEM, your God, and the Kohanim, the Levites, carrying it, then you shall move from your place and follow it.* [4] *But there shall be a distance between yourselves and it — a measure of two thousand cubits — do not approach [closer to] it, so that you may know the way in which*

רד"ק

השיעור, כמו כ"ף כְּשֵׁשׁ מֵאוֹת אִישׁ (שמואל-א יד, ב), כְּעֶשְׂרִים אִישׁ (שם פסוק יד), כְּאֵיפָה שְׂעֹרִים (רות ב, יז), ויתכן שהוא כ"ף האמתות לפי שאמר בַּמִּדָּה וכמו זה הכ"ף כ"ף הדמיון כְהַיּוֹם תִּמְצְאוּן אֹתוֹ (שמואל-א ט, יג), הִשָּׁבְעָה לִּי כַּיּוֹם (בראשית כה, לג). ורוחב המים היה אז שנים עשר מיל כנגד מחנה ישראל כמו שפירשו רז"ל (סוטה לד, א) ואמר להם יהושע, שמשעה שיכנסו לירדן יתרחקו מן הארון אלפים אמה, והטעם שצום שילכו רחוקים מן הארון, הכתוב אומר הטעם לְמַעַן . . . תֵּדְעוּ אֶת הַדֶּרֶךְ, ויש בזה דרש (במדבר רבה ב, ט) כי מה שצוה להם רָחוֹק יִהְיֶה בֵּינֵיכֶם ובינו כְּאַלְפַּיִם אַמָּה בַּמִּדָּה, על חנותם לפני יריחו צוה להם, ואמר להם יהושע עתידין אתם לעשות שם ביריחו את השבת, אל תרחיקו מן הארון יותר מאלפים אמה לכל רוח, ולמה כדי שיהיו רשאין לבא להתפלל לפני הארון בשבת. ומה שאמר בַּמִּדָּה בפתח הבי"ת שמורה על הידיעה, רצה לומר במדה הידועה אצלם במלאכת המשכן: **תדעו את הדרך**. כדי שלא תכנסו בערבוביא, ותראו מרחוק הארון ותלכו דרך ישרה כולכם אחרי הארון:

3.

1-2. The time to cross the Jordan. At long last, the time had come for Israel to enter its Land, as God had commanded Joshua in 1:2. Moses had died on 7 Adar, the thirty-day mourning period ended on 7 Nissan and Joshua declared three days of preparation. Led by Joshua, the people journeyed to the bank of the Jordan and waited until morning, 10 Nissan, when they would cross the river. There were three reasons why they did not cross in the evening: (a) During the day, the Jews would be able to see the full extent of the miracle and be inspired to increased faith in God and Joshua; (b) the Canaanite kings would see or receive eye-witness reports and become even more demoralized; and (c) the Jews would have more time to prepare themselves spiritually for the miracle (*Ralbag*).

1. וַיַּשְׁכֵּם יְהוֹשֻׁעַ בַּבֹּקֶר — *Joshua arose early in the morning.* Following the example set by Abraham when he prepared to take Isaac to the *Akeidah* [*Genesis* 22:3], Joshua arose early to pray (*Mechilta*).

וַיִּסְעוּ — *And they journeyed*. The plural verb clearly refers to the nation. Since there is no mention of a command from Joshua that they journey, the implication is that they journeyed merely because they saw Joshua doing so — so strong was their confidence in his leadership (*Alshich*).

3-6. To follow the Ark. In instructing the people about the crossing, Joshua imbued them with the perspective that was to be the centerpiece of Jewish life throughout its history. The Ark of the Covenant, carried by the Kohanim, would lead the way, thus conveying the lesson that Israel is led by the Torah, as taught by those who dedicate their lives to its service and dissemination. According to *Malbim*, Joshua wanted to indicate strongly that the people should put their trust in God, not in him. This concept is accentuated by two basic changes from marching procedure that had been followed in the Wilderness. There, the tribal formations of Judah and Reuben had led the way, followed by the Ark (*Numbers* 10:13-21), which was carried by the Levite family of Kehath. Now the Ark would be in the lead, carried by the Kohanim, the family that was dedicated exclusively to God's service.

In the Wilderness, the life of the people was entirely spiritual; even their food, the manna, was Heavenly and their water came from a miraculous well that followed them wherever they went. Now they would enter a physical existence, where they would be challenged to elevate their mundane activities to a spiritual level. This was symbolized by the Ark, which was made of wood and plated with gold, but which contained the handiwork of God. By commanding the people to follow the Ark, Joshua meant to convey this lesson to them (*Likutei Sichos*).

4. אַךְ רָחוֹק יִהְיֶה — *But there shall be a distance.* There should be a distance to show respect for the Ark, but it should not be more than two thousand cubits so that the people would be allowed to approach the Ark in prayer on the Sabbath when it is forbidden to walk more than that distance (*Rashi*).

Alternatively, if the people were too close to the Ark, not all of them would be able to see the miracles that the Ark would bring about (*Ralbag*), or they would not all be able to see where the Ark was leading them, as the verse implies later (*Radak*).

וּבֵינָיו — *And it.* Although the word is spelled in the singular [וּבֵינוֹ] and pronounced in the plural [וּבֵינָיו], as if it should be translated *them*, it should be rendered *it.* However, the pronunciation suggests that there were two arks: One was the Holy Ark and alongside it was the ark containing the remains of Joseph (*Rashi*). The Talmud (*Sotah 13a*) explains that the two arks were carried side by side to render honor to Joseph, symbolizing that "This [man] carried out what was written in this [Torah]."

ה תִּֽתְקַדָּשׁוּ...

HAFTARAH FIRST DAY PESACH
3:5-7; 5:2-6:1; 6:27

Haftarah continues on p. 20

ה תֵּלְכוּ־בָהּ כִּי לֹא עֲבַרְתֶּם בַּדֶּרֶךְ מִתְּמוֹל שִׁלְשׁוֹם: וַיֹּאמֶר יְהוֹשֻׁעַ אֶל־
ו הָעָם הִתְקַדָּשׁוּ כִּי מָחָר יַעֲשֶׂה יהוה בְּקִרְבְּכֶם נִפְלָאוֹת: וַיֹּאמֶר יְהוֹשֻׁעַ אֶל־
הַכֹּהֲנִים לֵאמֹר שְׂאוּ אֶת־אֲרוֹן הַבְּרִית וְעִבְרוּ לִפְנֵי הָעָם וַיִּשְׂאוּ אֶת־אֲרוֹן הַבְּרִית
ז וַיֵּלְכוּ לִפְנֵי הָעָם: וַיֹּאמֶר יהוה אֶל־יְהוֹשֻׁעַ הַיּוֹם הַזֶּה אָחֵל גַּדֶּלְךָ
ח בְּעֵינֵי כָּל־יִשְׂרָאֵל אֲשֶׁר יֵדְעוּן כִּי כַּאֲשֶׁר הָיִיתִי עִם־מֹשֶׁה אֶהְיֶה עִמָּךְ: וְאַתָּה
תְּצַוֶּה אֶת־הַכֹּהֲנִים נֹשְׂאֵי אֲרוֹן־הַבְּרִית לֵאמֹר כְּבֹאֲכֶם עַד־קְצֵה מֵי הַיַּרְדֵּן בַּיַּרְדֵּן
ט תַּעֲמֹדוּ: וַיֹּאמֶר יְהוֹשֻׁעַ אֶל־בְּנֵי יִשְׂרָאֵל גֹּשׁוּ הֵנָּה וְשִׁמְעוּ אֶת־דִּבְרֵי
י יהוה אֱלֹהֵיכֶם: וַיֹּאמֶר יְהוֹשֻׁעַ בְּזֹאת תֵּדְעוּן כִּי אֵל חַי בְּקִרְבְּכֶם וְהוֹרֵשׁ יוֹרִישׁ
מִפְּנֵיכֶם אֶת־הַכְּנַעֲנִי וְאֶת־הַחִתִּי וְאֶת־הַחִוִּי וְאֶת־הַפְּרִזִּי וְאֶת־הַגִּרְגָּשִׁי וְהָאֱמֹרִי
יא־יב וְהַיְבוּסִי: הִנֵּה אֲרוֹן הַבְּרִית אֲדוֹן כָּל־הָאָרֶץ עֹבֵר לִפְנֵיכֶם בַּיַּרְדֵּן: וְעַתָּה קְחוּ לָכֶם
יג שְׁנֵי עָשָׂר אִישׁ מִשִּׁבְטֵי יִשְׂרָאֵל אִישׁ־אֶחָד אִישׁ־אֶחָד לַשָּׁבֶט: וְהָיָה כְּנוֹחַ כַּפּוֹת
רַגְלֵי הַכֹּהֲנִים נֹשְׂאֵי אֲרוֹן יהוה אֲדוֹן כָּל־הָאָרֶץ בְּמֵי הַיַּרְדֵּן מֵי הַיַּרְדֵּן יִכָּרֵתוּן הַמַּיִם
יד הַיֹּרְדִים מִלְמָעְלָה וְיַעַמְדוּ נֵד אֶחָד: וַיְהִי בִּנְסֹעַ הָעָם מֵאָהֳלֵיהֶם לַעֲבֹר אֶת־הַיַּרְדֵּן

רש״י

כי לא עברתם בדרך. לא הלכתם בענין זה עד הנה: **(ה) ויאמר יהושע.** ביום השלישי, ויום שלשים של אבל היה ראשון לשלשת הימים: **התקדשו.** הזדמנו: **כי מחר.** בעברכם את הירדן: **נפלאות.** תרגם יונתן פְּרִישָׁן: **(ו) ויאמר יהושע אל הכהנים.** ביום המחרת: **שאו את ארון הברית.** עד עכשיו נשאו הלוים, והיום הכהנים: **(ח) כבאכם עד קצה מי הירדן.** כשתכנסו לפנים משפתו: **בירדן תעמדו.** עד אשר יעברו כל העם אל העבר השני: **(ט) גשו הנה.** לגמם את כולם בין שני בדי ארון. זה אחד מן המקומות שהחזיק מועט את המרובה: **(י) בזאת תדעון.** במה שאתם רואים שכלכם מצומצמין כאן: **(יא) הברית אדון כל הארץ.** ברית של הקדוש ברוך הוא, שהוא אדון כל הארץ, ואל תתמה על הה״א של הַבְּרִית, שהרבה מקראות מדברים כך, כמו הַמִּסְגְּרוֹת הַמְּכֹנוֹת (מלכים־ב טז, יז) הָעֵמֶק הַפְּגָרִים (ירמיהו לא, לט): **עובר לפניכם.** מקדים לפניכם ליכנס לתוך הירדן: **(יב) קחו לכם שני עשר איש.** הכינו אותם להיות נכונים למה שאצוה אותם כשתעברו את הירדן: **(יג) המים הירדים מלמעלה.** למטה כדרך כל הנהרות המושכים: **ויעמדו נד אחד.** כשירדו המים עד מקום שנכרתו שם ואינם יורדים משם ולמטה אלא הם מתקבצים וגדשין ועולין למעלה, כיפין על גבי כיפין: **נד.** כמו כֹּנֵס כַּנֵּד (תהלים לג, ז) נֵד קָצִיר (ישעיהו יז, יא) לשון גובה, וכן חברס מנחס:

רד״ק

כי לא עברתם בדרך. בדרך הזה, כלומר שיבקעו לפניכם המים: **(ה) התקדשו.** תהיו מזומנים לעבור והכינו כליכם וכל דבריכם: **מחר.** בעברכם את הירדן: **יעשה ה׳ בקרבכם נפלאות.** והנפלאות בקיעת מי הירדן ועמוד המים נד אחד (לקמן פסוק יג), והאיך ידע יהושע זה ועדיין לא אמר לו השם יתברך הַיּוֹם הַזֶּה אָחֵל גַּדֶּלְךָ (לקמן פסוק ז) עד למחר ביום עברם, אלא כשאמר לו ביום שלשים של אבל משה קוּם עֲבֹר (לעיל א, ב) אמר לו כי עד שלשה ימים תעברו את הירדן, ואמר לו הנפלאות שיעשה עמהם בעברם, וזהו שאמר להם יהושע כִּי בְּעוֹד שְׁלֹשֶׁת יָמִים אַתֶּם עֹבְרִים (שם פסוק יא), ואף על פי שלא זכר זה הכתוב כשאמר לו קוּם עֲבֹר, והירדן היה מלא על כל גדותיו, אז הבין יהושע כי לא יתכן עברם את הירדן אלא בנפלאות שיעשה עמהם: **(ו) ויאמר יהושע אל הכהנים.** ביום שעברו והוא בעשור לחדש: **(ז) כי כאשר הייתי עם משה.** כי כמו שבקעתי הים לפני משה (שמות יד, כא) כן אבקע הירדן לפניך, ובזה ידעו כִּי כַּאֲשֶׁר הָיִיתִי עִם מֹשֶׁה כן אֶהְיֶה עִמָּךְ: **(ח) עד קצה מי הירדן.** עד קצה העבר השני שיצאו ממנו, ושם עמדו נושאי הארון עד שעברו כל העם, ומהמקום ההוא סביבות מצב רגלי הכהנים לקחו שתים עשרה אבנים והעבירום עמם, ושתים עשרה אבנים אחרות הקים יהושע במקום מצב רגלי הכהנים (לקמן פרק ד), וכל זה קודם שעברו נושאי הארון מתוך הירדן: **(ט) גשו הנה.** הקריבם והקהילם לפני הארון במקום שהיה שם יהושע, והשמיעם את דברי ה׳: **(י) בזאת תדעון.** טעמו לפניו שהארון יעבור לפניהם ויכרתו מי הירדן, ובאות הגדול הזה ידעון כי האל יתברך בקרבם ויוריש הגוים מלפניהם, ובדרש (בראשית רבה ה, ז) כי טעמו למה שאמר גֹּשׁוּ הֵנָּה (לעיל פסוק ט) הכניסם כלם בין שני בדי הארון, וזה אחד מן המקומות שהחזיק המועט את המרובה, ואמר להם בזאת תדעון בזאת הפליאה שאתם רואים שכולכם מצומצמין בין בדי הארון, וזה הדרש רחוק, כי אילו היה זה הפלא היה נזכר בכתוב: **(יא) הנה ארון הברית אדון כל הארץ.** חסר, וארון שזכר עומד במקום שנים, ופירושו ארון אדון כל הארץ, או חסר ברית שהרי זכר הברית, ופירוש ברית אדון כל הארץ, ויש מי שפירש כי על הארון הוא אומר אדון כל הארץ, לפי ששכן שם הכבוד, וכן נקרא שם, כי שם ה׳ צבאות עליו, וכן קראו שם הארון ה׳ כשהיו אומרין בנוסעו קוּמָה ה׳ (במדבר י, לה) וּשׁוּבָה ה׳ בנוחו (שם פסוק לו) וכן אמר עָלָה אֱלֹהִים בִּתְרוּעָה (תהלים מז, ו) אמר על הארון, ואמר אֲדוֹן כָּל הָאָרֶץ כי על ידי הארון הראה האל יתברך שהוא אדון כל הארץ, והפך הטבעים כרצונו כי המים טבען להיות נגרים ועמדו נד אחד: **(יב) ועתה קחו לכם.** ולא אמר להם מה יעשו אלא הכין אותם טרם שיעברו, ואחר שעברו העם אמר להם שירימו איש אבנו (לקמן ד, ה): **(יג) ויעמדו נד אחד.** פירוש שלא יתפשטו הנה והנה בהסרתם ולא ישטפו אותם המקומות, אבל יעמדו נד אחד כמו שירדו המים כן יעמדו אלה על אלה, ולא יתפשטו ולא יצאו מגדות הירדן:

מצודת דוד

(ה) כי מחר וכו׳ נפלאות. ולזה מהראוי להיות אז קדושים וטהורים מטומאה: **(ז) אשר ידעון.** על ידי הנפלאות אשר אעשה על ידך: **(ח) עד קצה.** בקצהו המערבי: **בירדן תעמדו.** ולא תצאו מיד אל החרבה: **(י) בזאת.** בהפלא שהולך ומפרש: **(יא) אדון וכו׳.** רצה לומר, של אדון וכו׳: **(יב) קחו לכם.** להיות הם במקום כולכם לעמוד קרוב לארון, ויראו הם כי כאשר ינוחו כפות רגלי הכהנים מיד יכרתו המים: **(יג) והיה כנוח.** מוסב למעלה, לומר שהמה יראו כאשר ינוחו כפות רגלי הכהנים מיד יכרתון המים היורדים עתה מלמעלה וילכו להם: **ויעמדו.** המים אשר יבואו לאחר זה אל מקום הכריתה, יעמדו שם נד אחד:

מצודת ציון

(ד) מתמול. כמו מאתמול: **שלשם.** יום השלישי שלפני היום הזה: **(ז) אחל.** מלשון התחלה: **(י) והורש יוריש.** מענין גרושין, כמו וַיּוֹרֶשׁ מִשָּׁם (שופטים א, כ): **(יג) נד.** תל וקבוץ אחת, וכן נִצְּבוּ כְמוֹ נֵד נֹזְלִים (שמות טו, ח):

you should go, for you have not passed this way yesterday or before yesterday."
5 Joshua said to the people, "Prepare yourselves, for tomorrow HASHEM *will do wonders*
in your midst." 6 Joshua then spoke to the Kohanim, saying, "Carry the Ark of the
Covenant and pass before the people"; so they carried the Ark of the Covenant and went
before the people.
7 HASHEM *said to Joshua, "This day I will begin to exalt you in the eyes of all Israel, that*
they may know that just as I was with Moses, so will I be with you. 8 You shall command
the Kohanim, bearers of the Ark of the Covenant, saying, 'When you come to the edge of
the waters of the Jordan, you shall stand in the Jordan.' "

Testimony for the miracle

9 Joshua said to the Children of Israel, "Come here and hear the words of HASHEM, *your*
God." 10 Joshua said, "Through this you will know that the Living God is in your midst and
He will surely drive away from before you the Canaanite and the Hittite and the Hivvite and
the Perizzite and the Girgashite and the Amorite and the Jebusite. 11 Behold, the Ark of the
Covenant of the Master of all the earth is passing before you in the Jordan. 12 Now, take

The Kohanim in the overflowing river

for yourselves twelve men from the tribes of Israel, one man for each tribe. 13 It shall
happen, just as the soles of the feet of the Kohanim, the bearers of the Ark of HASHEM,
Master of the entire earth, rest in the waters of the Jordan, the waters of the Jordan will be
cut off — the waters that descend from upstream — and they will stand as one column."
14 It happened when the people moved from their tents to cross the Jordan, and

---

5. Joshua urged the people to sanctify themselves, to be worthy of miracles, because he knew that wonders would occur, although he did not know what they would be (*Metzudos*; *Malbim*).

7-13. God describes the miracle. Before saying what the forthcoming miracle would be, God told Joshua that it would be designed to prove to the people that he was a fitting successor to Moses, and that God would be with Joshua as He had been with Moses. Although the Sages list several miracles that took place in the course of these few days, the one described at length by Scripture is the splitting of the Jordan. The commentators point out that this was not necessary to enable the people to cross it, because there are places where the nation could have walked across the river on foot. Rather, God split the Jordan to demonstrate to Jews and Canaanites alike that Joshua's leadership could bring a miracle comparable to the Splitting of the Sea under Moses.

8. עַד־קְצֵה מֵי הַיַּרְדֵּן — *To the edge of the waters of the Jordan.* According to *Rashi,* the Kohanim stepped into the Jordan on the east, and it split immediately. They waited there for the nation to cross. According to *Radak*, the Kohanim crossed the Jordan and waited on its west bank for the people to cross.

9. גֹּשׁוּ הֵנָּה — *Come here.* According to the Midrash, all the people were able to congregate between the two staves of the Ark, a miraculous instance of a very small place holding a multitude (*Rashi*).

10. בְּזֹאת תֵּדְעוּן — *Through this you will know*, i.e., when you all stand between the staves of the Ark (*Rashi).* It is noteworthy that Israel's ability to stand united in such a holy place would mean even more to them than the miracle of the splitting of the Jordan. *Radak* contends that if Joshua referred to this miracle, it should have been mentioned in the passage. Rather, in the plain meaning of the verse, he referred to the miracle of the Jordan's splitting.

כִּי אֵל חַי בְּקִרְבְּכֶם — *That the Living God is in your midst*. The expression Living God alludes to a person's craving for closeness to God, because only He is the Source of life. As Israel finally was poised to enter the Holy Land, where God's Presence is felt as nowhere else, Joshua told them that they would feel a spiritual surge of closeness to God. According to *Rashi*'s view, that this knowledge came from their stance between the staves of the Ark, this exalted feeling is even more understandable, because every Jew stood in the place where even the Kohen Gadol could stand only on Yom Kippur.

11. The Ark of God will enter the Jordan before the people, whereupon the river will split. Now for the first time the Ark is ascribed to *the Master of all the earth*, because, as the vehicle that split the Jordan, the Ark would now demonstrate God's mastery over nature (*Meam Loez*).

12. The verse does not say what these twelve men were to do. *Rashi* and *Radak* comment that Joshua prepared them to carry out the command given in 4:2-3. *Alshich* and *Malbim* suggest that these men, one from each tribe, were chosen to bear witness to their kinsmen about the miracle, since it would have been impossible for the vast multitude to see what had happened. *Malbim* adds that presumably these same men would have been the ones to carry out the command of 4:2-3.

13. וְיַעַמְדוּ נֵד אֶחָד — *And they will stand as one column.* The waters flowing downstream piled up vertically above the riverbed (*Rashi*); otherwise the water would have overflowed and flooded the river's banks (*Radak*).

14-17. Israel enters its Land. The Jordan was at its highest crest at the time, since it was the month of Nissan, the month of the spring harvest, which follows the winter rainy season,

טו וְהַכֹּהֲנִים נֹשְׂאֵי הָאָרוֹן הַבְּרִית לִפְנֵי הָעָם: וּכְבוֹא נֹשְׂאֵי הָאָרוֹן עַד־הַיַּרְדֵּן וְרַגְלֵי
הַכֹּהֲנִים נֹשְׂאֵי הָאָרוֹן נִטְבְּלוּ בִּקְצֵה הַמָּיִם וְהַיַּרְדֵּן מָלֵא עַל־כָּל־גְּדוֹתָיו כֹּל
טז יְמֵי קָצִיר: וַיַּעַמְדוּ הַמַּיִם הַיֹּרְדִים מִלְמַעְלָה קָמוּ נֵד־אֶחָד הַרְחֵק מְאֹד °באדם
[°מֵאָדָם ק׳] הָעִיר אֲשֶׁר מִצַּד צָרְתָן וְהַיֹּרְדִים עַל יָם הָעֲרָבָה יָם־הַמֶּלַח תַּמּוּ
יז נִכְרָתוּ וְהָעָם עָבְרוּ נֶגֶד יְרִיחוֹ: וַיַּעַמְדוּ הַכֹּהֲנִים נֹשְׂאֵי הָאָרוֹן בְּרִית־יהוה בֶּחָרָבָה
בְּתוֹךְ הַיַּרְדֵּן הָכֵן וְכָל־יִשְׂרָאֵל עֹבְרִים בֶּחָרָבָה עַד אֲשֶׁר־תַּמּוּ כָּל־הַגּוֹי לַעֲבוֹר

ד

א אֶת־הַיַּרְדֵּן: וַיְהִי כַּאֲשֶׁר־תַּמּוּ כָל־הַגּוֹי לַעֲבוֹר אֶת־הַיַּרְדֵּן וַיֹּאמֶר
ב יהוה אֶל־יְהוֹשֻׁעַ לֵאמֹר: קְחוּ לָכֶם מִן־הָעָם שְׁנֵים עָשָׂר אֲנָשִׁים אִישׁ־אֶחָד
ג אִישׁ־אֶחָד מִשָּׁבֶט: וְצַוּוּ אוֹתָם לֵאמֹר שְׂאוּ־לָכֶם מִזֶּה מִתּוֹךְ הַיַּרְדֵּן מִמַּצַּב רַגְלֵי
הַכֹּהֲנִים הָכִין שְׁתֵּים־עֶשְׂרֵה אֲבָנִים וְהַעֲבַרְתֶּם אוֹתָם עִמָּכֶם וְהִנַּחְתֶּם אוֹתָם
ד בַּמָּלוֹן אֲשֶׁר־תָּלִינוּ בוֹ הַלָּיְלָה: וַיִּקְרָא יְהוֹשֻׁעַ אֶל־שְׁנֵים הֶעָשָׂר אִישׁ
ה אֲשֶׁר הֵכִין מִבְּנֵי יִשְׂרָאֵל אִישׁ־אֶחָד אִישׁ־אֶחָד מִשָּׁבֶט: וַיֹּאמֶר לָהֶם יְהוֹשֻׁעַ
°עִבְרוּ לִפְנֵי אֲרוֹן יהוה אֱלֹהֵיכֶם אֶל־תּוֹךְ הַיַּרְדֵּן וְהָרִימוּ לָכֶם אִישׁ אֶבֶן אַחַת עַל־

רש״י

(טו) **גדותיו.** לשון שפה גבוהה: **כל ימי קציר.** שימי ניסן ימי קציר הם: (טז) **הרחק מאד.** ממקום שעמדו שם נפסקו: **מאדם העיר.** כך שמה. **והירדים.** אותם שהיו יורדים משם ולמטה תחלה: **תמו נברתו.** עברו כדרך הליכתן ככל הנחלים ההולכים אל הים, עד אשר תמו: (יז) **ויעמדו הכהנים.** אצל שפת הירדן: **בתוך הירדן.** וכל זמן שעמדו לא ירדו המים העליונים למטה, ובתוך כך כל העם עוברים בחרבה: **הכן.** מכוונים ונצבים זה כנגד זה: (ב) **שנים עשר אנשים.** הם שנזכרים למעלה להיות נכונים: (ג) **והעברתם אותם עמכם.** כמצות משה (דברים כז) לבנות מהם מזבח בהר עיבל ולכתוב עליהם את דברי התורה, וגו ביום באו אל הר עיבל ובנו בהם את המזבח והעלו עולות ושלמים, ואכלו ושתו, וקפלו אותם ובאו ולנו בגלגל (סוטה לב, א): (ה) **עברו לפני ארון וגו׳.** הכנסו עתה בירדן ועברו עד לפני הכהנים:

רד״ק

(יד) **הארון הברית.** הברית חסר ופירוש הארון, ארון הברית: (טו) **על כל גדותיו.** על כל שפתיו מפה ומפה כֹּל יְמֵי קָצִיר, כלומר אף על פי שהיו ימי קציר היה מלא עַל־כָּל גְּדוֹתָיו, ובניסן עברו בעשור לחדש (לקמן ד, יט) שהם ימי קציר, או פירושו כי כן מנהגו להיות מלא ימי הקציר, ואמר וְהַיַּרְדֵּן (היה) מָלֵא, כמשפטו להיות מלא כֹּל יְמֵי קָצִיר, כי בהחל ימי החום יתפשט השלג אשר בהרים וימלאו הנהרות, וכן בדברי הימים כשעברו בני גד לדוד לעזרו, הֵם אֲשֶׁר עָבְרוּ אֶת הַיַּרְדֵּן בַּחֹדֶשׁ הָרִאשׁוֹן וְהוּא מְמַלֵּא עַל כָּל גְּדוֹתָיו (דברי הימים־א יב, טז): (טז) **הרחק מאד מאדם העיר.** העיר הקרובה שם במקום שעברו היה שמה אדם. ומה שאמר הַרְחֵק מְאֹד, להודיע כי לא נתפשטו המים היורדים אלא קמו זה על זה נד אחד, רחוקים מן העיר כמו שהיו מתחילה: **והירדים.** פירוש והמים היורדים אשר מתחת מקום הכריתה ירדו אל הים כמנהג הנחלים, וקודם שעברו תמו אותם המים התחתונים כי הלכו כולם לים, והעם עברו ביבשה בריוח כי לא היו מים אלא למעלה מהם שקמו נד אחד, ומה שכתוב באדם וקרי מֵאָדָם, הכתוב אומר כי לולי שקמו המים נד אחד והיו מתפשטין, היו נכנסים באדם העיר ושוטפין העיר, אף על פי שהיתה רחוקה כל כך היו המים רבים, אבל עתה שקמו נד אחד רחקו מאדם העיר מאד כמו שהיה הירדן רחוק מהעיר: (יז) **בתוך הירדן הכן.** מקור, רצה לומר מוכנים ומתוקנים כתרגומו מְתַקְנָיָא, וכן מִמַּצַּב רַגְלֵי הַכֹּהֲנִים הָכִין (לקמן ד, ג) ממקום שיהיו מוכנים ומתוקנים בו: (א) **ויאמר ה׳ אל יהושע.** וכבר אמר קודם וַיֹּאמֶר יְהוֹשֻׁעַ אֶל בְּנֵי יִשְׂרָאֵל גֹּשׁוּ הֵנָּה (לעיל ג, ט) וכן וַיִּקְרָא יְהוֹשֻׁעַ (לקמן פסוק ד) דבק עם וַיְהִי כַּאֲשֶׁר תַּמּוּ כָל הַגּוֹי לַעֲבוֹר אֶת הַיַּרְדֵּן . . . לֵאמֹר, שיאמר יהושע לבני ישראל קחו לכם, וצוו אותם: (ה) **עברו לפני ארון ה׳.** נראה כי יהושע עבר באחרונה את הירדן, והעביר כל העם לפניו כדי שיהיו בטוחים יותר כשנשאר אחריהם שהמים יעמדו נד אחד עד שיעבור הוא, וכיון שעברו כלם קרא לאותם שנים עשר איש שהכין שהיו עמו, ואמר להם שיעברו לפני הארון שהיה בתוך הירדן, (כי) מן העבר האחר אשר יצאו ממנו, ואמר להם שירימו איש אבנו על שכמו ויעבירום עמם:

מצודת דוד

(טו) **בקצה המים.** בעבר המזרחי: **והירדן מלא.** בא להגדיל הנס ולומר אף שמי הירדן מרובים הם, שאפילו בכל ימי קציר שדרך מי הנהרות להתמעט היה הוא מלא על כל שפתיו: (טז) **ויעמדו.** מוסב למעלה (פסוק טו), לומר, הנה עם כל רבוי המים, עמדו היורדים מלמעלה אחר הכריתה וקמו נד אחד: **הרחק מאד.** הנד ההוא היה רחוק מאוד מהעיר ששמה אדם העומדת בצַד צָרְתָן: **והירדים.** המים שירדו קודם הכריתה לצד ים הערבה, והוא ים המלח: **תמו נכרתו.** המים ההם תמו ממקומם ונכרתו והלכו להם, ונשאר המקום חורב ויבש: (יז) **ויעמדו הכהנים.** לא יצאו מיד מן הירדן, רק עמדו בעבר המערבי עד עברו כולם, וכאשר צוה: **הכן.** רצה לומר, עמדו מוכן ומתוקן דרך קבע, עד עברו כולם: (ג) **מתוך הירדן.** צוה להם לחזור אל קצה הירדן אחר שיצאו ממנו: **ממצב.** ממקום שהכהנים נצבים מוכן ומתוקן, כי נשאו רגליהם ולקחו האבנים אשר תחתיהם: (ד) **אשר הכין.** לעמוד קרוב לארון, לראות אשר מיד כנוח רגלי הכהנים יכרתו המים, כמו שכתוב למעלה (ג, יג): (ה) **אל תוך הירדן.** כי כבר יצאו ממנו, כאמור (פסוק א):

מצודת ציון

(טו) **גדותיו.** הם שפתי הנהר סביב המים, כמו וְהָלַךְ עַל כָּל גְּדוֹתָיו (ישעיהו ח, ז): (טז) **תמו.** מלשון תם והשלמה: (ה) **והרימו.** והגביהו:

---

when the mountain snows are melting and running into the river.

17. בֶּחָרָבָה — *On dry land.* Even the puddles and mud dried out completely. The nature of the miracle — which began

the Kohanim, the bearers of the Ark of the Covenant, were in front of the people: 15 *When*
the bearers of the Ark arrived at the Jordan, and the feet of the Kohanim, the bearers of the
Ark, were immersed in the edge of the water — and the Jordan was overflowing all its
The waters part *banks all the days of the harvest season —* 16 *the waters descending from upstream stood*
still and they rose up in one column, very far from Adam, the city that is near Zarethan; and
[the water] that descends to the sea of the plain, the Dead Sea, ceased, and was cut off;
and the people crossed opposite Jericho. 17 *The Kohanim, the bearers of the Ark of the*
Covenant of HASHEM, stood firmly on dry land, in the middle of the Jordan, all Israel
crossing on dry land until the entire nation finished crossing the Jordan.

4 *A permanent memorial of the miracle*
1 *It happened when the entire nation had finished crossing the Jordan: HASHEM spoke to*
Joshua, saying, 2 *"Take for yourselves twelve men from the people, one man from each*
tribe; 3 *and command them, saying, 'Carry for yourselves from here, from the middle of*
the Jordan, from the station of the feet of the Kohanim, making ready twelve stones and
bring them across with you and set them in the lodging place where you will spend the
night.' "
4 *Joshua summoned the twelve men whom he had prepared from the Children of Israel,*
A stone for each tribe *one man from each tribe,* 5 *and Joshua said to them, "Pass before the Ark of HASHEM, your*
God, into the middle of the Jordan, and each of you lift for yourselves one stone upon

---

when the Kohanim stepped into the water and continued as long as they stood there — made clear that the crossing was a miracle that was brought about by the Ark and its bearers.

After such a miracle, why did the entire nation not sing a song of grateful praise to God, as the people did at the Splitting of the Sea? The Sea of Reeds split under the leadership of Moses, who was great enough to raise the entire nation to such a clear perception of Godliness that even a maidservant could point and say, *"This is My God!" (Exodus* 14:2). Thus everyone could join Moses in a prophetic song. Great though Joshua was, however, he could not elevate the nation to such a high level (*Kedushas Levi*).

4.

Commemoration of the miracle and of loyalty to the Torah. Once the crossing was completed, Joshua assigned twelve representatives of the tribes to remove twelve stones from the riverbed. The taking of these stones was in fulfillment of the command given by Moses (*Deuteronomy* 27:1-9), that stones be emplaced and that the entire Torah be inscribed upon them. *R' Bachya* explains that this was to emphasize Israel's destiny was dependent on its allegiance to the Torah. *Abarbanel* likens it to the universal custom that a conquering nation erects monuments and statues to celebrate and memorialize its triumphs. Israel is no exception — but God sublimated this nationalistic custom by making it a *mitzvah* that Israel's accession to its land be defined through these stones as a demonstration of the power of God and His people's loyalty to the Torah.

1-9. Twelve men, twelve stones, two monuments. The Sages (*Sotah* 34a,35b-36a) explain the series of miracles that occurred with these twelve huge stones. First, each stone was carried by single representatives of the respective tribes. The entire nation accompanied them to Mount Gerizim and Mount Ebal, a distance of over forty miles. There, Joshua erected an altar with the stones. The Kohanim offered elevation and feast offerings upon it and the nation feasted and rejoiced. They inscribed the entire Torah on the stones of the altar in all seventy primary languages, and then dismantled the altar and brought the stones to Gilgal, where Joshua erected them as a monument signifying Israel's dedication to the Torah.

Clearly, this combination of activities — the carrying of the stones, the distance traveled by such a huge multitude, the inscribing of the entire Torah in so many languages, the offerings and celebration, and then the journey to Gilgal where Joshua erected the monument — was miraculous. That it all happened in only one day made the miracle even greater and surely solidified the faith of the people in God and Joshua, His servant — and it was a major factor in inhibiting the Canaanite will to fight.

2. **קְחוּ לָכֶם** — *Take for yourselves.* For the identity of these twelve men, see comm. to 3:12.

3. **וְצַוּוּ אוֹתָם** — *And command them.* This term implies special exhortation. Since the nation had already crossed the Jordan, these twelve men would have to be worthy on their own for the wall of water to remain suspended only on their behalf. They might have feared that they were unworthy and the high column of water would cascade down upon them (*Alshich*). *Radak* (v. 5) comments that Joshua probably remained behind on the east bank of the Jordan until even these twelve men had completed their mission, so that they would not be afraid of drowning.

בַּמָּלוֹן — *In the lodging place.* This place was Gilgal, the final stop of the day's journey from the Jordan to the two mountains, and from there to Gilgal, as described above (*Sotah* 36a). Obviously, the many events of the long day could only have happened miraculously.

ו שִׁכְמוֹ לְמִסְפַּר שִׁבְטֵי בְנֵי־יִשְׂרָאֵל׃ לְמַעַן תִּהְיֶה זֹאת אוֹת בְּקִרְבְּכֶם כִּֽי־יִשְׁאָלוּן
ז בְּנֵיכֶם מָחָר לֵאמֹר מָה הָאֲבָנִים הָאֵלֶּה לָכֶם׃ וַאֲמַרְתֶּם לָהֶם אֲשֶׁר נִכְרְתוּ מֵימֵי
הַיַּרְדֵּן מִפְּנֵי אֲרוֹן בְּרִית־יְהוָה בְּעָבְרוֹ בַּיַּרְדֵּן נִכְרְתוּ מֵי הַיַּרְדֵּן וְהָיוּ הָאֲבָנִים הָאֵלֶּה
ח לְזִכָּרוֹן לִבְנֵי יִשְׂרָאֵל עַד־עוֹלָם׃ וַיַּעֲשׂוּ־כֵן בְּנֵי־יִשְׂרָאֵל כַּאֲשֶׁר צִוָּה יְהוֹשֻׁעַ וַיִּשְׂאוּ
שְׁתֵּי־עֶשְׂרֵה אֲבָנִים מִתּוֹךְ הַיַּרְדֵּן כַּאֲשֶׁר דִּבֶּר יְהוָה אֶל־יְהוֹשֻׁעַ לְמִסְפַּר שִׁבְטֵי
ט בְנֵי־יִשְׂרָאֵל וַיַּעֲבִרוּם עִמָּם אֶל־הַמָּלוֹן וַיַּנִּחוּם שָׁם׃ וּשְׁתֵּים עֶשְׂרֵה אֲבָנִים הֵקִים
יְהוֹשֻׁעַ בְּתוֹךְ הַיַּרְדֵּן תַּחַת מַצַּב רַגְלֵי הַכֹּהֲנִים נֹשְׂאֵי אֲרוֹן הַבְּרִית וַיִּהְיוּ שָׁם עַד
י הַיּוֹם הַזֶּה׃ וְהַכֹּהֲנִים נֹשְׂאֵי הָאָרוֹן עֹמְדִים בְּתוֹךְ הַיַּרְדֵּן עַד תֹּם כָּל־הַדָּבָר אֲשֶׁר־
צִוָּה יְהוָה אֶת־יְהוֹשֻׁעַ לְדַבֵּר אֶל־הָעָם כְּכֹל אֲשֶׁר־צִוָּה מֹשֶׁה אֶת־יְהוֹשֻׁעַ וַיְמַהֲרוּ
יא הָעָם וַיַּעֲבֹרוּ׃ וַיְהִי כַּאֲשֶׁר־תַּם כָּל־הָעָם לַעֲבוֹר וַיַּעֲבֹר אֲרוֹן־יְהוָה וְהַכֹּהֲנִים לִפְנֵי
יב הָעָם׃ וַיַּעַבְרוּ בְּנֵי־רְאוּבֵן וּבְנֵי־גָד וַחֲצִי שֵׁבֶט הַמְנַשֶּׁה חֲמֻשִׁים לִפְנֵי בְּנֵי יִשְׂרָאֵל
יג כַּאֲשֶׁר דִּבֶּר אֲלֵיהֶם מֹשֶׁה׃ כְּאַרְבָּעִים אֶלֶף חֲלוּצֵי הַצָּבָא עָבְרוּ לִפְנֵי יְהוָה לַמִּלְחָמָה
יד אֶל עַרְבוֹת יְרִיחוֹ׃ בַּיּוֹם הַהוּא גִּדַּל יְהוָה אֶת־יְהוֹשֻׁעַ בְּעֵינֵי כָּל־יִשְׂרָאֵל
טו וַיִּרְאוּ אֹתוֹ כַּאֲשֶׁר יָרְאוּ אֶת־מֹשֶׁה כָּל־יְמֵי חַיָּיו׃ וַיֹּאמֶר יְהוָה אֶל־יְהוֹשֻׁעַ
טז־יז לֵאמֹר׃ צַוֵּה אֶת־הַכֹּהֲנִים נֹשְׂאֵי אֲרוֹן הָעֵדוּת וְיַעֲלוּ מִן־הַיַּרְדֵּן׃ וַיְצַו יְהוֹשֻׁעַ אֶת־

רש"י

(ז) והיו האבנים האלה. בגלגל לזכרון זה: **(ט) ושתים עשרה אבנים.** אחרות הקים יהושע בתוך הירדן: **(י) עד תם כל הדבר.** כמו ששנינו במסכת סוטה (לד, א) עודם בירדן אמר להם יהושע דעו למה אתם עוברים את הירדן, על מנת שתורישו את כל יושבי הארץ וכו': **(יא) ויהי כאשר תם כל העם לעבור ויעבר ארון וגו'.** לא כדרך שעברו האחרים, אלא כמו שמפורש למטה בענין נתקו כפות רגלי הכהנים לאחוריהם אל החרבה, על השפה שנכנסו בה שהיו עומדים אצלה, וחזרו המים לאחוריהם לילך כתמול שלשום, נמצא ארון ונושאיו מצד זה, וכל ישראל מצד זה, נשא הארון את נושאיו ועבר: **לפני העם.** לעיני העם: **(טז) צוה את הכהנים.** כאן פירש הכתוב את האמור למעלה, היאך עבר ארון ה' והכהנים לפני העם וגו': **ויעלו מן הירדן.** ויעברו אין כתיב כאן, אלא וְיַעֲלוּ, למדנו שעל השפה שהיו עומדין אצלה עלו, ואי אפשר לומר שהיו עומדין אצל שפת הירדן שבמערב, שהרי נאמר למעלה וְרַגְלֵי הַכֹּהֲנִים נֹשְׂאֵי הָאָרוֹן נִטְבְּלוּ בִּקְצֵה הַמָּיִם (ג, טו), ושם נאמר וַיַּעַמְדוּ הַכֹּהֲנִים . . . וְכָל יִשְׂרָאֵל עֹבְרִים (פסוק יז):

רד"ק

(ז) בעברו בירדן. במקצת ספרים העי"ן בגעיא נקרא בקמץ רחב והוא מן החלופים: **(ט) הקים יהושע.** אף על פי שלא ראינו שצוהו האל על אלה האבנים, אחר שעשה ידענו כי במצות האל יתברך עשה: **תחת מצב.** מקום מצב, לא תחת רגליהם, שהרי לא זזו משם עד שנעשה כל מה שהיה להם לעשות, כמו שכתוב עַד תֹּם כָּל הַדָּבָר (פסוק י): **(י) עד תם כל הדבר.** הקמת האבנים בירדן והעברת האבנים האחרות אל המלון: **אשר צוה ה' את יהושע.** כמו שכתוב למעלה (פסוק ב): **ככל אשר צוה משה את יהושע.** כמו שכתוב בתורה וְהָיָה בַּיּוֹם אֲשֶׁר תַּעַבְרוּ אֶת הַיַּרְדֵּן (דברים כז, ב): **וימהרו.** הקמת האבנים והעברתם, ואחר כן עברו: **(יא) ויהי כאשר תם כל העם וגו'.** לִפְנֵי הָעָם פירוש הארון והכהנים שהיו לפני העם קודם שתמו לעבור עברו אחרי עבור העם, או פירוש כַּאֲשֶׁר תַּם כָּל הָעָם לַעֲבוֹר, המתינו על שפת הירדן עד שעבר הארון והלך לפני העם והלכו אחריו, או יהיה פירוש לִפְנֵי הָעָם לעיני העם, ורז"ל (סוטה לה, א) פירשו בענין אחר כל זה הענין ופירשו עַד קְצֵה מֵי הַיַּרְדֵּן בַּיַּרְדֵּן תַּעֲמֹדוּ (פרק ג, ח) בקצה אשר נכנסו ממנו, ושם עמדו הכהנים והארון עד שעבר העם, ופרשו נִתְּקוּ כַּפּוֹת רַגְלֵי הַכֹּהֲנִים אֶל הֶחָרָבָה (לקמן פסוק יח) אל החרבה אשר בצדם והיא השפה אשר נכנסו ממנה, וחזרו לאחוריהם אל החרבה, וזה שאמר וְיַעֲלוּ מִן הַיַּרְדֵּן (פסוק טז) שעלו מן הירדן אל השפה כדי שיחזרו המים למקומם קודם שיעבור הארון, כדי להראות להם נס אחר. נמצאו ארון וכהנים מצד אחד וישראל מצד אחר והירדן מלא ביניהם, נשא ארון את נושאיו ועבר, שנאמר וַיַּעֲבֹר אֲרוֹן ה' . . . לִפְנֵי הָעָם. ואני תמה מזה הדרש מה הצריכם לזה לאלה הפסוקים, כי כבר פירשנו אותם כלם לדעתנו, ואפילו יהיה כדבריהם פירוש קְצֵה מֵי הַיַּרְדֵּן בשפה אשר נכנסו ממנה, כאשר תם כל העם לעבור עבר הארון אחריהם ביבשה, וכאשר נתקו כפות רגלי הכהנים אל החרבה מצד השני שבו המים למקומם, ואנה ראו שארון מצד זה וישראל מצד זה, ומה צריך לשאת ארון את נושאיו ולעבור, ואם היה נס כזה לא היה הכתוב מפרש שהארון נשא את נושאיו למעלה מן המים. ואפילו למי שמפרש דבריהם כמשמעו, שמפרש עַד קְצֵה מֵי הַיַּרְדֵּן הקצה שיצאו ממנו כמו שאנו מפרשים, ומפרש ארון מצד זה וישראל מצד זה כי כלם היו מהשפה אשר יצאו ממנה אלא פירוש מצד זה שהארון היה על שפת הירדן וישראל היו לפניו רחוקים וזהו כמצד אחר אם כן הארון שהיה אחרי העם איך אמר וַיַּעֲבֹר לִפְנֵי הָעָם, אלא נשא ארון את נושאיו ועבר לפני העם, אף על פי כן מי הצריכם לזה הנס, וכי קשה הוא לפרש שהמתינו אותו ישראל עד שעבר לפניהם כמו שפירשנו, או פירוש לִפְנֵי הָעָם לעיני העם כמו שפירשנו, והם שאמרו ידעו מה שאמרו כי דעתם רחבה מדעתנו: **(יג) כארבעים אלף.** הכ"ף כ"ף שיעור: **(יד) גדל ה'.** שבקע הירדן לפניו כמו שבקע הים לפני משה:

מצודת דוד

(ו) אות. סימן לזכרון: **מחר.** רצה לומר, לאחר זמן: **(ט) ושתים וכו'.** אלו היו אחרים (סוטה לה, ב): **עד היום הזה.** רצה לומר, עד עולם, כי כל קורא הפסוק הזה בזמנו אומר עַד הַיּוֹם הַזֶּה, והוא כלל גדול בדברי הנביאים: **(י) לדבר אל העם.** אמרו רבותינו זכרונם לברכה (סוטה לד, א) שהשם צוה לו לדבר אל העם לאמר, דעו שאתם עוברים את הירדן בחרבה על מנת לגרש כל יושבי הארץ, והדבר ההוא בעצמו צוה לו משה: **וימהרו.** בעבור כבוד הארון, שעמד עד עברם: **(יא) ויעבר ארון ה'.** אחר שצוה יהושע להכהנים לעלות מן הירדן, כמו שכתוב למטה (פסוק טז), אז עבר הארון ללכת לפני העם: **(יג) לפני ה'.** רצה לומר, בשליחותו של מקום:

מצודת ציון

(ט) תחת. במקום: **(יג) חלוצי.** מזוין, כמו חֲלוּצִים תַּעַבְרוּ (דברים ג, יח): **ערבות.** ענינו כמו מדבר.

his shoulder, [corresponding] to the number of tribes of the Children of Israel. 6 *So that this*
will be a sign in your midst, when your children ask tomorrow, saying, '[Of] what
[significance] are these stones to you?' 7 *You shall tell them, '[They signify] that the waters*
of the Jordan were cut off before the Ark of the Covenant of HASHEM — when it crossed the
Jordan the waters of the Jordan were cut off' — and these stones shall remain a
remembrance for the Children of Israel forever."
8 *The Children of Israel did so, as Joshua commanded. They carried twelve stones from*
the Jordan, as HASHEM had told Joshua, [corresponding] to the number of the tribes of the
Children of Israel, and brought them across with them to the lodging place and set them
there. 9 *Joshua erected twelve [other] stones in the middle of the Jordan, under the station*
of the feet of the Kohanim, the bearers of the Ark of the Covenant; and they remained there
to this day. 10 *The Kohanim, the bearers of the Ark, were standing in the middle of the*

The crossing is completed

Jordan until the completion of the entire procedure that HASHEM had commanded Joshua
to tell the people, according to all that Moses commanded Joshua. The people hastened
and crossed.
11 *It happened when the entire people had completed crossing that the Ark of HASHEM*
and the Kohanim passed in front of the people. 12 *The children of Reuben, the children of*
Gad, and half the tribe of Manasseh crossed, armed, before the Children of Israel, as
Moses had spoken to them. 13 *About forty thousand armed men of the legion passed*

Joshua is exalted

before HASHEM for the battle, to the plains of Jericho. 14 *On that day HASHEM exalted*
Joshua in the eyes of all Israel, and they revered him as they had revered Moses all the
days of his life.
15 *HASHEM spoke to Joshua, saying,* 16 *"Command the Kohanim, bearers of the Ark of*
Testimony, that they should ascend from the Jordan." 17 *So Joshua commanded the*

6-7. Although the adults who crossed the Jordan needed no reminder of the awesome event, the stones would be a monument for the younger generation. It would signify that the miracle had happened because of the Ark, thus reminding the nation that, as Rabbi Saadiah Gaon put it, Israel is a nation by virtue of the Torah. That the stones were taken from the place where the Kohanim stood was further testimony that Israel must honor those who dedicate themselves to serving God and teaching His Word.

9. This was a different set of twelve stones (*Rashi)*, which Joshua set up as a monument in the river, where the Kohanim stood. Although we do not find that God commanded him to do so, *Radak* assumes that there must have been such a command. *Abarbanel*, however, maintains that Joshua did this on his own, because he wanted the magnitude of the miracle to commemorated where it occurred.

10-14. The crossing is concluded.

10. עַד תֹּם כָּל־הַדָּבָר — *Until the completion of the entire procedure,* i.e., the above procedure of placing stones in the Jordan and taking the other stones that would be brought to the mountains of Gerizim and Ebal, and from there to Gilgal. This was in accordance with what *HASHEM had commanded Joshua to tell . . . as Moses had commanded* (*Deuteronomy* 27:1-9), that the stones should be erected (*Radak*).

Rashi, however, follows the Talmud (*Sotah* 34a) that they stood *until the completion the entire* **message**, i.e., Joshua delivered the message to the people that they are being brought into the Land on the condition that they uproot the Canaanite nations (*Numbers* 33:52), but if they fail to do so, the Jordan's waters will flood them away.

11. Yet another miracle: After the nation had crossed, the Kohanim stepped back to the east bank, whereupon the wall of water crashed back into the riverbed, separating the people from the Kohanim. Then, the Ark rose, lifting the Kohanim with it, and flew over the river to the front of the nation — as verse 16 says, *the Kohanim . . . ascended* (*Rashi*, from *Sotah* 35a). This open miracle established for the Jewish people that the Ark carries its bearers, not vice versa. By extension, those who devote themselves to the Torah can rely on God for protection and support.

12-13. The two-and-a-half tribes kept their promise to Moses and Joshua.

14. God *exalted* Joshua as a leader; the people *revered* him as a holy prophet and miracle worker (*Abarbanel*).

15-18. The end of the miracle. This passage gives the details of the event described briefly in verse 11 (*Rashi, Radak*). The Ark is described in two ways in this passage. In verse 16, it is called אֲרוֹן הָעֵדוּת, *the Ark of the Testimony,* which alludes to the Tablets as bearing witness to God's relationship with Israel, which was the key to this and all other miracles. In verse 18, it is called אֲרוֹן בְּרִית־ה׳, *the Ark of the Covenant of HASHEM*, which alludes to God's covenant with the Patriarchs that He

הַכֹּהֲנִים לֵאמֹר עֲלוּ מִן־הַיַּרְדֵּן׃ וַיְהִי °בעלות [°כַּעֲלוֹת ק׳] הַכֹּהֲנִים נֹשְׂאֵי אֲרוֹן
יח בְּרִית־יְהוָה מִתּוֹךְ הַיַּרְדֵּן נִתְּקוּ כַּפּוֹת רַגְלֵי הַכֹּהֲנִים אֶל הֶחָרָבָה וַיָּשֻׁבוּ מֵי־
הַיַּרְדֵּן לִמְקוֹמָם וַיֵּלְכוּ כִתְמוֹל־שִׁלְשׁוֹם עַל־כָּל־גְּדוֹתָיו׃ וְהָעָם עָלוּ מִן־הַיַּרְדֵּן
יט בֶּעָשׂוֹר לַחֹדֶשׁ הָרִאשׁוֹן וַיַּחֲנוּ בַּגִּלְגָּל בִּקְצֵה מִזְרַח יְרִיחוֹ׃ וְאֵת שְׁתֵּים עֶשְׂרֵה
כ הָאֲבָנִים הָאֵלֶּה אֲשֶׁר לָקְחוּ מִן־הַיַּרְדֵּן הֵקִים יְהוֹשֻׁעַ בַּגִּלְגָּל׃ וַיֹּאמֶר אֶל־בְּנֵי
כא יִשְׂרָאֵל לֵאמֹר אֲשֶׁר יִשְׁאָלוּן בְּנֵיכֶם מָחָר אֶת־אֲבוֹתָם לֵאמֹר מָה הָאֲבָנִים
הָאֵלֶּה׃ וְהוֹדַעְתֶּם אֶת־בְּנֵיכֶם לֵאמֹר בַּיַּבָּשָׁה עָבַר יִשְׂרָאֵל אֶת־הַיַּרְדֵּן הַזֶּה׃
כב אֲשֶׁר־הוֹבִישׁ יְהוָה אֱלֹהֵיכֶם אֶת־מֵי הַיַּרְדֵּן מִפְּנֵיכֶם עַד־עָבְרְכֶם כַּאֲשֶׁר עָשָׂה
כג יְהוָה אֱלֹהֵיכֶם לְיַם־סוּף אֲשֶׁר־הוֹבִישׁ מִפָּנֵינוּ עַד־עָבְרֵנוּ׃ לְמַעַן דַּעַת כָּל־
כד עַמֵּי הָאָרֶץ אֶת־יַד יְהוָה כִּי חֲזָקָה הִיא לְמַעַן יְרָאתֶם אֶת־יְהוָה אֱלֹהֵיכֶם
ה א כָּל־הַיָּמִים׃ וַיְהִי כִשְׁמֹעַ כָּל־מַלְכֵי הָאֱמֹרִי אֲשֶׁר בְּעֵבֶר הַיַּרְדֵּן יָמָּה וְכָל־
מַלְכֵי הַכְּנַעֲנִי אֲשֶׁר עַל־הַיָּם אֵת אֲשֶׁר־הוֹבִישׁ יְהוָה אֶת־מֵי הַיַּרְדֵּן מִפְּנֵי בְנֵי־
יִשְׂרָאֵל עַד־°עברנו [°עָבְרָם ק׳] וַיִּמַּס לְבָבָם וְלֹא־הָיָה בָם עוֹד רוּחַ מִפְּנֵי בְּנֵי־
ב יִשְׂרָאֵל׃ בָּעֵת הַהִיא אָמַר יְהוָה אֶל־יְהוֹשֻׁעַ עֲשֵׂה לְךָ חַרְבוֹת צֻרִים וְשׁוּב

Haftarah for first day Pesach continues here: 5:2-6:1; 6:27

רש״י

(יח) נתקו כפות רגלי הכהנים. מן המים אל החרבה שאצלם, וישובו המים למקומם, נמצא ארון מצד זה, וישראל מצד זה, נשא ארון את נושאיו ועבר, ועל דבר זה נענש עוזא כשאחז בארון (שמואל־ב ו, ז) נושאיו נשא, עצמו לא כל שכן: **(כ) הקים יהושע בגלגל.** הוא המלון אשר לנו בו הלילה: **(א) אשר בעבר הירדן ימה.** לצד שעברו בני ישראל הוא צד של מערבי, ועד עכשיו היו בעבר מזרחי: **(ב) חרבות צרים.** כתרגומו אִזְמְלָוָן חֲרִיפִין, וכן אַף תָּשִׁיב צוּר חַרְבּוֹ (תהלים פט, מד) כשהחריפות נהפך לצדדין ואינו חותך יפה, וכן כָּל כְּלִי יוּצַר עָלַיִךְ (ישעיהו נד, יז):

רד״ק

(טו) ויאמר ה׳ אל יהושע וגו׳ צוה את הכהנים. וכבר אמר, כי כבר אמר למעלה וַיַּעֲבֹר אֲרוֹן ה׳ (לעיל, פסוק יא), ועתה ספר היאך עבר כי הקב״ה אמר ליהושע קודם זה שיצוה את הכהנים שיעלו מן הירדן: **(יח) ויהי בעלות הכהנים.** בבי״ת כתיב וקרי בכ״ף והענין אחד: **וישבו מי הירדן . . . כתמול שלשום על כל גדותיו.** בא להודיע כי בשוב המים למקומם גם כן לא באו כאחד, כי היו שוטפים בירידתם ויציאתם חוץ מגדות הירדן, אלא ירדו התחתונים עם קצת העליונים, וכן מעט מעט עד אשר שבו כתמול שלשום ללכת על כל גדותיו: **(יט) ויחנו בגלגל.** והוא המלון אשר צוה ה׳ להניח שם האבנים, ושם הקימם יהושע, ובו ביום שעברו באו הגלגל שנאמר בַּמָּלוֹן אֲשֶׁר תָּלִינוּ בוֹ הַלָּיְלָה (לעיל פסוק ג) ואמרו רז״ל (סוטה לו, א) כי יותר משישים מיל הוא הדרך שהלכו באותו היום מן הירדן ועד הגלגל, ועל ידי נס הלכו הדרך ההיא אנשים ונשים וטף יותר משישים מיל באותו היום: **(כא) אשר ישאלון בניכם.** הנולדים הקטנים ואשר יולדו: **(כג) אשר הוביש ה׳ . . . את מי הירדן מפניכם.** דברי יהושע לבני ישראל, ליוצאים ממצרים ולילודים במדבר אֲשֶׁר הוֹבִישׁ מִפָּנֵינוּ, אנחנו שיצאנו ממצרים: **(כד) יראתם.** לגזרת פעל, כי יראתם לגזרת פעל והוא עבר במקום עתיד, כמו תִרְאוּ (בראשית מג, ג) ורבים כמוהו: **(א) עד עברנו.** עד עברם קרי, והם דברי הכותב: **(ב) בעת ההיא.** בעוד שהיו בגלגל צוה לו האל למול כדי שיעשו פסח, כי בעשירי לחדש עברו ובשלשה ימים היה להם להיות נכונים לעשות הפסח, ולהזות ולטבול כי טמאי מתים היו בהם, ושיהיו נמולים כלם כדי שיקריבו הפסח בארבעה עשר, ואמרו רז״ל (יבמות עא, ב) כי בעשור לחדש ביום בואם הזו כלם הזאה ראשונה שהיא הזאת שלישי, ובערב הפסח עשו הזאה שנייה שהיא הזאת שביעי, שהרי צריך בין הזאה להזאה ארבעה ימים ומלו באלו ארבעה ימים וטבלו ועשו פסחיהם בטהרה. ומפני מה לא מלו הילודים במדבר, אמרו רז״ל (שם עב, א) כי ארבעים שנים שהיו ישראל במדבר לא נשבה להם רוח צפונית כי היכי דלא ליבדרו ענני כבוד, לפיכך לא מלו, כי רוח צפונית רפואה למכת דם, וזולתה סכנה, ואמר ביומא דעיבא וביומא דשותא לא מהלינן ולא מסוכרינן, פירוש אין מלין ואין מקיזין, שותא היא רוח קדים כי היא סכנה למוציא דם. ואם יאמר אדם וכי כל יום ויום כשהזכר נמול אדם שומר לו רוח צפונית, יש לומר הטעם כי בכל יום נושבת כמו שאמרו רז״ל (גיטין לא, ב) ארבע רוחות מנשבות בכל יום ורוח צפונית עם כל אחד מהן, וברוב הימים היא לבדה גוברת על שאר הרוחות, לפיכך מלין בכל יום על הרוב, ורוח צפונית היא המפזרת העננים כמו שכתוב וְרוּחַ עָבְרָה וַתְּטַהֲרֵם (איוב לז, כא) ועל רוח צפונית הוא אומר כי אין יום בהיר וטהור אלא עם רוח צפונית, וכן הוא אומר מִצָּפוֹן זָהָב יֶאֱתֶה (שם פסוק כב) ועם שאר הרוחות ימצאו העננים לרוב שאינן מתפזרות מפניהם, ואף על פי שרוח צפונית עמהם כמו שאמרנו היא טפילה להם, אבל בהיותה גוברת היא מפזרת העננים, ולפי שבמדבר לא נשבה בטלו המילה, ורז״ל לא אמרו טעם למה אין נשמרים עתה מלימול ביומא דשותא, אבל אמרו כיון שהרגילו אינו מזיק, וכן אמרו (יבמות שם) והאידנא דדשו בה רבים שֹׁמֵר פְּתָאיִם ה׳ (תהלים קטז, ו). ואם יאמר אדם יכול היה הקב״ה להשיב רוח צפונית ולא יתבדרו ענני כבוד ולא תבטל מצות מילה, אמת הוא כי לא יבצר ממנו מזמה יתברך ויתעלה, והוא יתברך המצוה על המילה לשמנה ימים (בראשית יז, יב) הוא החריש מהם ולא הזהירם למול הילודים כל אותן שנים לפי שהמצוה אינה בטלה, כי אם לא היתה בזמנה יכולה להיות אחר זמן, ובעבור האריך זמן המצוה לא ישנה הקב״ה מנהג העולם כי אף על פי שמשנה מנהג העולם בקצת הנסים בקריעת ים סוף (שמות יד, כא) והירדן (לעיל פרק ג, י) ועמידת השמש (לקמן י, יג) לא יעשה כן ברוב הנסים, כי אפילו בנצוח המלחמות ועזרו לאוהביו היה עושה על ידי סבה כמנהג העולם במלחמות, כמו שצוה מלחמת יריחו הקפת העיר בשופרות (לקמן פרק ו) כמו שעושין הצרים על עיר להפחידם ולהבהילם, וכמו שצוה במלחמת העי שִׂים לְךָ אֹרֵב לָעִיר מֵאַחֲרֶיהָ (לקמן ח, ב) כמו

מצודת דוד

(כד) למען יראתם. כמו ולמען יראתם, ותחסר הוי״ו, וכמוהו רבים: **(א) ולא היה וכו׳.** אמר בדרך הפלגה וגוזמא, כאלו הלך מעמם רוח החיוני לגודל הפחד:

מצודת ציון

(יח) נתקו. נעתקו וסרו ממקומם: **(ב) צרים.** חדודים, כמו צוּר חַרְבּוֹ (תהלים פט, מד):

The crossing ends and the waters descend

Kohanim, saying, "Ascend from the Jordan." [18] *It happened when the Kohanim, the bearers*
of the Ark of the Covenant of HASHEM, *ascended from the middle of the Jordan and the soles*
of the Kohanim's feet were removed to the dry ground: The waters of the Jordan returned
to their place and flowed — as [they had] yesterday and before yesterday — upon all its
banks.
[19] *The people ascended from the Jordan on the tenth of the first month, and encamped*
at Gilgal at the eastern end of Jericho. [20] *And these twelve stones that they had taken from*
the Jordan, Joshua erected at Gilgal.

The memorial is erected

[21] *He spoke to the Children of Israel, saying, "When your children ask their fathers tomor-*
row, saying, 'What are these stones?' [22] *you should inform your children, saying, 'Israel*
crossed this Jordan on dry land.' [23] *For* HASHEM, *your God, dried up the waters of the Jordan*
before you until you crossed, as HASHEM, *your God, did to the Sea of Reeds, which He dried*
up before us until we crossed. [24] *So that all the peoples of the earth would know the hand*
of HASHEM, *that it is mighty, so that you would fear* HASHEM, *your God, all the days."*

The terror of the native kings

5 [1] *It happened that when all the Amorite kings who were on the western side of the Jordan*
and all the Canaanite kings who were by the sea heard that HASHEM *had dried up the*
Jordan's waters for the sake of the Children of Israel until they had crossed, their hearts
melted, and there was no longer [any] spirit within them because of the Children of Israel.
[2] *At that time* HASHEM *said to Joshua, "Make sharp knives for yourself and cir-*

רד"ק

שהוא מנהג העולם, וכן במלחמות אחרות. ולא נוכל לומר כי שלא ברצון השם יתברך נמנעו מלימול הילודים במדבר, כי לא ראינו שהוכיחם נביא על זה שלא מלו כל אותן שנים שהיו במדבר, ומפני זה לא עשו גם כן פסח כי אם בשנה השנית שיצאו ממצרים (במדבר ט, ב) לפי שהיו ערלים, ומילת הזכרים אפילו מקצת מעכבת מעשות הפסח, שנאמר, הִמּוֹל לוֹ כָל זָכָר וְאָז יִקְרַב לַעֲשֹׂתוֹ (שמות יב, מח). ויש דרש (ספרי במדבר סז) כי שבט לוי מלו במדבר וסמכו זה לפסוק וּבְרִיתְךָ יִנְצֹרוּ (דברים לג, ט). ויש לפרש גם כן כי לפיכך לא מלו כל אותן השנים לפי שנאמר על פי ה׳ יַחֲנוּ וְעַל פִּי ה׳ יִסָּעוּ (במדבר ט, כ) ולא היו יודעים יום נסעם, ואם היו מלים הילודים והיו נוסעים יום המילה היו הנמולים בסכנה מפני הדרך, וזה הוא שאמר כִּי לֹא מָלוּ אוֹתָם בַּדָּרֶךְ (לקמן פסוק ז) כי הנה ראינו משה רבינו ע״ה איחר זמן מילת בנו בעבור הדרך (שמות ד, כד) וזהו שאמר כִּי לֹא מָלוּ אוֹתָם בַּדָּרֶךְ. ואם תאמר הנה ראינו שנענש משה על עכוב המילה ההיא כמו שכתוב וַיְבַקֵּשׁ הֲמִיתוֹ (שם), לא נענש אלא לפי שלא נתעכב במדין עד מול בנו ועד חיותו, כי ביום נסעו לא נסע על פי הדבור כי אף על פי שאמר לו הקב״ה לֵךְ שֻׁב מִצְרָיִם (שם פסוק יט) לא אמר לו שיסע בו ביום, והיה לו למול את בנו ולהתעכב עד חיותו ואחר כך ללכת מצרים במצות הבורא, ועל כן הוכיחו בדרך על יד החולי, ושמר לו עד שהיה במלון שיוכל למול שם ולהתעכב שם, ומפני זה עשו פסח במדבר בשנה השנית כי מלו כלם, לפי שלא היו בדרך כי לא נסעו כל אותה שנה כי עשו המשכן שם במדבר סיני, ולא אמר כי לא מלו אלא הילודים בדרך, וכל זמן שהיו במדבר סיני לא היו בדרך, וזהו טעם הנכון בעיני: **עשה לך.** תקן והכן, כמו וַיְמַהֵר לַעֲשׂוֹת אוֹתוֹ (בראשית יח, ז) ופירוש לְךָ לעצמך, שיהיה הוא המל ואחרים עמו, כי לא יתכן שיהושע לבדו מל כל הערלים שהרי אמר לו חַרְבוֹת צֻרִים, ואילו היה הוא המל לבדו די היה בחרב אחד, ועוד בארבעה ימים היאך היה יכול יהושע לבדו למול כל הילודים במדבר, זה לא יתכן. או יתכן שלא מל הוא אחד מהם אבל צוה אותם למול, ואמר לְךָ כי עליו מוטל כי הוא היה מנהיגם, ומה שאמר וַיָּמָל (פסוק ג) כמו וַיִּבֶן שְׁלֹמֹה אֶת הַבַּיִת (מלכים־א ו, יד) והדומים להם: **חרבות צרים.** כתרגומו אִזְמְלָוָן חֲרִיפִין איזמלים חדים, וכן אַף תָּשִׁיב צוּר חַרְבּוֹ (תהלים פט, מד), ונסמך המתואר אל התואר, כמו מֵי הַמָּרִים (במדבר ה, כג) בְּנֵי שִׁלֵּשִׁים (בראשית נ, כג), או יהיה צֻרִים שם זולתי תאר, ויהיה פירוש חרבות שיהיו להם חדודים:

they tasted tranquility (*Pardes Yosef*).

20. בַּגִּלְגָּל — *At Gilgal.* Gilgal was the *lodging place* mentioned in verse 3 (*Radak*). It was chosen as the place for the monument because it served as the capital of the nation for the first fourteen years in the Land (*Me'am Loez*). In later times, too, Gilgal was used as the site of auspicious events, for example, see *Judges* 2:1 and *I Samuel* 11:14.

would give *Eretz Yisrael* to their offspring, a promise that was now being fulfilled.

19-24. Joshua erects the monument. Joshua told the assembled people that he was erecting a monument that would remind generations to come of the great miracle of the crossing. Indeed, the monument remained standing for many centuries, for the Talmud (*Berachos* 54a) teaches that when someone sees it, he must praise God for having performed the miracle on behalf of Israel.

19. בֶּעָשׂוֹר לַחֹדֶשׁ הָרִאשׁוֹן — *On the tenth of the first month*, i.e., the month of Nissan. Although this thrilling event was the first time the nation had set foot on it promised land, no festival or celebration was declared, because they had not yet had an opportunity to enjoy it and there would be many wars before

5.

1-8. Joshua circumcises the nation. God commanded Joshua to arrange for the circumcision of the people, who had not circumcised themselves during the forty years in the Wilderness. The Sages explain that they could not do so because they often had to travel on very short notice, which would have been dangerous for infants weakened by circumci-

ג מֹל אֶת־בְּנֵי־יִשְׂרָאֵל שֵׁנִית: וַיַּעַשׂ־לוֹ יְהוֹשֻׁעַ חַרְבוֹת צֻרִים וַיָּמָל אֶת־בְּנֵי יִשְׂרָאֵל
ד אֶל־גִּבְעַת הָעֲרָלוֹת: וְזֶה הַדָּבָר אֲשֶׁר־מָל יְהוֹשֻׁעַ כָּל־הָעָם הַיֹּצֵא מִמִּצְרַיִם
ה הַזְּכָרִים כֹּל ׀ אַנְשֵׁי הַמִּלְחָמָה מֵתוּ בַמִּדְבָּר בַּדֶּרֶךְ בְּצֵאתָם מִמִּצְרָיִם: כִּי־מֻלִים
הָיוּ כָּל־הָעָם הַיֹּצְאִים וְכָל־הָעָם הַיִּלֹּדִים בַּמִּדְבָּר בַּדֶּרֶךְ בְּצֵאתָם מִמִּצְרַיִם
ו לֹא־מָלוּ: כִּי ׀ אַרְבָּעִים שָׁנָה הָלְכוּ בְנֵי־יִשְׂרָאֵל בַּמִּדְבָּר עַד־תֹּם כָּל־הַגּוֹי אַנְשֵׁי
הַמִּלְחָמָה הַיֹּצְאִים מִמִּצְרַיִם אֲשֶׁר לֹא־שָׁמְעוּ בְּקוֹל יהוה אֲשֶׁר נִשְׁבַּע יהוה לָהֶם
לְבִלְתִּי הַרְאוֹתָם אֶת־הָאָרֶץ אֲשֶׁר נִשְׁבַּע יהוה לַאֲבוֹתָם לָתֶת לָנוּ אֶרֶץ זָבַת חָלָב
ז וּדְבָשׁ: וְאֶת־בְּנֵיהֶם הֵקִים תַּחְתָּם אֹתָם מָל יְהוֹשֻׁעַ כִּי־עֲרֵלִים הָיוּ כִּי לֹא־מָלוּ
ח אוֹתָם בַּדָּרֶךְ: וַיְהִי כַּאֲשֶׁר־תַּמּוּ כָל־הַגּוֹי לְהִמּוֹל וַיֵּשְׁבוּ תַחְתָּם בַּמַּחֲנֶה עַד
ט חֲיוֹתָם: וַיֹּאמֶר יהוה אֶל־יְהוֹשֻׁעַ הַיּוֹם גַּלּוֹתִי אֶת־חֶרְפַּת מִצְרַיִם

רש״י

שנית. שמלו כבר בליל יציאתם ממצרים קהל גדול יחד, וזו פעם שנית, שכל הארבעים שנה שהיו במדבר לא נשבה להם רוח צפונית, ולא היה להם יום נוח למול, כמו ששנינו ביבמות (עב, ב). ורבותינו אמרו (שם) שנית, זו פריעת מילה, שלא נתנה לאברהם אבינו: **(ג) גבעת הערלות.** על שם המאורע נקרא, שנעשה כמין גבעה: **(ד) וזה הדבר.** על ידי דבור מל אותם, אמר להם סבורים אתם לירש את הארץ ערלים, לא כך נאמר לאברהם וְאַתָּה אֶת בְּרִיתִי תִשְׁמֹר וגו׳ (בראשית יז, ט) וְנָתַתִּי לְךָ וּלְזַרְעֲךָ אַחֲרֶיךָ אֵת אֶרֶץ מְגֻרֶיךָ (שם שם, ח): **כל העם היצא.** לא היה אחד מהם כאן, שכלם מתו והם היו מולים, שנאמר כִּי מֻלִים הָיוּ (לקמן פסוק ה): **(ה) לא מלו.** כמו שפירשתי שלא נשבה רוח צפונית, והם שמלו עכשיו: **(ז) ואת בניהם הקים תחתם.** ואת בניהם שהקים תחתיהם הם הילודים במדבר, אותם מל יהושע: **(ח) וישבו תחתם.** בְּאַתְרֵיהוֹן (תרגום), ולא צרו על העיר: **עד חיותם.** מן המכה: **(ט) גלותי.** הסירותי את חרפת מצרים, שהיו אומרים ראו כי רעה נגד פניכם, כוכב אחד יש ששמו רעה והוא סימן של דם, רואין אנו אותו עליכם במדבר, והוא שאמר משה במדבר לָמָּה יֹאמְרוּ מִצְרַיִם לֵאמֹר בְּרָעָה הוֹצִיאָם (שמות לב, יב) והם אינם יודעים שהוא דם מילה, וכשמלו בימי יהושע ובא אותו הדם, הוסרה אותה החרפה שעדיין ערב רב שעלו עמהם היו מונים להם, כך דרש רבי משה הדרשן: **גלותי.** הסירותי, כמו גַּל מֵעָלַי חֶרְפָּה (תהלים קיט, כב) וַיָּגֶל אֶת הָאֶבֶן (בראשית כט, י):

רד״ק

ושוב מל את בני ישראל שנית. חזור פעם אחר פעם במחנה למול ולצוותם למול, ובאמרו וְשׁוּב מֹל אינו אומר פעם ושתים לבד אלא כמה פעמים עד שיגמר הדבר, וכן וְשַׁבְתִּי בְּבֵית ה׳ (תהלים כג, ו) שאחזור שם תמיד כל ימי חיי, וכן באמרו שֵׁנִית אינו דוקא פעם ושתים לבד אלא פעם אחר פעם עד שיגמר הדבר, וכן כְּסִיל שׁוֹנֶה בְאִוַּלְתּוֹ (משלי כו, יא) אינו פעם ושתים לבד אלא פעם אחר פעם כמה פעמים, וכן עִם שׁוֹנִים אַל תִּתְעָרָב (שם כד, כא) שחוזרין פעם אחר פעם לרשעות כמה פעמים. ויש מרז״ל שאמרו (יבמות עא, ב) כי אמר שֵׁנִית על הפריעה, כי לא נתנה פריעת מילה לאברהם אבינו, ונדחו דברים אלו, ואמרו כי שֵׁנִית רצה לומר על ציצין המעכבין את המילה, שמזהירו שיחזור עליהם שנית ויראה כי נמולו היטב, אבל פריעת המילה נתנה לאברהם אבינו, וכן הוא אומר בבראשית רבה (עיין מו, יב) אברהם אבינו פרע את מילתו: **(ג) אל גבעת הערלות.** כמו בגבעת, וכן נָפַל אֶל הַמָּיִם (מלכים־ב ו, ה) כמו במים, ואחרים רבים כמוהו, ונקראת גִּבְעַת הָעֲרָלוֹת בעבור הערלות שנכרתו שם, ומלת הָעֲרָלוֹת הוא משקל אחד, כי מן ערלה יאמר ערלות כמו מן חכמה יאמר חכמות: **(ד) וזה הדבר אשר מל יהושע.** וזה הדבר שבעבורו מל יהושע, כי כל העם הילודים במדבר לא מלו אותם לפיכך נצטווה יהושע למולם: **כל אנשי המלחמה.** רצה לומר מבן עשרים שנה ומעלה, כי אותם הם הפקודים (במדבר א, ג) ואותם מתו שהיו מולים, זהו שאמר כִּי מֻלִים הָיוּ (לקמן פסוק ה) והטעם להודיע כי זה שלא מלו לא בעבור שנשתכחה מהם מצות מילה במצרים או התרשלו עליה, כי מולים היו כל העם היוצאים, ואפילו לדברי בעל הדרש (מכילתא דרבי ישמעאל בא; מס׳ דפסחא בא פרשה ה) שאומר שהתרשלו במילה במצרים וסמך לפסוק גַּם אַתְּ בְּדַם בְּרִיתֵךְ שִׁלַּחְתִּי אֲסִירַיִךְ מִבּוֹר אֵין מַיִם בּוֹ (זכריה ט, יא) וכן מה שאמר בְּדָמַיִךְ חֲיִי (יחזקאל טז, ו) פעמיים רצה לומר שתי דמים דם פסח ודם מילה, אף על פי כן בצאתם מלו כולם קודם שעשו הפסח, וזהו שאמר כִּי מֻלִים הָיוּ כָּל הָעָם הַיֹּצְאִים (לקמן פסוק ה), והנה אותם שהיו מבן עשרים שנה ומעלה מתו במדבר (במדבר לב, יא) ומבן עשרים שנה ומטה נשארו מולים, ולא הוצרך יהושע למול אלא הילודים במדבר שלא היו יכולים למול בדרך כמו שפירשנו (לעיל פסוק ב). ופירוש לֹא מָלוּ (לקמן פסוק ה) לא מלו אותם, כי הוא פעל יוצא: **(ז) הקים.** אשר הקים, וכן לָעָם עָלֶיהָ (ישעיהו מב, ה), בַּעֲבוּר זֶה עָשָׂה ה׳ לִי (שמות יג, ח), והדומים להם שיחסרו שי״ן או מלת אשר, וטעם הֵקִים כי הקב״ה הקים אותם תחת אבותם לירש הארץ, כמו שאמר לָהֶם אֶתְּנֶנָּה וְהֵם יִירָשׁוּהָ (דברים א, לט): **(ח) תחתם.** במקומם, כמו שְׁבוּ אִישׁ תַּחְתָּיו (שמות טז, כט): **חיותם.** הרפאם, כמו וְיִמְרְחוּ עַל הַשְּׁחִין וְיֶחִי (ישעיהו לח, כא): **(ט) חרפת מצרים.** לפי שיצאו האבות ממצרים והיו הבנים ערלים כמו המצריים, והערלה חרפה, כמו שנאמר כִּי חֶרְפָּה הִוא לָנוּ (בראשית לד, יד):

מצודת דוד

(ב) ושוב מל וכו׳ שנית. אמר שֵׁנִית, כי גם בליל צאתם ממצרים נמולו כל ישראל יחד, כן אמרו רבותינו זכרונם לברכה (במדבר רבה יא, ו): **(ג) אל גבעת.** בגבעת הערלות, ונקרא שם המקום על שם המאורע: **(ד) וזה הדבר.** רצה לומר, זה היה הסיבה אשר יהושע לבד מל את כל העם, ולא מלו אז זה את זה, כי איך יתכן שלא ימצא בהם מי יודע למול: **כל העם.** רצה לומר, כי כל העם היוצא ממצרים, שהיו נמולים וראוים למול, הלא הם מתו במדבר, ואינם למול לזולתם: **(ה) כי מלים היו.** רצה לומר, כי לבד העם היוצאים היו נמולים, אבל לא הילודים במדבר ולא היו הם אם כן ראוים למול: **(ו) עד תם וכו׳.** ואם כן, לא היה מי מהנמולים להיות ראוי והגון למול זולתו: **אשר נשבע.** אשר בעבור זה נִשְׁבַּע ה׳ לָהֶם לְבִלְתִּי וכו׳: **(ז) הקים תחתם.** אשר הקים תחתם: **אתם מל יהושע.** ולא נמולו עד אז, כי ערלים היו עד הזמן ההוא, כי היוצאים ממצרים לא מלו בניהם בהיותם בדרך, ולא היו אם כן נמולים להיות הגון וראוי להמול זולת יהושע: **(ט) היום גלותי.** עתה העברתי מעליכם מה שהיו המצרים מחרפים לאמר, הלא הם ערלים כמונו, וחרפה יחשב לישראל, כמו שכתוב כִּי חֶרְפָּה הִוא לָנוּ (בראשית לד, יד):

מצודת ציון

(ג) אל גבעת. בגבעת, וכן וְאֶל הָאָרֹן (שמות כה, כא), ומשפטו ובהארון: **(ו) זבת.** מלשון זיבה ונטיפה: **(ח) תחתם.** במקומם: **חיותם.** ענינו רפואה, כמו וְיִמְרְחוּ עַל הַשְּׁחִין וְיֶחִי (ישעיהו לח, כא): **(ט) גלותי.** מלשון גלגל וסבוב:

The national circumcision . . .

cumcise the Children of Israel again, a second time." 3 So Joshua made sharp knives
for himself and circumcised the Children of Israel at Gibeath-haaraloth [the Hill of the
Foreskins].
4 This is the reason why Joshua circumcised [them]: The entire people that had gone
forth from Egypt — the males, all the men of war — had died in the Wilderness on the
way, after they went forth from Egypt. 5 All the people that went forth were circumcised,
but all the people that were born in the Wilderness on the way, after they went forth from
Egypt, were not circumcised, 6 because for forty years the Children of Israel journeyed in
the Wilderness until the demise of the entire nation — the men of war — who went forth
from Egypt and had not heeded the voice of HASHEM, *about whom* HASHEM *had sworn not*
to show them the land that HASHEM *had sworn to their forefathers to give us, a land*
flowing with milk and honey. 7 But He raised their children in their stead — them Joshua
circumcised, for they were uncircumcised since they did not circumcise them on the way.
8 When all the nation had finished being circumcised, they remained in their place in the
camp until they had recuperated.

. . . removes the national disgrace

9 HASHEM *said to Joshua, "Today I have rolled away the disgrace of Egypt from*

sion. Another reason is that the north wind, which would have fostered recuperation, did not blow in the Wilderness (*Yevamos* 71b). Although it would have been a simple matter for God to perform whatever miracle would have been necessary to make circumcision possible, God did not do so, because the circumcision could have been performed later, as indeed it was, and because He does not wish to change nature miraculously unless it is absolutely necessary. The Sages teach that, despite the dangers, the Levites [and undoubtedly many others] braved the dangers and entered the covenant of Abraham even in the Wilderness. However, the failure of the rest of the nation to follow suit was never held against them (*Radak*).

Now, upon entering the Land, the entire nation had to be circumcised without delay, because they would soon be called upon to bring the Pesach-offering, which may not be done by uncircumcised men (*Exodus* 12:48). Indeed, this chapter is the *haftarah* of the first day of Pesach. Furthermore, Israel merited to receive *Eretz Yisrael* because of the commandment of circumcision (*Berachos* 48b, *Rashi*), so it was important for them to carry out the commandment as soon as they entered the country. However, to have incapacitated the vast majority of the male population through such a surgical procedure at a time when they were endangered by hostile armies would have put lives at stake, therefore Scripture states that there was no danger because the Canaanite nations were too frightened to attack Israel.

2. **שֵׁנִית** — *A second time.* This was the second mass circumcision of the Jewish people. The first was when Moses supervised the circumcision of all Jewish males before the Exodus; now Joshua did it *a second time (Rashi). Radak*, however, renders the word as *repeatedly*, i.e., Joshua and those who assisted him had to perform circumcisions over and over again until everyone was circumcised.

6. There is an implied reproach here. True, as noted above, there were compelling reasons not to circumcise children born in the Wilderness, but they were at fault for having accepted the report of the spies, who discouraged them from entering the Land. Had the people trusted God and Moses they would have entered *Eretz Yisrael* thirty-nine years sooner, and everyone would have been circumcised.

7. **וְאֶת־בְּנֵיהֶם הֵקִים תַּחְתָּם** — *But He raised their children in their stead.* God raised a generation of young people to replace their errant elders. Joshua alluded to the fear of the people when the spies brought back their fearsome report and the retort of God. The people had wept that their children would become captive slaves of the "unbeatable" Canaanites (*Numbers* 14:3), but God responded that those very children would conquer *Eretz Yisrael* (ibid 14:31). Now the pledge had been fulfilled.

8. By stating that the people had to rest and recuperate, Scripture accentuates the people's faith in God. Although they arrived at Gilgal exhausted from the journey and they were surrounded by enemies who could have attacked while the sickened males were too ill to resist — following the example of Jacob's two young sons who had wiped out the city of Shechem after its circumcision (*Genesis* 34:24-29) — the Jews did not hesitate. When they were told that it was God's will that they circumcise themselves, and not do it in shifts so that there would always be healthy soldiers to defend the nation, they complied without delay (*Be'er Moshe*).

9-12. Vindication and offering. Having circumcised themselves, the Jews were permitted to bring the Pesach-offering for the first time in thirty-nine years. Then, a radical change took place. No longer would the people be nourished by manna. From this time onward, they would produce their own food, and their challenge would be to recognize that no matter how hard someone works for his sustenance, it is ultimately a gift of God.

9. Since Jews consider it disgraceful to be uncircumcised (*Genesis* 34:14), the Jewish parents who left Egypt were ashamed to have children who were uncircumcised, like the Egyptians (*Radak*), and the Egyptians used to taunt the Jews, saying, "You are no different than us; you too are uncircum-

י מֵעֲלֵיכֶ֑ם וַיִּקְרָ֞א שֵׁ֣ם הַמָּק֤וֹם הַהוּא֙ גִּלְגָּ֔ל עַ֖ד הַיּ֥וֹם הַזֶּֽה׃ וַיַּחֲנ֥וּ בְנֵֽי־יִשְׂרָאֵ֖ל בַּגִּלְגָּ֑ל
יא וַיַּעֲשׂ֣וּ אֶת־הַפֶּ֡סַח בְּאַרְבָּעָה֩ עָשָׂ֨ר י֥וֹם לַחֹ֛דֶשׁ בָּעֶ֖רֶב בְּעַֽרְב֥וֹת יְרִיחֽוֹ׃ וַיֹּ֨אכְל֜וּ
יב מֵעֲב֥וּר הָאָ֛רֶץ מִמָּחֳרַ֥ת הַפֶּ֖סַח מַצּ֣וֹת וְקָל֑וּי בְּעֶ֖צֶם הַיּ֥וֹם הַזֶּֽה׃ וַיִּשְׁבֹּ֨ת הַמָּ֜ן מִֽמָּחֳרָ֗ת
בְּאָכְלָם֙ מֵעֲב֣וּר הָאָ֔רֶץ וְלֹא־הָ֥יָה ע֛וֹד לִבְנֵ֥י יִשְׂרָאֵ֖ל מָ֑ן וַיֹּאכְל֗וּ מִתְּבוּאַת֙ אֶ֣רֶץ כְּנַ֔עַן
יג בַּשָּׁנָ֖ה הַהִֽיא׃ וַיְהִ֗י בִּֽהְי֣וֹת יְהוֹשֻׁעַ֮ בִּירִיחוֹ֒ וַיִּשָּׂ֤א עֵינָיו֙ וַיַּ֔רְא וְהִנֵּה־אִישׁ֙
עֹמֵ֣ד לְנֶגְדּ֔וֹ וְחַרְבּ֥וֹ שְׁלוּפָ֖ה בְּיָד֑וֹ וַיֵּ֨לֶךְ יְהוֹשֻׁ֤עַ אֵלָיו֙ וַיֹּ֣אמֶר ל֔וֹ הֲלָ֥נוּ אַתָּ֖ה אִם־לְצָרֵֽינוּ׃
יד וַיֹּ֣אמֶר ׀ לֹ֗א כִּ֛י אֲנִ֥י שַׂר־צְבָֽא־יְהוָ֖ה עַתָּ֣ה בָ֑אתִי וַיִּפֹּל֩ יְהוֹשֻׁ֨עַ אֶל־פָּנָ֥יו אַ֙רְצָה֙
טו וַיִּשְׁתָּ֔חוּ וַיֹּ֣אמֶר ל֔וֹ מָ֥ה אֲדֹנִ֖י מְדַבֵּ֥ר אֶל־עַבְדּֽוֹ׃ וַיֹּאמֶר֩ שַׂר־צְבָ֨א יְהוָ֜ה אֶל־יְהוֹשֻׁ֗עַ
שַׁל־נַֽעַלְךָ֙ מֵעַ֣ל רַגְלֶ֔ךָ כִּ֣י הַמָּק֗וֹם אֲשֶׁ֥ר אַתָּ֛ה עֹמֵ֥ד עָלָ֖יו קֹ֣דֶשׁ ה֑וּא וַיַּ֥עַשׂ יְהוֹשֻׁ֖עַ כֵּֽן׃

רש"י

(יא) **ממחרת הפסח.** יום הנפת העומר שהקריבו עומר תחלה, ומשבעה באדר שמת משה שפסק המן, היו מסתפקין עד עכשיו ממן שבכליהם שלקטו בשבעה באדר, שנאמר אָכְלוּ אֶת הַמָּן אַרְבָּעִים שָׁנָה (שמות טז, לה), והלא ארבעים שנה חסר שלשים יום, שהרי תחלת ירידת המן בחמשה עשר באייר, אמור מעתה בחררה שהוציאו ישראל ממצרים, טעמו טעם מן: (יב) **ולא היה עוד לבני ישראל מן.** לפיכך, ויאכלו מעבור הארץ, אם היה להם מן לא היו אוכלים מן התבואה, שהמן היה נוח להם, משל אומר לתינוק מפני מה אתה אוכל פת שעורין, לפי שאין לי פת חטין, לכך נאמר וְלֹא הָיָה עוד וגו': (יג) **בהיות יהושע ביריחו.** מכאן לעיבורה של עיר שהיא מן העיר, שאי אפשר לומר בתוך יריחו: **הלנו אתה.** הַלְמִסְעֲדָנָא אַתֵּיתָא (תרגום): (יד) **עתה באתי.** לעזרתך, שאין אדם יכול להלחם עליה ולתופשה להפיל החומה, אבל בימי משה רבך באתי ולא חפץ בי, שנאמר אִם אֵין פָּנֶיךָ הֹלְכִים וגו' (שמות לג, טו): (טו) **שר צבא ה'.** ישראל שהוא צבא לה', ומיכאל היה, שנאמר מִיכָאֵל שַׂרְכֶם (דניאל י, כא):

רד"ק

גלגל. נכפלה בו הפ"א כי מן גלותי יאמרו גלל, וכן דרך לשון הקדש בשמות הלקוחים מן הפעל להוסיף בו אות או לגרוע ממנו, כמו נח מן יְנַחֲמֵנוּ (בראשית ה, כט), שמואל כִּי מֵה' שְׁאִלְתִּיו (שמואל־א א, כ), וגם להפך סדר האותיות כמו יַעְבֵּץ מן עֹצֶב (דברי הימים־א ד, ט): (יא) **ויאכלו מעבור הארץ.** מהישן אכלו מצות וקלוי, כי החדש היה אסור להם עד אחר הקרבת העומר בששה עשר בניסן (ויקרא כג, יד) ואפילו למצות מצה אסור מן החדש, שאין מצות עשה דוחה את לא תעשה (יבמות ד, א) אלא אם כן היתה כתובה בצדה, ומאין היה להם ישן ממה שהיו תגרי אומות מוכרים להם, ומלת מֵעֲבוּר מוכיח שהוא מן הישן כי אמר כי נקרא עבור הדגן שהוא משנים שעברו, ושנה הבאה נקרא תבואה: **ממחרת הפסח.** הוא ליל חמשה עשר בניסן ויומו, כי הפסח קרב בארבעה עשר ומחרתו הוא יום חמשה עשר, וכן בַּחֲמִשָּׁה עָשָׂר יוֹם לַחֹדֶשׁ הָרִאשׁוֹן מִמָּחֳרַת הַפֶּסַח יָצְאוּ בְנֵי יִשְׂרָאֵל (במדבר לג, ג): (יב) **וישבת המן ממחרת.** מאותו מחרת שזכר מאותו היום פסק המן, כי לא היו צריכים שהרי אכלו מעבור הארץ מצות וקלוי בחמשה עשר בניסן, ולדברי רז"ל (קידושין לח, א) שאמרו כי עד ששה עשר בניסן אכלו המן יהיה פירוש ממחרת חמשה עשר, והוא ששה עשר, כי אף על פי שאכלו בחמשה עשר מצות וקלוי לא היה מספיק להם מה שמצאו מעבור הארץ, ואותו היום אכלו גם מהמן ולמחרת שהוא ששה עשר בניסן אחר שהקריבו בו העומר והותרו בחדש מצאו הרבה מן החדש לאכל, וזה שכתוב וַיֹּאכְלוּ מִתְּבוּאַת אֶרֶץ כְּנַעַן בַּשָּׁנָה הַהִיא: (יג) **ויהי בהיות יהושע ביריחו.** בגבול יריחו ומכאן סמכו ז"ל (נדרים נו, ב), שעבורה של עיר דינו כעיר, שהרי יהושע לא היה בתוך העיר, ואמר בִּהְיוֹת יְהוֹשֻׁעַ בִּירִיחוֹ, כי נסעו מהגלגל אחר שנמולו שם הערלים ועשו הפסח (פסוק י) ובאו להם ליריחו לכבשה וחנו את פני העיר, והקב"ה שלח מלאכו ליהושע כדי לחזקו לכבשה ולבשרו, ונראה לו כדמות איש וחרבו שלופה בידו מורה על הגבורה ועל הנצוח, כמו שנראה ליעקב אבינו ונאבק עמו לחזקו ולבשרו כמו שאמר לו כִּי שָׂרִיתָ עִם אֱלֹהִים וְעִם אֲנָשִׁים וַתּוּכָל (בראשית לב, כט), וכן בא ליהושע זה המלאך וחרבו שלופה בידו כדמות גבור מנצח, והוא שאמר ליהושע רְאֵה נָתַתִּי בְיָדְךָ אֶת יְרִיחוֹ וְאֶת מַלְכָּהּ (לקמן ו, ב): (יד) **ויאמר לא.** כלומר אינני כמו שאתה סבור איש בא להלחם, אבל אני מלאך ה' וזהו שאמר שַׂר צְבָא ה', שר צבאות מעלה ומטה כמו שנאמר על מיכאל הַשַּׂר הַגָּדוֹל (דניאל יב, א) ולפי גדולתו וקדושתו נקדש המקום שנראה בו ליהושע לפיכך אמר קֹדֶשׁ הוּא (לקמן פסוק טו): **עתה באתי.** בעת שראיתני, מה שאין כן בבשר ודם, וזה להחזיק בלבו כי מלאך הוא. ויש בו דרש (סנהדרין מד, ב) כי בא להפחידם על בטול תורה, ועל שבטלו היום שעבר תמיד של בין הערבים, אמר לו יהושע על איזה מהם באת, אמר לו עַתָּה בָאתִי כלומר על בטול תורה שאתם בטלים עתה, מיד וַיָּלֶן יְהוֹשֻׁעַ בְּתוֹךְ הָעֵמֶק (לקמן ח, ט–יג) שלן בעומקה של הלכה. וזה הדרש רחוק, כי אין שעת המלחמה שעת תלמוד תורה, ועוד כי פסוק וַיָּלֶן יְהוֹשֻׁעַ הוא רחוק מזה הפרשה כי הוא במלחמת העי, ועוד כי כותב הדרש הזה טעה בפסוק וַיָּלֶן כי שני פסוקים הם, וַיָּלֶן יְהוֹשֻׁעַ סופו בְּתוֹךְ הָעָם (שם פסוק ט) והפסוק האחר וַיֵּלֶךְ יְהוֹשֻׁעַ בַּלַּיְלָה הַהוּא בְּתוֹךְ הָעֵמֶק (פסוק יג). ויש בו דרש אחר (תנחומא משפטים יח) עַתָּה בָאתִי, עתה באתי שני פעמים, אני הוא שבאתי בימי משה רבך, שנאמר הִנֵּה אָנֹכִי שֹׁלֵחַ מַלְאָךְ (שמות כג, כ) וראה אותי ולא רצה שאלך עמו שאמר להקב"ה איני חפץ אלא בך, מיד וַיִּפֹּל יְהוֹשֻׁעַ אֶל פָּנָיו אַרְצָה: **אל פניו.** כמו על, וכן אֶל הֶהָרִים לֹא אָכָל (יחזקאל יח, ו):

מצודת דוד

(י) **בערב.** אחר חצות היום קרוי ערב, כי אז נוטה החמה לבית מערב: (יא) **ממחרת הפסח.** ממחרת יום ראשון של פסח, שהוא זמן הקרבת העומר, וקרבו העומר, והדר אכלו: (יב) **וישבת המן.** אף כי מיום מיתת משה בשבעה באדר פסק המן מלירד, מכל מקום היו נזונים בנס ממן שבכליהם, ובאכלם מעבור הארץ לא מצאו עוד: **ויאכלו.** התחילו לאכול: (יג) **ביריחו.** רצה לומר, בגבול יריחו: **הלנו.** בה"א השאלה, לומר אם באת לעזור לנו מול האויב, או לעזור להאויב: (יד) **ויאמר לא.** רצה לומר, לא באתי לעזור לאויבי ישראל, כי אני שר של ישראל הקרואים צבא ה', ומה שלא ראיתני עד הנה, הוא בעבור כי עתה באתי, ולא מאז: **מה אדני מדבר.** רצה לומר, דבר דבריך והנני לקיימם כהעבד המקיים דברי האדון: (טו) **קדש הוא.** ומהראוי לעמוד עליה יחף:

מצודת ציון

(יא) **מעבור.** תרגום של דגן הוא עִבוּרָא (דברים כח, נא): **וקלוי.** שיבלים צלוים, כמו אָבִיב קָלוּי בָּאֵשׁ (ויקרא ב, יד): **בעצם היום.** רצה לומר, בגופו של יום, כמו עַד עֶצֶם הַיּוֹם הַזֶּה (שם כג, יד), ורצה לומר, לא בלילה שלפניו, עם כי הלילה הולך אחר היום: (יב) **וישבת.** ענין בטול, כמו שָׁבַת נֹגֵשׂ (ישעיהו יד, ד): (יג) **שלופה.** חלוצה מתערה, כמו שָׁלַף וַיֵּצֵא מִגֵּוָה (איוב כ, כה): (יד) **אל פניו.** לפניו, רצה לומר, לפני העומד לנגדו: (טו) **של.** הסר וכן במשה שַׁל נְעָלֶיךָ (שמות ג, ה):

upon you." He named that place Gilgal [Rolling], to this day. [10] *The Children of Israel*
encamped at Gilgal and performed the Pesach-offering on the fourteenth day of the month
The Pesach-offering
in the evening, in the plains of Jericho. [11] *They ate from the aged grain of the land on the*
day after the Pesach-offering, matzos and roasted grain, on this very day. [12] *The manna*
was depleted the following day, when they ate from the aged grain of the land; there was
no longer any manna for the Children of Israel. They ate from the grain of the Land of
Canaan that year.

The appearance of the angel

[13] *It happened when Joshua was in Jericho that he raised his eyes and saw, and*
behold! — a man was standing opposite him with his sword drawn in his hand. Joshua
went toward him and said to him, "Are you with us or with our enemies?"

[14] *He said, "No, for I am the commander of* H*ASHEM's legion; now I have come." Joshua*
fell before him to the ground and prostrated himself, and said to him, "What does my
master say to his servant?"

[15] *The commander of* H*ASHEM's legion said to Joshua, "Remove your shoe from upon*
your foot, for the place upon which you stand is holy." And Joshua did so.

cised (*Metzudos*). Now that disgrace has been removed. According to *Ralbag*, this national circumcision — the sign of the covenant between God and Israel, without which there could be no Pesach offering — finally extricated the nation from the disgrace of Egypt's heretical beliefs and licentious practices.

Rashi cites the Aggadah that Pharaoh's astrologers had foretold that the Jews would suffer major bloodshed after leaving Egypt. There had always been a fear that this presaged a bloody defeat, but now it was clear that the blood referred to the blood of circumcision.

11-12. These verses use two different expressions for grain, which we translate according to *Radak*: עָבוּר, *aged grain*, and תְּבוּאָה, *grain*. The difference is based on the law of the Omer-offering, which came into play only now, when Israel entered its Land (see *Leviticus* 23:9-14). Accordingly, the people were forbidden to eat grain from the new crop until the sixteenth of Nissan, the second day of Pesach, when they would bring the Omer-offering. Before then they could eat only grain that had been harvested before Pesach. Thus, מִמָּחֳרַת הַפֶּסַח, *the day after the Pesach-offering*, the people were permitted to eat only יָשָׁן, *aged grain,* i.e., grain from the previous year's crop. Only the next day would they be permitted to consume *the grain of the land of Canaan*, i.e., the newly harvested crop. This accounts for Scripture's use of two different terms for grain.

12. וְלֹא־הָיָה עוֹד . . . מָן — *There was no longer any manna.* The manna stopped falling with the death of Moses, but the last day's supply lasted for over five weeks, until the people were in the Land and able to harvest grain for themselves. This was in sharp contrast to all the years in the Wilderness, when manna spoiled after only one day. Had manna still been available, the people would have much preferred it over natural food, since it was a direct gift from God and required no preparation to make it edible. But since the manna was gone forever, they had to eat the produce of the Land (*Rashi*).

This became the new, permanent condition of the nation: they would live "normal" lives of work in the fields and shops, but they were never to forget that whether livelihood comes in the form of manna or crops and profits, its source is God.

13-15. Preparation for the first battle. After the Pesach- and omer-offerings, Joshua went to the outskirts of Jericho [בִּירִיחוֹ, *in Jericho*], the first city that the Jews would occupy. There, he was confronted by a sword-wielding warrior, and Joshua did not know if he was facing friend or foe. According to *Rashi*, the angel was Michael, the angelic protector of Israel [according to *Midrash Tanchuma*, it was Gabriel, the angel of strength], who informed Joshua that he had come to bring about the conquest of Jericho, whose walls made it virtually impregnable.

The Sages interpret the passage Aggadically; it will be presented below.

14. לֹא — *No.* I am not a human being, as you think (*Radak*). *I am the commander of Hashem's legion*, meaning that God is now ready to mobilize all His forces to inaugurate the conquest of His land for His people. His "legion" is Israel (*Rashi*); or the entire array of His servants, in heaven and on earth (*Radak*). According to *Malbim*, *Hashem's legion* was composed of the myriad angels who were ready to do battle with the enemy.

עַתָּה בָאתִי — *Now I have come.* After the sin of the Golden Calf, God told Moses that He would withdraw His personal guidance from Israel and send an angel instead, but Moses pleaded that God have mercy and not do so. His prayer was successful and God postponed His dispatch of the angel (*Exodus* 33:2,16-17). But after Moses' death, God was carrying out His original intentional, as the angel said, "**Now**" *I have come* (*Rashi*).

15. By telling Joshua to remove his shoes, the angel was signifying that Jericho could not be conquered by physical means. The Land was holy, and Israel's enemies would be defeated only through God's miracles. *And Joshua did so*, not merely in the literal sense that he removed his shoes, but that he discarded any thoughts of triumph by mere force of arms (*Abarbanel*).

☙ The angel chastises Joshua — The Aggadic interpretation. By facing Joshua with a drawn sword, the angel was showing him that he was worthy of punishment. Joshua

ו

Haftarah continues on p. 30

א־ב וִירִיחוֹ סֹגֶרֶת וּמְסֻגֶּרֶת מִפְּנֵי בְּנֵי יִשְׂרָאֵל אֵין יוֹצֵא וְאֵין בָּא: וַיֹּאמֶר יהוה
ג אֶל־יְהוֹשֻׁעַ רְאֵה נָתַתִּי בְיָדְךָ אֶת־יְרִיחוֹ וְאֶת־מַלְכָּהּ גִּבּוֹרֵי הֶחָיִל: וְסַבֹּתֶם אֶת־
הָעִיר כֹּל אַנְשֵׁי הַמִּלְחָמָה הַקֵּיף אֶת־הָעִיר פַּעַם אֶחָת כֹּה תַעֲשֶׂה שֵׁשֶׁת יָמִים:
ד וְשִׁבְעָה כֹהֲנִים יִשְׂאוּ שִׁבְעָה שׁוֹפְרוֹת הַיּוֹבְלִים לִפְנֵי הָאָרוֹן וּבַיּוֹם הַשְּׁבִיעִי תָּסֹבּוּ
ה אֶת־הָעִיר שֶׁבַע פְּעָמִים וְהַכֹּהֲנִים יִתְקְעוּ בַּשּׁוֹפָרוֹת: וְהָיָה בִּמְשֹׁךְ ׀ בְּקֶרֶן הַיּוֹבֵל
°בשמעכם [°כְּשָׁמְעֲכֶם ק׳] אֶת־קוֹל הַשּׁוֹפָר יָרִיעוּ כָל־הָעָם תְּרוּעָה גְדוֹלָה וְנָפְלָה
ו חוֹמַת הָעִיר תַּחְתֶּיהָ וְעָלוּ הָעָם אִישׁ נֶגְדּוֹ: וַיִּקְרָא יְהוֹשֻׁעַ בִּן־נוּן אֶל־הַכֹּהֲנִים
וַיֹּאמֶר אֲלֵהֶם שְׂאוּ אֶת־אֲרוֹן הַבְּרִית וְשִׁבְעָה כֹהֲנִים יִשְׂאוּ שִׁבְעָה שׁוֹפְרוֹת יוֹבְלִים
ז לִפְנֵי אֲרוֹן יהוה: °ויאמרו [°וַיֹּאמֶר ק׳] אֶל־הָעָם עִבְרוּ וְסֹבּוּ אֶת־הָעִיר וְהֶחָלוּץ
ח יַעֲבֹר לִפְנֵי אֲרוֹן יהוה: וַיְהִי כֶּאֱמֹר יְהוֹשֻׁעַ אֶל־הָעָם וְשִׁבְעָה הַכֹּהֲנִים נֹשְׂאִים שִׁבְעָה
שׁוֹפְרוֹת הַיּוֹבְלִים לִפְנֵי יהוה עָבְרוּ וְתָקְעוּ בַּשּׁוֹפָרוֹת וַאֲרוֹן בְּרִית יהוה הֹלֵךְ
ט אַחֲרֵיהֶם: וְהֶחָלוּץ הֹלֵךְ לִפְנֵי הַכֹּהֲנִים °תקעו [°תֹּקְעֵי ק׳] הַשּׁוֹפָרוֹת וְהַמְאַסֵּף הֹלֵךְ

רש״י

(א) **סגרת ומסגרת.** כתרגומו אֲחִידָא בְּדָשִׁין דְּפַרְזְלָא, וּמְתַקְּפָא בְּעַבְּרִין דִּנְחָשׁ: (ד) **היובלים.** אילים: (ה) **במשוך.** בתקיעה אחרונה, בהאריך התוקע את הקול: **תחתיה.** במקומה: (ט) **והחלוץ.** בני ראובן ובני גד היו עוברים לפניהם, לפי שהיו בני גד גבורים ומכים בזרוע חזקה, כמו שנאמר וְטָרַף זְרוֹעַ אַף קָדְקֹד (דברים לג, כ):

רד״ק

(א) **ויריחו סגרת ומסגרת.** סֹגֶרֶת אנשיה בתוכה שלא יצא אדם מן העיר, וּמְסֻגֶּרֶת שלא יכנס אדם בתוכה, ופירושו בסופו אֵין יוֹצֵא וְאֵין בָּא, או כפל סֹגֶרֶת וּמְסֻגֶּרֶת לרב הסגירה, כמו שאמר התרגום אֲחִידָא בְּדָשִׁין וכו׳: (ב) **ויאמר ה׳ אל יהושע.** על ידי המלאך הנראה לו, והוא נקרא בשם ה׳ השולח אותו, וכן מצאנו במלאך שנראה לגדעון וַיֹּאמֶר אֵלָיו ה׳ כִּי אֶהְיֶה עִמָּךְ (שופטים ו, טז), ואמרו רז״ל (תנחומא משפטים יח) כִּי שְׁמִי בְּקִרְבּוֹ (שמות כג, כא), אמר רבי שמעון בן לקיש מלמד שהקב״ה משתף שמו על כל מלאך ומלאך: (ב) **גבורי החיל.** פירוש אנשי יריחו ומלכיה, ואף על פי שהם גבורי החיל נתתים בידך: (ג) **הקיף את העיר.** נכתב ביו״ד כמו אם היה בחירק ואף על פי שהוא בצר״י, וכן וְתַגֵּיד לִבְנֵי יִשְׂרָאֵל (שמות יט, ג) יגיד דבר: **כה תעשה ששת ימים.** אין לשאול טעם לסבות הבורא למה היתה ההקפה הזאת, וטעם שבעה כהנים ושבעה שופרות ושבע הקפות ושבעה ימים, וטעם ההקפה בתרועה, להבהיל העם אשר בתוך העיר ותפול החומה תחתיה למען ידעו כל עמי הארץ כי ה׳ נלחם לישראל לא בחרב ובחנית, ומספר השבעה ידוע סודו אצל מביני מדע, וכן שִׁבְעָה פָּרִים וְשִׁבְעָה אֵלִים (במדבר כג, א) והשביעי הוא הנבחר בימים ובחדשים ובשנים (עיין ויקרא רבה כט, יא): . . . שִׁבְעָה מִזְבְּחֹת (ד) **היובלים.** האילים, ובדברי רז״ל (ראש השנה כו, א) אמר רבי עקיבא כשהלכתי לערביא שמעתי שהיו קורין לדכרא יובלא: (ה) **במשך.** בהאריך התקיעה: **בשמעכם את קול השופר.** כתיב בבי״ת וקרי בכ״ף והענין אחד: **ונפלה חומת העיר תחתיה.** יש לשאול, בית רחב שהיה בחומה, אם נאמר כי נפל ונצלה היא ובית אביה זה לא יתכן, כי אם היה נס כזה היה מספר אותו הכתוב, ועוד שאמר בֹּאוּ בֵּית הָאִשָּׁה הַזּוֹנָה וְהוֹצִיאוּ מִשָּׁם אֶת הָאִשָּׁה (לקמן פסוק כב) נראה כי הבית היה קיים ולא נפל, אבל הנראה בעיני כי לא נפלה כל חומת העיר, אלא מה שהיה מן החומה את פני העיר נגד מחנה ישראל נפל ועלו העם איש נגדו ובית רחב היתה בחומה מצד אחר שלא נפל. ומה שכתוב תַּחְתֶּיהָ רצה לומר שנבלעה במקומה תחת הארץ (ברכות נד, ב), ונראה ממנה מעט על פני הארץ לזכרון הנס: (ז) **ויאמר אל העם.** כתיב בוי״ו, ופירוש יהושע והכהנים, וקרי בלא וי״ו ופירוש יהושע: (ח) **ויהי כאמר.** בכ״ף: (ט) **והחלוץ.** פירשו בו שהם בני ראובן ובני גד וחצי שבט מנשה שעברו חלוצים לפני אחיהם (דברים ג, יח, וראה לקמן כב, א־ג): **תקעו.** כן כתיב בוי״ו ופירושו אשר תקעו, והקרי הוא תקעי ומבואר הוא: **והמאסף.** אמר בו התרגום שבטא דדן, לפי שהוא היה אחרון בדגלים, כמו שנאמר עליו מְאַסֵּף לְכָל הַמַּחֲנֹת (במדבר י, כה):

מצודת דוד

(א) **סגרת ומסגרת.** רצה לומר, מעולם היתה סגורה בדלתים ובריח, ועתה הוסיפו לסגרה עוד מפני ישראל, ולא הניחו מי לצאת ממנה או לבא בה, שלא יודע מבואות העיר: (ב) **גבורי החיל.** רצה לומר, עם שהם גבורי חיל: (ג) **כה תעשה.** להקיף פעם אחת ביום: (ד) **יתקעו.** בכל יום בעת יקיפו: (ה) **את קול.** רצה לומר, הקול ההוא המאריך בתקיעה נמשכת: **איש נגדו.** לא יצטרכו להקיף ולעלות בה, כי כל החומה תפול: (ח) **ויהי כאמר.** רצה לומר, כן עשו, כאשר אמר יהושע אל העם וְשִׁבְעָה כו׳: (ט) **תקעי השופרות.** חוזר על הכהנים:

מצודת ציון

(ג) **הקיף.** ענין סבוב, כמו הִקִּיפוּ עָלַי יָחַד (תהלים פח, יח): (ד) **היובלים.** האילים, כן תרגומו: (ה) **במשך.** בהאריך הקול: (ז) **והחלוץ.** הם בני ראובן ובני גד וחצי שבט מנשה, כולם היו מזויינים ביותר, כמו שכתוב בהם חֲלוּצִים תַּעַבְרוּ (דברים ג, יח): (ט) **והמאסף.** דגל מחנה דן נקרא מאסף, על שום שהלכו באחרונה, והיו מאספים כל הנכשלים מהמחנות שהלכו ראשונים:

realized that he had done two things for which he might be called to account. Because of his alacrity to prepare the nation for the battle of Jericho, the offering of the *tamid*, the daily continual offering, had not been offered the previous afternoon. [*Rashba* comments that the offering *was* brought, but without the required entourage of Kohanim, Levites, and Israelites.] And that night, Joshua had kept the people from their Torah study. Joshua wanted to know which of the two sins was so serious that the angel would draw a sword against him, implying that he was worthy of the death penalty. The angel said that he had come *now,* i.e., for the present sin of lack of Torah study. Immediately, Joshua began an intensive study of Torah (*Megillah* 3a).

This incident illustrates that Torah study is at the essence of Israel, and that no matter how legitimately busy one may be, he must find time for Torah (*Be'er Moshe*).

6

THE CONQUEST OF JERICHO
6:1-27
(See Map 4 in the Appendix)

*[1] Jericho was completely sealed before the Children of Israel; no one left and no one
entered. [2] HASHEM said to Joshua, "See, I have delivered into your hand Jericho and
its king, the mighty warriors. [3] You shall go around the city, all the men of war, encircling
the city one time; thus shall you do for a period of six days. [4] And seven Kohanim shall
carry seven ram-shofars before the Ark; on the seventh day you shall go around the city
seven times, and the Kohanim shall blow with the shofars. [5] It shall be that upon an
extended blast with the ram's horn — when you hear the sound of the shofar — all the
people shall cry out with a great cry, and the wall of the city will drop down in its place,
and the people shall advance, each man straight ahead."*

Joshua instructs the Kohanim and the people

*[6] Joshua son of Nun summoned the Kohanim and said to them, "Carry the Ark of the
Covenant, and seven Kohanim shall carry seven ram-shofars before the Ark of HASHEM."
[7] He said to the people, "Advance and go around the city; let the armed troop pass
before the Ark of HASHEM."*

*[8] It happened that as soon as Joshua spoke to the people, the seven Kohanim
carrying seven ram-shofars before the [Ark of] HASHEM advanced and blew with the
shofars, and the Ark of the Covenant of HASHEM went after them. [9] The armed troop
went before the Kohanim who blew the shofars, and the rear guard went after*

6.

1-5. A unique conquest. Up to now, Israel had marched through vacant land without opposition. Jericho, the first city that had to be conquered, was defended by an impregnable wall; if it could be breached, the city would fall in short order, but the order of battle was not to be conventional warfare. Instead, God commanded that Israel pursue a course that would lead to the miraculous disappearance of Jericho's wall, in order to demonstrate to Israel and Canaan alike that the hand of God was guiding the conquest. God commanded that the entire fighting force encircle the city, led by the Ark and the Kohanim, who would sound the shofar. The outcome showed that if Israel raised itself to the proper spiritual level, victory would come as a matter of course. It echoed Moses' proclamation in the Song of the Sea, *HASHEM is Master of war — His name is HASHEM (Exodus* 15:3). One would have expected that a united Canaanite army would mass for this crucial battle to repel the invaders. That no one came to Jericho's defense was because, as Rahab had told the spies (2:9-11), the populace was terrified.

Michtav MeEliyahu explains the symbolism of the process of shofar blowing and encirclement of the city. Shofar blasts inspire people to "wake up" and repent (*Hilchos Teshuvah* 3:4), and the key to Israel's success is repentance and faith in God. Thus, the Jews were gradually elevated to become worthy of the great miracle. Jericho, like the other idolatrous cities of Canaan, absorbed its spiritual nurture from the forces of evil that are everywhere. By encircling the city, the Jews symbolized that they were isolating Jericho from those evil forces, as if choking off the city from its wellspring. On the seventh day, the process was complete and Jericho was isolated from its source of spiritual survival. When that happened, its protector, the wall, sunk into the earth.

This sort of open miracle was not repeated in future battles. Rather it signaled at the outset of Israel's wars of conquest that success depended on God, rather than preparedness, strategy, or numbers.

1-7. Plan of conquest. The march of all the men of fighting age and the daily shofar blasts were to frighten and confound the besieged inhabitants of Jericho, and the several sets of seven — seven Kohanim, seven shofars, seven days and seven circuits — allude to a mystery known to those who understand the secrets of Creation (*Radak*). The number seven represents God's presence in Creation and that all human and natural activity stems from God's creative and guiding hand, as illustrated at the very beginning of time, when God brought everything into being in six days and rested on the seventh. Thus, the Sabbath is the weekly reminder that the universe emerges from Him and the number seven symbolizes the concept of spiritual completion and that the universe survives because of its inner spiritual essence (*Michtav MeEliyahu*). Indeed, according to the Midrash, the *seventh day* on which the wall sunk was the Sabbath. The sinking of Jericho's wall as a result of these spiritual symbols proved that God was giving the Land to His people.

5. וְנָפְלָה חוֹמַת הָעִיר תַּחְתֶּיהָ — *The wall of the city will drop down in its place*. The Sages explain that the wall had to sink into the ground, because it was as broad as it was high, and if it had merely broken apart and fallen, it would still have been an insuperable barrier blocking the Jewish entry to the city (*Berachos* 54a).

7. וְהֶחָלוּץ — *And the armed troop,* i.e., the tribes of Gad and Reuben, and half of Mannaseh, which had promised Moses that they would be in the forefront. See 1:12-15.

8-14. The first six days

9. The order of the march was the two-and-a-half tribes mentioned above, the Ark and the Kohanim, and then the rest of the people. The last in the line of march was the tribe of Dan (*Targum*). Only the Kohanim blew the shofars.

י אַחֲרֵי הָאָרוֹן הָלוֹךְ וְתָקוֹעַ בַּשּׁוֹפָרוֹת׃ וְאֶת־הָעָם צִוָּה יְהוֹשֻׁעַ לֵאמֹר לֹא תָרִיעוּ
וְלֹא־תַשְׁמִיעוּ אֶת־קוֹלְכֶם וְלֹא־יֵצֵא מִפִּיכֶם דָּבָר עַד יוֹם אָמְרִי אֲלֵיכֶם הָרִיעוּ
יא וַהֲרִיעֹתֶם׃ וַיַּסֵּב אֲרוֹן־יהוה אֶת־הָעִיר הַקֵּף פַּעַם אֶחָת וַיָּבֹאוּ הַמַּחֲנֶה וַיָּלִינוּ
יב־יג בַּמַּחֲנֶה׃ וַיַּשְׁכֵּם יְהוֹשֻׁעַ בַּבֹּקֶר וַיִּשְׂאוּ הַכֹּהֲנִים אֶת־אֲרוֹן יהוה׃ וְשִׁבְעָה
הַכֹּהֲנִים נֹשְׂאִים שִׁבְעָה שׁוֹפְרוֹת הַיֹּבְלִים לִפְנֵי אֲרוֹן יהוה הֹלְכִים הָלוֹךְ וְתָקְעוּ
בַּשּׁוֹפָרוֹת וְהֶחָלוּץ הֹלֵךְ לִפְנֵיהֶם וְהַמְאַסֵּף הֹלֵךְ אַחֲרֵי אֲרוֹן יהוה °הולך [°הָלוֹךְ ק׳]
יד וְתָקוֹעַ בַּשּׁוֹפָרוֹת׃ וַיָּסֹבּוּ אֶת־הָעִיר בַּיּוֹם הַשֵּׁנִי פַּעַם אַחַת וַיָּשֻׁבוּ הַמַּחֲנֶה כֹּה עָשׂוּ
טו שֵׁשֶׁת יָמִים׃ וַיְהִי ׀ בַּיּוֹם הַשְּׁבִיעִי וַיַּשְׁכִּמוּ כַּעֲלוֹת הַשַּׁחַר וַיָּסֹבּוּ אֶת־הָעִיר כַּמִּשְׁפָּט
טז הַזֶּה שֶׁבַע פְּעָמִים רַק בַּיּוֹם הַהוּא סָבְבוּ אֶת־הָעִיר שֶׁבַע פְּעָמִים׃ וַיְהִי בַּפַּעַם
הַשְּׁבִיעִית תָּקְעוּ הַכֹּהֲנִים בַּשּׁוֹפָרוֹת וַיֹּאמֶר יְהוֹשֻׁעַ אֶל־הָעָם הָרִיעוּ כִּי־נָתַן יהוה
יז לָכֶם אֶת־הָעִיר׃ וְהָיְתָה הָעִיר חֵרֶם הִיא וְכָל־אֲשֶׁר־בָּהּ לַיהוה רַק רָחָב הַזּוֹנָה תִּחְיֶה
יח הִיא וְכָל־אֲשֶׁר אִתָּהּ בַּבַּיִת כִּי הֶחְבְּאַתָה אֶת־הַמַּלְאָכִים אֲשֶׁר שָׁלָחְנוּ׃ וְרַק־אַתֶּם
שִׁמְרוּ מִן־הַחֵרֶם פֶּן־תַּחֲרִימוּ וּלְקַחְתֶּם מִן־הַחֵרֶם וְשַׂמְתֶּם אֶת־מַחֲנֵה יִשְׂרָאֵל
יט לְחֵרֶם וַעֲכַרְתֶּם אוֹתוֹ׃ וְכֹל ׀ כֶּסֶף וְזָהָב וּכְלֵי נְחֹשֶׁת וּבַרְזֶל קֹדֶשׁ הוּא לַיהוה אוֹצַר
כ יהוה יָבוֹא׃ וַיָּרַע הָעָם וַיִּתְקְעוּ בַּשֹּׁפָרוֹת וַיְהִי כִשְׁמֹעַ הָעָם אֶת־קוֹל הַשּׁוֹפָר וַיָּרִיעוּ
הָעָם תְּרוּעָה גְדוֹלָה וַתִּפֹּל הַחוֹמָה תַּחְתֶּיהָ וַיַּעַל הָעָם הָעִירָה אִישׁ נֶגְדּוֹ וַיִּלְכְּדוּ אֶת־
כא הָעִיר׃ וַיַּחֲרִימוּ אֶת־כָּל־אֲשֶׁר בָּעִיר מֵאִישׁ וְעַד־אִשָּׁה מִנַּעַר וְעַד־זָקֵן וְעַד שׁוֹר וָשֶׂה
כב וַחֲמוֹר לְפִי־חָרֶב׃ וְלִשְׁנַיִם הָאֲנָשִׁים הַמְרַגְּלִים אֶת־הָאָרֶץ אָמַר יְהוֹשֻׁעַ בֹּאוּ בֵּית־

רש״י

(יג) **והמאסף.** שבט דן הנוסע אחרון, והוא מאסף את כל המתעכבים האחרונים: (טו) **ביום השביעי.** שבת היה: (יז) **והיתה העיר חרם.** הקדש, כי היום שבת קודש, וראוי להיות קדש שלל הנשלל בו: (יח) **ועברתם.** לשון מים עכורים:

רד״ק

הלוך ותקוע. אינו אומר על המאסף שהיו תוקעים, אלא כמו שאמר המתרגם וְכַהֲנַיָּא אָזְלִין וְתָקְעִין בְּשׁוֹפָרַיָּא: (י) **עד יום אמרי אליכם.** יש מפרשים כמו עת, כמו יוֹם צָעַקְתִּי בַלַּיְלָה (תהלים פח, ב) ואין צריך, רק פירושו כמשמעו הוא יום השביעי: (יא) **ויסב ארון ה׳ את העיר.** פירוש יהושע הסב הארון את העיר: **הקף.** ארון ה׳ את העיר פעם אחת, וזה היה ביום הראשון, וראשון לימי השבוע כך קבלו רז״ל (ירושלמי שבת א, ח). כי ביום שביעי שנלכדה יריחו יום שבת היה, ואף על פי שהרגו ושרפו בשבת מי שצוה על השבת צוה לחלל שבת בכבישת יריחו, וכן בשאר עיירות שהיו ישראל צרים עליהן, ואמרו בקבלה (שבת יט, א) עַד רִדְתָּהּ (דברים כ, כ) ואפילו בשבת, וכמו שצוה גם כן להעלות עולות בשבת (במדבר כח, ט): (יג) **הולך ותקוע.** כתיב הולך, רצה לומר שכמו שהיה המאסף הולך כן היו הכהנים תוקעים, וקרי הָלוֹךְ שהוא מקור והפירוש אחד: (טו) **וישכמו בעלות השחר.** כתיב בבי״ת וקרי בכ״ף: **כמשפט הזה שבע פעמים.** כמשפט הזה שעשו בששת הימים והיו שבע פעמים עם ההקפה הראשונה הזאת של יום השביעי, רק ביום ההוא עשו יותר הקפות כי הקיפו העיר שבע פעמים: (יז) **והיתה העיר חרם היא וכל אשר בה.** היא שלא תבנה עוד, וכל אשר בה שלא יהנה אדם מכל אשר בה, ונראה כי הקב״ה אמר לו כן כי יהושע לא אמר דבר כזה מלבו, ואף על פי שלא זכר זה הכתוב ימצאו כמוהו רבים. ורז״ל אמרו (במדבר רבה יד, א) כי יהושע אמר דבר זה מרצונו ולא אמר לו הקב״ה, אמר יהושע יריחו כבושה תחלה לארץ ישראל נוציאנה תרומה כאשה הזאת שמפרשת חלתה מתחלת עיסתה (במדבר טו, כ), ועוד אמר יהושע, בשבת לכדנו יריחו ושבת קדש שנאמר כִּי קֹדֶשׁ הִוא לָכֶם (שמות לא, יד) כל מה שכבשנו בה יהיה קדש שנאמר קֹדֶשׁ הוּא לַה׳ אוֹצַר ה׳ יָבוֹא (לקמן פסוק יט), ואף על פי כן הקב״ה הסכים על ידו, ומניין שהקב״ה הסכים על ידו שנאמר חָטָא יִשְׂרָאֵל וְגַם עָבְרוּ אֶת בְּרִיתִי (לקמן ז, יא), והיה זה אחד משלשה שגזרו בית דין שלמטה והסכים הקב״ה עמהם (ירושלמי ברכות, ט, ה): **כי החבאתה.** בשני סימני נקבה, כמו יְשׁוּעָתָה (תהלים ג, ג) עֶזְרָתָה (שם מד, כז) וכל כפל

מצודת דוד

הלוך ותקוע. רצה לומר, לא עמדו הכהנים בעת תקיעה, כי אם הלכו ותקעו: (יב) **וישכם.** ביום השני: (יג) **הלוך ותקעו.** כפל הדבר לומר שלא פסקו מלתקוע: (טו) **בעלות השחר.** להיות הזמן מספיק להקיף שבע פעמים: **רק וכו׳.** ולזה הוצרכו להשכים אז יותר משאר הימים: (טז) **תקעו.** רצה לומר, תקיעה נמשכת וארוכה: (יז) **חרם.** לאבדון וכריתה: **היא וכו׳.** רצה לומר, העיר עצמה ומה שבה מהדברים שאינם ראוים להביא לאוצר ה׳: **לה׳.** רצה לומר, לשם ה׳ ולכבודו: (יח) **שמרו.** את עצמכם וזולתכם מלקחת מה מן החרם: **פן תחרימו ולקחתם וכו׳.** פן תכריתו את ישראל במה שתקחו מן החרם כי כולם יאבדו, וזהו וְשַׂמְתֶּם וכו׳: (יט) **וכל כסף וכו׳.** שהם הדברים הראוים לאוצר ה׳: (כ) **וירע העם.** וחוזר ומפרש כִּשְׁמֹעַ הָעָם אֶת קוֹל הַשּׁוֹפָר, כשהיא מארכת בתקיעה, אז הריעו:

מצודת ציון

(טו) **השחר.** הוא האור הנוצץ בפאת המזרח טרם יעלה השמש: **כמשפט הזה.** רצה לומר, כמנהג הזה: (יז) **חרם.** פעם תשמש על חרמי גבוה והקדש, ופעם תשמש על כריתה ושממון: **החבאתה.** הסתירם: (יח) **ועכרתם.** מענין השחתה ובלבול, כמו עֲכַרְתֶּם אֹתִי (בראשית לד, ל): (כ) **וירע.** מלשון תרועה: (כא) **לפי חרב.** החדוד של החרב נקרא פה בלשון המקרא:

*the Ark — walking and blowing with the shofars. 10 Joshua commanded the people,
saying, "You shall not cry out, and you shall not let your voice be heard, nor shall any
word issue from your mouth, until the day I tell you to cry out — then you shall cry out."*

They encircle the city

*11 He had the Ark of HASHEM go around the city, encircling one time; then they came [back]
to the camp and lodged in the camp.*

*12 Joshua arose early the [next] morning. The Kohanim carried the Ark of HASHEM,
13 and the seven Kohanim carrying the seven ram-shofars before the Ark of HASHEM
walked onward and blew with the shofars — and the armed troop went before them and
the rear guard went after the Ark of HASHEM walking and blowing with the shofars. 14 They
went around the city one time on the second day and they returned to the camp; they did
thus for a period of six days.*

The seventh day

*15 It happened on the seventh day: They arose early at daybreak, and they went around
the city in this same manner seven times; only on that day they went around the city seven
times. 16 It happened on the seventh time: The Kohanim were blowing with the shofars,
and Joshua said to the people, "Cry out, for HASHEM has given you the city! 17 The city —
it and all that is in it — shall be consecrated property for HASHEM. Only Rahab the
innkeeper shall live — she and all who are with her in the house — because she hid the
emissaries whom we sent. 18 Only you — beware of the consecrated property, lest you
cause destruction if you take from the consecrated property and you bring destruction
upon the camp of Israel and cause it trouble. 19 All the silver and gold and vessels of
copper and iron are holy to HASHEM; they shall go to the treasury of HASHEM."*

Jericho's walls come down

*20 The people cried out, and [the Kohanim] blew with the shofars. It happened when the
people heard the sound of the shofar that the people cried out with a great shout: The wall
fell in its place and the people went up to the city — each man straight ahead — and they
conquered the city. 21 They destroyed everything that was in the city — man and woman,
youth and elder, ox and sheep and ass — by the edge of the sword.*

22 To the two men who had spied out the country, Joshua said, "Go to the house of

רד"ק

לחזק הענין כמו שפירשתי בספר מכלל, והכפל הנה לפי שהחביאה אותם יפה: **(יח) שמרו מן החרם.** שמרו עצמכם ושמרו איש את אחיו, ומפני זה אמר חָטָא יִשְׂרָאֵל (לקמן ז, יא) מפני שלא נתנו עיניהם שלא יקח אדם משלל העיר דבר: **פן תחרימו.** פירושו ולקחתם מן החרם: **(יט) אוצר ה' יבוא.** באהל מועד, שהיה שם הקדש משלל מדין, הזהב שנתנו שרי האלפים והמאות:

15-19. Sabbath, day of the conquest. On the seventh day, they arose early to allow time for seven complete circuits of the city and then its occupation. Verse 15 makes two mentions of *seven times:* They circled the city once, as they had on each of the previous six days, for a total of *seven times*, one each day. Then they continued circling the city another six times, for a total of *seven times* on that day (*Abarbanel*; *Malbim*).

17. By saying that only Rahab and her family would be permitted to live, he implied that all the people and livestock should be put to death, as was done (v. 21). *Radak* comments that presumably God had commanded Joshua to consecrate everything in the city, even though Scripture does not say so explicitly. *Abarbanel* contends that since the victory would come about entirely through God's intervention, Joshua himself reasoned that its booty should be consecrated. Later victories that would be won through natural means would entitle the warriors to enjoy the booty.

20-27 The conquest. The walls sunk into the ground and the fighting men charged into the demoralized city. Although it was the Sabbath when the acts of destruction described here are forbidden, they were now carried out at God's command, for "He Who commanded that the Sabbath be observed commanded that it now be 'desecrated' " (*Radak*). As noted above, the sanctity of the Sabbath — the sets of "seven" — was instrumental in the victory. It may be, therefore, that God wanted this critical first victory to be culminated on that day.

22. Joshua dispatched the two spies mentioned in Chapter 2 to carry out their promise to rescue Rahab and her family. Since her home was actually within the city wall (see 2:15) and the wall had sunk into the ground, how could she be rescued? *Radak* suggests that only a large section of the wall sank, enough to allow a large Jewish army to overrun the city, but the section where Rahab lived remained intact. Others object to this interpretation since verse 20 implies that the entire wall disappeared, enabling all the warriors to advance into the city.

Vilna Gaon comments that her home was built against the

הָאִשָּׁה הַזּוֹנָה וְהוֹצִיאוּ מִשָּׁם אֶת־הָאִשָּׁה וְאֶת־כָּל־אֲשֶׁר־לָהּ כַּאֲשֶׁר נִשְׁבַּעְתֶּם לָהּ:
כג וַיָּבֹאוּ הַנְּעָרִים הַמְרַגְּלִים וַיֹּצִיאוּ אֶת־רָחָב וְאֶת־אָבִיהָ וְאֶת־אִמָּהּ וְאֶת־אַחֶיהָ
וְאֶת־כָּל־אֲשֶׁר־לָהּ וְאֵת כָּל־מִשְׁפְּחוֹתֶיהָ הוֹצִיאוּ וַיַּנִּיחוּם מִחוּץ לְמַחֲנֵה יִשְׂרָאֵל:
כד וְהָעִיר שָׂרְפוּ בָאֵשׁ וְכָל־אֲשֶׁר־בָּהּ רַק | הַכֶּסֶף וְהַזָּהָב וּכְלֵי הַנְּחֹשֶׁת וְהַבַּרְזֶל נָתְנוּ
כה אוֹצַר בֵּית־יהוה: וְאֶת־רָחָב הַזּוֹנָה וְאֶת־בֵּית אָבִיהָ וְאֶת־כָּל־אֲשֶׁר־לָהּ הֶחֱיָה
יְהוֹשֻׁעַ וַתֵּשֶׁב בְּקֶרֶב יִשְׂרָאֵל עַד הַיּוֹם הַזֶּה כִּי הֶחְבִּיאָה אֶת־הַמַּלְאָכִים אֲשֶׁר־
כו שָׁלַח יְהוֹשֻׁעַ לְרַגֵּל אֶת־יְרִיחוֹ: וַיַּשְׁבַּע יְהוֹשֻׁעַ בָּעֵת הַהִיא לֵאמֹר
אָרוּר הָאִישׁ לִפְנֵי יהוה אֲשֶׁר יָקוּם וּבָנָה אֶת־הָעִיר הַזֹּאת אֶת־יְרִיחוֹ בִּבְכֹרוֹ
כז יְיַסְּדֶנָּה וּבִצְעִירוֹ יַצִּיב דְּלָתֶיהָ: ◄ וַיְהִי יהוה אֶת־יְהוֹשֻׁעַ וַיְהִי שָׁמְעוֹ

Haftarah for first day Pesach concludes here: 6:27

ז

א בְּכָל־הָאָרֶץ: ◄ וַיִּמְעֲלוּ בְנֵי־יִשְׂרָאֵל מַעַל בַּחֵרֶם וַיִּקַּח עָכָן בֶּן־כַּרְמִי בֶן־זַבְדִּי בֶן־
ב זֶרַח לְמַטֵּה יְהוּדָה מִן־הַחֵרֶם וַיִּחַר־אַף יהוה בִּבְנֵי יִשְׂרָאֵל: וַיִּשְׁלַח

רש״י

(כג) **ויבאו הנערים המרגלים.** כאן היו צריכים זירוז, ונעשו כנערים זריזים, ובלילה הראשון היו כמלאכים, ששמרו עצמן מן העבירה עם רחב הזונה, לכך נקראו שם (לעיל פסוק יז) מלאכים, ולכך נקראו אנשים (לעיל פסוק כב), מלאכים, נערים: (כו) **בבכרו ייסדנה ובצעירו.** בתחלת יסוד שיבנה בה ימות בנו הבכור, ויקברנו וילך, עד שימות הצעיר בגמר המלאכה, היא הצבת הדלתות:

רד״ק

(כג) **ויבאו הנערים.** כל משרת יקרא נער ואפילו יהיה זקן, כמו יְהוֹשֻׁעַ בִּן נוּן נַעַר (שמות לג, יא), ואלו האנשים המרגלים היו נערי יהושע או נערי אחד מגדולי ישראל: **מחוץ למחנה.** ישראל הניחום מבחוץ למחנה עד שיתגיירו וישובו לדת ישראל, ואחר שנתגיירו ישבו בתוך ישראל כמו שאמר וַתֵּשֶׁב בְּקֶרֶב יִשְׂרָאֵל עַד הַיּוֹם הַזֶּה (לקמן פסוק כה): (כה) **החיה יהושע.** שצוה לשמור לה השבועה שנשבעו לה המלאכים כמו שאמר רַק רָחָב הַזּוֹנָה וגו׳ (לעיל פסוק יז), ויש לפרש עוד הֶחֱיָה שנתן להם מחיה ממון או נחלה במה שיחיו, וזהו שאמר וַתֵּשֶׁב בְּקֶרֶב יִשְׂרָאֵל וזהו הפירוש הנכון. ויש בו דרש (מגילה יד, ב) כי יהושע לקח רחב לאשה וזהו הֶחֱיָה, כי כיון שראו שיהושע לקח רחב לאשה נדבקו בבית אביה מגדולי ישראל, ואף על פי שכתוב בשבעה אומות לֹא תִתְחַתֵּן בָּם (דברים ז, ג) אמרו (תוספות מגילה שם) כי רחב ובית אביה נכרים היו בארץ ולא היו משבעה גוים. ויש מי שאומר (עיין תוספות שם) כי כשנכנסו מרגלים ששלח יהושע ביריחו נתגיירה ועדיין לא נכנסו ישראל לארץ, וכל זה למי שאמר (יבמות עו, א) כי כתיב לֹא תִתְחַתֵּן בָּם בגויותן כתיב: (כו) **את העיר הזאת את יריחו.** תוספת ביאור, ורז״ל (סנהדרין קיג, א) פירשו שלא יבנו אותה ויקראו אותה בשם עיר אחרת, ושלא יבנו עיר אחרת ויקראו שמה יריחו, ומה שהחרים יהושע שלא תבנה עוד העיר כבר כתבנו הטעם בפסוק וְהָיְתָה הָעִיר חֵרֶם (לעיל פסוק יז), והחכם הגדול רבינו משה בר מימון ז״ל (מורה נבוכים ג, נ) פירש הטעם להיות המופת קיים, שנפלה חומת עיר יריחו תחתיה, כי כל מי שיראה החומה שוקעת בארץ יתבאר לו שאין זה תכונת בנין נהרס כך אבל נשתקע במופת: **ובצעירו.** שימותו כל בניו מהבכור ועד הצעיר תוך הזמן הזה מהוסד העיר עד הצבת דלתיה: (כז) **שמעו.** והנפרד שומַע בשקל אורַח:

מצודת דוד

(כו) **וישבע.** הארור תקרא שבועה (ראה שמואל־א יד, כח): **בבכרו ייסדנה.** כאשר יניח היסוד, ימות בכור בניו, ויתרם ימותו במשך זמן הבנין, וכשיעמיד דלתים, ימות צעיר בניו, ויתמו אם כן כולם: (א) **וימעלו וכו׳.** על שלא שמרו זה את זה מעלה עליהם הכתוב כאלו כולם מעלו:

מצודת ציון

(א) **וימעלו.** ענין חטא ופשע:

wall, which constituted the fourth wall of the house, and she extended her living quarters by carving through the wall. Thus, when it sunk, her house remained exposed on the outside, but its main living area remained intact.

25. הֶחֱיָה יְהוֹשֻׁעַ — *Joshua allowed to live.* In the plain sense, it was Joshua's order that kept her and her family alive. He provided them with food and a livelihood (*Radak*), or converted them to Judaism, thus giving them a new spiritual life (*Kli Yakar*). The Sages teach that Joshua married Rahab (*Megillah* 14b), and a by-product of the marriage was that he gave "life" to her family, because her relatives were welcomed into Jewish families, thus permitting them to gain respect and flourish (*Radak*).

26. אָרוּר הָאִישׁ — *Cursed . . . be the man.* Joshua wanted the site of Jericho to remain a ruin so that anyone who ever saw it would remember the great miracle (*Moreh Nevuchim*).

There were two aspects to the prohibition: It was forbidden to build on the ruins of Jericho, and it was forbidden to give the name Jericho to a city anywhere (*Tosefta, Sanhedrin* 14). However, neither of these prohibitions is codified by *Rambam* or the *Shulchan Aruch,* suggesting that these prohibitions no longer apply. The commentators write that once the city was rebuilt, in violation of Joshua's curse, it is permitted to live there, and that if it was later razed, it is even permitted to rebuild it.

בִּבְכֹרוֹ . . . וּבִצְעִירוֹ — *With his firstborn . . . and with his youngest.* This curse came to fruition five centuries later, when Hiel of Beth-el defiantly rebuilt Jericho, and continued to do so even as his children were dying (*I Kings* 16:34).

This punishment fits the crime, because someone builds a city seeking immortality for himself and expecting his children to inherit his accomplishment. Hiel was robbed of his prestige and his family name went into oblivion (*Me'am Loez).*

7.

One man's sin; the nation's responsibility. In the aftermath of the resounding, miraculous victory at Jericho, the

the woman, the innkeeper, and bring forth from there the woman and all that is hers, as
you swore to her."
23 *So they entered — the youthful ones, the spies — and they brought out Rahab, and*
her father, mother, brothers, and all that was hers; they brought out all her families and
placed them outside the camp of Israel.

Jericho is destroyed

24 *They burned [down] the city in fire, and everything that was in it; only the silver and*
the gold, and the vessels of copper and iron they gave to the treasury of the House of

Rahab and her family are spared

HASHEM. 25 *But Rahab the innkeeper, and her father's household and all that was hers,*
Joshua allowed to live. She dwelled in the midst of Israel until this day, because she hid
the messengers that Joshua had sent to spy out Jericho.

Joshua's curse

26 *Joshua adjured [the people] at that time saying, "Cursed before HASHEM be the man*
who rises up and rebuilds this city, Jericho; with his firstborn [child] he will lay its
foundation and with his youngest he will set up its gates."
27 *HASHEM was with Joshua, and his renown was [spread] through the entire land.*

7

THE CONQUEST OF AI
7:1-8:35

1 *The Children of Israel trespassed against the consecrated property: Achan son of*
Carmi, son of Zabdi, son of Zerah, of the tribe of Judah, took of the consecrated
property, and the wrath of HASHEM flared against the Children of Israel.

Canaanites were even more demoralized than before, and the Jews were more confident. This did not mean that the Canaanites were ready to surrender unconditionally or leave their homes and flee the land; people tend to fight for their families and homes, but it certainly dampened their enthusiasm for the fray and inhibited them from forming alliances against the invader. On Israel's part, there no longer seemed to be a need for the entire nation to mass against the next objective. God's assistance and Israel's superiority had been established beyond a doubt at Jericho. These assumptions evaporated in the battle for Ai, a small and easy target that defeated the Jewish army. It was clear to Joshua that this was not caused by military factors, but by Israel's sin, just as the victory over Jericho would not have been possible unless the people merited God's help. God told him how to find the guilty party. The cause of the defeat — the greed of one person — provided a lesson in communal responsibility and how the sin of an individual may be a reflection of the shortcomings of his community.

Verse 1 combines the themes of individual and national responsibility. It begins by stating that *the Children of Israel trespassed,* implying that everyone was responsible, but then the verse goes on to say that only one man, Achan, took consecrated property from Jericho, thereby incurring God's wrath against all the people. Thirty-six men were killed in the battle, and it ended in defeat for Israel. Why was everyone held liable for one man's trespass? Even more surprising, Achan himself was untouched in the battle. Why should the nation have suffered while the sinner was unscathed?

Ralbag, in a lengthy and fundamental discussion of why future generations can be punished for the sins of their forefathers, and why the Torah warns that the nation can be punished for its sins sevenfold, posits that what we call "punishment" is often God's merciful way of turning people away from sin toward repentance. The more ingrained sinful behavior is, the harder it is to dislodge people from it. If succeeding generations continue the sins of their forefathers and even regard such behavior as proper and justified, it takes more misfortune — even sevenfold — to make them realize that they have gone wrong. In the case of Achan, something else was at play. Because of his sin, God removed His benevolent protection from Israel's army; the battle was fought without miracles and soldiers died in the natural course of war. Achan survived because he happened not to be in the thick of the fight. [Thus, even the loss at Ai became a lesson to the nation. They saw that a mighty city like Jericho fell when God was with them, while an easy target like Ai could defeat them when God withdrew His help.]

Michtav MeEliyahu, based on *Ibn Ezra* (*Exodus* 20:14), offers a different explanation for the culpability of the nation. People sin when the prohibited behavior does not seem totally unacceptable, but no one commits acts that are universally regarded as abhorrent. [In our own society, for example, gossip is not considered abhorrent, though it should be, but cannibalism is; so gossip is prevalent, but cannibalism is unheard of.] If Israel as a whole had had the proper respect for Joshua's declaration that the property of Jericho was forbidden, there would not have been an Achan who dared steal some of it. Moreover, his family and presumably some others knew but did not restrain him. This showed that the entire nation was deficient, so that God removed His protection.

Two aspects of the story are extraordinary: (a) In a nation of three million people, faced with the riches of an uninhabited city, only one man was tempted to enrich himself. To anyone with the slightest experience of human frailty and greed, this is so remarkable as to be incredible. (b) The entire nation had such a high standard of virtue that a lone sinner's avarice could be held against them all.

יְהוֹשֻׁעַ אֲנָשִׁים מִירִיחוֹ הָעַי אֲשֶׁר עִם־בֵּית אָוֶן מִקֶּדֶם לְבֵית־אֵל וַיֹּאמֶר אֲלֵיהֶם
ג לֵאמֹר עֲלוּ וְרַגְּלוּ אֶת־הָאָרֶץ וַיַּעֲלוּ הָאֲנָשִׁים וַיְרַגְּלוּ אֶת־הָעָי׃ וַיָּשֻׁבוּ אֶל־יְהוֹשֻׁעַ
וַיֹּאמְרוּ אֵלָיו אַל־יַעַל כָּל־הָעָם כְּאַלְפַּיִם אִישׁ אוֹ כִּשְׁלֹשֶׁת אֲלָפִים אִישׁ יַעֲלוּ וְיַכּוּ
ד אֶת־הָעָי אַל־תְּיַגַּע־שָׁמָּה אֶת־כָּל־הָעָם כִּי מְעַט הֵמָּה׃ וַיַּעֲלוּ מִן־הָעָם שָׁמָּה
ה כִּשְׁלֹשֶׁת אֲלָפִים אִישׁ וַיָּנֻסוּ לִפְנֵי אַנְשֵׁי הָעָי׃ וַיַּכּוּ מֵהֶם אַנְשֵׁי הָעַי כִּשְׁלֹשִׁים וְשִׁשָּׁה
אִישׁ וַיִּרְדְּפוּם לִפְנֵי הַשַּׁעַר עַד־הַשְּׁבָרִים וַיַּכּוּם בַּמּוֹרָד וַיִּמַּס לְבַב־הָעָם וַיְהִי לְמָיִם׃
ו וַיִּקְרַע יְהוֹשֻׁעַ שִׂמְלֹתָיו וַיִּפֹּל עַל־פָּנָיו אַרְצָה לִפְנֵי אֲרוֹן יהוה עַד־הָעֶרֶב הוּא וְזִקְנֵי
ז יִשְׂרָאֵל וַיַּעֲלוּ עָפָר עַל־רֹאשָׁם׃ וַיֹּאמֶר יְהוֹשֻׁעַ אֲהָהּ ׀ אֲדֹנָי יֱהֹוִה לָמָה הֵעֲבַרְתָּ
הַעֲבִיר אֶת־הָעָם הַזֶּה אֶת־הַיַּרְדֵּן לָתֵת אֹתָנוּ בְּיַד הָאֱמֹרִי לְהַאֲבִידֵנוּ וְלוּ הוֹאַלְנוּ
ח וַנֵּשֶׁב בְּעֵבֶר הַיַּרְדֵּן׃ בִּי אֲדֹנָי מָה אֹמַר אַחֲרֵי אֲשֶׁר הָפַךְ יִשְׂרָאֵל עֹרֶף לִפְנֵי אֹיְבָיו׃
ט וְיִשְׁמְעוּ הַכְּנַעֲנִי וְכֹל יֹשְׁבֵי הָאָרֶץ וְנָסַבּוּ עָלֵינוּ וְהִכְרִיתוּ אֶת־שְׁמֵנוּ מִן־הָאָרֶץ
י וּמַה־תַּעֲשֵׂה לְשִׁמְךָ הַגָּדוֹל׃ וַיֹּאמֶר יהוה אֶל־יְהוֹשֻׁעַ קֻם לָךְ לָמָּה
יא זֶּה אַתָּה נֹפֵל עַל־פָּנֶיךָ׃ חָטָא יִשְׂרָאֵל וְגַם עָבְרוּ אֶת־בְּרִיתִי אֲשֶׁר צִוִּיתִי אוֹתָם וְגַם

רש״י

(ב) **עם בית און.** אצל בית און: **מקדם לבית אל.** ממזרח לבית אל: (ה) **עד השברים.** עַד דְתַבְּרוּנוּן (תרגום): (ז) **ולו הואלנו.** הלואי נמלכנו לשבת בעבר הירדן מזרחה, בארץ סיחון ועוג שנכבשה כבר: (ט) **ומה תעשה לשמך.** המשותף בשמנו, זהו מדרשו. ופשוטו, ומה תעשה לשם גבורתך שיצא כבר, ועתה יאמרו תשש כחו: (י) **קם לך.** קֻם לָךְ כתיב, עמד לך מה שהתפללת לפני והזכרת. דבר אחר עמדת לך במחנה ולא יצאת עמהם, ואני אמרתי אֲשֶׁר יוֹצִיאֵם וַאֲשֶׁר יְבִיאֵם (במדבר כז, יז), כִּי אַתָּה תָּבִיא אֶת בְּנֵי יִשְׂרָאֵל וגו׳ וְאָנֹכִי אֶהְיֶה עִמָּךְ (דברים לא, כג), כִּי הוּא יַעֲבֹר לִפְנֵי הָעָם הַזֶּה וְהוּא יַנְחִיל אוֹתָם (שם ג, כח), אם תלך אתה לפניהם יצליחו, ואם לאו לא יצליחו. דבר אחר קֻם לָךְ, בשבילך זאת להם, לא אמרתי לך להקדיש שלל העיר:

רד״ק

(ב) **עם בית און.** סמוך לבית און, וכן עִם בְּאֵר לַחַי רֹאִי (בראשית כה, יא) סמוך: **מקדם.** ממזרח לבית אל. ובזכרו סימנין אלו נראה כי עיר אחרת היתה ששמה עי, אבל זאת היתה גדולה מהאחרת וידוע, לפיכך נזכרת בכל מקום עם ה״א הידיעה, ובערי בני עמון היתה עיר ששמה עי, כמו שאומר בירמיה שֻׁדְּדָה עַי (ירמיהו מט, ג): (ה) **כשלשים וששה איש.** אמרו רז״ל (בראשית רבה לט, טז) זכות אברהם אבינו עמדה להם שם, שהרי היו חייבין על החרם ולא הכו מהם אנשי העי כי אם שלשים וששה איש, אלא זכר להם הקב״ה זכות אברהם שבנה שם מזבח, שנאמר בֵּית אֵל מִיָּם וְהָעַי מִקֶּדֶם וַיִּבֶן שָׁם מִזְבֵּחַ לַה׳ (בראשית יב, ח). וכ״ף כשלשים כ״ף השיעור, ויש מרז״ל (סנהדרין מד, א) שאמרו שהיא כ״ף הדמיון, כי לא היו שלשים וששה אלא יאיר בן מנשה הכו, ששקול כשלשים וששה איש, והוא רובה של סנהדרין. ויש דרש (ספרי דברים כט) כי הקב״ה אמר ליהושע אתה תנחיל כשתהיה עמהם אבל כאן שלא היה עמהם נכשלו, ואחר שהכתוב אומר הטעם כי בעבור העון של החרם נכשלו אין לנו לבקש טעם אחר: **לפני השער עד השברים.** חסר מ״ם השמוש ומשפטו מלפני השער, כלומר מלפני השער שבאו שם בני ישראל להלחם מאותו מקום רדפום עד השברים ושם הכו השלשים וששה, ונקרא המקום כן לפי שנשברו שם, ויונתן תרגם עַד דְתַבְּרוּנוּן: **ויכום במורד.** מקום היה לבני העי שהיה משופע ויורד, ובאותו מקום הכום בנוסם: (ז) **למה העברת.** ה״א נקודה בצרי והעי״ן בשוא ופתח שלא כמנהג, כי המנהג הה״א בסגול והעי״ן בשוא או בסגול, ובא כמוהו כֻּלֹּה בְּחַכָּה הֵעֲלָה (חבקוק א, טו): (ט) **ומה תעשה.** בצרי השי״ן שלא כמנהג, וכבר כתבנו הדומים לו בספר מכלל, ופירוש וּמַה תַּעֲשֶׂה לְשִׁמְךָ הַגָּדוֹל שיאמרו הגוים מִבִּלְתִּי יְכֹלֶת ה׳ (במדבר יד, טז), והרי שמך כאילו נתמעט אצלם: (י) **למה זה אתה נפל על פניך.** על דרך מַה תִּצְעַק אֵלָי (שמות יד, טו) כלומר, אינך צריך בקשה ותחינה, ישמידו החרם ואסלח להם: (יא) **חטא ישראל.** ולא תאמר חטא בשגגה אלא וְגַם עָבְרוּ . . . בְּרִיתִי כי ברית נכרתה ביני ובינם בהר סיני לעשותם כל אשר צויתים ואצום,

מצודת דוד

(ג) **אל יעל.** רצה לומר, אין צורך בכולם: (ז) **ולו הואלנו.** הלואי והיינו רוצים מאז לשבת בעבר הירדן המזרחי ולא לעבור את הירדן, ולא היתה באה עלינו הצרה הזאת: (ח) **מה אמר.** אחר שהרגיש בעצמו שהרבה אמרים מול מעשה ה׳, חזר ואמר, מה אומר אם לא כדבר הזה, הואיל וישראל הפך עורף בנוסם, ואצעק מכאב לב: (ט) **וישמעו.** אשר האויב ירדפם: **ומה תעשה לשמך.** לבל יחולל, באמרם מבלי יכולת ה׳ נאבדו: (י) **למה זה וכו׳.** רצה לומר, אין צורך בתפלה כי אם לבער עובר החרם: (יא) **חטא ישראל.** אף שאיש אחד חטא, מכל מקום, על שלא שמרו זה את זה מעלה עליהם הכתוב כאלו כולם חטאו: **וגם עברו את בריתי.** בא להגדיל מעשה הנבלה ההיא, לומר הלא אף אם יחטא איש לאיש לא ינקה, והמה אף כי לא חששו ועברו בריתי שעברו על החרם שהיא כשבועה:

מצודת ציון

(ב) **עם בית און.** סמוך לבית און, כמו עִם בְּאֵר לַחַי רֹאִי (בראשית כה, יא): (ג) **תיגע.** מלשון יגיעה: (ד) **לפני.** מלפני: (ה) **השברים.** שם המקום נקרא על שם המאורע, על כי נשברו שם: **במורד.** במקום הירידה מההר: (ז) **אהה.** ענין לשון צעקה ויללה, כמו אֲהָהּ אֲדֹנִי (מלכים־ב ו, ה): **ולו.** הלואי, וכן לוּ מַתְנוּ (במדבר יד, ב): **הואלנו.** ענין רצון, כמו הוֹאֶל נָא וְלִין (שופטים יט, ו): (ח) **בי.** ענין לשון בקשה, כמו בִּי אֲדֹנִי (בראשית מד, יח): (יא) **בריתי.** ענינו בכל מקום דבר המתקיים, וגם שבועה היא דבר המתקיים, וחרם כשבועה:

2-6. The debacle. After the miracle at Jericho, Joshua continued the battle of conquest by natural means, sending scouts to reconnoiter Ai and to ascertain whether there were other Canaanite troops in or around it (*Malbim*). Since it was not a major city, he sent a relatively small force to occupy it.

5. כִּשְׁלֹשִׁים וְשִׁשָּׁה אִישׁ — About thirty-six men. There are two opinions among the Sages: either there were thirty-six dead, or only Jair ben Menasheh was killed, but he was as great as thirty-six judges of the Sanhedrin, a majority of the seventy-member court (*Sanhedrin* 44a).

A small force is sent to attack Ai

2 Joshua sent men from Jericho to Ai, which is near Beth-aven, east of Beth-el, and
spoke to them, saying, "Go up and spy out the land." The men went up and spied out Ai.
3 They returned to Joshua and said to him, "The entire people need not go up; about two
thousand men or three thousand men should go up and smite Ai. Do not weary the entire
nation there, because they are few."

The Israelite force is defeated

4 About three thousand men of the people went up there; but they fled before the men
of Ai. 5 The men of Ai struck down about thirty-six of them; they pursued them from the
front of the gate until Shebarim and smote them on the downward slope. The people's
heart melted and became like water. 6 Joshua tore his garments and fell on his face to the
ground before the Ark of HASHEM until evening, he and the elders of Israel; and they placed
dirt upon their heads.

Joshua's prayer

7 Joshua said, "Alas, my Lord, HASHEM/ELOHIM. Why did you bring this people across
the Jordan to deliver us into the hand of the Amorites, to make us perish? If only we had
been content to dwell on the other side of the Jordan! 8 If you please, my Lord, what shall
I say now that Israel has turned [the back of its] neck before its enemies? 9 The Canaanite
and all the inhabitants of the land will hear and will surround us and cut off our name from
the earth. What will You do for Your Great Name?"

God's answer

10 HASHEM said to Joshua, "Raise yourself up! Why do you fall on your face? 11 Israel
has sinned; they have also violated My Covenant that I commanded them; they have also

---

Had not Abraham once erected an altar and brought offerings near Ai (*Genesis* 12:8), the death toll would have been even greater (*Radak*).

6. וַיַּעֲלוּ עָפָר עַל־רֹאשָׁם — *And they placed dirt upon their heads.* Joshua understood that this could have happened only because God was not with them. He and the elders placed dirt on their heads as a symbolic act of burial, as if to say that without God's help, they were like dead men (*Alshich*). Alternatively, they symbolized that they were as worthless as dust (*Malbim*).

7-9. Joshua's prayer combined two themes: (a) The defeat at Ai implied that there would be more losses in the future and if God would not help Israel prevail He should not have brought them into the Land; and (2) Israel's failure to conquer the nations of the Land would be a desecration of God's Name.

7. אֲדֹנָי ה׳ — *My Lord, HASHEM/ELOHIM.* This unusual combination of Divine Names is found in *Genesis* 15:2 and *Deuteronomy* 3:24. Joshua addressed God as *My Lord,* implying complete submission to His mastery. The second Name combines the spelling of the Four-letter Name (which implies mercy) and the punctuation and pronunciation of *Elohim* (which implies strict judgment based on merit). The combination means that God is merciful even in judgment (*Rashi, Deut.* 3:24). According to *R' Hirsch* it means that even God's imposition of harsh judgment is in essence merciful because He knows when strictness is necessary to lay the foundation for a bright future.

וְלוּ הוֹאַלְנוּ — *If only we had been content.* An expression of anguish, as if to say, "We had already defeated Kings Sichon and Og; why didn't we remain on the other side of the Jordan?"

8-9. As the saying goes, "The beginning of defeat is flight." Once the Canaanites have seen that we are vulnerable, they will rise up against us — and God's Name will be desecrated!

9. שְׁמֵנוּ . . . לְשִׁמְךָ הַגָּדוֹל — *Our name . . . for Your Great Name.* In the most profound sense, God is the inner essence of Israel, and this is why their "names" are associated with one another. Accordingly, Jacob was given the additional name Israel, which has in it the word אֵל, a Name of God (see *Genesis 32:29*). Thus Joshua implied that if Israel's name were to be eradicated, even God's Great Name will suffer (*Maharal*).

Our fate is for You to decide and we will accept Your decree, but my concern is that Your Name not be desecrated (*Bais Yaakov*).

10-12. God's answer. The defeat was because of a sin. Eradicate the sin and its effects will disappear. The national responsibility for Achan's greed is clear from the way God described the sin in very strong terms as a national failure.

10. קֻם לָךְ — *Raise yourself up!* Now is not a time for prayer. Now is a time for action, as God would go on to tell him (*Radak*).

One should never let setbacks make him depressed; they should be a springboard for new initiatives: *Raise yourself up!*

The word לָךְ, *yours,* implies that Joshua was to blame for the defeat. Midrashically, God reproached Joshua for not leading his troops against Ai. When Moses prayed for a successor, he spoke of someone who would lead the people in battle (*Numbers* 27:17), and when God charged Joshua, he ordered him to *bring* the people (*Deuteronomy* 31:23) — but Joshua had remained behind when his soldiers attacked Ai. Alternatively, it was Joshua's decision to forbid the enjoyment of the booty (*Rashi*).

11. חָטָא יִשְׂרָאֵל — *Israel has sinned.* This is the source of the famous dictum, "Even though someone has sinned, he remains an Israelite" (*Sanhedrin* 44a). The Sages give a long litany of sins committed by Achan. It is just in such a case, where a person sinned repeatedly and grievously, that the Torah

יב לָקְחוּ מִן־הַחֵרֶם וְגַם גָּנְבוּ וְגַם כִּחֲשׁוּ וְגַם שָׂמוּ בִכְלֵיהֶם׃ וְלֹא יֻכְלוּ בְּנֵי יִשְׂרָאֵל
לָקוּם לִפְנֵי אֹיְבֵיהֶם עֹרֶף יִפְנוּ לִפְנֵי אֹיְבֵיהֶם כִּי הָיוּ לְחֵרֶם לֹא אוֹסִיף לִהְיוֹת
יג עִמָּכֶם אִם־לֹא תַשְׁמִידוּ הַחֵרֶם מִקִּרְבְּכֶם׃ קֻם קַדֵּשׁ אֶת־הָעָם וְאָמַרְתָּ הִתְקַדְּשׁוּ
לְמָחָר כִּי כֹה אָמַר יְהוָה אֱלֹהֵי יִשְׂרָאֵל חֵרֶם בְּקִרְבְּךָ יִשְׂרָאֵל לֹא תוּכַל לָקוּם
יד לִפְנֵי אֹיְבֶיךָ עַד־הֲסִירְכֶם הַחֵרֶם מִקִּרְבְּכֶם׃ וְנִקְרַבְתֶּם בַּבֹּקֶר לְשִׁבְטֵיכֶם וְהָיָה
הַשֵּׁבֶט אֲשֶׁר־יִלְכְּדֶנּוּ יְהוָה יִקְרַב לַמִּשְׁפָּחוֹת וְהַמִּשְׁפָּחָה אֲשֶׁר־יִלְכְּדֶנָּה יְהוָה
טו תִּקְרַב לַבָּתִּים וְהַבַּיִת אֲשֶׁר יִלְכְּדֶנּוּ יְהוָה יִקְרַב לַגְּבָרִים׃ וְהָיָה הַנִּלְכָּד בַּחֵרֶם
יִשָּׂרֵף בָּאֵשׁ אֹתוֹ וְאֶת־כָּל־אֲשֶׁר־לוֹ כִּי עָבַר אֶת־בְּרִית יְהוָה וְכִי־עָשָׂה נְבָלָה
טז בְּיִשְׂרָאֵל׃ וַיַּשְׁכֵּם יְהוֹשֻׁעַ בַּבֹּקֶר וַיַּקְרֵב אֶת־יִשְׂרָאֵל לִשְׁבָטָיו וַיִּלָּכֵד שֵׁבֶט יְהוּדָה׃
יז וַיַּקְרֵב אֶת־מִשְׁפַּחַת יְהוּדָה וַיִּלְכֹּד אֵת מִשְׁפַּחַת הַזַּרְחִי וַיַּקְרֵב אֶת־מִשְׁפַּחַת
יח הַזַּרְחִי לַגְּבָרִים וַיִּלָּכֵד זַבְדִּי׃ וַיַּקְרֵב אֶת־בֵּיתוֹ לַגְּבָרִים וַיִּלָּכֵד עָכָן בֶּן־כַּרְמִי
יט בֶן־זַבְדִּי בֶן־זֶרַח לְמַטֵּה יְהוּדָה׃ וַיֹּאמֶר יְהוֹשֻׁעַ אֶל־עָכָן בְּנִי שִׂים־נָא כָבוֹד
לַיהוָה אֱלֹהֵי יִשְׂרָאֵל וְתֶן־לוֹ תוֹדָה וְהַגֶּד־נָא לִי מֶה עָשִׂיתָ אַל־תְּכַחֵד מִמֶּנִּי׃

רש״י

(יד) **לבתים.** יש במשפחה אחת הרבה בתי אבות: **לגברים.** לראשי גולגולת, כל אנשי הבית יבאו לגורל: (טו) תוספת **ישרף באש.** האהל והמטלטלין: **אתו ואת כל אשר לו.** כדין המפורש למטה (להלן פסוק כה) אותו והבהמה בסקילה, והזקף שהוא על פַּשֵׁט מוכיח, שהוא נפרד מאתו, שכן מצינו מקראות שהטעם מחלקן, כמו אַחֲרֵי דֶּרֶךְ מְבוֹא הַשֶּׁמֶשׁ (דברים יא, ל), שאַחֲרֵי מופלג מִדֶּרֶךְ על ידי הטעם, וכן פתרונו, הנלכד בחרם, ישרף באש הראוי לישרף, כמו שמפרש למטה: **אתו ואת כל אשר לו.** כדין האמור למטה, וזה מקרא קצר, ודומה לו כָּל מַכֵּה יְבֻסִי וְיִגַּע בַּצִּנּוֹר, (שמואל־ב ה, ח), לא פירש מה יהיה לו, ובדברי הימים (־א יא, ו) פירש יִהְיֶה לְרֹאשׁ, אף כאן לא פירש מה יהיה באותו וכל אשר לו, ולמטה פירש: (טז) **ויקרב את ישראל.** לפני החשן, מקום שהשבטים כתובים, ומסר לו הקדוש ברוך הוא סימן שהשבט שחטא, אבנו כהה, וכהתה אבנו של יהודה: (יז) **ויקרב את משפחת יהודה.** לגורל אחד, קרב ראשי המשפחות אדם אחד מכל המשפחה, והטילו גורל על מי יפול, ואחר כך על כל בתי אבות של אותה משפחה, ובא אדם אחד מכל בית אב לגורל, ואחר כן באו כל אנשי אותה הבית: (יט) **שים נא כבוד.** התחיל להוציא לעז על הגורל, אמר לו בגורל אתה בא עלי, אתה ואלעזר הכהן גדולי הדור אתם, הטל הגורל על שניכם, ויפול על האחד. אמר לו שִׂים נָא כָבוֹד, בבקשה ממך אל תוציא לעז על הגורלות, שבו עתידה הארץ ליחלק:

רד״ק

וכן הוא וַיִּקַּח סֵפֶר הַבְּרִית וַיִּקְרָא בְּאָזְנֵי הָעָם (שמות כד, ז) והם אמרו כֹּל אֲשֶׁר דִּבֶּר ה׳ נַעֲשֶׂה וְנִשְׁמָע (שם) וצוה משה רבינו מפי הגבורה נָבִיא מִקִּרְבְּךָ מֵאַחֶיךָ כָּמֹנִי יָקִים לְךָ ה׳ אֱלֹהֶיךָ אֵלָיו תִּשְׁמָעוּן (דברים יח, טו) והנה יהושע צוה אותם ואמר להם שלא יקחו משלל העיר דבר (לעיל ו, יז), והנה עברו הברית שלקחו משלל העיר: **וגם לקחו מן החרם.** כל גם בא לרבות, ופירוש הנה בעבור החרם כאלו צוום הנביא, והוא יהושע, מצוה בלא חרם, ואם עברו המצוה עברו הברית, כל שכן כי בידם החרם: **וגם גנבו.** כי לו לקחו בפרהסיא לא היה כל כך רע, אבל כשגנבו כאילו חשבו להסתיר מהבורא: **וגם כחשו.** או אולי, הרגיש אדם בדבר וכיחש עכן, או בעבור שסופו לכחש, שהרי כחש עד שבקש ממנו יהושע ואמר לו בני שִׂים נָא כָבוֹד לַה׳ (לקמן פסוק יט): **וגם שמו בכליהם.** וכל זה להכחיש יותר כמו שאמר וְהִנָּם טְמוּנִים (לקמן פסוק כא). ובדרש (סנהדרין מד, א) מה הם חמשה גַם, מלמד שעבר על חמשה חומשי תורה: (יג) **קדש, התקדשו.** ענין זימון: (יד) **אשר ילכדנו ה׳.** אמרו כי העבירם לפני הארון והנלכד הוא שהיה הארון קולטו שלא היה יכול לזוז משם, ועוד אמרו (פרקי דרבי אליעזר לז) כי העמיד כל השבטים לפני האורים והתומים ואבני החושן היו כתובים בו שמות השבטים (שמות כח, כא) ומי שאבנו כהה הוא הנלכד, וכהה אבנו של יהודה, ולדעת המשפחות והגברים עשו בקלפי על פי הגורל: **יקרב למשפחות.** פירוש לגברים ראשי משפחות: **תקרב לבתים.** לראשי בתי המשפחה: **יקרב לגברים.** לאנשי הבית: (טו) **ישרף באש אתו ואת כל אשר לו.** לפי שעבר בחרם יחרם כל רכושו ובניו ובנותיו הקטנים שהם בכלל ממונו אצל העונש, ואם בניהם היו גדולים הם בני עונש לפי שראו ושתקו ועברו בחרם, ואשה לא היתה לו, ואם היתה לו לא ידעה דבר כי העלים ממנה שהרי הטמין אותם תחת הקרקע, ומה שאמר יִשָּׂרֵף בָּאֵשׁ, כמו שנשרפה העיר שהיתה חרם כן ישרף העובר על החרם וכל אשר לו שהוא חרם: (יז) **ויקרב את**

מצודת דוד

וגם לקחו. רצה לומר, אף העובר אחת משאר מצות ה׳ ענש יענש, והמה גם לקחו מחרמי גבוה, חלק ה׳: **וגם גנבו.** אלו לקחו לעין כל, היו על כל פנים משוים כבוד המקום לכבוד בשר ודם, אבל המה גנבו להשמר מבני אדם, ומה׳ לא יראו: **וגם כחשו.** הן לא יבוזו לגנב אם ישוב וניחם ומודה בה ומחזירה, אבל המה גם כחשו: **וגם שמו בכליהם.** רצה לומר, לֹא יָבוּזוּ לַגַּנָּב כִּי יִגְנוֹב לְמַלֵּא נַפְשׁוֹ כִּי יִרְעָב (משלי ו, ל), אבל המה גם שמו בכליהם להיות שמור לאוצר, לא להוציא לשבור רעבון נפש, ואם כן מעשה הנבלה ההיא כפולה ומוכפלת: (יב) **כי היו לחרם.** רצה לומר, היו מסייעים לעובר החרם במה שהעלימו עין, ולא שמרו זה את זה: **החרם.** העובר החרם: (יג) **התקדשו.** לחלוף לפני הארון, לדעת בשל מי הרעה הזאת: (יד) **ונקרבתם.** מול הארון: **לשבטיכם.** כל שבט לבד: **ילכדנו ה׳.** להיות נלכד לפני הארון לבל יוכל לזוז ממקומו לפי שעה: **יקרב למשפחות.** אחר יזיזו ממקומם יקרבו שוב למשפחות: **לבתים.** כי המשפחה תחולק עוד לבתי אבות: **לגברים.** לאנשים יחידים: (טו) **הנלכד בחרם.** הנלכד לפני הארון, בעבור שמעל בחרם: (יז) **משפחת יהודה.** גם השבט נקרא משפחה: **לגברים.** איש איש ראש לבית אב: **וילכד זבדי.** הוא היה הראש לבית האב: (יח) **לגברים.** לאנשים יחידים: (יט) **כבוד לה׳.** כי כאשר יראו שבדין נלכדת, יהיה כבוד לה׳: **ותן לו תודה.** תן הודאה שאמת הדבר שמעלת בחרם: **מה עשית.** רצה לומר, מה הם הדברים אשר לקחת מן החרם:

מצודת ציון

שמו. נתנו: (יג) **קדש.** הזמן, כמו קַדְּשׁוּ מִלְחָמָה (יואל ד, ט): (טו) **נבלה.** דבר מגונה כמו נְבָלָה יְדַבֵּר (ישעיהו לב, ו): (יט) **תודה.** הודאה: **תכחד.** ענינו העלמה, כמו וְלֹא כִחֲדוּ (איוב טו, יח):

taken from the consecrated property; they have also stolen; they have also denied; they
have also placed [it] in their vessels. 12 *The Children of Israel will not be able to stand*
before their enemies; they will turn the [back of their] necks to their enemies because they
have become worthy of destruction. I will not continue to be with you if you do not
destroy the transgressor from your midst.
13 *"Arise, prepare the people and say, 'Prepare yourselves for tomorrow, for thus said*
HASHEM, God of Israel: There is a transgressor in your midst, Israel. You will not be able
to stand before your enemies until you remove the transgressor from your midst. 14 *You*
shall approach in the morning according to your tribes. It will be that the tribe that
HASHEM singles out shall approach by families; and the family that HASHEM singles out
shall approach by households; and the household that HASHEM singles out shall
approach by [individual] men. 15 *It will be that the one singled out with consecrated*
property shall be burned, he and all that is his, because he has violated the covenant of
HASHEM, and because he has committed an abomination in Israel.' "
16 *Joshua arose early in the morning and had Israel approach according to its tribes;*
the tribe of Judah was singled out. 17 *Then he had each family of Judah approach, and*
he singled out the Zerahite family; he had the Zerahite family approach by [individual]
men, and Zabdi was singled out. 18 *He had his household approach man by man, and*
Achan, son of Carmi, son of Zabdi, son of Zerah of the tribe of Judah was singled
out.

The lottery identifies the sinner

19 *Then Joshua said to Achan, "My son, please give honor to HASHEM, God of Israel,*
and confess to Him. Tell me, please, what you have done; do not withhold from
me."

רד"ק

משפחת יהודה. הקריב שבט יהודה לראשי משפחות, וזכר משפחה במקום שבט, וקצר למשפחות, הכל לקצר, כי כן דרך המקרא: **וילכד את משפחת הזרחי.** זה לבדו, וַיִּלְכֹּד מן הקל בענין זה, ושאר וַיִּלָּכֵד מן נפעל, ופירוש וילכד הארון לבדו: **לגברים.** לאנשי ראשי בתי המשפחה: **וילכד זבדי.** שהיה ראש בית אב, ויקרב אנשי הבית וילכד עכן: **(יט) בני שים נא כבוד לה'.** בקש ממנו שיתודה על עונו לשני דברים, האחד לכפרת עונו, שתהא מיתתו כפרתו בהודאת עונו, ומכאן למדנו (סנהדרין מג, ב) שכל המומתין מתודין, ולמדו כי כופר עונו מדכתיב יַעְכָּרְךָ ה' בַּיּוֹם הַזֶּה (לקמן פסוק כה) ביום הזה נעכר ולא לעולם הבא, והשני כדי שיודו בני ישראל בגורל או בקליטת הארון ויאמרו כי אמת הוא, וכן אמרו רז"ל (שם) שאמר עכן, יהושע, בגורל אתה בא עלי, אתה ואלעזר הכהן שני גדולי הדור, אם אני מפיל עליכם על אחד מכם הוא נופל, אמר לו יהושע לעכן בבקשה ממך אל תוציא לעז על הגורלות, כי עתידה ארץ ישראל ליחלק בגורל (במדבר כו, נה):

provides the teaching that a Jew remains a Jew, and that no one has a right to despair of his rehabilitation (*Pri Tzaddik*).

13-18. Identifying the transgressor. If God had simply named the transgressor and instructed Joshua to confront and punish him, some people might have thought that Joshua had fabricated the accusation because of some personal grievance against Achan. Instead, God commanded Joshua to conduct a "lottery" that would clearly be miraculous (*Me'am Loez).* There are two versions of the procedure. Either Joshua marched the people past the Ark and the guilty party became frozen and unable to move; or he marched the tribes past the *Urim v'Tumim,* and the guilty tribe's name on the Kohen Gadol's breastplate became dim. Then, to identify the guilty family and individual, Joshua drew lots (*Radak*).

15. The verse gives two reasons for the death penalty: (a) because he took consecrated property; and (b) because he was responsible for *an abomination in Israel,* i.e., the defeat at the hands of Ai.

19-23. Achan's guilt is established. Although the lottery established Achan's guilt, Joshua wanted him to confess and the contraband to be discovered in order to prevent anyone from casting doubt on the lottery. Indeed, *Rashi* cites *Tanchuma* that Achan mocked the lottery, saying, "Joshua, if you cast lots between yourself and Eliezer the Kohen Gadol, one of you would be found guilty!" Thereupon, Joshua appealed to him, successfully, to confess in order to give honor to God, or so that his confession would enable his execution to atone for the sin (*Radak*).

The *Chafetz Chaim* (*Z'chor L'Miriam*) uses the episode of Achan to illustrate the seriousness of evil speech. According to the Midrash, Joshua appealed to God to tell him who was responsible for the defeat. God replied, "Am I an informer? Go and cast lots!" Even though it was essential to know who was the guilty party at this very delicate juncture, and, as noted above, Achan mocked the efficacy of the lottery, God refused to reveal Achan's identity. This shows how important it is to avoid evil speech.

כ וַיַּעַן עָכָן אֶת־יְהוֹשֻׁעַ וַיֹּאמַר אָמְנָה אָנֹכִי חָטָאתִי לַיהוָה אֱלֹהֵי יִשְׂרָאֵל וְכָזֹאת
כא וְכָזֹאת עָשִׂיתִי: °וארא [°וָאֵרֶא ק] בַשָּׁלָל אַדֶּרֶת שִׁנְעָר אַחַת טוֹבָה וּמָאתַיִם
שְׁקָלִים כֶּסֶף וּלְשׁוֹן זָהָב אֶחָד חֲמִשִּׁים שְׁקָלִים מִשְׁקָלוֹ וָאֶחְמְדֵם וָאֶקָּחֵם וְהִנָּם
כב טְמוּנִים בָּאָרֶץ בְּתוֹךְ הָאָהֳלִי וְהַכֶּסֶף תַּחְתֶּיהָ: וַיִּשְׁלַח יְהוֹשֻׁעַ מַלְאָכִים וַיָּרֻצוּ
כג הָאֹהֱלָה וְהִנֵּה טְמוּנָה בְּאָהֳלוֹ וְהַכֶּסֶף תַּחְתֶּיהָ: וַיִּקָּחוּם מִתּוֹךְ הָאֹהֶל וַיְבִאוּם
כד אֶל־יְהוֹשֻׁעַ וְאֶל כָּל־בְּנֵי יִשְׂרָאֵל וַיַּצִּקֻם לִפְנֵי יְהוָה: וַיִּקַּח יְהוֹשֻׁעַ אֶת־עָכָן בֶּן־זֶרַח
וְאֶת־הַכֶּסֶף וְאֶת־הָאַדֶּרֶת וְאֶת־לְשׁוֹן הַזָּהָב וְאֶת־בָּנָיו וְאֶת־בְּנֹתָיו וְאֶת־
שׁוֹרוֹ וְאֶת־חֲמֹרוֹ וְאֶת־צֹאנוֹ וְאֶת־אָהֳלוֹ וְאֶת־כָּל־אֲשֶׁר־לוֹ וְכָל־יִשְׂרָאֵל עִמּוֹ
כה וַיַּעֲלוּ אֹתָם עֵמֶק עָכוֹר: וַיֹּאמֶר יְהוֹשֻׁעַ מֶה עֲכַרְתָּנוּ יַעְכָּרְךָ יְהוָה בַּיּוֹם הַזֶּה וַיִּרְגְּמוּ
כו אֹתוֹ כָל־יִשְׂרָאֵל אֶבֶן וַיִּשְׂרְפוּ אֹתָם בָּאֵשׁ וַיִּסְקְלוּ אֹתָם בָּאֲבָנִים: וַיָּקִימוּ עָלָיו
גַּל־אֲבָנִים גָּדוֹל עַד הַיּוֹם הַזֶּה וַיָּשָׁב יְהוָה מֵחֲרוֹן אַפּוֹ עַל־כֵּן קָרָא שֵׁם הַמָּקוֹם
הַהוּא עֵמֶק עָכוֹר עַד הַיּוֹם הַזֶּה:

רש"י

(כ) **ויען עכן.** ראה בני יהודה נאספים למלחמה, אמר מוטב שאמות אני לבדי ואל יהרגו כמה אלפים מישראל: **וכזאת וכזאת עשיתי.** גם בחרמים אחרים בימי משה, שנאמר וְהַחֲרַמְתִּי אֶת עָרֵיהֶם (במדבר כא, ב): (כא) **וארא בשלל.** התבוננתי במה שכתוב בתורה וְאָכַלְתָּ [אֶת שְׁלַל] וגו' (דברים כ, יד): **אדרת שנער.** תרגומו אִיצְטְלָא (דְמִילְתָא) בַּבְלִי, שכל מלך שלא קנה לו פלטרין בארץ ישראל לא נתקררה דעתו במלכותו, שנאמר וְאֶתֶּן לָךְ אֶרֶץ חֶמְדָּה נַחֲלַת צְבִי צִבְאוֹת גּוֹיִם (ירמיהו ג, יט), והיה למלך בבל פלטרין ביריחו, וכשהיה בא לכאן לובש אותם: (כב) **וירצו האהלה.** שלא יקדימו שבט יהודה ויטלוה משם להכחיש את הגורל: (כג) **ויצקם.** וְאַתִּיכוּנוּן, ורבותינו אמרו (סנהדרין מד, א) בא וחבטן לפני המקום, אמר לפניו רבונו של עולם על אלו יפלו רובן של סנהדרין: (כד) **ואת בניו וגו' וכל ישראל.** לראות ברדויו ויוסרו מלעשות כמוהו. **ואת שורו ואת חמורו.** לאבדם, כמה שנאמר וְהָיָה הַנִּלְכָּד בַּחֵרֶם יִשָּׂרֵף בָּאֵשׁ אוֹתוֹ וְאֶת כָּל אֲשֶׁר לוֹ (לעיל, טו): (כה) **וירגמו אתו אבן.** שחלל את השבת: **וישרפו אותם.** האוהל והמטלטלין: **ויסקלו אותם.** השור והבהמה:

רד"ק

(כ) **וכזאת וכזאת עשיתי.** פירושו לפניו וָאֵרֶא בַשָּׁלָל (פסוק כא), ורז"ל דרשו (סנהדרין שם) כי מעל עכן בשלשה חרמים שנים בימי משה ואחד בימי יהושע, שנאמר כָזֹאת וְכָזֹאת עָשִׂיתִי והתודה עתה על שלשתן, ויש אומרים בארבעה, שלשה בימי משה, חרמו של כנעני מלך ערד, וחרמו של סיחון ועוג, וחרמו של מדין. בכנעני שכתוב בו וְהַחֲרַמְתִּי אֶת־עָרֵיהֶם (במדבר כא, ב), ובמדין שנתנו הזהב קדש לה' (שם לא, נד), בסיחון ועוג אף על פי שכתוב בו בַּזּוֹנוּ לָנוּ (דברים ג, ז) אי אפשר שלא הקדישו מן השלל לה', ואמרו (סנהדרין שם) מפני מה לא נענש בימי משה על שעבר בימי משה, מהם אמרו שלא ענש על הנסתרות עד שעברו ישראל את הירדן, פירוש לא ענש בגלוי שנאמר הַנִּסְתָּרֹת לַה' אֱלֹהֵינוּ (דברים כט, כח), ומהם אמרו כי לא ענש על הנסתרות לעולם שנאמר עַד־עוֹלָם (שם), ועכשיו שענש על הנסתרות בגלוי לפי שלא היו נסתרות, שהרי היו יודעים בו בניו ובנותיו: (כא) **אדרת שנער.** בגד חשוב שנעשה בבבל הנקרא שנער, ובבראשית רבה (פה, יד) אדרת שנער, רבי חנינא בר רבי יצחק אומר פרפרא בבלאה, ועוד בדברי רבותינו ז"ל (סנהדרין מד, א) רב אמר איצטילא דמילתא ושמואל אמר כרבלא דצריפאה: **האהלי.** בשתי ידיעות כמו וְהַחֶצְיוֹ (לקמן ח, לג) הָעֶרְכְּךָ (ויקרא כז, כג) והדומים לו: **תחתיה.** תחת האדרת: (כב) **וירצו האהלה.** טעם וירוצו לשמחה שנגלה עון החרם על מי היה וישראל נקיים, ורבינו שלמה כתב טעם וַיָּרֻצוּ, שלא יקדימו שבט יהודה ויטלום משם כדי להכחיש הגורל (עיין תנחומא מסעי ה): **טמונה.** האדרת: (כג) **ויצקם לפני ה'.** ויעמידום לפני ה' כדי שיראו אותם כל ישראל וידעו כח החרם, ויזהרו מן החמדה ומן החרם. ורז"ל אמרו (סנהדרין מד, א) וַיַּצִּקֻם בא יהושע וחבטן בקרקע לפני המקום, אמר רבונו של עולם על אלו תפול רובה של סנהדרין: (כד) **את עכן בן זרח.** סמך אותו לאבי אביו לקצר, כי זרח היה ראש משפחה: **לשון הזהב.** רצה לומר שבט זהב שדומה ללשון: **ויעלו אתם עמק עכור.** היה לו לומר ויורידו, אבל נראה כי היה הר בין המחנה ובין העמק, ואמר יעלו כנגד ההר, ועל דרך הזה וַיֵּרֶד הַסֶּלַע (שמואל־א כג, כה): (כה) **וירגמו.** ואחר כך אמר וַיִּשְׂרְפוּ ואחר כן וַיִּסְקְלוּ, וכתב אדני אבי ז"ל כי דינם היה בשריפה, כמו שכתוב יִשָּׂרֵף בָּאֵשׁ אֹתוֹ וְאֶת־כָּל־אֲשֶׁר לוֹ (לעיל פסוק טו) ופירוש וַיִּרְגְּמוּ אֹתוֹ, כשהיו מוליכין אותו לשרפה היו רוגמין ומשליכין עליו אבנים מרוב כעסם עליו, וכשהיו בעמק עכור שרפו אותו ואת כל אשר לו, ואחר כן ויסקלו אותו באבנים כסום באבנים והם שרופים, ואחר כן הקימו עליו גל אבנים גדול להיות לאות. ורז"ל פירשו (במדבר רבה כג, ו) וַיִּרְגְּמוּ אֹתוֹ . . . אֶבֶן הוא לבדו, וַיִּשְׂרְפוּ אֹתָם בָּאֵשׁ בממונו הכתוב מדבר, שכך נאמר לו מפי הגבורה, הַנִּלְכָּד בַּחֵרֶם יִשָּׂרֵף בָּאֵשׁ אֹתוֹ וְאֵת כָּל אֲשֶׁר לוֹ (לעיל פסוק טו) אם כן מה תלמוד לומר וַיִּרְגְּמוּ אוֹתוֹ,

מצודת דוד

(כ) **וכזאת עשיתי.** אמרו רבותינו זכרונם לברכה (סנהדרין מב, ב) שאמר עשיתי עוד, וכדומה לזה במלחמת הכנעני ובמלחמת מדין, כי גם במלחמת הכנעני נאמר וְהַחֲרַמְתִּי אֶת־עָרֵיהֶם (במדבר כא, ב), ובמדין גם כן נתנו הזהב קדש לה': (כא) **והנם.** האדרת ולשון הזהב: **תחתיה.** תחת האדרת: (כב) **וירוצו.** לבל יקחום קרובי עכן לכסות על קלונם. (כג) **ויצקם.** רצה לומר, פזרם לפני הארון למען יראו הכל שאמת הדבר: (כד) **עמו.** הלכו עם יהושע: **ויעלו.** עם כי הלכו לעמק, אמר וַיַּעֲלוּ, כי טרם בואם להעמק עלו דרך הר אל העמק הנקרא עֵמֶק עָכוֹר על שם המאורע: (כה) **מה עכרתנו.** רצה לומר, מה מאוד עכרתנו, ולזה יעכרך ה': **וישרפו אותם.** האדרת והלשון והאהל וכו': **ויסקלו אותם.** בניו ובנותיו ושורו וכו' (ויתכן לפי שבניו ובנותיו ידעו מזה כמו שאמרו רבותינו זכרונם לברכה (סנהדרין מד, א) ולא גלו הדבר, לכן נסקלו גם הם, אולם רבותינו זכרונם לברכה לא אמרו כן): (כו) **עליו.** על קברו: **עד היום הזה.** רצה לומר, עד עולם עומד הוא בגדלו: **על כן וכו' עד היום הזה.** רצה לומר, עדיין שמו עליו:

מצודת ציון

(כ) **אמנה.** באמת: (כא) **אדרת.** טלית חשובה, והוא מלשון אדיר: **שנער.** עשוי בשנער, והוא בבל: **ולשון.** רצה לומר, ארוכה ומשוכה כלשון: (כג) **ויצקם.** מלשון יציקה ושפיכה: (כה) **וירגמו.** ענין השלכת אבנים: (כו) **גל.** תל גבוה:

Achan confesses . . .

20 Achan answered Joshua and said, "Indeed, I have sinned against HASHEM, God of
Israel; thus and thus have I done. 21 I saw among the spoils a lovely Babylonian garment
and two hundred shekels of silver and one bar of gold — fifty shekels its weight. I desired
them and took them, and behold, they are hidden in the ground within my tent, with the
silver beneath it."
22 Joshua sent messengers. They ran to the tent, and behold, it was hidden in his tent,
and the silver was beneath it. 23 They took them from inside the tent and brought them to
Joshua and to all the Children of Israel; and they spread them out before HASHEM.
24 And Joshua took Achan son of Zerah and the silver and the garment and the bar of
gold and his sons and his daughters and his ox and his ass and his flock and his tent and
all that was his, and all of Israel was with him. They brought them up to the Valley of
Achor.
25 Joshua said, "Why have you caused us trouble? HASHEM will cause you trouble this
day." Then all of Israel pelted him with stones, burned them with fire, and stoned them
with stones. 26 They piled a great heap of stones over him [which is there] until this day,
and HASHEM relented from His flaring wrath. Therefore, he called the name of that place
the Valley of Achor [Troubling] until this day.

. . . and is executed

רד"ק

לפי שבשבת גנב והוציא מיריחו והטמין באהלו, ונסקל על חלול שבת ונשרף על שמעל בחרם, ומנין שבשבת נלכדה יריחו, שנאמר וַיְהִי בַּיּוֹם הַשְּׁבִיעִי (לעיל ו, טו) וקבלו רז"ל (ירושלמי שבת א, ח) שביעי לימי השבוע כמו שכתבנו (לעיל ו, יא):

20. וְכָזֹאת וְכָזֹאת עָשִׂיתִי — *Thus and thus have I done.* Achan confessed that this was not the first time he had stolen banned property; he had done so twice in Moses' time, but Israel was not punished for those sins because it was only when they crossed the Jordan that the Jewish people accepted communal responsibility for one another (*Sanhedrin* 43b).

22. Joshua's agents ran because they were afraid that people from the tribe of Judah might try to remove the evidence from Achan's tent, so that they would not be shamed as the criminal's tribesmen (*Rashi*). Alternatively, they ran joyfully, because the rest of the nation had been freed from the implication of sin (*Radak*).

24-26. Achan is executed. As God had commanded (v. 15), Joshua imposed the death penalty on Achan. Not only he, but his property, was destroyed. Although his family was also taken to the Valley of Achor, they were not punished for their father's sin. They were taken for the same reason as the rest of the nation, to witness Achan's punishment as a deterrent against such conduct in the future (*Ralbag, Radak*).

This deterrence was especially important at that stage of Israel's history, because they had a new leader and were beginning their existence in a new land. Whatever happened would be a precedent, so it was essential to establish lines of authority.

25. The commentators note the mixture of singular and plural. The singular, *pelted him,* refers to Achan; the plural verbs refer to his property and livestock (*Rashi*). In addition there is a discrepancy between this verse, which states that Achan was stoned, and verse 15, in which Joshua was commanded to burn him. According to *Rashi,* he was stoned because he desecrated the Sabbath when he stole the consecrated goods. Apparently his body was burned afterward, in accordance with the command to Joshua. *Radak* quotes his father that Achan was taken to be burned, but the people, outraged at what he had done, threw stones at him.

Because he confessed his sin, Achan merited to have a share in the World to Come (*Sanhedrin* 43b).

8.

☙ The second battle for Ai. After the defeat at Ai and the discovery and eradication of the sin that caused it, God assured Joshua that now he would conquer the city, but commanded him to *take all the people of war with you.* This time, there were two major changes in Israel's military tactics. In contrast to the first battle when Joshua sent only 3,000 soldiers, now he mobilized a very large force, and he devised an elaborate military strategy. *Ralbag* explains that despite God's promise that Ai would fall, and although God's help was indispensable to victory, as always, Joshua followed the principle that one should not rely on *open* miracles.

According to *Metzudos,* Joshua wanted the neighboring Canaanites to think he had triumphed purely by force of numbers and arms, thus luring them into mobilizing alliances to join forces against him, as happened in the next few chapters. Then he would be able to defeat them all at once, instead of engaging in a long series of separate battles.

Shem MiShmuel explains why, now that the reason for the first defeat had been removed, it was necessary for Joshua to deploy so many soldiers, even from a purely military point of view. With the crossing of the Jordan, the principle of עֲרֵבוּת, communal responsibility for one another, went into effect. This is why the entire nation suffered for the individual sins of Achan [Ch.7]. Thus, the nation had to be united, and God wanted Joshua to illustrate this by having the entire nation join in the battle.

ח

א וַיֹּאמֶר יְהוָה אֶל־יְהוֹשֻׁעַ אַל־תִּירָא וְאַל־תֵּחָת קַח עִמְּךָ אֵת כָּל־עַם הַמִּלְחָמָה
וְקוּם עֲלֵה הָעָי רְאֵה ׀ נָתַתִּי בְיָדְךָ אֶת־מֶלֶךְ הָעַי וְאֶת־עַמּוֹ וְאֶת־עִירוֹ וְאֶת־אַרְצוֹ׃
ב וְעָשִׂיתָ לָעַי וּלְמַלְכָּהּ כַּאֲשֶׁר עָשִׂיתָ לִירִיחוֹ וּלְמַלְכָּהּ רַק־שְׁלָלָהּ וּבְהֶמְתָּהּ תָּבֹזּוּ
ג לָכֶם שִׂים־לְךָ אֹרֵב לָעִיר מֵאַחֲרֶיהָ׃ וַיָּקָם יְהוֹשֻׁעַ וְכָל־עַם הַמִּלְחָמָה לַעֲלוֹת הָעָי
ד וַיִּבְחַר יְהוֹשֻׁעַ שְׁלֹשִׁים אֶלֶף אִישׁ גִּבּוֹרֵי הַחַיִל וַיִּשְׁלָחֵם לָיְלָה׃ וַיְצַו אֹתָם לֵאמֹר
רְאוּ אַתֶּם אֹרְבִים לָעִיר מֵאַחֲרֵי הָעִיר אַל־תַּרְחִיקוּ מִן־הָעִיר מְאֹד וִהְיִיתֶם כֻּלְּכֶם
ה נְכֹנִים׃ וַאֲנִי וְכָל־הָעָם אֲשֶׁר אִתִּי נִקְרַב אֶל־הָעִיר וְהָיָה כִּי־יֵצְאוּ לִקְרָאתֵנוּ כַּאֲשֶׁר
ו בָּרִאשֹׁנָה וְנַסְנוּ לִפְנֵיהֶם׃ וְיָצְאוּ אַחֲרֵינוּ עַד הַתִּיקֵנוּ אוֹתָם מִן־הָעִיר כִּי יֹאמְרוּ
ז נָסִים לְפָנֵינוּ כַּאֲשֶׁר בָּרִאשֹׁנָה וְנַסְנוּ לִפְנֵיהֶם׃ וְאַתֶּם תָּקֻמוּ מֵהָאוֹרֵב וְהוֹרַשְׁתֶּם
ח אֶת־הָעִיר וּנְתָנָהּ יְהוָה אֱלֹהֵיכֶם בְּיֶדְכֶם׃ וְהָיָה כְּתָפְשְׂכֶם אֶת־הָעִיר תַּצִּיתוּ
ט אֶת־הָעִיר בָּאֵשׁ כִּדְבַר יְהוָה תַּעֲשׂוּ רְאוּ צִוִּיתִי אֶתְכֶם׃ וַיִּשְׁלָחֵם יְהוֹשֻׁעַ וַיֵּלְכוּ
אֶל־הַמַּאְרָב וַיֵּשְׁבוּ בֵּין בֵּית־אֵל וּבֵין הָעָי מִיָּם לָעָי וַיָּלֶן יְהוֹשֻׁעַ בַּלַּיְלָה הַהוּא בְּתוֹךְ
י הָעָם׃ וַיַּשְׁכֵּם יְהוֹשֻׁעַ בַּבֹּקֶר וַיִּפְקֹד אֶת־הָעָם וַיַּעַל הוּא וְזִקְנֵי יִשְׂרָאֵל לִפְנֵי הָעָם
יא הָעָי׃ וְכָל־הָעָם הַמִּלְחָמָה אֲשֶׁר אִתּוֹ עָלוּ וַיִּגְּשׁוּ וַיָּבֹאוּ נֶגֶד הָעִיר וַיַּחֲנוּ מִצְּפוֹן לָעַי
יב וְהַגַּי °בינו [°בֵּינָיו ק׳] וּבֵין־הָעָי׃ וַיִּקַּח כַּחֲמֵשֶׁת אֲלָפִים אִישׁ וַיָּשֶׂם אוֹתָם אֹרֵב בֵּין
יג בֵּית־אֵל וּבֵין הָעַי מִיָּם °לעיר [°לָעָי ק׳]׃ וַיָּשִׂימוּ הָעָם אֶת־כָּל־הַמַּחֲנֶה אֲשֶׁר
מִצְּפוֹן לָעִיר וְאֶת־עֲקֵבוֹ מִיָּם לָעִיר וַיֵּלֶךְ יְהוֹשֻׁעַ בַּלַּיְלָה הַהוּא בְּתוֹךְ הָעֵמֶק׃

רש״י

(ב) **תבזו לכם.** ואל תחרימו השלל עוד: (ו) **התיקנו אותם.** לשון תיק, שנוציאם מתיק העיר, דישפורי״ר בלע״ז. ויש לפותרו לשון נתיקה, כמו הַתִּקֵם כְּצֹאן לְטִבְחָה (ירמיהו יב, ג): (ז) **והורשתם.** וּתְתָרְכוּן (תרגום): (ט) **מים לעי.** שהעי מקדם לבית אל, ובית אל מים לעי: **וילן יהושע וגו׳ בתוך העם.** להיות נכון בהשכמת הבקר: (י) **ויעל הוא.** כמו שאמר לו המקום, אם הוא עובר לפניהם עוברין, ואם לאו אין עוברין: (יב) **ויקח כחמשת אלפים איש.** אורב אחר אורב, אחד קרוב לעיר מחבירו: (יג) **וישימו העם.** שימה זו לשון הזמנה סמוך לחומה להלחם, כמו שנאמר בבן הדד שִׂימוּ וַיָּשִׂימוּ עַל הָעִיר, במלכים (א׳ כ, יב): **ואת עקבו.** ואת ארבו, כמו וַיַּעְקְבֵנִי (בראשית כז, לו): **וילך יהושע בלילה ההוא בתוך העמק.** אמרו רבותינו (סנהדרין מד, ב) שלן בעומקה של הלכה:

רד״ק

(ב) **כאשר עשית ליריחו ולמלכה.** כי הכל הרגו לפי חרב: **תבזו לכם.** כלומר זאת לא תהיה חרם כמו יריחו (לעיל ו, יז) אבל תבוזו אותה לכם לכל צרכיכם, שלא יבא ממנה אוצר ה׳: (ו) **התיקנו.** שרשו נתק, רצה לומר עד שננתק אותם מן העיר ברדפם אחרינו: (ז) **ואתם תקמו מהאורב.** שם, כמו וְהַמַּאְרָב (דברי הימים־ב יג, יג) וכמוהו שם בזה המשקל מלרע, וְאֶת הַיּוֹתֵר הֶחֱרַמְנוּ (שמואל־א טו, טו), וַיְשַׂקְּלֵהוּ וַיְסַקְּלֵהוּ וַיִּטָּעֵהוּ שֹׂרֵק (ישעיהו ה, ב): **והורשתם את העיר.** את יושבי העיר תגרשום ותכלום: (ח) **כתפשכם.** מקור בכ״ף: **כדבר ה׳ תעשו.** שהרי אמר לו כַּאֲשֶׁר עָשִׂיתָ לִירִיחוֹ (לעיל פסוק ב) ויריחו שרפו באש (לעיל ו, כד): **ראו צויתי אתכם.** כלומר שתהיו זריזים: (ט) **וילן יהושע בלילה ההוא בתוך העם.** באמצע המחנה לן בלילה ההוא, כדי לזרזם כלם להשכים בבקר ולערוך המלחמה: (י) **ויפקד.** השגיח בהם ונתן עינו עליהם איך הם מוכנים למלחמה: (יא) **וכל העם המלחמה.** חסר הנסמך, ומשפט העם עם המלחמה, כמו הָאָרוֹן הַבְּרִית (לעיל ג, יד): (יב) **ויקח כחמשת אלפים איש.** שיהיו גם כן אורב, אולי שם אותם סמוך לעי יותר מן הראשונים: (יג) **וישימו.** האורב והמחנה שמו עצמם, ויקרבו לעיר יותר ממה שהיו, וכן אומר במלחמת בן הדד על שומרון וַיֹּאמֶר . . . שִׂימוּ וַיָּשִׂימוּ עַל הָעִיר (מלכים־א כ, יב): **ואת עקבו.** כתרגומו וְיַת כְּמָנֵיהּ,

מצודת דוד

(א) **אל תירא.** לפי שכבר נפלו בזה המקום, היה ירא לגשת עוד, לזה אמר לו אַל תִּירָא: **כל עם.** צוה לעשות כל ההכנות והתחבולות האלו להטעות הגוים למען יחשבו שכל נצחונם הוא בעבור רוב העם והתחבולות ולא יד ה׳ עשתה זאת, ועל זה יאספו כולם יחד להיות גם המה עם רב ולהמתיק עצה ותחבולות ברוב יועצים, ובזה יהיה טובה לישראל כי את כולם יכו כאחד מבלי יצטרכו ללכת מעיר לעיר להכות בם: (ב) **מאחריה.** לא מן העבר אשר תבואו אליה: (ד) **נכנים.** ללכת מהר בעת המצטרך: (ה) **ונסנו.** בכדי להטעותם: (ו) **ויצאו.** ואז יצאו לרדוף אחרינו: **עד התיקנו.** רצה לומר, הניסה תועיל עד אשר נעתק אותם מן העיר לרדוף אחרינו, כי יאמרו שבאמת בעבור הפחד נסים הם כאשר במלחמה הראשונה: **ונסנו.** ונוסיף לנוס עוד להרחיקם מן העיר: (ז) **מהאורב.** מהמקום שתהיו אורבים: **את העיר.** את הנשארים בעיר: (ח) **כדבר ה׳.** שצוה לשרפה כמו שכתוב למעלה (פסוק ב) וְעָשִׂיתָ . . . כַּאֲשֶׁר עָשִׂיתָ לִירִיחוֹ: **ראו צויתי.** רצה לומר, הזהרו ואל תמרו פי: (י) **ויפקוד.** השגיח בהם אם המה מוכנים למלחמה: (יב) **וישם אותם אורב.** שם עוד אורב אחד, יותר קרוב אל העיר: (יג) **וישימו העם.** העם עצמם הזמינו למלחמה את המחנה וכו׳, וגם הזמינו את עקבו והוא האורב: **בתוך העמק.** להתקרב אל העיר:

מצודת ציון

(ב) **ארב.** יושב במסתור המארב: (ה) **ונסנו.** מלשון ניסה ובריחה: (ו) **התיקנו.** ענין העתקה והסרה: (ז) **והורשתם.** ענין גרושין: (ח) **תציתו.** תבעירו, כמו וַיַּצֶּת אֵשׁ בְּצִיּוֹן (איכה ד, יא): (ט) **מים.** ממערב: (י) **ויפקד.** ענין השגחה: (יא) **והגי.** והעמק: (יג) **וישימו.** ענין הזמנה למלחמה, כמו בפסוק שִׂימוּ וַיָּשִׂימוּ עַל הָעִיר (ראה מלכים־א כ, יב): **עקבו.** תרגומו מארבו, והוא מלשון וַיַּעְקְבֵנִי זֶה פַעֲמַיִם (בראשית כז, לו), שהוא ענין ערמה:

8

The second attempt to conquer Ai

[1] *HASHEM said to Joshua, "Do not fear and do not lose resolve. Take all the people of war*
with you; arise and go up to Ai. See, I have given into your hand the king of Ai, and
his people, and his city, and his land. [2] *You shall do to Ai and its king as you did to Jericho*
and its king, except that you may plunder its spoils and its animals for yourselves. Set
yourself an ambush for the city from its rear."
[3] *So Joshua arose along with all the people of war to go up to Ai. Joshua chose thirty*
thousand mighty warriors and dispatched them at night. [4] *He commanded them saying,*

The strategy

"See, you shall ambush the city from the city's rear. Do not be too far from the city, and
all of you should be ready. [5] *I and all the people who are with me will approach the city,*
and it will be that when they go out to oppose us, like the first time, we will flee before
them. [6] *They will come out after us until we have drawn them from the city, for they will*
say, 'They are fleeing before us, like the first time!' And we will flee before them. [7] *Then*
you shall rise up from the ambush and drive out [the remaining people of] the city, and
HASHEM, your God, will deliver it into your hand. [8] *It will be that when you seize the city,*
you shall set the city on fire; you shall act according to the word of HASHEM. See, I have
commanded you!"
[9] *Joshua dispatched them, and they went to the place of ambush and situated*
themselves between Beth-el and Ai, to the west of Ai. Joshua lodged among the people
that night. [10] *Joshua arose early in the morning and inspected the people; then he*
ascended with the elders of Israel before the people to Ai. [11] *All the people of war who were*
with him ascended, approached, and arrived before the city. They encamped to the north
of Ai, and the valley was between them and Ai. [12] *He took about five thousand men and*
set them to lie in ambush between Beth-el and Ai, to the west of Ai. [13] *The people readied*
the entire camp, which was to the north of the city, and the ambush party to the west. That
night Joshua went into the midst of the valley.

רד"ק

כלומר מארבו, מן וַיַּעְקְבֵנִי (בראשית כז, לו) כי המארב היא ערמה: **וילך יהושע בלילה ההוא בתוך העמק.** כלומר הלך הוא ואחרים עמו בתוך העמק שהמחנה שם, לראות שומרי המחנה אם הם ערים או ישנים, פן יצאו אנשי העי פתאום עליהם והכום:

1-2. The Divine command

1. אַל־תִּירָא — *Do not fear.* Although I am directing you to attack Ai in a purely military manner, do not take this as an indication that you will no longer have Divine assistance (*Chida*).

2. Joshua was commanded to kill the belligerent inhabitants of Ai, like those of Jericho, but unlike Jericho, the city's booty would belong to its conquerors. Since Jericho had fallen purely because of a miracle, all its wealth was consecrated, but the warriors were entitled to the booty of Ai because they fought for their victory (*Malbim*).

2-8. Joshua's strategy. Joshua assembled his troops and instructed them in the plan of battle. In a major departure from the first battle, Joshua said that he himself would lead the soldiers, thus fulfilling God's charge to him that he was to *cross before this people* (*Deuteronomy* 3:28). This implies that Joshua was remiss in not doing so at the first battle for Ai (*Me'am Loez*). As verse 9 emphasizes, Joshua even spent the night with the soldiers.

8. כִּדְבַר ה׳ — *According to the word of HASHEM.* Joshua's command to burn the city was based on God's word in verse 2 (*Radak*).

9-17. The strategy succeeds. Joshua's ruse worked perfectly. It is noteworthy that Joshua stationed himself in the most dangerous place, the force that would flee to draw Ai's army out of the city. If there were to be any casualties, this was the force that would be most threatened.

13. וַיֵּלֶךְ יְהוֹשֻׁעַ בַּלַּיְלָה הַהוּא בְּתוֹךְ הָעֵמֶק — *That night Joshua went into the midst of the valley.* In the plain sense, Joshua went on an inspection tour, to see if the Jewish lookouts were being vigilant, lest the enemy mount a surprise attack during the night (*Radak*).

Aggadically, the Sages interpret the word עֵמֶק as *depth,* implying that Joshua spent the night immersed in the depths of Torah discourse (*Rashi*). This was in contrast to the night before the siege of Jericho, when an angel criticized him for the lack of Torah study [see *comm.* to 5:15] (*Megillah* 3a). Thus, Joshua embodied the concept that not only adherence to the commandments, but also diligence in study are crucial to Israel's success, as Joshua had been commanded at the start of his tenure (1:8).

יד וַיְהִי כִּרְאוֹת מֶלֶךְ־הָעַי וַיְמַהֲרוּ וַיַּשְׁכִּימוּ וַיֵּצְאוּ אַנְשֵׁי־הָעִיר לִקְרַאת־יִשְׂרָאֵל
לַמִּלְחָמָה הוּא וְכָל־עַמּוֹ לַמּוֹעֵד לִפְנֵי הָעֲרָבָה וְהוּא לֹא יָדַע כִּי־אֹרֵב לוֹ מֵאַחֲרֵי
טו־טז הָעִיר: וַיִּנָּגְעוּ יְהוֹשֻׁעַ וְכָל־יִשְׂרָאֵל לִפְנֵיהֶם וַיָּנֻסוּ דֶּרֶךְ הַמִּדְבָּר: וַיִּזָּעֲקוּ כָּל־הָעָם
יז אֲשֶׁר °בעיר [°בָּעַי ק׳] לִרְדֹּף אַחֲרֵיהֶם וַיִּרְדְּפוּ אַחֲרֵי יְהוֹשֻׁעַ וַיִּנָּתְקוּ מִן־הָעִיר: וְלֹא־
נִשְׁאַר אִישׁ בָּעַי וּבֵית אֵל אֲשֶׁר לֹא־יָצְאוּ אַחֲרֵי יִשְׂרָאֵל וַיַּעַזְבוּ אֶת־הָעִיר פְּתוּחָה
יח וַיִּרְדְּפוּ אַחֲרֵי יִשְׂרָאֵל: וַיֹּאמֶר יהוה אֶל־יְהוֹשֻׁעַ נְטֵה בַּכִּידוֹן אֲשֶׁר־בְּיָדְךָ
יט אֶל־הָעַי כִּי בְיָדְךָ אֶתְּנֶנָּה וַיֵּט יְהוֹשֻׁעַ בַּכִּידוֹן אֲשֶׁר־בְּיָדוֹ אֶל־הָעִיר: וְהָאוֹרֵב קָם
מְהֵרָה מִמְּקוֹמוֹ וַיָּרוּצוּ כִּנְטוֹת יָדוֹ וַיָּבֹאוּ הָעִיר וַיִּלְכְּדוּהָ וַיְמַהֲרוּ וַיַּצִּיתוּ אֶת־הָעִיר
כ בָּאֵשׁ: וַיִּפְנוּ אַנְשֵׁי הָעַי אַחֲרֵיהֶם וַיִּרְאוּ וְהִנֵּה עָלָה עֲשַׁן הָעִיר הַשָּׁמַיְמָה וְלֹא־הָיָה
כא בָהֶם יָדַיִם לָנוּס הֵנָּה וָהֵנָּה וְהָעָם הַנָּס הַמִּדְבָּר נֶהְפַּךְ אֶל־הָרוֹדֵף: וִיהוֹשֻׁעַ וְכָל־
יִשְׂרָאֵל רָאוּ כִּי־לָכַד הָאֹרֵב אֶת־הָעִיר וְכִי עָלָה עֲשַׁן הָעִיר וַיָּשֻׁבוּ וַיַּכּוּ אֶת־אַנְשֵׁי
כב הָעָי: וְאֵלֶּה יָצְאוּ מִן־הָעִיר לִקְרָאתָם וַיִּהְיוּ לְיִשְׂרָאֵל בַּתָּוֶךְ אֵלֶּה מִזֶּה וְאֵלֶּה מִזֶּה
כג וַיַּכּוּ אוֹתָם עַד־בִּלְתִּי הִשְׁאִיר־לָהֶם שָׂרִיד וּפָלִיט: וְאֶת־מֶלֶךְ הָעַי תָּפְשׂוּ חָי וַיַּקְרִבוּ
כד אֹתוֹ אֶל־יְהוֹשֻׁעַ: וַיְהִי כְּכַלּוֹת יִשְׂרָאֵל לַהֲרֹג אֶת־כָּל־יֹשְׁבֵי הָעַי בַּשָּׂדֶה בַּמִּדְבָּר
אֲשֶׁר רְדָפוּם בּוֹ וַיִּפְּלוּ כֻלָּם לְפִי־חֶרֶב עַד־תֻּמָּם וַיָּשֻׁבוּ כָל־יִשְׂרָאֵל הָעַי
כה וַיַּכּוּ אֹתָהּ לְפִי־חָרֶב: וַיְהִי כָל־הַנֹּפְלִים בַּיּוֹם הַהוּא מֵאִישׁ וְעַד־אִשָּׁה שְׁנֵים עָשָׂר
כו אֶלֶף כֹּל אַנְשֵׁי הָעָי: וִיהוֹשֻׁעַ לֹא־הֵשִׁיב יָדוֹ אֲשֶׁר נָטָה בַּכִּידוֹן עַד אֲשֶׁר הֶחֱרִים אֵת
כז כָּל־יֹשְׁבֵי הָעָי: רַק הַבְּהֵמָה וּשְׁלַל הָעִיר הַהִיא בָּזְזוּ לָהֶם יִשְׂרָאֵל כִּדְבַר יהוה אֲשֶׁר
כח צִוָּה אֶת־יְהוֹשֻׁעַ: וַיִּשְׂרֹף יְהוֹשֻׁעַ אֶת־הָעָי וַיְשִׂימֶהָ תֵּל־עוֹלָם שְׁמָמָה עַד הַיּוֹם הַזֶּה:
כט וְאֶת־מֶלֶךְ הָעַי תָּלָה עַל־הָעֵץ עַד־עֵת הָעָרֶב וּכְבוֹא הַשֶּׁמֶשׁ צִוָּה יְהוֹשֻׁעַ וַיּוֹרִידוּ

רש״י

(יד) **למועד.** לזמן היום שנועלו יחד מאתמול, באותה שעה נאה, שהיו מנחשים ומעוננים: (טו) **וינגעו.** לשון נגע. (תרגום) וְאִתְּבָרוּ, הראו עצמן כאלו הם נגפים לפניהם: (יח) **נטה בכידון.** הוא היה סימן לאורב לצאת מן המארב, בראותו הכידון נטוי על העיר. כידון שפידו״ר בלע״ז: (כ) **ידים.** כח: **והעם הנס המדבר.** ישראל שנסו אל המדבר כמו שאמר למעלה (פסוק טו), נהפך להלחם אל הרודף: (כב) **ואלה יצאו מן העיר.** האורב שהצית את העיר:

רד״ק

(יד) **למועד.** כתרגומו לְזִמְנָא דִמְתַקַּן לֵיהּ, כלומר שהכין המלך ואמר בשעה פלונית נהיה מוכנים כולנו לצאת למלחמה: **לפני הערבה.** לפני המישור אשר היה את פני העיר: (טו) **וינגעו.** הראו עצמם נגועים ונסים לפניהם, וגם הם היו נגועים, כי אי אפשר שהיו נסים לפניהם שלא היו נגועים בהם, ואלו לא היו נגועים אלא מראים עצמם נגועים, לכך היה אומר ויתנגעו, מבנין התפעל כי כן המשפט: **דרך המדבר.** מקום מרעה הבהמות יקרא מדבר, בין סמוך לעיר בין רחוק מן העיר, לפיכך אמר וְרָעוּ כְבָשִׂים כְּדָבְרָם (ישעיהו ה, יז) כְּעֵדֶר בְּתוֹךְ הַדָּבְרוֹ (מיכה ב, יב) והוא מתרגם וַיִּנְהַג (שמואל־א כג, ה) וּדְבַר לפי שהרועה נוהג שם המקנה: (טז) **ויזעקו.** נתקבצו לרדוף אחריהם, ולפי שהקבוץ ואסיפת העם הוא על ידי זעקה, לפיכך נאמר בזה הלשון: **אשר בעיר.** כן כתיב, וקרי בעי, והכתוב מורה שנזעקו כל הנשארים בעיר לרדוף אחריהם, והקרי מורה אשר בעי וגבולה, וכן כתיב וְלֹא נִשְׁאַר אִישׁ בָּעַי וּבֵית אֵל (פסוק יז): (יח) **בכידון.** כתרגומו בְּרוּמְחָא: (כ) **ידים.** מקום כמו רֹעוֹת עַל יְדֵיהֶם (איוב א, יד), או כח כתרגומו חֵילָא: **אל הרודף.** ישראל שהיו נסים אל המדבר, נהפך אל אנשי העי שהיו רודפים אותם: (כד) **בשדה במדבר.** השדה כולל מקום זרע העבוד ומקום מרעה הבהמות גם כן, לפיכך פירש בַּמִּדְבָּר אֲשֶׁר רְדָפוּם בּוֹ: (כט) **וכבא השמש.** כמו שכתוב לֹא תָלִין נִבְלָתוֹ עַל הָעֵץ (דברים כא, כג) ועל כל הנתלה בארץ ישראל מצות הכתוב:

מצודת דוד

(יד) **למועד.** לזמן שיצאו במלחמה הראשונה: (טו) **וינגעו.** הראו עצמם כאלו היו מנוגעים, רצה לומר, מוכים ונחלשים: (טז) **ויזעקו.** נתקבצו מזעקת המאסף: (יח) **נטה בכידון.** לעשות סימן להאורב לבא אל העיר: (כ) **אל הרודף.** הם אנשי העי שהיו מתחלה רודפים לישראל: (כב) **ואלה.** אנשי האורב: (כד) **ויכו אותה.** הנשים והטף:

מצודת ציון

(יד) **למועד.** לזמן, כמו לַמּוֹעֵד אָשׁוּב אֵלֶיךָ (בראשית יח, יד): (יח) **בכידון.** ברומח: (כ) **ידים.** מקום, כמו יַד אַבְשָׁלֹם (שמואל־ב יח, יח): (כב) **בתוך.** באמצע, כמו וְהָעִיר בַּתָּוֶךְ (במדבר לה, ה): **שריד.** שיור ושארית, כמו שְׂרִידֵי חָרֶב (ירמיהו לא, א): **ופליט.** גם הוא ענין שארית, כמו לְהַשְׁאִיר לָנוּ פְּלֵיטָה (עזרא ט, ח): (כח) **תל.** מלאה תילין ודגורין, להיות כן עד עולם לבלי אפשר להפנות, והוא ענין גוזמא והפלגה:

---

14. לַמּוֹעֵד — *At the appointed time* the king had designated for the attack (*Radak*), because his soothsayers had determined that it would be the most auspicious time for success (*Rashi*).

The ruse succeeds

[14] *And it was [as soon] as the king of Ai saw this, the men of the city hastened, rose
early, and went out to oppose Israel in battle — he and all his people — at the appointed
time, before the plain. He did not know that an ambush awaited him behind the city.
[15] Joshua and all Israel "were beaten" before them, and they "fled" toward the wilderness.
[16] All the people [remaining] in Ai were mustered to pursue them. They pursued Joshua
and were drawn from the city. [17] Not a man remained in Ai and Beth-el who did not go
forth after Israel; they left the city exposed and pursued Israel.*

Joshua leads the Israelites to victory

[18] *Hashem said to Joshua, "Reach out with the spear that is in your hand toward Ai, for
in your hand will I give it"; and Joshua stretched forth with the spear that was in his hand
toward the city. [19] The ambush party rose quickly from its place and ran when he
stretched forth his hand; they entered the city and conquered it; then they hastened and
set the city afire. [20] The men of Ai turned behind them and saw and behold, smoke of the
city was ascending to the sky! They did not have the strength to flee this way or that way.
Then the people who had "fled" to the wilderness turned upon the pursuer.*

[21] *When Joshua and all Israel saw that the ambush party had conquered the city and
that smoke of the city was ascending, they turned back and struck the men of Ai. [22] [The
ambush party] went toward them from the city, so it was that they were in the midst of
the Israelite [forces], some on this [side] and some on that. They struck them down until
they did not leave them a remnant or survivor. [23] They captured the king of Ai alive and
brought him to Joshua. [24] And it was when Israel finished slaying all the inhabitants of Ai
in the field — in the wilderness where they had chased them — and they had all fallen by
the edge of the sword until their annihilation that all the Israelites returned to Ai and smote
it by the edge of the sword.*

The city is destroyed

[25] *All who fell on that day, both men and women, were twelve thousand, all the
people of Ai. [26] Joshua did not withdraw his hand that he had stretched out with the
spear until he had destroyed all the inhabitants of Ai. [27] Only the animals and booty
of that city Israel took as spoils for themselves, according to the word of Hashem,
which He had commanded Joshua. [28] Joshua burned Ai and made it a mound for-
ever, a wasteland, until this day. [29] He hanged the king of Ai on the gallows until the
time of evening. When the sun went down, Joshua commanded, and they lowered his*

18-29. The tables turn. Having successfully drawn all the defenders out of Ai, Joshua was commanded to give the signal for the city to be destroyed and for his troops to begin the pincers movement that decimated Ai's army.

18. נְטֵה בַּכִּידוֹן — *Reach out with the spear.* This was the signal to the ambush party (*Rashi*). Presumably, Joshua attached a flag to his spear so that it would be noticeable to his soldiers who were far away (*Abarbanel*).

Noting that it would have been difficult if not impossible for the soldiers to have seen an upraised spear many miles away, *Rabbi Mordechai Gifter* offers another interpretation. He cites *Ramban* to *Genesis* 12:6, that when God commands a prophet to perform a symbolic act to reinforce the message of his prophecy, the Heavenly decree cannot be revoked. Thus, God told Joshua to raise his spear as a symbol of the imminent victory over Ai.

24. When the battle was over, the warriors went to the city and killed all those who had survived the fire, as God had commanded.

26. By implication, the verse contrasts Joshua with ordinary commanders, who remain behind the front lines and issue orders. Joshua was different. From the time he first extended his spear (v. 18), he did not stop wielding it against the enemy soldiers (*Abarbanel*).

Homiletically, the verse teaches that Joshua held his spear aloft without rest throughout the battle to show that the source of Israel's strength was its devotion to God in heaven. This inspired the people's faith and prayer, and resulted in their victory [see *Rosh Hashanah* 29a; see also *Exodus* 17:11-12] (*Be'er Moshe*).

28. וַיְשִׂימֶהָ תֵּל עוֹלָם שְׁמָמָה — *[He] made it a mound forever, a wasteland.* Joshua wanted to create an everlasting memorial to two events: (a) When Israel sinned, it was defeated [even though Ai was not a formidable foe]; and (2) when the sin was cleansed they won overwhelmingly (*Abarbanel*).

29. To allow a body to hang overnight is an affront to God, in Whose image man is created. That this applies even to a wicked criminal, the sort of person who is liable to the death

אֶת־נִבְלָתוֹ מִן־הָעֵץ וַיַּשְׁלִיכוּ אוֹתָהּ אֶל־פֶּתַח שַׁעַר הָעִיר וַיָּקִימוּ עָלָיו גַּל־אֲבָנִים
גָּדוֹל עַד הַיּוֹם הַזֶּה׃
ל-לא אָז יִבְנֶה יְהוֹשֻׁעַ מִזְבֵּחַ לַיהוָה אֱלֹהֵי יִשְׂרָאֵל בְּהַר עֵיבָל׃ כַּאֲשֶׁר צִוָּה מֹשֶׁה עֶבֶד־
יְהוָה אֶת־בְּנֵי יִשְׂרָאֵל כַּכָּתוּב בְּסֵפֶר תּוֹרַת מֹשֶׁה מִזְבַּח אֲבָנִים שְׁלֵמוֹת אֲשֶׁר
לב לֹא־הֵנִיף עֲלֵיהֶן בַּרְזֶל וַיַּעֲלוּ עָלָיו עֹלוֹת לַיהוָה וַיִּזְבְּחוּ שְׁלָמִים׃ וַיִּכְתָּב־שָׁם עַל־
לג הָאֲבָנִים אֵת מִשְׁנֵה תּוֹרַת מֹשֶׁה אֲשֶׁר כָּתַב לִפְנֵי בְּנֵי יִשְׂרָאֵל׃ וְכָל־יִשְׂרָאֵל וּזְקֵנָיו
וְשֹׁטְרִים ׀ וְשֹׁפְטָיו עֹמְדִים מִזֶּה ׀ וּמִזֶּה ׀ לָאָרוֹן נֶגֶד הַכֹּהֲנִים הַלְוִיִּם נֹשְׂאֵי ׀ אֲרוֹן
בְּרִית־יְהוָה כַּגֵּר כָּאֶזְרָח חֶצְיוֹ אֶל־מוּל הַר־גְּרִזִּים וְהַחֶצְיוֹ אֶל־מוּל הַר־
לד עֵיבָל כַּאֲשֶׁר צִוָּה מֹשֶׁה עֶבֶד־יְהוָה לְבָרֵךְ אֶת־הָעָם יִשְׂרָאֵל בָּרִאשֹׁנָה׃ וְאַחֲרֵי־כֵן
קָרָא אֶת־כָּל־דִּבְרֵי הַתּוֹרָה הַבְּרָכָה וְהַקְּלָלָה כְּכָל־הַכָּתוּב בְּסֵפֶר הַתּוֹרָה׃
לה לֹא־הָיָה דָבָר מִכֹּל אֲשֶׁר־צִוָּה מֹשֶׁה אֲשֶׁר לֹא־קָרָא יְהוֹשֻׁעַ נֶגֶד כָּל־קְהַל יִשְׂרָאֵל
ט א וְהַנָּשִׁים וְהַטַּף וְהַגֵּר הַהֹלֵךְ בְּקִרְבָּם׃ וַיְהִי

רש"י

(ל) **אז יבנה וגו'**. פרשה זו כתובה מוקדם ומאוחר, שמיום שעברו את הירדן עשה כן: (לב) **ויכתב שם על האבנים**. הן הנה האבנים האמורים למעלה, לאחר מעשה זה קפלו הסיד מעליהם והביאום הגלגל: (לג) **לברך את העם ישראל בראשונה**. להקדים ברכות לקללות, ברוך האיש אשר לא יעשה פסל ומסכה:

רד"ק

(ל) **אז יבנה**. אז כשעברו ישראל את הירדן (לעיל ג, יז) ואין מוקדם ומאוחר בתורה (פסחים ו, ב) כי כן כתיב בספר תורת משה וְהָיָה בַּיּוֹם אֲשֶׁר תַּעַבְרוּ אֶת הַיַּרְדֵּן וגו' וַהֲקֵמֹתָ לְךָ אֲבָנִים גְּדֹלוֹת וְשַׂדְתָּ אֹתָם בַּשִּׂיד (דברים כז, ב) וּבָנִיתָ שָּׁם מִזְבֵּחַ וגו' (שם פסוק ה) ואז הותרו הבמות כל זמן שהיו בגלגל, וכן אמרו רבותינו ז"ל (סוטה לו, א) בו ביום עברו את הירדן ובאו להר גריזים ולהר עיבל, והביאו את האבנים ושדום בשיד, וכתבו עליהם את כל דברי התורה, ובנו מזבח והעלו עולות ושלמים, ואכלו ושתו ושמחו וברכו וקלסו וקפלו את האבנים ולנו, ואמרו (ירושלמי מגילה א, יב) אין הבמה נתרת אלא על ידי נביא שנאמר אָז יִבְנֶה יְהוֹשֻׁעַ, ומלת יבנה עתיד במקום עבר, ויבא זה עם קשר מלת אָז בהרבה מקומות, כמו אָז יָשִׁיר מֹשֶׁה (שמות טו, א) אָז יָשִׁיר יִשְׂרָאֵל (במדבר כא, יז), אָז יַבְדִּיל מֹשֶׁה (דברים ד, מא), אָז יְדַבֵּר יְהוֹשֻׁעַ (לקמן י, יב), אָז יִבְנֶה שְׁלֹמֹה (מלכים-א יא, ז), אָז תָּבֹאנָה (שם ג, טז), אָז יַקְהֵל שְׁלֹמֹה (שם ח, א): (לב) **את משנה תורת משה**. מן וְשִׁנַּנְתָּם לְבָנֶיךָ (דברים ו, ז) אף על פי שאינו משרשו, ופירושו, לשון התורה ופירושה על דרך כלל. וכתב רבינו סעדיה ז"ל כי כתבו בהם מספר המצות כמו שהן כתובות בהלכות ובאזהרות, ויפה אמר, כי לא יתכן שכתבו בהן כל התורה רק הצורך דרך כלל. ונחלקו רבותינו ז"ל (סוטה לה, ב), מהם אמרו על גבי האבנים כתבוה ואחר כך שדו אותם בשיד, ומהם אמרו מתחלה שדו את האבנים וכתבו התורה על גבי השיד, ואמרו (שם לב, א) כי בשבעים לשון כתבו אותם דברי התורה כמו שנאמר בתורה בַּאֵר הֵיטֵב (דברים כז, ח) כדי שיבינו אותם כל עם ולשון שיראו אותם: (לג) **חציו**. ששה שבטים עלו להר גריזים, שִׁמְעוֹן וְלֵוִי וִיהוּדָה וְיִשָּׂשכָר וְיוֹסֵף וּבִנְיָמִן (שם פסוק יב), וששה להר עיבל, רְאוּבֵן גָּד וְאָשֵׁר וּזְבוּלֻן דָּן וְנַפְתָּלִי (שם פסוק יג), והכהנים והלויים והארון עומדים למטה, הכהנים מקיפים את הארון והלוים מקיפים את הכהנים וישראל מזה ומזה, הפכו הלוים פניהם כלפי הר גריזים ופתחו בברכה שנאמר לְבָרֵךְ אֶת הָעָם יִשְׂרָאֵל בָּרִאשֹׁנָה, וכך הוא מפורש בתורה אֶת הַבְּרָכָה עַל הַר גְּרִזִים וְאֶת הַקְּלָלָה עַל הַר עֵיבָל (שם יא, כט) וְהָיָה אִם שָׁמוֹעַ (שם כח, א) תחלה, ואחר כן וְהָיָה אִם לֹא תִשְׁמַע (שם פסוק טו), ופתחו ואמרו ברוך האיש אשר לא יעשה פסל ומסכה וגו' ואלו ואלו עונין אמן, הפכו פניהם כלפי הר עיבל ופתחו בקללה אָרוּר הָאִישׁ אֲשֶׁר יַעֲשֶׂה פֶסֶל וגו' (שם כז, טו) ואלו ואלו עונין אמן, עד שגומרין כסדר הזה ברכות וקללות, כך סדרו רבותינו זכרם לברכה (סוטה לב, א). והקשו ואמרו (שם לז, א) איך אנו אומרים כי הלוים היו למטה והלא לוי למעלה, שהרי היה הוא אחד מן הששה שבטים שהיו בהר גריזים. ופירושו כי זקני כהונה ולויה למטה והשאר למעלה, ומהם אמרו כל הראוי לשירות למטה והשאר למעלה: **והחציו**. כמו הָאָהֳלִי (לעיל ז, כא) הָעֶרְכְּךָ (ויקרא כז, כג) והדומים להם שבאו בשתי ידיעות, ורבותינו ז"ל (סוטה לו, ב) דרשו בו כי בא הה"א למעט כי מעטים היו במספר החצי של הר עיבל מהחצי של הר גריזים, ואף על פי שלוי למטה מפני שהיה יוסף עמהם שנאמר בהם וַאֲנִי עַם רָב וגו' (לקמן יז, יד) ומה שאמר אֶל מוּל הַר גְּרִזִים, וגו' אֶל מוּל הַר עֵיבָל שלא עמדו על ההר אלא בשיפוע ההר, ובהר גריזים ובהר עיבל יש מחלוקת בדברי רבותינו ז"ל (סוטה לג, ב) הֲלֹא הֵמָּה בְּעֵבֶר הַיַּרְדֵּן (דברים יא, ל) מעבר הירדן ואילך, דברי רבי יהודה. אַחֲרֵי דֶּרֶךְ מְבוֹא הַשֶּׁמֶשׁ (שם) מקום שהחמה זורחת. אֵצֶל אֵלוֹנֵי מֹרֶה, ונאמר להלן וַיַּעֲבֹר אַבְרָם בָּאָרֶץ עַד מְקוֹם שְׁכֶם עַד אֵלוֹן מוֹרֶה (בראשית יב, ו) מה אלון מורה האמור להלן שכם, אף אלון מורה האמור כאן שכם, וזהו הר גריזים והר עיבל שבין הכותיים. רבי אליעזר אומר לא זה הוא הר גריזים והר עיבל שבין הכותיים. הֲלֹא הֵמָּה בְּעֵבֶר הַיַּרְדֵּן, סמוך לירדן. דֶּרֶךְ מְבוֹא הַשֶּׁמֶשׁ, מקום שהחמה שוקעת. בְּאֶרֶץ הַכְּנַעֲנִי, והלא אינה אלא ארץ חוי. הַיֹּשֵׁב בָּעֲרָבָה, והלא בין הרים וגבעות הן יושבין. מוּל הַגִּלְגָּל, והלא לא ראו את הגלגל. ובירושלמי (סוטה ז, ג) לדברי רבי אליעזר מהו הר גריזים והר עיבל, שני גבשושיות עשו לאחד קראו הר גריזים ולאחד קראו הר עיבל: (לד) **ואחרי כן**. הברכה והקללה, הוא שאמרו ברוך האיש אָרוּר הָאִישׁ (דברים כז, טו) או פירוש וְהָיָה אִם שָׁמוֹעַ תִּשְׁמַע (שם כח, א)

מצודת דוד

(לב) **משנה תורת משה**. ספר אלה הדברים קרוי משנה תורה, כי בו נאמר שנית מה שנאמר בארבעת הספרים שלפניה: (לג) **נגד הכהנים הלוים**. הכהנים בני לוי אשר עמדו עם הארון באמצע ואמרו הברכה והקללה: **חציו**. ששה שבטים: **לברך וכו' בראשונה**. בתחילה פתחו ואמרו ברוך האיש אשר לא יעשה פסל וכו', ואחר זה אמרו, אָרוּר הָאִישׁ וכו' (דברים כז, טו), וכן כל הארורים (משנה סוטה ז, ה): (לד) **קרא**. יהושע היה הקורא, כמו שכתוב במקרא שלאחריו: **את כל דברי התורה**. וחוזר ומפרש שקרא הברכה והקללה ככל הכתוב בתורה והם פרשת וְהָיָה אִם שָׁמוֹעַ תִּשְׁמַע וכו' וְהָיָה אִם לֹא תִשְׁמַע וכו' האמורות בסדר כי תבא (פרק כח), והדומים להם: (לה) **לא היה דבר**. מן הברכה והקללה: **אשר צוה**. רצה לומר, האמור בתורה:

מצודת ציון

(כט) **נבלתו**. אף גוף אדם המת נקרא נבלה: (לב) **משנה**. מלשון שנים: (לג) **כאזרח**. זה ישראל גמור מלידה: **מול**. נגד:

corpse from the gallows. They threw it [down] at the entrance to the city gates and piled
a great heap of stones on him, until this day.

The altar on Mount Ebal

[30] Then Joshua built an altar to HASHEM, God of Israel, on Mount Ebal, [31] as Moses, the
servant of HASHEM, had commanded the Children of Israel, as it is written in the Book
of the Torah of Moses — an altar of whole stones upon which no one had lifted up iron,
and they brought elevation-offerings to HASHEM upon it, and they slaughtered peace-
offerings. [32] He inscribed there, on the stones, a repetition of the Torah of Moses, which
he wrote before the Children of Israel.

The blessings and the curses

[33] And all Israel and its elders and officers and its judges stood on this [side] and that
of the Ark opposite the Kohanim, the Levites, bearers of the Ark of the Covenant of
HASHEM, proselyte and native alike, half of them on the slope of Mount Gerizim and half
of them on the slope of Mount Ebal, as Moses the servant of HASHEM had commanded,
to first bless the people of Israel. [34] After that, he read all the words of the Torah, the
blessing and the curse, according to all that is written in the Book of the Torah. [35] There
was not a word of all that Moses commanded that Joshua did not read to the entire
congregation of Israel, the women and the children and the converts that walked among
them.

רד"ק

וְהָיָה אִם לֹא תִשְׁמַע (שם פסוק טו): **(לה) לא היה דבר.** נראה מהפסוק כי אחר שקראו הלויים הברכה והקללה, פתח יהושע וקרא באזניהם כל המצוות מצוות עשה ומצוות לא תעשה: **והגר ההלך בקרבם.** כמו שכתוב בתורה בפרשת הקהל וְגֵרְךָ אֲשֶׁר בִּשְׁעָרֶיךָ (דברים לא, יב), ואמר הַהֹלֵךְ שהיו מתגיירין מן האומות בכל מסעיהם, מפני הנפלאות אשר היו שומעים ורואים:

penalty, indicates the lofty stature of every human being. See comm. to *Deuteronomy* 21:23.

30-35. Blessing and curse on the twin mountains. Joshua brought the people to Mount Gerizim and Mount Ebal, which are north of Shechem, where he assembled them all to carry out the command given by Moses in *Deuteronomy* Chapter 27. There, as Moses instructed, Joshua erected an altar, inscribed the Torah, and had the Kohanim and the senior Levites proclaim the series of twelve blessings and curses listed there (see comm. there). This elaborate ritual constituted a new acceptance of the Torah and allegiance to its Giver as Israel entered its Land.

Rashi and *Radak,* citing the Sages (*Sotah* 36a), agree that the events described here took place on the day Israel crossed the Jordan, many weeks before the victories over Jericho and Ai. Since these mountains are over forty miles from the Jordan, it was miraculous for the nation to have been able to do so.

The commandment to go to the twin mountains before anything else alludes to a principle of Jewish history, that miraculous, and even apparently natural, triumphs and successes are entirely an outgrowth of Israel's allegiance to the Torah, as embodied in the events and undertakings at the two mountains (see *R' Hirsch* to *Deuteronomy* Ch. 27).

That these events are recorded here so long after they actually took place is not uncommon, in line with the principle of אֵין מוּקְדָּם וּמְאוּחָר בַּתּוֹרָה, that the Torah is not necessarily written in chronological order. The question remains, however, that when the order is not chronological, there must be some other logic that dictates the order in which the events are recorded. Otherwise, why were they not written as they occurred? According to *Lev Aharon,* the author of this Book preferred to write them in geographical order, from east to west: from Gilgal to Jericho, to Ai and, finally, to the twin mountains. Alternatively, the prophet preferred to tell about Jericho and Ai, to show that even though there were Canaanite cities between the Jordan and the mountains, no one dared impede Israel's march through the Land to Gerizim and Ebal.

32. מִשְׁנֵה תּוֹרַת מֹשֶׁה — *A repetition of the Torah of Moses.* The translation follows *Ramban* (*Deuteronomy* 27:3), that the entire Five Books of Moses were to be inscribed. *R' Saadiah Gaon* holds that the 613 commandments were written, but not the text of the Torah.

33. The procedure was as follows: The Ark was placed in the valley between the two mountains surrounded by the Kohanim, who were in turn surrounded by the senior Levites. The rest of the nation, including the rest of the Levites, stood on the slopes of the two mountains, facing the Ark and the Levites in the valley. On Mount Gerizim were Simeon, Levi, Judah, Issachar, both halves of Joseph, and Benjamin. On Mount Ebal were Reuben, Gad, Asher, Zebulun, Dan, and Naphtali. The Levites turned to Mount Gerizim and pronounced each of the commandments in the form of a blessing: *Blessed is the man. . .* and the all the tribes answered Amen. Then the Levites turned to Mount Ebal and intoned *Accursed is the man . . .* and all the tribes answered Amen. The text of the commandments is in *Deuteronomy* 27:15-26.

35. וְהַגֵּר הַהֹלֵךְ בְּקִרְבָּם — *And the converts that walked among them.* As the Jews traveled through the Wilderness and gentiles heard of and saw the miracles, many of them converted and joined Israel (*Radak*).

כִשְׁמֹעַ כָּל־הַמְּלָכִים אֲשֶׁר בְּעֵבֶר הַיַּרְדֵּן בָּהָר וּבַשְּׁפֵלָה וּבְכֹל חוֹף הַיָּם הַגָּדוֹל
ב אֶל־מוּל הַלְּבָנוֹן הַחִתִּי וְהָאֱמֹרִי הַכְּנַעֲנִי הַפְּרִזִּי הַחִוִּי וְהַיְבוּסִי: וַיִּתְקַבְּצוּ יַחְדָּו
ג לְהִלָּחֵם עִם־יְהוֹשֻׁעַ וְעִם־יִשְׂרָאֵל פֶּה אֶחָד: וְיֹשְׁבֵי גִבְעוֹן שָׁמְעוּ
ד אֵת אֲשֶׁר עָשָׂה יְהוֹשֻׁעַ לִירִיחוֹ וְלָעָי: וַיַּעֲשׂוּ גַם־הֵמָּה בְּעָרְמָה וַיֵּלְכוּ וַיִּצְטַיָּרוּ
ה וַיִּקְחוּ שַׂקִּים בָּלִים לַחֲמוֹרֵיהֶם וְנֹאדוֹת יַיִן בָּלִים וּמְבֻקָּעִים וּמְצֹרָרִים: וּנְעָלוֹת
בָּלוֹת וּמְטֻלָּאוֹת בְּרַגְלֵיהֶם וּשְׂלָמוֹת בָּלוֹת עֲלֵיהֶם וְכֹל לֶחֶם צֵידָם יָבֵשׁ הָיָה
ו נִקֻּדִים: וַיֵּלְכוּ אֶל־יְהוֹשֻׁעַ אֶל־הַמַּחֲנֶה הַגִּלְגָּל וַיֹּאמְרוּ אֵלָיו וְאֶל־אִישׁ יִשְׂרָאֵל
ז מֵאֶרֶץ רְחוֹקָה בָּאנוּ וְעַתָּה כִּרְתוּ־לָנוּ בְרִית: °ויאמרו [°וַיֹּאמֶר ק׳] אִישׁ־יִשְׂרָאֵל
אֶל־הַחִוִּי אוּלַי בְּקִרְבִּי אַתָּה יוֹשֵׁב וְאֵיךְ °אכרות [°אֶכְרָת־ ק׳] לְךָ בְרִית:

רש״י

(ד) ויעשו גם המה בערמה. כמו שעשו בני יעקב בערמה (בראשית לד), בחמור אבי שכם שהיה חוי, ויושבי גבעון מן החוי היו, כמו שאמור בענין: **ויצטירו.** עשו עצמם כהולכים בשליחות, לשון וְצִיר בַּגּוֹיִם שָׁלוּחַ (ירמיהו מט, יד). וכל תיבה שתחלת יסודה צד״י, כשהיא מתפעלת בלשון מתפעל או נתפעל, באה טי״ת בתוכה וחולקת את אותיות שרשי התיבה, כמו מַה נִּצְטַדָּק (בראשית מד, טז), מגזרת צדק, שאומר נצטדק, וכן גִּשְׁמֵהּ יִצְטַבַּע (דניאל ה, כא), מגזרת צבע: **שקים בלים.** שיהיו נראים כבאים מארץ רחוקה: **ומצררים.** לשון מבוקעים, לשון ארמי זירא דחיטי (ראה פסחים מ, א), דמצרי זיקי (עבודה זרה ל, א): **(ה) נקודים.** ארשי״ן בלע״ז, לשון מוקד, וכן תרגמו יונתן כַּסְנִין: **(ז) אולי בקרבי אתה יושב.** שמא מיושבי הארץ אתם:

רד״ק

(ב) פה אחד. בהסכמה אחת ועצה אחת, ועל הדרך הזה תרגם יונתן סִיעָא חֲדָא, ולא פירש הקבוץ הזה עד שספר מעשה יושבי גבעון כי בעבורם התקבצו כמו שמספר למטה (פרק י, ה): **(ד) גם המה.** דרשו בו לרבות על בני יעקב שבאו להם במרמה כמו שאומר בְּמִרְמָה וַיְדַבֵּרוּ (בראשית לד, יג) והם היו החוי (שם פסוק ב, ולקמן פסוק ז) ויש לפרש גַם לרבות על בני יריחו ועי כי הם עשו עם בני ישראל להשמר מהם, כמו שאמר וִירִיחוֹ סֹגֶרֶת וּמְסֻגֶּרֶת (לעיל ו, א) או להלחם עמהם כמו עי (לעיל ז, ה) והם עשו גם הם כן אבל בערמה באו אליהם להשלים עמהם, ויש לפרש עוד גַם לרבות על ערמת ישראל לפי מחשבת החוי, כי הם חשבו כי בערמה הכו ישראל יריחו ועי, ששלחו להם להשלים כדי שלא ישמרו מהם ואחר כך הכום, והם באו להם בערמה אף על פי שהם בעצמם ידעו כי סופם לגלות להם ערמתם, חשבו אחרי שיכרתו לנו ברית לא יעברו על בריתם אף על פי שיתגלה להם הערמה אחר כן: **ויצטירו.** עשו עצמם צירים ומלאכים באים מארץ רחוקה, ומן התימה שתירגם אותו יונתן כמו בדל״ת אִיזְדַּוָּדוּ מן צֵידָה (לקמן פסוק יא) שתרגמו זְוָדִין: **(ה) נקדים.** יונתן תרגם כַּסְנִין, ודברי רבותינו ז״ל (ברכות מב, א) פת הבאה בכסנין והוא פת עושים אותו כעבין יבשין (ראה תוספתא חלה א, ז) וכוססין אותו בבית המשתה. ועוד מפרשים אותו מענין נָקֹד וְטָלוּא (בראשית ל, לב) כלומר מעופש היה, והלחם המעופש הוא נקודים, כי יש בלחם המעופש אדום וירוק ושחור נקודים נקודים: **(ז) ויאמרו.** כן כתיב וקרי וַיֹּאמֶר, והכתיב על הפרט והקרי על הכלל כמו שאמר אִישׁ יִשְׂרָאֵל: **אל החוי.** מבני חוי היו גבעון והערים הסמוכות להם שהיו בזאת העצה, ובדרש (במדבר רבה ח, ד) מה הוא הַחִוִּי וכי חוים היו, אלא שעשו מעשה חויא פירוש נחש, כלומר שרמו את ישראל כמו הנחש שרמה את חוה (בראשית ג, ד): **אולי בקרבי אתה יושב.** שאם היו יודעין שהם מארץ כנען היו אסורים לכרות להם ברית, שנאמר לֹא תִכְרֹת לָהֶם בְּרִית וְלֹא תְחָנֵּם (דברים ז, ב) והברית הוא שיהיו בשלום עמם ולא יהיו עבדים להם ומקבלים מצוותם, וזה אסרה התורה, ואף על פי שכולם אם היו משלימים היו מקבלים אותם, כמו שכתוב לֹא הָיְתָה עִיר אֲשֶׁר הִשְׁלִימָה אֶל בְּנֵי יִשְׂרָאֵל בִּלְתִּי הַחִוִּי יֹשְׁבֵי גִבְעוֹן וגו׳ (לקמן יא, יט) מכלל שאם השלימו היו מקבלים אותם, כן הוא, אבל בתנאי שיכריתו עבודת גילולים מארצם ושיקבלו עליהם שבע מצות שהוזהר בהם אדם הראשון, כמו שאמר הכתוב פֶּן יַחֲטִיאוּ אֹתְךָ לִי (שמות כג, לג) משמע כל זמן שהם בחטא ואינם מקיימים שבע מצות שחייבים בהם בני נח אסור להניחם לשבת בארץ, אבל מצוה להחרימם ושלא לחיות מהם נשמה, ואם היו משלימים ועוקרים עבודת גילולים ומקבלים שבע מצות צריך עוד שיהיו למס ויהיו עובדים לישראל ונכבשים תחת ידיהם, כמו שהוא אומר יִהְיוּ לְךָ לָמַס וַעֲבָדוּךָ (דברים כ, יא), וכן אמר בשלמה מלך ישראל כָּל הָעָם הַנּוֹתָר מִן הָאֱמֹרִי הַחִתִּי הַפְּרִזִּי הַחִוִּי וְהַיְבוּסִי (מלכים־א ט, כ) וַיַּעֲלֵם שְׁלֹמֹה לְמַס עֹבֵד עַד הַיּוֹם הַזֶּה (שם פסוק כא). אם כן מה בין שאר אומות לשבעה עממים, יש ביניהם זה הדבר, כי שאר האומות אם היו עושין מלחמה ולא רצו להשלים, היו הורגים כל זכר בהם והנשים והטף היו בוזזים להם ומחיים אותם לעבדים, אבל בשבע אומות אם לא רצו להשלים היה מצוה שלא לחיות מהם כל נשמה, שנאמר רק מהעמים לֹא תְחַיֶּה כָּל נְשָׁמָה (דברים כ, טז) ולכל האומות קוראים להם שלום תחלה, שנאמר וְקָרָאתָ אֵלֶיהָ לְשָׁלוֹם (שם פסוק י) ואפילו שבע אומות בכלל חוץ מעמון ומואב, שנאמר לֹא תִדְרֹשׁ שְׁלֹמָם וְטֹבָתָם (שם כג, ז) אם כן אחר שהשלימו יושבי גבעון למה היו הורגים אותם בני ישראל לולי השבועה, לפי שהטעו אותם וכרתו להם ברית בטעות, והיה בדין להרגם אם לא היה בדבר חלול השם מפני השבועה, כי אף על פי שהיתה השבועה בטעות אם לא יקיימוה היה בדבר חלול השם, כי רבים ישמעו בשבועה ולא ישמעו בטעות, ובעת

מצודת דוד

(א) כשמע. אשר כבשו את העי ברוב עם ובתחבולה: **(ב) ויתקבצו.** להיות גם הם עם רב ויועצים הרבה להתחכם במלחמה עמהם: **(ג) ליריחו ולעי.** רצה לומר, שהמה שני דברים הפכים, כי יריחו כבשו בנס, והעי בתחבולות וברוב עם, ולזה הבינו הדבר שבערמה עשו להטעותם, כאמור למעלה (ח, א): **(ד) ויעשו גם המה בערמה.** כמו שעשו ישראל: **ויצטירו.** עשו עצמם כשלוחים באים מארץ מרחק, כי שם ציר הונח על השלוח למרחוק, וכמו שכתוב וַתְּשַׁלְּחִי צִירַיִךְ עַד מֵרָחֹק (ישעיהו נז, ט): **בלים.** להטעות את ישראל לחשוב שמרוב מרחק הדרך בלו: **ומצררים.** מקושרים סביבות הבקיעים: **(ה) ומטלאת.** כי בעת התיישן המנעלים, יתחלפו בכמה גוונים: **נקדים.** כי בהתיישן הלחם, יתעפש, ובו נקודים לבנים וירוקים ושחורים: **(ו) מארץ רחוקה.** לא מארץ כנען אשר הוזהרתם בלא תְחַיֶּה כָּל נְשָׁמָה (דברים כ, טז), ולזה כרתו לנו ברית להחיותינו: **(ז) בקרבי.** בקרב הארץ הניתן לי והוא ארץ כנען:

מצודת ציון

(א) ובשפלה. בעמק: **חוף.** שפת: **(ב) פה אחד.** רצה לומר, בעצה אחת: **(ד) ויצטירו.** עשו עצמם כשלוחים, כמו צִיר אֱמוּנִים (משלי יג, יז): **בלים.** מורקבים: **נאדות.** הם כלי היין: **ומבקעים.** מלשון בקיעה: **ומצררים.** מקושרים, כמו צְרוֹר כַּסְפּוֹ (בראשית מב, לה): **(ה) ונעלות.** מנעלים שברגליהם: **ומטלאת.** ענין חלוף הגוונים, כמו בָּמוֹת טְלֻאוֹת (יחזקאל טז, טז): **צידם.** מזונם: **נקדים.** מנומר בחברבורות, כמו נְקֻדִּים וּבְרֻדִּים (בראשית לא, יב):

9 THE GIBEONITES 9:1-27

1 *When all the kings that were on the [western] side of the Jordan — in the mountain
and in the lowland and on the entire shore of the Great [Mediterranean] Sea
opposite the Lebanon, the Hittite and the Amorite, the Canaanite, the Perizzite, the
Hivvite, and the Jebusite — heard,* 2 *they gathered together to wage war with Joshua and
with Israel, with a single accord.*

The Gibeonites' ruse

3 *The inhabitants of Gibeon heard what Joshua had done to Jericho and to Ai.* 4 *They
also acted — [but] with guile — and went and disguised themselves as ambassadors.
They took well-worn sacks for their donkeys; well-worn, cracked, and split wineskins;* 5
*well-worn and patched shoes on their feet; and well-worn garments on themselves. All the
bread of their provisions was dry, toasted.* 6 *They went to Joshua at the camp at Gilgal
and said to him and to the men of Israel, "We have come from a distant land; now seal a
covenant with us."*

7 *The men of Israel said to the Hivvite, "Perhaps you dwell in my midst. How can I seal
a covenant with you?"*

9.

Offers of peace. It is forbidden to declare war against any nation without first offering to make peace, and this applied even to the seven Canaanite nations. Accordingly, before Israel crossed the Jordan, Joshua sent three messages to the Canaanite kingdoms: (1) They were free to evacuate the land and they would not be harmed. (2) If they wished to remain, they must accept the following terms: Keep the Seven Noachide Laws of universal morality, pay taxes, and perform national service. (3) If they refused to leave or accept the terms of peace, they would face total war. The Girgashite nation accepted the first choice and migrated to Africa. All the other Canaanite nations rejected Joshua's overture. The Gibeonites were included among the rejectionists, but later they had a change of heart. Mistakenly they thought that it was too late to accept Joshua's second alternative and remain at peace in *Eretz Yisrael,* so they devised an elaborate ruse to deceive Joshua and the leaders of Israel (*Rambam, Hil. Melachim* 6:1,6).

1-2. The Canaanite nations unite. The sin of Achan [Ch. 7] continued to have repercussions. Although the Canaanite nations had been thoroughly cowed when Israel crossed the Jordan, and the miraculous disappearance of Jericho's mighty wall surely frightened them even more, now they were ready to make an alliance to fight the invader. The first battle of Ai had shown that Israel was not invincible. Even the eventual victory contributed to the Canaanite resistance, because Joshua had relied on military strategy rather than miracles, indicating to the Canaanites that God was no longer fighting Israel's battles. Add to this the Canaanite unwillingness to accept Israel's terms for peace (see above), and the result was a united resolve to fight.

1. וַיְהִי כִשְׁמֹעַ — *When [the kings] heard* about the two battles of Ai, as noted above (*Metzudos, Malbim*). According to *Ralbag,* hearing that Jericho and Ai had been conquered one by one, the kings decided that they had to become allies and fight together, otherwise they would all be picked off a city at a time.

3-13. The Gibeonite deception. Facts are generally available to everyone; good or bad outcomes are the result of how a person or a nation interprets the facts. All the nations of Canaan heard that Israel had arrived and how they crossed the Jordan and defeated Jericho and Ai. The kings of the land reacted with determination to fight; the Gibeonites broke with their Hivvite brethren and decide to make peace. They concocted an elaborate strategy to deceive the Jews and, although they surely knew that their ruse would be discovered sooner or later, they felt that once a covenant was made — even though it was under false pretenses — Israel would honor it. They proved correct.

4-5. The Gibeonites disguised themselves as people who had traveled a long and wearying distance, only in order to convert to Judaism.

4. גַּם־הֵמָּה — *They also acted.* the word *also* implies that the Gibeonites imitated someone else. Midrashically, as Hivvites (v. 7), they patterned themselves after the Hivvite prince of Shechem, who abducted Jacob's daughter Dinah. In order to rescue their sister, the sons of Jacob beguiled the Shechemites to circumcise themselves (*Genesis* 34:2) (*Rashi*). Alternatively, the verse alludes to the group of Gibeonites that previously deceived Moses in the Wilderness (see *Rashi* to *Deuteronomy* 29:10).

In the plain sense, just as Jericho and Ai defended themselves, one by relying on an "impregnable" wall and the other through armed resistance, the Gibeonites chose their own manner of self-preservation (*Radak*).

6. וְעַתָּה כִּרְתוּ־לָנוּ בְרִית — *Now seal a covenant with us.* Knowing that their deception would not succeed indefinitely and that the Jews would sooner or later learn that they were really Canaanites, the Gibeonites wanted the covenant to be sealed quickly, after which the Jews would feel morally bound by it (*Kli Yakar*).

7-8. The Gibeonites had been speaking both to Joshua and the general Jewish population (v. 6), trying their luck with whoever would be receptive. First the *men of Israel* expressed their suspicions, saying that if the strangers *dwell in my midst,* i.e., if they are really Canaanites, there could not be a covenant unless they adhered to strict guidelines (see introductory

ח וַיֹּאמְרוּ אֶל־יְהוֹשֻׁעַ עֲבָדֶיךָ אֲנָחְנוּ וַיֹּאמֶר אֲלֵיהֶם יְהוֹשֻׁעַ מִי אַתֶּם וּמֵאַיִן תָּבֹאוּ׃
ט וַיֹּאמְרוּ אֵלָיו מֵאֶרֶץ רְחוֹקָה מְאֹד בָּאוּ עֲבָדֶיךָ לְשֵׁם יהוה אֱלֹהֶיךָ כִּי־שָׁמַעְנוּ שָׁמְעוֹ
י וְאֵת כָּל־אֲשֶׁר עָשָׂה בְּמִצְרָיִם׃ וְאֵת ׀ כָּל־אֲשֶׁר עָשָׂה לִשְׁנֵי מַלְכֵי הָאֱמֹרִי אֲשֶׁר
יא בְּעֵבֶר הַיַּרְדֵּן לְסִיחוֹן מֶלֶךְ חֶשְׁבּוֹן וּלְעוֹג מֶלֶךְ־הַבָּשָׁן אֲשֶׁר בְּעַשְׁתָּרוֹת׃ וַיֹּאמְרוּ
אֵלֵינוּ זְקֵינֵינוּ וְכָל־יֹשְׁבֵי אַרְצֵנוּ לֵאמֹר קְחוּ בְיֶדְכֶם צֵידָה לַדֶּרֶךְ וּלְכוּ לִקְרָאתָם
יב וַאֲמַרְתֶּם אֲלֵיהֶם עַבְדֵיכֶם אֲנַחְנוּ וְעַתָּה כִּרְתוּ־לָנוּ בְרִית׃ זֶה ׀ לַחְמֵנוּ חָם הִצְטַיַּדְנוּ
יג אֹתוֹ מִבָּתֵּינוּ בְּיוֹם צֵאתֵנוּ לָלֶכֶת אֲלֵיכֶם וְעַתָּה הִנֵּה יָבֵשׁ וְהָיָה נִקֻּדִים׃ וְאֵלֶּה נֹאדוֹת
הַיַּיִן אֲשֶׁר מִלֵּאנוּ חֲדָשִׁים וְהִנֵּה הִתְבַּקָּעוּ וְאֵלֶּה שַׂלְמוֹתֵינוּ וּנְעָלֵינוּ בָּלוּ מֵרֹב
יד־טו הַדֶּרֶךְ מְאֹד׃ וַיִּקְחוּ הָאֲנָשִׁים מִצֵּידָם וְאֶת־פִּי יהוה לֹא שָׁאָלוּ׃ וַיַּעַשׂ לָהֶם יְהוֹשֻׁעַ
טז שָׁלוֹם וַיִּכְרֹת לָהֶם בְּרִית לְחַיּוֹתָם וַיִּשָּׁבְעוּ לָהֶם נְשִׂיאֵי הָעֵדָה׃ וַיְהִי מִקְצֵה שְׁלֹשֶׁת
יָמִים אַחֲרֵי אֲשֶׁר־כָּרְתוּ לָהֶם בְּרִית וַיִּשְׁמְעוּ כִּי־קְרֹבִים הֵם אֵלָיו וּבְקִרְבּוֹ הֵם
יז יֹשְׁבִים׃ וַיִּסְעוּ בְנֵי־יִשְׂרָאֵל וַיָּבֹאוּ אֶל־עָרֵיהֶם בַּיּוֹם הַשְּׁלִישִׁי וְעָרֵיהֶם גִּבְעוֹן
יח וְהַכְּפִירָה וּבְאֵרוֹת וְקִרְיַת יְעָרִים׃ וְלֹא הִכּוּם בְּנֵי יִשְׂרָאֵל כִּי־נִשְׁבְּעוּ לָהֶם
יט נְשִׂיאֵי הָעֵדָה בַּיהוה אֱלֹהֵי יִשְׂרָאֵל וַיִּלֹּנוּ כָל־הָעֵדָה עַל־הַנְּשִׂיאִים׃ וַיֹּאמְרוּ
כָל־הַנְּשִׂיאִים אֶל־כָּל־הָעֵדָה אֲנַחְנוּ נִשְׁבַּעְנוּ לָהֶם בַּיהוה אֱלֹהֵי יִשְׂרָאֵל וְעַתָּה לֹא

רש״י

(יב) **הצטידנו.** לשון לדה כשהולכנוהו ללדה לדרך: (יד) **ויקחו האנשים מצידם.** קבלו דבריהם שלדוס בפיהם, לשון וַאֲשֶׁר לֹא צָדָה (שמות כא, יג):

רד״ק

השבועה לא הזכירו תנאי בשבועה, ולפי שהטעו אותם הקשו בעבודתם ולא הניחום שיהיו למס עובד בלבד, אלא שיהיו חוטבי עצים ושואבי מים לעדה. ויש מרבותנו ז״ל שאמרו (גיטין מו, א) כי נדר או שבועה שנעשה ברבים אין לו היתר, ולמדו זה הדבר מדבר הגבעונים שלא הכום בעבור שנשבעו להם (לקמן פסוק יח). והחולקים עליהם אמרו כי בדבר הגבעונים לא חלה השבועה עליהם כלל שהרי מוטעים היו, ומה שלא הרגום מפני קידוש השם שיאמרו העולם כמה חמורה עליהם שבועת ה׳ כי אפילו נעשית בטעות לא יעברו עליה, והפסוקים מוכיחים כדברי מי שאמר כי מפני שנעשית השבועה ברבים אין לו היתר, שהרי אמרו הנשיאים וְלֹא יִהְיֶה עָלֵינוּ קֶצֶף עַל הַשְּׁבוּעָה (לקמן פסוק כ) ואם לא היה בדבר אלא מפני קדוש השם מה קצף היה בזה. ואמרו רבותינו ז״ל (ירושלמי שביעית ו, א) כי שלשה כתבים שלח יהושע בכניסתן לארץ, שלח להם מי שרוצה להשלים יבא וישלים, וחזור ושלח להם מי שרוצה לעשות מלחמה יעשה מלחמה, וחזור ושלח להם מי שרוצה לפנות יפנה, מי שהאמין בהקב״ה וחרד לדבריו הלך לו לאפריקי, ואמר בדרש (במדבר רבה יז, ג) כי הכנעני הוא שפנה, מפני זה זכה להקרא לארץ ישראל אֶרֶץ כְּנָעַן (ויקרא יח, ג) על שמו וזכה לארץ טובה שהיא אפריקי, ויש אומרים כי הפריזי פנה לפניהם והלך לו, אם כן למה הוצרכו יושבי גבעון להערים וקבלו השלום. לפי שיהושע שלח בכלל לכלם, ויושבי גבעון חשבו הלא גם כן שלח ליריחו ולעי להשלים, והנה הכה אותם, אולי לא יקיים הבטחתו ליושבי הארץ הזאת, ובמרמה הוא שולח להם להשלים כדי שלא ישמרו מהם, לפיכך עשו גם המה בערמה ואמרו כי מארץ רחוקה הם כדי שיכרתו להם ברית: (ח־י) **ויאמרו אל יהושע וגו׳. מארץ רחוקה מאד. . . כי שמענו שמעו ואת כל אשר עשה במצרים ואת כל אשר עשה לשני מלכי האמורי וגו׳.** זכרו מצרים וסיחון ועוג ולא זכרו הירדן (לעיל פרק ד) לפי שהיה דבר מצרים וסיחון ועוג מימים קדמונים, ודבר הירדן היה מזמן קרוב, כלומר הראו ליהושע שלא שמעו דבר הירדן כל כך היא רחוקה ארצם: (יא) **זקינינו.** נכתב ביו״ד המשך בין הקו״ף והנו״ן שלא כמנהג, ובדרש (בראשית רבה מט, ט) אמר רבי יוחנן זקינינו כתיב זקני אשמאי היו: (יב) **הצטידנו אתו.** לשון ספוק מזון מן צדה לדרך, ופירוש לקחנו אותו מבתינו להצטיד בו הדרך: (יד) **ויקחו.** יש מפרשים אותו כמו למדו מן לֶקַח טוב (משלי ד, ב) כלומר למדו והבינו מצידם שהיה יבש כי אמת אמרו, ויש לפרש וַיִּקְחוּ כמשמעו שלקחו מצידם ואכלו ממנו בברית כדי שיבטחו בהם, ויונתן תרגם וְקַבִּילוּ גַּבְרַיָּא לְפִתְגָּמֵיהוֹן:

מצודת דוד

(ח) **עבדיך אנחנו.** כאומר אין לנו עסק עם כל העם הזה, כי הלא לא לכולם נהיה עבדים כי אם לך לבדך, כאומר ואדוני, הלא ישכיל לדעת שאין אנו מארץ כנען: **מי אתם.** מאיזה עם: **ומאין.** מאיזה מדינה: (ט) **רחוקה מאוד.** ולא יהיה אם כן ניכר לך, לא העם ולא המדינה: **לשם ה׳.** בעבור פרסום שם ה׳: (יא) **עבדיכם אנחנו.** להעלות את המס: **כרתו לנו ברית.** להחיותינו: (יב) **זה לחמנו.** אשר תראו בידינו, הנה בהיותו עדיין חם לקחנו אותו צידה לדרך: **הנה יבש.** בעבור זמן הרב מגודל מרחק הדרך: (יג) **חדשים.** בעת מלואם היו חדשים: (יד) **ויקחו.** רצה לומר, לקחו מופת וראייה מיובש צידם והאמינו להם, או לקחו מצידם ואכלו, לקיים ברית ואהבה:

מצודת ציון

(יב) **הצטידנו.** מלשון צידה ומזון: (יח) **וילנו.** מלשון תלונה ותערומות:

remarks). Thereupon, the Gibeonites made their appeal directly to Joshua, but now they added a concession: Instead of asking for a covenant, they offered to become servants of the people, but Joshua, too, was suspicious of their origins.

9-13. The Gibeonites made a convincing emotional appeal to Joshua. Subtly they modified their request. Whereas they had spoken only of servitude (v. 8), now they said that in addition to becoming servants, they wanted a covenant (v. 11).

8 *They said to Joshua, "We are your servants." Joshua said to them, "Who are you*
and from where do you come?" 9 *They said to him, "Your servants have come from a*
very distant land for the sake of HASHEM, *your God. We have heard of His fame and all*
that He did in Egypt, 10 *and all that He did to the two Amorite kings that were on the*
[other] side of the Jordan, to Sihon, king of Heshbon, and to Og, king of Bashan, who
was in Ashtaroth. 11 *Our elders and all the inhabitants of our country spoke to us, saying,*
'Take in your hands provisions for the journey and go meet them and say to them: We
are your servants. Now seal a covenant with us.' 12 *This is our bread: It was hot when we*
packed it for our provisions from our houses, on the day we went forth to go to you; now
behold, it is dry and has become toasted. 13 *These wineskins were new when we filled*
them; [now] behold, they are cracked! These are our clothes and our shoes; they are
well-worn from the very long journey."
14 *The men accepted their deception, but they did not ask for the word of* HASHEM.

A covenant is mistakenly made

15 *Joshua made peace with them and sealed a covenant with them to let them live; the*
leaders of the assembly swore to them.
16 *It happened at the end of three days after they had sealed a covenant with them that*

The Gibeonites' deception is uncovered

they heard that they were neighbors of theirs and that they dwelled in their midst. 17 *The*
Children of Israel traveled and came to their cities on the third day; their cities were
Gibeon, Chephirah, Beroth, and Kiriath-jearim. 18 *The Children of Israel did not smite*
them, because the leaders of the assembly had sworn to them by HASHEM, *God of*
Israel; but the entire assembly complained against the leaders. 19 *All the leaders said to*
the entire assembly, "We have sworn to them by HASHEM, *God of Israel; now we may not*

Radak notes that in their lists of miracles that had convinced them to make the "long, long" trip, they did not mention the splitting of the Jordan. This was because they realized that such a claim would have exposed them as frauds, because the Jordan had split at a time when they were supposedly *en route.*

14-15. The ruse succeeds. The Gibeonites were convincing, but there was a discrepancy between the leaders of the people and Joshua. Joshua made peace and sealed a covenant, but he did not *swear* fealty to the Gibeonites. Without his knowledge, however, the *leaders of the assembly* took an oath (*Abarbanel*), but Joshua did not swear to them because he wanted to be free to withdraw from the pact in case the Gibeonites were shown to be liars (*Me'am Loez*).

This passage says nothing about the servitude, which the Gibeonites themselves offered. Apparently Joshua did not impose this upon them. The effect of the "covenant," *Ramban* explains, is that Israel treated the Gibeonites as equals and both sides agreed to defend one another against attack. However, Scripture implies a rebuke to Joshua and the leaders for not seeking the *word of Hashem;* as a prophet, Joshua could have sought Heavenly guidance, or he could have inquired of the *Urim v'Tumim* (*Ralbag*).

15. וַיִּשָּׁבְעוּ לָהֶם נְשִׂיאֵי הָעֵדָה — *The leaders of the assembly swore to them.* Only Joshua had the authority to make such commitments; on what basis did the leaders swear? Furthermore, as will be seen below, even after this oath there was still a real danger that the Jewish people would not feel obliged to abide by it. Rather the sense of this oath was that the leaders would do everything in their power to safeguard the Gibeonites, but they could not guarantee their safety (see *Meromei Sadeh, Shavuos* 25b).

16-21. Protest against the leaders. The people learned that the "distant travelers" were actually Canaanites who had no right to live among them, since they had never accepted the conditions of Joshua's peace offers (see Introductory Remarks) and, what is more, had behaved dishonorably by lying about their origins. Since the oath of the leaders to the Gibeonites was obtained under false pretenses, it was not binding (*Gittin* 46a), so the Jewish populace felt justified in attacking the Gibeonite towns like any other part of the country.

18. The leaders prevented the people from attacking because they, the leaders, had sworn to protect the Gibeonites. The people reacted angrily, charging, correctly, that the leaders had no right to make such an oath and that, in any case, the oath was null and void because of the Gibeonite deception.

19. The leaders, too, agreed that an oath obtained through deception is not binding, but they argued that the people must abide by it anyway, because it would be a desecration of God's Name for Jews to break their promise (ibid.), and the oath of leaders is binding on the nation. As *Ralbag* puts it, even though the oath had no halachic validity, the people must abide by it lest the idolaters say, "There is no fear of God in Israel."

כ נוּכַל לִנְגֹּעַ בָּהֶם: זֹאת נַעֲשֶׂה לָהֶם וְהַחֲיֵה אוֹתָם וְלֹא־יִהְיֶה עָלֵינוּ קֶצֶף עַל־
כא הַשְּׁבוּעָה אֲשֶׁר־נִשְׁבַּעְנוּ לָהֶם: וַיֹּאמְרוּ אֲלֵיהֶם הַנְּשִׂיאִים יִחְיוּ וַיִּהְיוּ חֹטְבֵי עֵצִים
כב וְשֹׁאֲבֵי־מַיִם לְכָל־הָעֵדָה כַּאֲשֶׁר דִּבְּרוּ לָהֶם הַנְּשִׂיאִים: וַיִּקְרָא לָהֶם יְהוֹשֻׁעַ וַיְדַבֵּר
אֲלֵיהֶם לֵאמֹר לָמָּה רִמִּיתֶם אֹתָנוּ לֵאמֹר רְחוֹקִים אֲנַחְנוּ מִכֶּם מְאֹד וְאַתֶּם
כג בְּקִרְבֵּנוּ יֹשְׁבִים: וְעַתָּה אֲרוּרִים אַתֶּם וְלֹא־יִכָּרֵת מִכֶּם עֶבֶד וְחֹטְבֵי עֵצִים וְשֹׁאֲבֵי
כד מַיִם לְבֵית אֱלֹהָי: וַיַּעֲנוּ אֶת־יְהוֹשֻׁעַ וַיֹּאמְרוּ כִּי הֻגֵּד הֻגַּד לַעֲבָדֶיךָ אֵת אֲשֶׁר צִוָּה
יְהוָה אֱלֹהֶיךָ אֶת־מֹשֶׁה עַבְדּוֹ לָתֵת לָכֶם אֶת־כָּל־הָאָרֶץ וּלְהַשְׁמִיד אֶת־כָּל־יֹשְׁבֵי
כה הָאָרֶץ מִפְּנֵיכֶם וַנִּירָא מְאֹד לְנַפְשֹׁתֵינוּ מִפְּנֵיכֶם וַנַּעֲשֵׂה אֶת־הַדָּבָר הַזֶּה: וְעַתָּה
כו הִנְנוּ בְיָדֶךָ כַּטּוֹב וְכַיָּשָׁר בְּעֵינֶיךָ לַעֲשׂוֹת לָנוּ עֲשֵׂה: וַיַּעַשׂ לָהֶם כֵּן וַיַּצֵּל אוֹתָם מִיַּד
כז בְּנֵי־יִשְׂרָאֵל וְלֹא הֲרָגוּם: וַיִּתְּנֵם יְהוֹשֻׁעַ בַּיּוֹם הַהוּא חֹטְבֵי עֵצִים וְשֹׁאֲבֵי מַיִם לָעֵדָה
י א וּלְמִזְבַּח יְהוָה עַד־הַיּוֹם הַזֶּה אֶל־הַמָּקוֹם אֲשֶׁר יִבְחָר: וַיְהִי
כִּשְׁמֹעַ אֲדֹנִי־צֶדֶק מֶלֶךְ יְרוּשָׁלַםִ כִּי־לָכַד יְהוֹשֻׁעַ אֶת־הָעַי וַיַּחֲרִימָהּ כַּאֲשֶׁר
עָשָׂה לִירִיחוֹ וּלְמַלְכָּהּ כֵּן־עָשָׂה לָעַי וּלְמַלְכָּהּ וְכִי הִשְׁלִימוּ יֹשְׁבֵי גִבְעוֹן אֶת־
ב יִשְׂרָאֵל וַיִּהְיוּ בְּקִרְבָּם: וַיִּירְאוּ מְאֹד כִּי עִיר גְּדוֹלָה גִּבְעוֹן כְּאַחַת עָרֵי הַמַּמְלָכָה

רד״ק

(כ) **והחיה אותם.** מקור: (כא) **יחיו ויהיו חטבי עצים ושאבי מים לכל העדה.** זה מקרא קצר, כי הנשיאים אמרו יחיו וְיהיו חוטבי עצים ושואבי מים והמקרא אחז דרך קצרה ואמר וַיִּהְיוּ בפתח הויו לשון עבר, ויהיו כאשר דברו להם הנשיאים, וזה מעיד כי כן אמר[ו] להם הנשיאים, ומה שאמרו הם לְכָל הָעֵדָה ויהושע אמר להם לְבֵית אֱלֹהָי (פסוק כג) הא כיצד, כל זמן שהיו העדה במחנה עד שלא נחלקה הארץ היו חוטבי עצים ושואבי מים לעדה, אבל לאחר שנחלקה הארץ והיו ישראל בעירו ובנחלתו נשארו הם חוטבי עצים ושואבי מים לבית אלהים, בגלגל ובשילה ובנוב ובגבעון ובית עולמים, כמו שאמר אֶל הַמָּקוֹם אֲשֶׁר יִבְחָר (פסוק כז). ואמרו רבותינו ז״ל כי כיון שנתנם יהושע חוטבי עצים ושואבי מים, גזר עליהם שלא יבאו בקהל כלומר שלא יתחתנו ישראל בהם, ותלה אסורן בזמן שבית המקדש קיים שהרי אמר לְבֵית אֱלֹהָי, משמע כל זמן שהיו חוטבי עצים ושואבי מים לבית אלהי וזהו כל זמן שבית המקדש קיים, בא דוד וגזר עליהם לעולם וכן כתוב בספר עזרא (ח, כ) וּמִן הַנְּתִינִים שֶׁנָּתַן דָּוִיד וְהַשָּׂרִים לַעֲבֹדַת הַלְוִיִּם: (כד) **ונעשה את הדבר הזה.** בצרי שלא כמנהג, וכבר כתבנו הדומים להם בספר מכלל: (כה) **ועתה הננו בידך.** קל ובשו״א הנו״ן הראשונה: (א) **אדני צדק.** כל מלכי ירושלים היו נקראים בזמן ההוא מלכי צדק או אדני צדק, כמו שנאמר וּמַלְכִּי צֶדֶק מֶלֶךְ שָׁלֵם (בראשית יד, יח) הוא ירושלים כמו שכתוב וַיְהִי בְשָׁלֵם סֻכּוֹ (תהלים עו, ג), ונקראו כן בעבור ירושלים שהוא מקום צדק (ישעיהו א, כא):

מצודת דוד

(כ) **זאת.** רצה לומר, הדבר הזאת להחיות אותם, בעל כרחנו נעשה להם, שלא יקצוף ה׳ על בטול השבועה: (כא) **ויאמרו אליהם הנשיאים יחיו.** רצה לומר, הנה בעבור השבועה לא תגידו לא יחיו, וכאומר אך נתבונן מה נעשה עמהם בגמול הרמאות: **ויהיו וכו׳.** רצה לומר הגמול היה שהיו חוטבי כו׳, כאשר גזרו הנשיאים, כי כל העדה שמעו להם: (כג) **ועתה.** רצה לומר, עתה בעת המלחמה תהיו ארורים להיות עבדים לכל העדה, אבל לבית ה׳ תהיו לעולם עבדים ולא יכרת הדבר: (כו) **ויעש להם כן.** כמו שאמר הוא להיות עבדים לכל העדה בעת המלחמה, ולבית ה׳ לעולם: **ולא הרגום.** כאשר חשבו בתחלה: (כז) **לעדה ולמזבח וכו׳ עד היום הזה.** רצה לומר, לעדה בעת המלחמה, ולמזבח ה׳ עד היום הזה: **אל המקום.** במקום שיעמוד המזבח שמה יעבדו, אם בשילה וכו׳, אם בירושלים: (א) **ויהיו בקרבם.** התחברו עצמם עם ישראל: (ב) **כי עיר גדולה.** ועם כל זה לא עצרו כח להלחם, והמסו בזה לב אנשי המלחמה:

מצודת ציון

(כא) **חטבי.** ענין כריתה וחתוך, וכן לַחְטֹב עֵצִים (דברים יט, ה): (א) **אדני צדק.** כך שמו:

---

20. **וְלֹא־יִהְיֶה עָלֵינוּ קֶצֶף** — *There will be no wrath upon us.* If we break our oath — nonbinding though it is — we will incur God's wrath for having desecrated His Name (*Metzudos*).

21. **וַיִּהְיוּ חֹטְבֵי עֵצִים** — *They became woodchoppers . . .* The Torah requires that if any Canaanites wished to remain in the Land, they must, among other things, agree to perform national service for *the entire assembly*, i.e., all the people. The leaders had not included this in their oath to the Gibeonites, but now they imposed this burden upon them. They were justified in doing so because the oath, as noted above, was invalid, and this new condition was the way to keep the oath in effect and protect the Gibeonites from the wrath of the nation (*Malbim*).

22-27. Joshua admonishes the Gibeonites and affirms the covenant. As the leader of the nation and the exemplar of justice and integrity, Joshua could not ignore the treachery of the Gibeonites, nor would he desecrate the Name by breaking his word to them, even though he personally had not sworn. However, he admonished and punished them.

23. **וְעַתָּה אֲרוּרִים אַתֶּם** — *Now you are cursed.* In punishment for their dishonesty, Joshua cursed them so that the Jewish people would not associate with them. However [perhaps in recognition of the mitigating factor that they did so because they feared for their lives] Joshua limited the locale of their servitude to the Tabernacle, in the hope that its holy atmosphere would influence them to sincerely repent and adopt the

touch them. 20 This we will do to them — let them live; there will be no wrath upon us
The Gibeonites are spared and relegated to lowly positions
because of the oath that we have sworn to them . . ." 21 So the leaders said to them, "Let
them live." They became woodchoppers and water drawers for the entire assembly, as
the leaders had told them.

22 Then Joshua summoned [the Gibeonites] and spoke to them, saying, "Why have
you deceived us, saying, 'We are very distant from you,' when you dwell in our midst?
23 Now you are cursed; slaves shall never cease from among you — woodchoppers and
water drawers — for the House of my God."

The Gibeonites explain themselves and accept their status

24 They answered Joshua and said, "Because it was told to your servants that HASHEM,
your God, had commanded Moses His servant to give you the entire land and to
exterminate all the inhabitants of the land from before you, we were most fearful for our
lives because of you, so we did this thing. 25 And now, we are in your hand; whatever
seems good and right in your eyes to do with us — do."

26 He did this to them: He rescued them from the hand of the Children of Israel, and
they did not kill them. 27 That day Joshua made them woodchoppers and water drawers
for the assembly and for the Altar of HASHEM *until this day, in the place that He would*
choose.

10

THE CONQUEST OF THE SOUTH 10:1-43 (See Map 1 in the Appendix)

1 It happened when Adoni-zedek king of Jerusalem heard that Joshua had conquered Ai
and had destroyed it, as he had done to Jericho and its king so had he done to Ai and
its king, and that the inhabitants of Gibeon had made peace with Israel and were in their
midst: 2 They feared greatly, because Gibeon was a great city, like one of the royal cities,

values of the Torah (*Me'am Loez*).

לְבֵית אֱלֹהָי — *For the House of My God.* As the Divinely designated leader of the people, Joshua exercised his authority and overruled the leaders, who had decreed that the Gibeonites would be permanent servants of the entire nation. Joshua let that decree stand only until the tribes were settled in their provinces; thereafter the Gibeonites would serve only the Tabernacle and the Temple. By imposing servitude on them, Joshua gave them the status of non-Jewish slaves whom Jews are forbidden to marry. His decree was to apply only when there would be a Tabernacle or a Temple, so that Jews would have been permitted to marry Gibeonites after the destruction of the Temple, but King David, shocked by the cruelty of the Gibeonites (see *II Samuel* Ch.21), decreed that they should never be permitted to intermarry with Jews (*Radak, Yevamos* 79a).

26. וַיַּצֵּל אוֹתָם — *He rescued them.* Joshua rescued the Gibeonites from the wrath of the nation, because if he had not firmly established their status, the outraged Jews might have declared war on them (*Malbim*), if not now, then at some point in the future.

10.

⇜ Divine Providence eases the conquest. In the normal course of war, cities and farms are destroyed and the economic base of a country is severely damaged. More often than not, an economy built up over generations is in shambles and the victors are left with the task of rebuilding from scratch. Such was the case in Jericho and Ai. But the Torah promised that the Jewish people would inherit intact cities, well-stocked houses, and fertile fields and orchards (*Deuteronomy* 6:10-11); how would God's promise be fulfilled? The defeats of Jericho and Ai made the Canaanite kings realize that they would be helpless on their own. The defection of the Gibeonites enraged the neighboring kings, because it set a dangerous precedent. As a result, the kings banded together and left their cities to fight. This enabled Joshua to vanquish them without having the cities and farms become a battlefield, and thence a wasteland. God engineered this so that Israel would easily occupy the land with its prosperity unimpaired (*Niflaos MiToras Hashem Yisbarach.*).

1-5. An alliance of kings. This chapter continues the narrative of the royal alliance that was first mentioned in 9:1-2. It was providential that they united to fight Israel, so that Joshua could dispose of them in one battle, rather than have to besiege all their cities separately. The kings had a dual purpose: to prevent Joshua from picking them off one by one, and to punish the Gibeonites for their treachery in deserting their Canaanite cousins, thereby deterring future defections by others. Their first objective was Gibeon.

1. אֲדֹנִי־צֶדֶק מֶלֶךְ יְרוּשָׁלִַם — *Adoni-zedek king of Jerusalem.* In deference to the exalted status of Jerusalem, even in those times, *"zedek,"* meaning righteousness, was the suffix of all of Jerusalem's kings, whose royal title was either Adoni-zedek or Malki-zedek (*Genesis* 14:18), the king who greeted Abraham (*Radak*).

The verse stresses that Joshua killed the kings of Jericho and Ai, suggesting that Adoni-zedek and his allies feared that the same thing would happen to them. The crown sits uneasily on the heads of tyrants.

ג וְכִ֣י הִ֗יא גְדוֹלָה֙ מִן־הָעַ֔י וְכָל־אֲנָשֶׁ֖יהָ גִּבֹּרִֽים׃ וַיִּשְׁלַ֣ח אֲדֹנִי־צֶ֠דֶק מֶ֣לֶךְ יְרוּשָׁלַ֗͏ִם אֶל־
הוֹהָ֣ם מֶֽלֶךְ־חֶ֠בְרוֹן וְאֶל־פִּרְאָ֨ם מֶֽלֶךְ־יַרְמ֜וּת וְאֶל־יָפִ֧יעַ מֶֽלֶךְ־לָכִ֛ישׁ וְאֶל־דְּבִ֥יר
ד מֶֽלֶךְ־עֶגְל֖וֹן לֵאמֹֽר׃ עֲלוּ־אֵלַי֙ וְעִזְרֻ֔נִי וְנַכֶּ֖ה אֶת־גִּבְע֑וֹן כִּֽי־הִשְׁלִ֥ימָה אֶת־יְהוֹשֻׁ֖עַ
ה וְאֶת־בְּנֵ֥י יִשְׂרָאֵֽל׃ וַיֵּאָסְפ֨וּ וַֽיַּעֲל֜וּ חֲמֵ֣שֶׁת ׀ מַלְכֵ֣י הָאֱמֹרִ֗י מֶ֣לֶךְ יְרוּשָׁלַ֜͏ִם מֶֽלֶךְ־חֶבְר֤וֹן
מֶֽלֶךְ־יַרְמוּת֙ מֶֽלֶךְ־לָכִ֣ישׁ מֶֽלֶךְ־עֶגְל֔וֹן הֵ֖ם וְכָל־מַחֲנֵיהֶ֑ם וַֽיַּחֲנוּ֙ עַל־גִּבְע֔וֹן וַיִּֽלָּחֲמ֖וּ
ו עָלֶֽיהָ׃ וַיִּשְׁלְח֣וּ אַנְשֵׁי֩ גִבְע֨וֹן אֶל־יְהוֹשֻׁ֤עַ אֶל־הַֽמַּחֲנֶה֙ הַגִּלְגָּ֣לָה לֵאמֹ֔ר אַל־תֶּ֥רֶף
יָדֶ֖יךָ מֵעֲבָדֶ֑יךָ עֲלֵ֧ה אֵלֵ֣ינוּ מְהֵרָ֗ה וְהוֹשִׁ֤יעָה לָּ֙נוּ֙ וְעָזְרֵ֔נוּ כִּ֚י נִקְבְּצ֣וּ אֵלֵ֔ינוּ כָּל־מַלְכֵ֥י
ז הָאֱמֹרִ֖י יֹשְׁבֵ֥י הָהָֽר׃ וַיַּ֨עַל יְהוֹשֻׁ֜עַ מִן־הַגִּלְגָּ֗ל ה֚וּא וְכָל־עַ֤ם הַמִּלְחָמָה֙ עִמּ֔וֹ וְכֹ֖ל
ח גִּבּוֹרֵ֥י הֶחָֽיִל׃ וַיֹּ֨אמֶר יְהוָ֤ה אֶל־יְהוֹשֻׁ֙עַ֙ אַל־תִּירָ֣א מֵהֶ֔ם כִּ֥י בְיָדְךָ֖ נְתַתִּ֑ים
ט לֹֽא־יַעֲמֹ֥ד אִ֛ישׁ מֵהֶ֖ם בְּפָנֶֽיךָ׃ וַיָּבֹ֧א אֲלֵיהֶ֛ם יְהוֹשֻׁ֖עַ פִּתְאֹ֑ם כָּל־הַלַּ֕יְלָה עָלָ֖ה מִן־
י הַגִּלְגָּֽל׃ וַיְהֻמֵּ֤ם יְהוָה֙ לִפְנֵ֣י יִשְׂרָאֵ֔ל וַיַּכֵּ֥ם מַכָּֽה־גְדוֹלָ֖ה בְּגִבְע֑וֹן וַֽיִּרְדְּפֵ֗ם דֶּ֚רֶךְ מַעֲלֵ֣ה
יא בֵית־חוֹרֹ֔ן וַיַּכֵּ֥ם עַד־עֲזֵקָ֖ה וְעַד־מַקֵּדָֽה׃ וַיְהִ֞י בְּנֻסָ֣ם ׀ מִפְּנֵ֣י יִשְׂרָאֵ֗ל הֵ֞ם בְּמוֹרַ֣ד בֵּית־
חוֹרֹ֗ן וַֽיהוָ֡ה הִשְׁלִ֣יךְ עֲלֵיהֶם֩ אֲבָנִ֨ים גְּדֹל֧וֹת מִן־הַשָּׁמַ֛יִם עַד־עֲזֵקָ֖ה וַיָּמֻ֑תוּ רַבִּ֗ים
יב אֲשֶׁר־מֵ֙תוּ֙ בְּאַבְנֵ֣י הַבָּרָ֔ד מֵאֲשֶׁ֥ר הָרְג֛וּ בְּנֵ֥י יִשְׂרָאֵ֖ל בֶּחָֽרֶב׃ אָ֣ז יְדַבֵּ֤ר
יְהוֹשֻׁעַ֙ לַֽיהוָ֔ה בְּי֗וֹם תֵּ֤ת יְהוָה֙ אֶת־הָ֣אֱמֹרִ֔י לִפְנֵ֖י בְּנֵ֣י יִשְׂרָאֵ֑ל וַיֹּ֣אמֶר ׀ לְעֵינֵ֣י יִשְׂרָאֵ֗ל
יג שֶׁ֚מֶשׁ בְּגִבְע֣וֹן דּ֔וֹם וְיָרֵ֖חַ בְּעֵ֥מֶק אַיָּלֽוֹן׃ וַיִּדֹּ֨ם הַשֶּׁ֜מֶשׁ וְיָרֵ֣חַ עָמָ֗ד עַד־יִקֹּ֥ם גּוֹי֙ אֹֽיְבָ֔יו

רש"י

(יב) אז ידבר. אמר שירה תחת השמש, לפי שאמר לשמש דום, דום מלומר שירה, וכל זמן שהוא דומם, עומד ואינו מהלך, שבכל עת הילוכו הוא אומר שירה. ופשוטו של מקרא, דום לשון המתנה, כמו אם כה יאמרו אֵלֵינוּ דֹּמּוּ (שמואל־א יד, ט), וכן דום לַה' (תהלים לז, ז): **וירח בעמק אילון.** אותו פעם היה הירח עומד כנגד עמק אילון, והוא רחוק מגבעון, שהרי גבעון בגבול בנימין, ואילון בגבול דן:

רד"ק

(יב) אז ידבר יהושע. תרגום יונתן בְּכֵן שַׁבַּח יְהוֹשֻׁעַ, יתכן כי אחר התפלה היתה השירה והשירה לא הזכיר, או השירה היא וַיִּדֹּם הַשֶּׁמֶשׁ (פסוק יג) והתפלה היא וַיֹּאמֶר לְעֵינֵי יִשְׂרָאֵל שֶׁמֶשׁ בְּגִבְעוֹן דּוֹם, וכן זוכר אותה בדרש (תנחומא בשלח י) זו השירה במנין עשר שירות, ולשון יְדַבֵּר מורה על שירה לא על תפלה, כמו וַיְדַבֵּר דָּוִד לַה' אֶת דִּבְרֵי הַשִּׁירָה (שמואל־ב כב, א), ויאמר בתפלתו לעיני ישראל שֶׁמֶשׁ בְּגִבְעוֹן דּוֹם, כלומר הפלא הזה יראה היום לעיני ישראל, או לְעֵינֵי יִשְׂרָאֵל דבק עם וַיֹּאמֶר כלומר התפלה הזאת אמרה בקול לפני ישראל, ופירוש דּוֹם המתן, כמו דֹּמּוּ עַד הַגִּיעֵנוּ אֲלֵיכֶם (שמואל־א יד, ט) כלומר שיעמוד גלגל השמש במקומו ולא ירוץ כמשפטו: **וירח בעמק אילון.** ולירח אמר גם כן שיעמוד בעמק אילון, ואף על פי שגבעון היה בגבול בנימין (לקמן יח, כה) ואילון בגבול דן (לקמן כא, כד) ידמה כי רדפו אותם והכום מגבעון עד אילון, ובגבעון היה חצי היום כשהתפלל שיעמוד השמש, והאל שמע בקולו כמו שאמר וַיַּעֲמֹד הַשֶּׁמֶשׁ בַּחֲצִי הַשָּׁמַיִם (פסוק יג) ועמד עד שיעור שבין עמידתו ומרוצתו היה כיום תמים, והוא היום הארוך שבשנה והוא יום תקופת תמוז, וכשבא השמש היו בעמק אילון והאיר הירח, והיה הירח אז מן הדומה בתחלת החדש או בשלישיתו, והתפלל עליו שיעמוד הירח להאיר להם עד שתכלה נקמתם באויביהם, וכן היה כמו שאמר וְיָרֵחַ עָמָד עַד יִקֹּם גּוֹי אֹיְבָיו (שם) וזאת הפליאה כתובה על ספר הישר והוא ספר תורת משה, והוא מה שאמר הקב"ה יתברך נֶגֶד כָּל עַמְּךָ אֶעֱשֶׂה נִפְלָאֹת וגו' (שמות לד, י), כמו שפירש אדוני אבי ז"ל כי שתי אותות אמר לו בפסוק ההוא, קרינת פני משה (שם פסוק כט) והוא מה שאמר כִּי נוֹרָא הוּא אֲשֶׁר אֲנִי עֹשֶׂה עִמָּךְ (שם פסוק י) ועמידת השמש ליהושע, והוא מה שאמר נֶגֶד כָּל עַמְּךָ אֶעֱשֶׂה נִפְלָאֹת, ונתן לו אות קרוב להאמין באות רחוק. ובדרש (פרקי דרבי אליעזר נא) שלשים ושש שעות עמדו השמש והירח, כיצד, המלחמה היתה בערב שבת ונתיירא יהושע שלא יחללו ישראל את השבת, ופשט ידיו למעלה שיעמוד השמש ביום הששי כשיעור יום שבת, והירח כשיעור ליל שבת ומוצאי שבת והם שלשים ושש שעות:

(יג) עד יקם גוי איביו. כמו מאויביו, וכן הִשָּׁמְרוּ לָכֶם עֲלוֹת בָּהָר (שמות יט, יב):

מצודת דוד

(ד) כי השלימה. והרעו לעשות, כי הביאו מורך בלב כל: **(ו) אל תרף ידיך.** לעזוב אותנו בידם: **(ט) כל הלילה.** למען לא ירגישו ויבא פתאום: **(י) דרך מעלה.** בדרך העולה לבית חורון: **עד עזקה.** כי ברחו דרך בה, ורדפום והכום בדרך עַד עֲזֵקָה וכו': **(יא) הם במורד.** כשהם ירדו במורד ההר: **אבנים.** אבני ברד: **עד עזקה.** בכל הדרך אשר נסו, ממורד בית חורון עד בואם לעזקה, נפלו עליהם אבני הברד: **רבים.** מרובים במספר: **(יב) לה'.** בשם ה' ובשליחותו: **ויאמר.** הוא הדבור האמור למעלה, ועל שהפסיק בדברים, אמר שוב וַיֹּאמַר: **שמש בגבעון דום.** כי בעת ההיא עמד השמש נוכח גבעון, וחשש פן ישקע בעונתו ולא יוכלו לרדוף אחרי האויב באישון הלילה, ולזה אמר להשמש שלא ילך מהלכו, וימתין עוד נוכח גבעון במקום שהוא עומד: **וירח בעמק אילון.** כי אז כבר עלתה הירח ועמדה נוכח עמק אילון, ואמר לה שגם היא תמתין במקומה ולא תלך מהלכה, ואולי חשש שאם תלך הירח מהלכה תבוא נוכח השמש במקום עמידתו ותאפיל אור השמש: **(יג) וידם השמש.** רצה לומר, כן היה, שעמדו השמש וירח במקומם: **עד יקם.** עד אשר השלימו ישראל להתנקם מאויביו:

מצודת ציון

(ו) תרף. מלשון רפיון: **(ט) פתאם.** ענין מהירות מבלי הרגשה מקודם: **(י) ויהמם.** מלשון מהומה ובלבול: **(יב) תת.** מלשון נתינה: **דום.** המתן, כמו דֹּמּוּ עַד הַגִּיעֵנוּ אֲלֵיכֶם (שמואל־א יד, ט): **(יג) איביו.** מאויביו: **אץ.** ענין מהירות, כמו וְאָץ בְּרַגְלַיִם (משלי יט, ב): **לבוא.** לשקוע, כמו כִּי בָא הַשֶּׁמֶשׁ (בראשית כח, יא):

Five Amorite kings unite against Gibeon

and because it was greater than Ai and all its men were mighty. [3] *So Adoni-zedek king of*
Jerusalem sent to Hoham king of Hebron, and to Piram king of Jarmuth, and to Japhia
king of Lachish, and to Debir king of Eglon, saying, [4] *"Come up to me and help me, and*
let us smite Gibeon, for it has made peace with Joshua and with the Children of Israel."
[5] *The five Amorite kings joined together and ascended — the king of Jerusalem, the*
king of Hebron, the king of Jarmuth, the king of Lachish, the king of Eglon — they and all
their camps. They encamped at Gibeon and waged war against it.
[6] *The men of Gibeon sent to Joshua, to the camp, to Gilgal, saying, "Do not loosen*
your hands from your servants; come up to us quickly and save us or help us, for all the
Amorite kings who dwell in the mountains have gathered against us."

Joshua saves Gibeon

[7] *Joshua ascended from Gilgal, he and all the people of war with him, and all the*
mighty warriors. [8] *HASHEM said to Joshua, "Do not fear them, for I have delivered them*
into your hand; not a man of them shall stand against you."
[9] *Joshua came upon them suddenly; he had ascended from Gilgal all night.* [10] *HASHEM*
confounded them before Israel and smote them with a mighty blow at Gibeon. They
pursued them by way of the ascent to Beth-horon and struck them until Azekah and until

Hailstones pummel Israel's enemies

Makkedah. [11] *It happened when they fled before Israel; they were on the descent of*
Beth-horon when HASHEM cast upon them large stones from heaven until [they reached]
Azekah and they died; more died through the hailstones than the Children of Israel killed
with the sword.

Joshua orders the sun to stand still

[12] *Then Joshua spoke to HASHEM on the day HASHEM delivered the Amorites before the*
Children of Israel, and he said before the eyes of Israel, "Sun, stand still at Gibeon, and
moon, in the Valley of Ajalon."
[13] *Then the sun stood still, and the moon stopped, until the people took retribution*

6-8. Joshua responds to the Gibeonite appeal. In appealing for Joshua's help, the Gibeonites stressed that they were his *servants,* implying that he had a responsibility to help them. We may assume that Joshua consulted God before he took his army to Gibeon and was told to enter the battle. Once he arrived there, God assured him that he would triumph (*Ralbag*).

6. וְהוֹשִׁיעָה לָּנוּ וְעָזְרֵנוּ — *And save us or help us.* Even if you do not wish to take complete responsibility for *saving* us, at least *help* us (*Malbim*).

9-14. Miracles of hail and the stopping of the sun. Every aspect of Joshua's victory was miraculous, and it was climaxed by one of the most famous of all miracles.

9. פִּתְאֹם — *Suddenly.* The first miracle of this campaign was that an overnight journey was all that was needed; normally, an army would have needed a few days to trek from Gilgal to Gibeon. Had the army not arrived immediately, Gibeon might have been overrun by the time Joshua got there (*Me'am Loez*).

10. וַיְהֻמֵּם ה׳ — *HASHEM confounded them.* The discipline and organization of a military force is an essential component of its fighting ability. By "confounding them," God made the Canaanite army easy prey. In the expression of the Sages, תְּחִלַּת נְפִילָה נִיסָה, *the beginning of defeat is flight.*

11. אֲבָנִים גְּדֹלוֹת מִן־הַשָּׁמַיִם — *Large stones from heaven.* These hailstones were of ancient vintage. When Moses prayed that the plague of hail should stop in Egypt, the hail that was in the process of falling was suspended in midair (*Rashi, Exodus* 9:33). Those hailstones now fell upon the fleeing Canaanites (*Berachos* 54b).

12. אָז — *Then.* This word indicates that there was something that prompted Joshua to call for this miracle. According to *Pirkei d'Rabbi Eliezer,* it was Friday afternoon, and when the Sabbath began, the Jews would have had to stop their pursuit. Joshua prayed that the sun should not set until the battle was concluded, whereupon time stood still for thirty-six hours.

וַיֹּאמֶר לְעֵינֵי יִשְׂרָאֵל — *And he said before the eyes of Israel.* Joshua prayed in full sight of all the people, so that they would know that the miracle had happened in response to his prayer. Alternatively, he prayed that the sun should stop "before their eyes," so that the miracle would be obvious to everyone (*Radak*).

שֶׁמֶשׁ בְּגִבְעוֹן דּוֹם — *Sun, stand still at Gibeon.* The sun at that time was over Gibeon and the moon had started to be visible in the Valley of Ajalon. Joshua commanded them to remain where they were. He may have feared that if the sun did not move but the moon did, it might cross in front of the sun and cause an eclipse (*Metzudos*).

The word דּוֹם can be rendered *be silent.* Joshua commanded the sun and moon to refrain from singing their customary praises to God (*Rashi*). *Tzemach Tzedek* explains that Joshua wanted to prevent the enemy from receiving the spiritual emanations of the heavenly bodies that they worshiped. By

הֲלֹא־הִיא כְתוּבָה עַל־סֵפֶר הַיָּשָׁר וַיַּעֲמֹד הַשֶּׁמֶשׁ בַּחֲצִי הַשָּׁמַיִם וְלֹא־אָץ לָבוֹא
יד כְּיוֹם תָּמִים: וְלֹא הָיָה כַּיּוֹם הַהוּא לְפָנָיו וְאַחֲרָיו לִשְׁמֹעַ יְהֹוָה בְּקוֹל אִישׁ כִּי יְהֹוָה
טו נִלְחָם לְיִשְׂרָאֵל: וַיָּשָׁב יְהוֹשֻׁעַ וְכָל־יִשְׂרָאֵל עִמּוֹ אֶל־הַמַּחֲנֶה הַגִּלְגָּלָה:
טז־יז וַיָּנֻסוּ חֲמֵשֶׁת הַמְּלָכִים הָאֵלֶּה וַיֵּחָבְאוּ בַמְּעָרָה בְּמַקֵּדָה: וַיֻּגַּד לִיהוֹשֻׁעַ לֵאמֹר נִמְצְאוּ
יח חֲמֵשֶׁת הַמְּלָכִים נֶחְבְּאִים בַּמְּעָרָה בְּמַקֵּדָה: וַיֹּאמֶר יְהוֹשֻׁעַ גֹּלּוּ אֲבָנִים גְּדֹלוֹת אֶל־
יט פִּי הַמְּעָרָה וְהַפְקִידוּ עָלֶיהָ אֲנָשִׁים לְשָׁמְרָם: וְאַתֶּם אַל־תַּעֲמֹדוּ רִדְפוּ אַחֲרֵי אֹיְבֵיכֶם
כ וְזִנַּבְתֶּם אוֹתָם אַל־תִּתְּנוּם לָבוֹא אֶל־עָרֵיהֶם כִּי נְתָנָם יְהֹוָה אֱלֹהֵיכֶם בְּיֶדְכֶם: וַיְהִי
כְּכַלּוֹת יְהוֹשֻׁעַ וּבְנֵי יִשְׂרָאֵל לְהַכּוֹתָם מַכָּה גְדוֹלָה־מְאֹד עַד־תֻּמָּם וְהַשְּׂרִידִים שָׂרְדוּ
כא מֵהֶם וַיָּבֹאוּ אֶל־עָרֵי הַמִּבְצָר: וַיָּשֻׁבוּ כָל־הָעָם אֶל־הַמַּחֲנֶה אֶל־יְהוֹשֻׁעַ מַקֵּדָה
כב בְּשָׁלוֹם לֹא־חָרַץ לִבְנֵי יִשְׂרָאֵל לְאִישׁ אֶת־לְשֹׁנוֹ: וַיֹּאמֶר יְהוֹשֻׁעַ פִּתְחוּ אֶת־פִּי
כג הַמְּעָרָה וְהוֹצִיאוּ אֵלַי אֶת־חֲמֵשֶׁת הַמְּלָכִים הָאֵלֶּה מִן־הַמְּעָרָה: וַיַּעֲשׂוּ כֵן וַיֹּצִיאוּ
אֵלָיו אֶת־חֲמֵשֶׁת הַמְּלָכִים הָאֵלֶּה מִן־הַמְּעָרָה אֵת ׀ מֶלֶךְ יְרוּשָׁלַ͏ִם אֶת־מֶלֶךְ חֶבְרוֹן
כד אֶת־מֶלֶךְ יַרְמוּת אֶת־מֶלֶךְ לָכִישׁ אֶת־מֶלֶךְ עֶגְלוֹן: וַיְהִי כְּהוֹצִיאָם אֶת־הַמְּלָכִים
הָאֵלֶּה אֶל־יְהוֹשֻׁעַ וַיִּקְרָא יְהוֹשֻׁעַ אֶל־כָּל־אִישׁ יִשְׂרָאֵל וַיֹּאמֶר אֶל־קְצִינֵי אַנְשֵׁי
הַמִּלְחָמָה הֶהָלְכוּא אִתּוֹ קִרְבוּ שִׂימוּ אֶת־רַגְלֵיכֶם עַל־צַוְּארֵי הַמְּלָכִים הָאֵלֶּה
כה וַיִּקְרְבוּ וַיָּשִׂימוּ אֶת־רַגְלֵיהֶם עַל־צַוְּארֵיהֶם: וַיֹּאמֶר אֲלֵיהֶם יְהוֹשֻׁעַ אַל־תִּירְאוּ

רש"י

(יג) **הלא היא כתובה.** דבר זה נכתב בתורה שאמר לו יעקב ליוסף (בראשית מח, יט) זרעו של אפרים יִהְיֶה מְלֹא הַגּוֹיִם, אימתי, ביום שעמדה חמה ליהושע, נתמלא כל העולם שמעו של יהושע, וַיַּעֲמֹד הַשֶּׁמֶשׁ בַּחֲצִי הַשָּׁמַיִם וְלֹא אָץ לָבוֹא כְּיוֹם תָּמִים: (יח) גלו. גלגלו אבנים אל פי המערה: (כא) **לא חרץ לבני ישראל.** הרי זה מקרא קצר, לא חרץ החורץ לאיש מבני ישראל את לשונו: **חרץ.** לשון דבור הלשון, לֹא יֶחֱרַץ כֶּלֶב לְשֹׁנוֹ (שמות יא, ז), וכן (שמואל־ב ה, כד) אָז תֶּחֱרָץ דדוד, תקרא, תשמע קול תשואות המלחמה:

רד"ק

(יד) **ולא היה כיום ההוא.** ואף על פי שהיה שוב השמש אחורנית לחזקיהו (מלכים־ב כ, יא), האות ההוא היה לאות ולמופת ונתנו השם בעבור שיאמין חזקיהו שיחיה מחליו והוא כאחד מן המופתים שנעשו על ידי משה, אבל דרך תפלה שיתפלל אדם על שנוי הטבע ונעתר הבורא לאותה תפלה אם לא יהיה לתת בו אות ומופת לא היה ולא יהיה, וזהו שאמר לִשְׁמֹעַ . . . בְּקוֹל אִישׁ כִּי ה׳ נִלְחָם לְיִשְׂרָאֵל: (יז) **נחבאים.** בשוא הבי"ת: **במערה במקדה.** במערה שהיתה בגבול מקדה: (יט) **וזנבתם.** תכריתו זנבם והוא סוף המחנה: (כ) **ויבאו.** וי"ו וַיָּבֹאוּ כפ"א רפה בלשון ישמעאל, וענין הפסוק כן והשרידים אשר שרדו מהם באו אל ערי המבצר: (כא) **מקדה בשלום.** למעלה אמר וַיָּשָׁב יְהוֹשֻׁעַ וְכָל יִשְׂרָאֵל עִמּוֹ אֶל הַמַּחֲנֶה הַגִּלְגָּלָה (פסוק טו) תחלה אחרי כלות המלחמה שבו הגלגלה, וכאשר אמר ליהושע כי המלכים נחבאים במערה במקדה, בא לו למקדה עד קצה המחנה וצוה מה שאומר שצוה, ואחר שזנבו אותם שבו מקדה וצוה להמית את המלכים: **לאיש את לשונו.** תרגום יונתן לָא הֲוָה נִיזְקָא לִבְנֵי יִשְׂרָאֵל לְמִדְחַק גְּבַר יַת נַפְשֵׁיהּ, וכן תרגם אנקלוס לֹא יֶחֱרַץ כֶּלֶב לְשֹׁנוֹ (שמות יא, ז) לָא יַנְזֵק כַּלְבָּא לִישָׁנֵהּ, אבל יונתן תרגם לשונו נַפְשֵׁיהּ, והמפרשים פירשו כי למ"ד לְאִישׁ נוספת ופירשו איש מהם לא חרץ לבני ישראל את לשונו ולמ"ד זו כלמ"ד הָרְגוּ לְאַבְנֵר (שמואל־ב ג, ל), וְהַשְּׁלִשִׁי לְאַבְשָׁלוֹם (דברי הימים־א ג, ב) והדומים להם שכתבנו בספר מכלל בחלק הדקדוק ממנו. ואפשר לפרש למ"ד לְאִישׁ משמשת, ופירוש לאיש מבני ישראל, כלומר אין צריך לומר לבני ישראל לרבים מהם שלא חרץ איש מהגוים האלה את לשונו, כי אפילו לאיש אחד מבני ישראל לא חרץ איש מהגוים את לשונו: (כד) **ההלכוא.** באל"ף נח נוסף עם הוי"ו, וכן וְלֹא אָבוּא שְׁמוּעַ (ישעיהו כח, יב) וכן כל הוא שבמקרא, וה"א הֶהָלְכוּא במקום אשר, כמו ה"א הַהִקְדִּישׁ שְׁמוּאֵל (דברי הימים־א כו, כח) והדומים לו כי לא תבוא ה"א הידיעה על העוברים:

מצודת דוד

הלא היא. הדבר ההיא הלא כתובה בהבטחה בספר הישר, והיא התורה, שנאמר בה על אפרים וְזַרְעוֹ יִהְיֶה מְלֹא הַגּוֹיִם (בראשית מח, יט), והוא היום הזה שעמדו השמש והירח ליהושע הבא מזרעו, ונתמלא כל העולם שמעו: **ויעמד השמש.** עכשיו מפרש המקום שעמד בה: **בחצי השמים.** רצה לומר, לפי הנראה בהאופק ההוא: **ולא אץ לבוא.** לא היה ממהר לשקוע כדרכו מעולם למהר לבית שקיעתו ללכת בהתמדה מבלי עמידה: **כיום תמים.** רצה לומר, נתעכב לעמוד במקום אחד כשיעור יום שלם שהוא עשרים וארבע שעות: (יד) **כיום ההוא.** להיות בו פלא כזה לִשְׁמֹעַ וכו׳ כאשר שמע בקול יהושע להעמיד השמש והירח: **כי ה׳.** הפלא הזה נעשה בעבור שה׳ נלחם לישראל, ובעבורם עשהו: (טו) **וישב יהושע.** אחר כל המעשים האמורים במקראות שלאחריו: (יח) **גלו אבנים.** לבל יצאו פתאום וינוסו: (יט) **וזנבתם אותם.** הרגו ההולכים בסוף המחנה: (כ) **עד תמם.** כי הנשארים היו מעט מן המעט וכאלו תמו כולם: **והשרידים שרדו.** הנשארים אשר נשארו מהם באו אל ערי המבצר: (כא) **לא חרץ וכו׳ לאיש.** רצה לומר, אפילו לאיש אחד בהיותו יחידי לא חרץ עליו מי לשונו לדבר מאומה רע, כי נפל פחדם על כל:

מצודת ציון

תמים. מלשון תם ושלם: (טז) **ויחבאו.** נסתרו, והוא מלשון מחבואה: (יח) **גלו.** גלגלו: **והפקידו.** מלשון פקיד וממונה: (יט) **וזנבתם.** מלשון זנב, ורצה לומר, סוף המחנה, כזנב הזה שהוא סוף הגוף: (כ) **והשרידים שרדו.** הנשארים נשארו, כמו פָּלִיט וְשָׂרִיד (איכה ב, כב): (כא) **חרץ.** ענין תנועה, כמו אָז תֶּחֱרָץ (שמואל־ב ה, כד): (כד) **קציני.** ענין שררה, כמו קָצִין תִּהְיֶה לָּנוּ (ישעיהו ג, ו):

against their enemies. Is this not written in the Book of the Upright: So the sun stood in the
middle of the sky and did not hasten to set for a whole day? 14 *There was no day like that*
before it or after it, that HASHEM heeded the voice of a man, for HASHEM did battle for Israel.
15 *Joshua and all Israel with him returned to the camp, to Gilgal.* 16 *These five kings had*
fled and were concealed in the cave at Makkedah. 17 *It was told to Joshua, saying, "The*
five kings have been found concealed in the cave at Makkedah."
18 *Joshua said, "Roll large stones up against the mouth of the cave and appoint men to*
guard them by it. 19 *But you, do not stand still; pursue your enemies and attack their*
stragglers. Do not let them enter their cities, because HASHEM, your God, has delivered
them into your hand."
20 *It happened when Joshua and the Children of Israel finished striking them an*
exceedingly great blow until their annihilation that the remnant that remained of them
entered the fortified cities. 21 *Then the entire nation [of Israel] returned to the camp, to*
Joshua, to Makkedah, in peace. No one [even] whetted his tongue against any man of the
Children of Israel. 22 *Joshua said, "Open the mouth of the cave and bring out to me those*
five kings from the cave." 23 *So they did; they brought out to him those five kings from the*
cave — the king of Jerusalem, the king of Hebron, the king of Jarmuth, the king of
Lachish, the king of Eglon. 24 *It happened when they brought out those kings to Joshua*
that Joshua summoned all the men of Israel and said to the officers of the men of war who
had gone with him, "Approach, place your feet on the necks of these kings." They
approached and placed their feet on their necks. 25 *Joshua said to them, "Do not fear,*

silencing the spiritual song of the sun and the moon, he cut off any benefits they could confer on the fleeing Gibeonites.

13. עַל סֵפֶר הַיָּשָׁר — *In the Book of the Upright,* i.e., the Torah, in which God told Moses (*Exodus* 34:10) that He would act in an unprecedented manner for the benefit of Israel.

The Torah is given this name in honor of Abraham, Isaac, and Jacob, who were "upright" people (*Avodah Zarah* 25a). They expressed their "uprightness" in the way they were concerned for the welfare of everyone, even their wicked neighbors. Abraham prayed for the survival of Sodom, Isaac was quick to make peace with his Philistine tormentors, and Jacob conciliated Laban (*Haamek Davar*). In this sense, the term *Book of the Upright* is used here because Joshua went into battle to protect the Gibeonites, even though they had deceived him.

14. Even though the Talmud lists other times when the sun stood in its tracks, the miracle was unique in two ways: (a) It happened solely in response to the *voice of a man,* in the sense that Joshua did not pray and the initiative was not taken by God, rather Joshua took it upon himself to command that the sun stop; and (b) the miracle was not necessary to protect or save Israel, since the battle had already been won. Rather, Joshua ordered it only to prove *that God did battle for Israel,* i.e., as a demonstration that Israel was being helped by God, but not for any practical necessity (*Malbim*).

15-27. The kings are executed. After the victory Joshua intended to return to Gilgal, but when he was informed that the kings of the defeated city-states had taken refuge in Makkedah, he ordered his men to turn back and capture the kings, lest they return to their home cities and mobilize their remaining forces for a new attack. As he said in verse 19, once God has given us victory, we have no right to let it slip through our fingers (*Malbim*). It was standard practice in ancient times that as long as the king or commanding general was alive, the victory was not complete; when he was disposed of, the troops would be demoralized and the battle was essentially over.

20. The number of Canaanites casualties was so great that even though isolated soldiers made it back to their cities, it was as if the entire force had been annihilated.

21. On the other hand, there was not a single Jewish casualty, and no one even dared to *whet his tongue,* i.e., shout insults at the Jews, which was in itself a miracle. This was the first time there had been no resistance whatsoever, either defensive (as at Jericho) or offensive (as at Ai).

24-27. Through his treatment of the five kings and by setting up huge stones at their burial place as a reminder of the event, Joshua wanted to demoralize the surrounding city-states after the rout of the alliance. This would help prevent the Canaanites from mounting an attack and would save many lives. Indeed, Joshua capitalized on this victory by mounting a series of sweeping attacks (*Ralbag*).

24. שִׂימוּ אֶת־רַגְלֵיכֶם עַל צַוְּארֵי הַמְּלָכִים הָאֵלֶּה — *Place your feet on the necks of these kings.* This would symbolize that all opponents of Israel would fall to them and it would strengthen the confidence of the Jewish warriors (*Malbim*). Furthermore, as is often found in Scripture, a physical symbol solidifies the force of a prophecy.

וְאַל־תֵּחָתּוּ חִזְקוּ וְאִמְצוּ כִּי כָכָה יַעֲשֶׂה יהוה לְכָל־אֹיְבֵיכֶם אֲשֶׁר אַתֶּם נִלְחָמִים
כו אוֹתָם׃ וַיַּכֵּם יְהוֹשֻׁעַ אַחֲרֵי־כֵן וַיְמִיתֵם וַיִּתְלֵם עַל חֲמִשָּׁה עֵצִים וַיִּהְיוּ תְּלוּיִם
כז עַל־הָעֵצִים עַד־הָעָרֶב׃ וַיְהִי לְעֵת | בּוֹא הַשֶּׁמֶשׁ צִוָּה יְהוֹשֻׁעַ וַיֹּרִידוּם מֵעַל הָעֵצִים
וַיַּשְׁלִכֻם אֶל־הַמְּעָרָה אֲשֶׁר נֶחְבְּאוּ־שָׁם וַיָּשִׂמוּ אֲבָנִים גְּדֹלוֹת עַל־פִּי הַמְּעָרָה
כח עַד־עֶצֶם הַיּוֹם הַזֶּה׃ וְאֶת־מַקֵּדָה לָכַד יְהוֹשֻׁעַ בַּיּוֹם הַהוּא וַיַּכֶּהָ לְפִי־
חֶרֶב וְאֶת־מַלְכָּהּ הֶחֱרִם אוֹתָם וְאֶת־כָּל־הַנֶּפֶשׁ אֲשֶׁר־בָּהּ לֹא הִשְׁאִיר שָׂרִיד
כט וַיַּעַשׂ לְמֶלֶךְ מַקֵּדָה כַּאֲשֶׁר עָשָׂה לְמֶלֶךְ יְרִיחוֹ׃ וַיַּעֲבֹר יְהוֹשֻׁעַ וְכָל־
ל יִשְׂרָאֵל עִמּוֹ מִמַּקֵּדָה לִבְנָה וַיִּלָּחֶם עִם־לִבְנָה׃ וַיִּתֵּן יהוה גַּם־אוֹתָהּ בְּיַד יִשְׂרָאֵל
וְאֶת־מַלְכָּהּ וַיַּכֶּהָ לְפִי־חֶרֶב וְאֶת־כָּל־הַנֶּפֶשׁ אֲשֶׁר־בָּהּ לֹא־הִשְׁאִיר בָּהּ שָׂרִיד
לא וַיַּעַשׂ לְמַלְכָּהּ כַּאֲשֶׁר עָשָׂה לְמֶלֶךְ יְרִיחוֹ׃ וַיַּעֲבֹר יְהוֹשֻׁעַ וְכָל־יִשְׂרָאֵל
לב עִמּוֹ מִלִּבְנָה לָכִישָׁה וַיִּחַן עָלֶיהָ וַיִּלָּחֶם בָּהּ׃ וַיִּתֵּן יהוה אֶת־לָכִישׁ בְּיַד יִשְׂרָאֵל
וַיִּלְכְּדָהּ בַּיּוֹם הַשֵּׁנִי וַיַּכֶּהָ לְפִי־חֶרֶב וְאֶת־כָּל־הַנֶּפֶשׁ אֲשֶׁר־בָּהּ כְּכֹל אֲשֶׁר־עָשָׂה
לג לְלִבְנָה׃ אָז עָלָה הֹרָם מֶלֶךְ גֶּזֶר לַעְזֹר אֶת־לָכִישׁ וַיַּכֵּהוּ יְהוֹשֻׁעַ
לד וְאֶת־עַמּוֹ עַד־בִּלְתִּי הִשְׁאִיר־לוֹ שָׂרִיד׃ וַיַּעֲבֹר יְהוֹשֻׁעַ וְכָל־יִשְׂרָאֵל
לה עִמּוֹ מִלָּכִישׁ עֶגְלֹנָה וַיַּחֲנוּ עָלֶיהָ וַיִּלָּחֲמוּ עָלֶיהָ׃ וַיִּלְכְּדוּהָ בַּיּוֹם הַהוּא וַיַּכּוּהָ
לְפִי־חֶרֶב וְאֵת כָּל־הַנֶּפֶשׁ אֲשֶׁר־בָּהּ בַּיּוֹם הַהוּא הֶחֱרִים כְּכֹל אֲשֶׁר־עָשָׂה
לו לְלָכִישׁ׃ וַיַּעַל יְהוֹשֻׁעַ וְכָל־יִשְׂרָאֵל עִמּוֹ מֵעֶגְלוֹנָה חֶבְרוֹנָה וַיִּלָּחֲמוּ
לז עָלֶיהָ׃ וַיִּלְכְּדוּהָ וַיַּכּוּהָ־לְפִי־חֶרֶב וְאֶת־מַלְכָּהּ וְאֶת־כָּל־עָרֶיהָ וְאֶת־כָּל־הַנֶּפֶשׁ
אֲשֶׁר־בָּהּ לֹא־הִשְׁאִיר שָׂרִיד כְּכֹל אֲשֶׁר־עָשָׂה לְעֶגְלוֹן וַיַּחֲרֵם אוֹתָהּ וְאֶת־כָּל־
לח הַנֶּפֶשׁ אֲשֶׁר־בָּהּ׃ וַיָּשָׁב יְהוֹשֻׁעַ וְכָל־יִשְׂרָאֵל עִמּוֹ דְּבִרָה וַיִּלָּחֶם עָלֶיהָ׃
לט וַיִּלְכְּדָהּ וְאֶת־מַלְכָּהּ וְאֶת־כָּל־עָרֶיהָ וַיַּכּוּם לְפִי־חֶרֶב וַיַּחֲרִימוּ אֶת־כָּל־נֶפֶשׁ
אֲשֶׁר־בָּהּ לֹא הִשְׁאִיר שָׂרִיד כַּאֲשֶׁר עָשָׂה לְחֶבְרוֹן כֵּן־עָשָׂה לִדְבִרָה וּלְמַלְכָּהּ
מ וְכַאֲשֶׁר עָשָׂה לְלִבְנָה וּלְמַלְכָּהּ׃ וַיַּכֶּה יְהוֹשֻׁעַ אֶת־כָּל־הָאָרֶץ הָהָר וְהַנֶּגֶב וְהַשְּׁפֵלָה

רד"ק

(כז) ויהי לעת בוא השמש. מפני טומאת הארץ היו הנתלים נקברים אף על פי שאינם מבני ישראל, כמו שאומר וְלֹא תְטַמֵּא אֶת אַדְמָתְךָ (דברים כא, כג) כי המת שאינו נקבר הוא טומאת הארץ, לפיכך צוה כן יהושע לעשות למלך העי ולחמשת המלכים האלה, וכן לעתיד בגוג ומגוג אמר וּקְבָרוּם בֵּית יִשְׂרָאֵל לְמַעַן טַהֵר אֶת הָאָרֶץ (יחזקאל לט, יב): **(כח) כאשר עשה למלך יריחו.** להודיע כי לא תפשוהו חי ותלוהו אחר כן כמו שעשו למלך העי ולחמשת המלכים, אלא הרגוהו בכלל ההרוגים כמו שאמר וַיַּכֶּהָ לְפִי חֶרֶב וְאֶת מַלְכָּהּ: **(לב) ביום השני.** ביום השני לחנייתם עליה: **(לז) ואת מלכה.** והנה היה מלך חברון (לעיל פסוק כג) מחמשת המלכים שתלו, אלא ידמה שהמליכו אחר כן מלך בחברון: **ואת כל עריה.** ואת כל הערים ואנשי הערים אשר על גבולה, הקרואות על שמה: **(לח) וישב יהושע.** נראה כי כשעלה מעגלון לחברון עבר על דביר ולא נלחם עליה כי ראה להלחם בחברון, ואחר שלכד חברון שב לדביר ונלחם עליה: **(מ) והנגב.** כתרגומו וְדָרוֹמָא:

מצודת דוד

(כז) עד עצם וכו'. רצה לומר, והמה מונחים שם עַד עֶצֶם וכו', רצה לומר עד עולם: **(לז) ואת מלכה.** יתכן שהמליכו עליהם מלך אחר, כי למעלה (פסוק כו) נאמר שיהושע המית מלך חברון: **ואת כל עריה.** הערים הסמוכים לה:

מצודת ציון

(מ) והנגב. מקום נגוב ויבש כי חָרְבוּ פְּנֵי הָאֲדָמָה (בראשית ח, יג), תרגומו נְגוּבוּ, וכן אֶרֶץ הַנֶּגֶב נְתַתָּנִי (לקמן טו, יט): **והשפלה.** העמק:

27. See comm. to 8:29.

28-43. Joshua's further conquests. As noted above, God used the defection of the Gibeonites to influence other kings to unite so that Joshua could conquer them all at once. Now, after the conquest of the five kings, Joshua pressed his advantage to conquer the entire region.

28. Since Makkedah was not part of the five-king alliance, Joshua did not attack it until those forces were defeated.

and do not lose resolve; be strong and courageous, for thus shall HASHEM *do to all*
your enemies with whom you battle." 26 *Joshua struck them after that and killed them,*
and hanged them on five gallows, and they remained hanging on the gallows until
evening. 27 *It happened at the time the sun set that Joshua ordered. They were lowered*
from the gallows and they were thrown into the cave in which they had concealed
themselves. They placed large stones at the mouth of the cave — [which are there] to this
very day.

Joshua kills the five kings

City by city conquest: Makkedah (See Map 1 in the Appendix)

28 *Joshua captured Makkedah on that day, and smote it by the edge of the sword*
and its king he destroyed; [he killed] them and every soul that was in it; he did not
leave a remnant. He did to the king of Makkedah as he had done to the king of
Jericho.

Libnah

29 *Joshua and all Israel with him passed over from Makkedah to Libnah, and he waged*
war against Libnah. 30 HASHEM *also delivered it and its king into the hand of Israel; they*
smote it by the edge of the sword and every soul that was in it; he did not leave a remnant
in it. He did to its king as he had done to the king of Jericho.

Lachish

31 *Joshua and all Israel with him passed over from Libnah to Lachish; he encamped by*
it and waged war against it. 32 HASHEM *delivered Lachish into the hand of Israel, and they*
conquered it on the second day. He smote it by the edge of the sword and every soul that
was in it, like all that he had done to Libnah.

Gezer

33 *Then Horam, king of Gezer, went up to help Lachish. Joshua struck him and his*
people until he did not leave him a remnant.

Eglon

34 *Joshua and all Israel with him passed over from Lachish to Eglon; they encamped*
by it and waged war against it. 35 *On that day they conquered it and they struck it by the*
edge of the sword and destroyed every soul that was in it that day, like all that he had
done to Lachish.

Hebron

36 *Joshua and all Israel with him went up from Eglon to Hebron and waged war against*
it. 37 *They conquered it and struck it by the edge of the sword — its king and all its villages*
and every soul that was in it; he did not leave a remnant, like all that he had done to
Eglon. He destroyed it and every soul that was in it.

Debir

38 *Joshua and all Israel with him returned to Debir and waged war against it.* 39 *He*
conquered it and its king and all its villages, and he struck them with the edge of
the sword and destroyed every soul that was in it; he did not leave a remnant. As he
had done to Hebron, so he did to Debir and to its king, and as he had done to Libnah and
to its king. 40 *Joshua smote the entire land — the mountain, the South, the lowland,*

Now, he turned to Makkedah which had harbored the five kings, and then went on to other cities. The fate of Makkedah's king is compared to that of the king of Jericho, because both of them were killed in battle, unlike the five kings of the alliance and the king of Ai, who were executed.

36-39. This passage credits Joshua with the conquest of Hebron and Debir, but 15:14 credits Caleb with the conquest of Hebron and 15:17 credits Othniel with the conquest of Debir. According to *Radak,* Caleb and Othniel respectively won the battles, but they were under the overall command of Joshua. According to *Malbim,* Joshua conquered the cities, while Caleb and Othniel conquered the surrounding farmlands and suburbs.

37. וְאֶת־מַלְכָּהּ — *Its king.* Although the king of Hebron had been killed at Makkedah (v. 24), the people of Hebron immediately appointed a new leader, who was killed in the war against his city.

40. אֶת־כָּל־הָאָרֶץ — *The entire land.* This refers not to all of *Eretz Yisrael,* but to the southern part of the country, the components of which are spelled out in the rest of the verse (*Malbim*).

וְהָאֲשֵׁדוֹת וְאֵת כָּל־מַלְכֵיהֶם לֹא הִשְׁאִיר שָׂרִיד וְאֵת כָּל־הַנְּשָׁמָה הֶחֱרִים כַּאֲשֶׁר
מא צִוָּה יְהוָה אֱלֹהֵי יִשְׂרָאֵל׃ וַיַּכֵּם יְהוֹשֻׁעַ מִקָּדֵשׁ בַּרְנֵעַ וְעַד־עַזָּה וְאֵת כָּל־אֶרֶץ גֹּשֶׁן
מב וְעַד־גִּבְעוֹן׃ וְאֵת כָּל־הַמְּלָכִים הָאֵלֶּה וְאֶת־אַרְצָם לָכַד יְהוֹשֻׁעַ פַּעַם אֶחָת כִּי
מג יְהוָה אֱלֹהֵי יִשְׂרָאֵל נִלְחָם לְיִשְׂרָאֵל׃ וַיָּשָׁב יְהוֹשֻׁעַ וְכָל־יִשְׂרָאֵל עִמּוֹ אֶל־הַמַּחֲנֶה
יא א הַגִּלְגָּלָה׃ וַיְהִי כִּשְׁמֹעַ יָבִין מֶלֶךְ־חָצוֹר וַיִּשְׁלַח אֶל־יוֹבָב מֶלֶךְ מָדוֹן וְאֶל־
ב מֶלֶךְ שִׁמְרוֹן וְאֶל־מֶלֶךְ אַכְשָׁף׃ וְאֶל־הַמְּלָכִים אֲשֶׁר מִצְּפוֹן בָּהָר וּבָעֲרָבָה נֶגֶב
ג כִּנְרוֹת וּבַשְּׁפֵלָה וּבְנָפוֹת דּוֹר מִיָּם׃ הַכְּנַעֲנִי מִמִּזְרָח וּמִיָּם וְהָאֱמֹרִי וְהַחִתִּי וְהַפְּרִזִּי
ד וְהַיְבוּסִי בָּהָר וְהַחִוִּי תַּחַת חֶרְמוֹן בְּאֶרֶץ הַמִּצְפָּה׃ וַיֵּצְאוּ הֵם וְכָל־מַחֲנֵיהֶם עִמָּם
ה עַם־רָב כַּחוֹל אֲשֶׁר עַל־שְׂפַת־הַיָּם לָרֹב וְסוּס וָרֶכֶב רַב־מְאֹד׃ וַיִּוָּעֲדוּ כֹּל הַמְּלָכִים
ו הָאֵלֶּה וַיָּבֹאוּ וַיַּחֲנוּ יַחְדָּו אֶל־מֵי מֵרוֹם לְהִלָּחֵם עִם־יִשְׂרָאֵל׃ וַיֹּאמֶר
יְהוָה אֶל־יְהוֹשֻׁעַ אַל־תִּירָא מִפְּנֵיהֶם כִּי־מָחָר כָּעֵת הַזֹּאת אָנֹכִי נֹתֵן אֶת־כֻּלָּם
ז חֲלָלִים לִפְנֵי יִשְׂרָאֵל אֶת־סוּסֵיהֶם תְּעַקֵּר וְאֶת־מַרְכְּבֹתֵיהֶם תִּשְׂרֹף בָּאֵשׁ׃ וַיָּבֹא
ח יְהוֹשֻׁעַ וְכָל־עַם הַמִּלְחָמָה עִמּוֹ עֲלֵיהֶם עַל־מֵי מֵרוֹם פִּתְאֹם וַיִּפְּלוּ בָּהֶם׃ וַיִּתְּנֵם
יְהוָה בְּיַד־יִשְׂרָאֵל וַיַּכּוּם וַיִּרְדְּפוּם עַד־צִידוֹן רַבָּה וְעַד מִשְׂרְפוֹת מַיִם וְעַד־בִּקְעַת
ט מִצְפֶּה מִזְרָחָה וַיַּכֻּם עַד־בִּלְתִּי הִשְׁאִיר־לָהֶם שָׂרִיד׃ וַיַּעַשׂ לָהֶם יְהוֹשֻׁעַ כַּאֲשֶׁר
י אָמַר־לוֹ יְהוָה אֶת־סוּסֵיהֶם עִקֵּר וְאֶת־מַרְכְּבֹתֵיהֶם שָׂרַף בָּאֵשׁ׃ וַיָּשָׁב

רש״י

(מ) **והאשדות.** מקום שמי הגבעות שופכים: (מא) **מקדש ברנע ועד עזה.** מצד דרומית של ארץ ישראל הוא מן המזרח למערב, ולא הספיק לכבוש כל המיצר ונשאר מעזה עד הים, הוא שאמר למטה זֹאת הָאָרֶץ הַנִּשְׁאָרֶת . . . הָעַזָּתִי וְהָאַשְׁדּוֹדִי וגו׳ (לקמן יג, ב־ג): (ב) **נגב כנרות.** (תרגום) דָּרוֹם גִינוֹסָר: **ובנפות דור.** תרגום פִּלְכֵי דוֹר, קונטדו״ש בלע״ז: **מים.** מערבה: (ח) **משרפות מים.** תרגם יונתן חַרְצֵי יַמָּא, שעושין חריצין, ומי הים יוצאין לתוכן, ונשרפין מחום השמש ונעשים מלח:

רד״ק

והאשדות. כמו אַשְׁדּוֹת הַפִּסְגָּה (לקמן יב, ג) כתרגום מַשְׁפַּךְ מֵרָמָתָא והוא מדרון ההר, או הפסגה נקרא כן לפי שהמים היורדים על ההר נשפכים מן ההר דרך מדרון: (מא) **ארץ גשן.** אין זה של מצרים: (מב) **פעם אחת.** כלומר שלא הוצרך לצור על עיר ולא האריכו ימי המלחמה, אלא בפעם אחת לכדום כולם זאת אחרי זאת בלא הפסק: (ב) **אשר מצפון.** בשו״א, ועיקרו בקמץ כי איננו סמוך, ויתכן לפרשו סמוך לבי״ת בהר ובערבה כאילו אמר מצפון ההר, כי כן דרך הלשון לסמוך על אות השמוש, כמו הַשְּׁכוּנֵי בָּאֳהָלִים (שופטים ח, יא) וזולתו כמו שכתבנו בספר מכלל: **נגב כנרות.** לדרום כנרת, וכנרות קבוץ כנרת, וזה וזה תרגום גִינוֹסָר, והיא ארץ שמנה מאד, ורבותינו ז״ל (ברכות מד, א) הפליגו בספור שבח פירותיהם, והקבוץ רוצה לומר שהיו מקומות נחלקים וכלם היו שמנים: **ובנפות דור.** האחד ממנו נפה והסמוך לנפת דור, ועניינם מחוז מחוזים וכן תרגם יונתן פִּילְכֵי: (ג) **והחוי תחת חרמון.** פירוש החוי שהיה יושב תחת חרמון, ואמר תַּחַת כי חרמון היה הר כמו שכתוב עַד הַר חֶרְמוֹן (לקמן יב, א), ופירוש בְּאֶרֶץ הַמִּצְפָּה כי חרמון זה בארץ המצפה, או פירושו כי כל המלכים נועדו בארץ המצפה להלחם עם יהושע, ואפשר שזה המקום הוא המצפה שהיו מתקבצים שם ישראל תמיד, ולפי שהיתה שם תשועה גדולה היו נועדים שם, כי במלחמה האחרת שעשה יהושע עם חמשת המלכים (לעיל י, ה) אף על פי שהיתה תשועה גדולה לא היו אלא חמשת מלכים, ואלו היו מלכים רבים, ואפשר כי בנה שם יהושע מזבח מפני התשועה הגדולה שהיתה שם, ומפני זה היו ישראל נקבצים שם בעת שהיו צריכים למלחמה או לדבר גדול, וכן מצאנו ביפתח לִפְנֵי ה׳ בַּמִּצְפָּה (שופטים יא, יא), וכן בדבר פלגש בגבעה אֶל ה׳ הַמִּצְפָּה (שם כ, א), וכן אמר שמואל במלחמת פלשתים קִבְצוּ אֶת כָּל יִשְׂרָאֵל הַמִּצְפָּתָה (שמואל־א ז, ה), וכן כשהמליך שאול וַיַּצְעֵק שְׁמוּאֵל אֶת הָעָם אֶל ה׳ הַמִּצְפָּה (שם י, יז) נראה מכל אלה הפסוקים כי מזבח היה שם ובית מקודש לתפלה ולקבוץ ישראל באותן הימים: (ח) **צידון רבה.** רבת עם, ידמה שהיתה צידון אחרת קטנה ממנה: **משרפות מים.** תרגום יונתן חֲרִיצֵי יַמָּא, והם המלחיות שעושין חריצין ומושכין עליהם מים מלוחים ונשרפים לשמש ונעשים מלח: (ט) **את סוסיהם עקר.** להודיע כי מה שאמר

מצודת דוד

(מב) **פעם אחת.** לפי שהעי לא לכד בפעם אחת, לזה אמר שכל אלו לכד בפעם אחת: (מג) **וישב יהושע.** היא ההשבה עצמה האמורה למעלה (פסוק טו): (ג) **תחת חרמון.** תחת הר חרמון: **בארץ המצפה.** הר חרמון היה בארץ המצפה: (ח) **משרפות מים.** חריצים שמי הים נקווים בהם, והחמה שורפתן ונעשים מלח:

מצודת ציון

והאשדות. מדרון ההרים שהמים נשפכים ויורדים שם, וכן אַשְׁדֹּת הַפִּסְגָּה (דברים ג, יז), וכן שֹׁפֵךְ דַּם (בראשית ט, ו), תרגומו דְּיֵשׁוֹד דְּמָא: (ב) **ובערבה.** במישור: **נגב כנרות.** לדרום כנרות, והוא שם מקום: **ובנפות דור.** מחוזות וגלילות של דור, כמו יְפֵה נוֹף (תהלים מח, ג): (ה) **ויועדו.** מלשון ועד ואסיפה: (ו) **תעקר.** תסיר העיקר, כמו וּבְכָל תְּבוּאָתִי תְשָׁרֵשׁ (איוב לא, יב), ומשפטו, תסיר השורש ממקומו, ורצה לומר, שיכרות הרגלים שהם העיקר והיסוד לבהמה:

כָּל־הַנְּשָׁמָה הֶחֱרִים — *He destroyed every soul.* Joshua destroyed them not only physically, but spiritually, as the verses stresses, *he destroyed every soul. Rabbeinu Bachya* (*Exodus* 23:20) comments that the souls of the Canaanite nations were so corrupt that they had to be exterminated. By contrast, in the wars of Moses against Sichon and Og, there is no mention of souls; those were wars against the physical enemies of Israel, but their degree of evil did not require spiritual excision (*Be'er Moshe*).

The conclusion of the southern conquest

the [land of the] waterfalls and all their kings. He did not leave a remnant. He destroyed
every soul as HASHEM, God of Israel, had commanded. 41 *Joshua smote them from*
Kadesh-barnea to Gaza and the entire land of Goshen to Gibeon. 42 *All those kings and*
their land Joshua conquered at the same time, because HASHEM, God of Israel, was
waging war for Israel. 43 *Joshua and all Israel with him returned to the camp, to Gilgal.*

11

THE CONQUEST OF THE NORTH 11:1-15 (See Map 2 in the Appendix)

1 *It happened when Jabin king of Hazor heard: He sent to Jobab king of Madon, to the*
king of Shimron, and to the king of Achshaph, 2 *and to the kings who were from the*
north, in the mountain, and in the plain south of Kinnereth, and in the lowland and in the
districts of Dor to the west; 3 *the Canaanite on the east and on the west; and the Amorite*
and the Hittite and the Perizzite and the Jebusite in the mountain; and the Hivvite at the
foothills of Hermon in the land of Mizpah. 4 *They went out — they and all their camps with*
them — many people, [as numerous] as the sand on the seashore, and very many horses
and chariots. 5 *All these kings gathered [together]; they came and encamped together at*
the waters of Merom to wage war with Israel.
6 *HASHEM said to Joshua, "Do not fear them, for tomorrow at this time I will deliver them*
all as corpses before Israel. You shall hamstring their horses and burn their chariots in fire."

Joshua's preemptive strike

7 *Joshua and all the people of war with him attacked them suddenly at the waters of*
Merom and fell upon them. 8 *HASHEM delivered them into the hand of Israel, and they*
struck them and pursued them all the way to the Great Sidon and Misrephoth-maim and
to the Valley of Mizpeh eastward. They struck them until they had not left them a remnant.
9 *Joshua dealt with them as HASHEM had told him; he hamstrung their horses and burned*
their chariots in fire.

כַּאֲשֶׁר צִוָּה ה' — *As HASHEM... had commanded.* Joshua did not act out of personal malice, but because he had been commanded to kill the people (*Daas Soferim*).

41. גֹּשֶׁן — *Goshen.* This was not the Goshen of Egypt, but an area within the territory of Judah (*Malbim*).

11.

The northern conquest. In Chapter 10, Joshua essentially conquered the southern half of the country; in this chapter, he turned to the north to take the rest of the land. Again, Divine Providence helped him. As many of the defeated southern kings had done, the northern kingdoms formed a coalition to fight Joshua and his forces, but whereas the southern coalition had consisted of only five kings, this one was far larger in numbers and mobilization (v. 4). God intervened and Joshua outwitted them and won an overwhelming victory.

1-5. King Jabin builds a coalition. Seeing that most of the southern cities did not unite and were therefore defeated one by one, Jabin convinced his northern peers to form a huge united army (*Ralbag*).

1. וַיְהִי כִּשְׁמֹעַ — *It happened when* [*Jabin*] *heard.* He heard that the Canaanites were being wiped out and that their kings were humiliated and executed (*Chida*), or that Joshua had returned to Gilgal and would not be on guard against an attack (*Lev Aharon*).

3. בְּאֶרֶץ הַמִּצְפָּה — *In the land of Mizpah.* Either this was the location of the aforementioned Hermon or it was the gathering place of all the royal armies. This may also be the Mizpah that was used as a Jewish center in the future; since Mizpah symbolized God's help in Joshua's decisive victory, it was a logical place for Jews to gather for momentous occasions. Thus, Jephthah assembled his army there (*Judges* 11:11), Samuel brought an offering there and prayed for salvation from the Philistines (*I Samuel* 7:5), and he designated Saul as king in Mizpah (ibid. 10:17) (*Radak*).

6-15. Joshua's preemptive attack. God told Joshua what was happening in the north and, even though this was the mightiest force Joshua had confronted thus far, God assured him he had nothing to fear from them.

God commanded Joshua to disable the fighting capacity of the Canaanite force, by burning the chariots and hamstringing the horses. Such a command had never before been given him. All the commentators agree that this was to prevent the danger that Israel would become a militaristic nation that trusted in the strength of its cavalry and "tanks." Up to now, the Jews had not seen an army with horses and chariots, which at the time was an invincible force. Israel might well have been tempted to take the horses and chariots and use them in its own future wars. God wanted them to realize that victory stems from Him, not superior arms, so He commanded them to incapacitate the horses (they were not killed, only rendered useless for combat) and destroy the chariots. Had there not been such a Divine command, it would have been absolutely forbidden to inflict pain on the animals.

7. Without God, Joshua could not have known that the northern army was massing, consequently his attack was a complete surprise.

יְהוֹשֻׁעַ בָּעֵת הַהִיא וַיִּלְכֹּד אֶת־חָצוֹר וְאֶת־מַלְכָּהּ הִכָּה בֶחָרֶב כִּי־חָצוֹר לְפָנִים הִיא
יא רֹאשׁ כָּל־הַמַּמְלָכוֹת הָאֵלֶּה: וַיַּכּוּ אֶת־כָּל־הַנֶּפֶשׁ אֲשֶׁר־בָּהּ לְפִי־חֶרֶב הַחֲרֵם לֹא
יב נוֹתַר כָּל־נְשָׁמָה וְאֶת־חָצוֹר שָׂרַף בָּאֵשׁ: וְאֶת־כָּל־עָרֵי הַמְּלָכִים־הָאֵלֶּה וְאֶת־כָּל־
מַלְכֵיהֶם לָכַד יְהוֹשֻׁעַ וַיַּכֵּם לְפִי־חֶרֶב הֶחֱרִים אוֹתָם כַּאֲשֶׁר צִוָּה מֹשֶׁה עֶבֶד יְהוָה:
יג רַק כָּל־הֶעָרִים הָעֹמְדוֹת עַל־תִּלָּם לֹא שְׂרָפָם יִשְׂרָאֵל זוּלָתִי אֶת־חָצוֹר לְבַדָּהּ שָׂרַף
יד יְהוֹשֻׁעַ: וְכֹל שְׁלַל הֶעָרִים הָאֵלֶּה וְהַבְּהֵמָה בָּזְזוּ לָהֶם בְּנֵי יִשְׂרָאֵל רַק אֶת־כָּל־
טו הָאָדָם הִכּוּ לְפִי־חֶרֶב עַד־הִשְׁמִדָם אוֹתָם לֹא הִשְׁאִירוּ כָּל־נְשָׁמָה: כַּאֲשֶׁר צִוָּה יְהוָה
אֶת־מֹשֶׁה עַבְדּוֹ כֵּן־צִוָּה מֹשֶׁה אֶת־יְהוֹשֻׁעַ וְכֵן עָשָׂה יְהוֹשֻׁעַ לֹא־הֵסִיר דָּבָר מִכֹּל
טז אֲשֶׁר־צִוָּה יְהוָה אֶת־מֹשֶׁה: וַיִּקַּח יְהוֹשֻׁעַ אֶת־כָּל־הָאָרֶץ הַזֹּאת הָהָר וְאֶת־כָּל־
הַנֶּגֶב וְאֵת כָּל־אֶרֶץ הַגֹּשֶׁן וְאֶת־הַשְּׁפֵלָה וְאֶת־הָעֲרָבָה וְאֶת־הַר יִשְׂרָאֵל וּשְׁפֵלָתֹה:
יז מִן־הָהָר הֶחָלָק הָעוֹלֶה שֵׂעִיר וְעַד־בַּעַל־גָּד בְּבִקְעַת הַלְּבָנוֹן תַּחַת הַר־חֶרְמוֹן וְאֵת
יח כָּל־מַלְכֵיהֶם לָכַד וַיַּכֵּם וַיְמִיתֵם: יָמִים רַבִּים עָשָׂה יְהוֹשֻׁעַ אֶת־כָּל־הַמְּלָכִים הָאֵלֶּה
יט מִלְחָמָה: לֹא־הָיְתָה עִיר אֲשֶׁר הִשְׁלִימָה אֶל־בְּנֵי יִשְׂרָאֵל בִּלְתִּי הַחִוִּי יֹשְׁבֵי גִבְעוֹן

רש״י

(יג) **העמדות על תלם.** שלא נהרסה חומתם, כמו יריחו שנפלה חומתה, וכן העי, שנאמר בה וַיְשִׂימֶהָ תֵּל עוֹלָם שְׁמָמָה (לעיל ח, כח): **זולתי את חצור לבדה.** במסורת שרפה. משה צוה לו ומסר לו כן, בבראשית רבה בויצא יעקב: (יז) **ההר החלק.** טורא שעיע, מחליק, ההר החלק עד בעל גד במיצר המזרחי, ולא הספיק לכבוש בחייו את כל המיצר עד הצפון, תוספתא: **בעל גד.** מישר גד: (יח) **ימים רבים עשה יהושע.** בגנותו ספר הכתוב, שהיה מתכון לדחות את כבוש הארץ כדי להאריך ימיו, לפי שנאמר ואתה תנחילנה אותם (לעיל א, ו). במדרש תנחומא (מטות סימן ד):

רד״ק

לו השם אֶת סוּסֵיהֶם תְּעַקֵּר (לעיל פסוק ו) דרך מצוה אמר לו. ויש לשאול מה טעם אמר לו מצוה זאת במלחמה זו מה שלא צוה לו במלחמה אחרת, ויש לפרש כי במלחמות האחרות לא היו בהם סוס ורכב כי אם בלכידת העיירות היו המלחמות, גם חמשת המלכים על גבעון באו ללכדה ולא היו צריכין לסוס ורכב, אבל זו המלחמה היתה מערכה שערכו מלחמה עם רב להלחם עם ישראל, והיו צריכים לסוסים ולרכב והיו עמהם לרוב כמה שכתוב וְרָאִיתָ סוּס וָרֶכֶב עַם רַב מִמְּךָ (דברים כ, א) ולא תמצא שאמר כן במלחמות אחרות, וצוה הקב״ה לאבד הסוסים והרכב, שהיו הגוים נלחמים בהם ובטחו ברכבם כי רב ולא ידעו כי שֶׁקֶר הַסּוּס לִתְשׁוּעָה (תהלים לג, יז), וישראל בלא רכב וסוס נצחום והפילום חללים כי לה׳ התשועה, לפיכך לא רצה האל יתברך שיבוזו ישראל להם הסוסים והמרכבות כדי שלא יבטחו בהם גם הם ויחשבו בלבם כי עם הסוסים יעשו המלחמות, לפיכך צוה יהושע לעקר הסוסים ולשרוף המרכבות, ולא צוה להמית הסוסים כי לא היה דבר שאסור בהנאה, ושאר הבהמות שהיה בהם כמו רכב חמור רכב גמל לא צוה לעקור אלא שיקחום לצרכם, אבל הסוסים שאינם אלא למלחמה אותם צוה לעקור כדי שלא יקחום ויבטחו בהם, ולא אמר להרגם דרך השחתה כי אסור להשחית הנבראים אם לא לצורך או לאסור בהנאה, והעיקור הוא לנשר פרסות הבהמה מן הארכובה ולמטה ולא תמות הבהמה בזה הדבר אלא שלא תוכל ללכת, ואם תמצא מרעה במקומה תחיה: (יג) **על תלם.** תרגום יונתן תְּקְפֵיהוֹן, כלומר שהיו עומדות בחזקתם שלא הפילו חומותיהם בלכדם אותם ולא שרפם, זולתי חצור, לפי שהיתה ראש הממלכות ויפחדו הנשארים. ובדרש כי משה מסר לו שישרוף חצור ועל פיו עשה יהושע ששרף חצור וכן אמרו (בראשית רבה פא, ד) רבי אליעזר אומר במסרה שרפה, הקב״ה אמר למשה ומשה אמר ליהושע. ועוד אמרו בקשו לרדוף ולא הניחם הקב״ה, והיכן נתכנסו בחצור לפיכך שרפה, וזה אחד משלשה מקומות שנתכנסו אומות העולם לעשות מלחמה עם בני יעקב ולא הניחם הקב״ה: (טז) **ארץ הגשן.** אין זה גושן של מצרים, ובדרש אומר כי היה גשן של ארץ מצרים והיא נבלעת בתוך ערי ישראל כמו שאמר וַיַּעַל לִקְרַאת ... אָבִיו גֹּשְׁנָה (בראשית מו, כט) מלמד שהיא בעלייה כלפי ארץ ישראל ובזכות שהלך יהודה בשליחות אביו להורות לפניו (שם פסוק כח) זכה שיהיה לחלקו ארץ גשן שהיא טובה: **ואת הר ישראל ושפלתה.** ה״א במקום וי״ו כה״א אָהֳלֹה (בראשית ט, כא), ופירושו הר יעקב אבינו ששכן שם והיא נקרא על שמו: (יז) **מן ההר החלק.** תרגום יונתן טוּרָא פְּלִיגָא, כלומר שהיה נחלק חציו הנה וחציו הנה, ויש מפרשים כמו אָנֹכִי אִישׁ חָלָק (בראשית כז, יא) כלומר שלא היו בה אילנות: **בעל גד.** כתרגומו מֵישַׁר גָּד: (יח) **ימים רבים.** ולמעלה (י, מב) אמר לָכַד יְהוֹשֻׁעַ פַּעַם אֶחָת. רוצה לומר, כי כל המלכים ההם שזכר לכד בפעם אחת בלי הפסק קודם ששבו אל המחנה הגלגלה, ואחר כך עשה מלחמה ימים רבים עם שאר מלכי הארץ עד שלקח הכל. ויש בו דרש (תנחומא מטות ד) שנענש יהושע על שנתעצל במלחמת המלכים כמו שנאמר יָמִים רַבִּים, שהרי אמר לו הקב״ה כַּאֲשֶׁר הָיִיתִי עִם מֹשֶׁה אֶהְיֶה עִמָּךְ (לעיל א, ה) ולמה חסרו משנותיו עשר שנים (לקמן כד, כט), אלא אמר יהושע אם אני מנחיל הארץ במהרה לישראל ועושה להם המלחמות, מיד אמות, אמר הקב״ה לא כך עשה משה רבך כשאמרתי לו נְקֹם נִקְמַת בְּנֵי יִשְׂרָאֵל מֵאֵת הַמִּדְיָנִים אַחַר תֵּאָסֵף אֶל עַמֶּיךָ (במדבר לא, ב) מיד וַיְדַבֵּר מֹשֶׁה אֶל הָעָם [לֵאמֹר] הֵחָלְצוּ (שם פסוק ג) ואתה עלה בלבך כך, הנני מחסר משנותיך, אמר (דוד) [שלמה] עליו השלום רַבּוֹת מַחֲשָׁבוֹת בְּלֶב אִישׁ וַעֲצַת ה׳ הִיא תָקוּם (משלי יט, כא):

מצודת דוד

(י) **כי חצור וכו׳.** ולזה פתח בה תחלה: (יג) **על תלם.** רצה לומר, בגבהם, שלא נפלו חומותיהם בעת הכבוש: (טז) **ואת הר ישראל.** אשר ישב בו ישראל אבינו, ונקרא על שמו: (יז) **ההר החלק.** שהיה נחלק לשנים, אחת הנה ואחת הנה: **העלה.** אשר עולה עד שעיר:

מצודת ציון

(י) **לפנים.** בימים הקדמונים: (יג) **תלם.** מלשון תל וגובה: (יז) **בעל.** תרגומו; מֵישַׁר:

10. After destroying the army, Joshua attacked the undefended cities. The only city he destroyed was Hatzor, because it had been the leader of the alliance. This would assure that no other city or ruler would dare challenge Israel (*Abarbanel*).

*10 Joshua turned back at that time and conquered Hazor and struck its king with the
sword, because Hazor had formerly been the leader of all those kingdoms. 11 They
smote every soul that was in it, destroying them by the edge of the sword; not a soul
was left. He burned Hazor in fire. 12 Joshua conquered all the cities of these kings and all
their kings; he struck them with the edge of the sword, destroying them, as Moses the
servant of* HASHEM *had commanded. 13 However, all the cities [whose walls] remained
steadfast, Israel did not burn. Only Hazor alone did Joshua burn. 14 All the spoils of these
cities and the livestock, the Children of Israel took for themselves as booty; but they struck
every man by the edge of the sword until they exterminated them. They did not leave any
soul. 15 As* HASHEM *had commanded Moses His servant, so Moses commanded Joshua;
and so Joshua did. He did not omit a thing of all that* HASHEM *had commanded Moses.*

SUMMARY OF THE CONQUESTS 11:16-12:24 (See Map 4 in the Appendix)

*16 And Joshua took this entire land: the mountain and the entire South and the entire
land of Goshen and the lowland and the Arabah and Mount Israel and its lowland. 17 From
the split mountain that ascends to Seir, to the plain of Gad in the valley of the Lebanon at
the foot of Mount Hermon; he conquered all their kings, struck them, and killed them.
18 Joshua waged war with all these kings for a long time. 19 There was not a city
that made peace with the Children of Israel except for the Hivvite inhabitants of Gibeon;*

---

13. הָעֹמְדוֹת עַל־תִּלָּם — *[Whose walls] remained steadfast.* Unlike Jericho and Ai, which were razed, these cities were allowed to remain intact, and were settled by the Jews. The only exception was Hazor, which was destroyed. In the plain sense of the verse, Hazor was destroyed because it led the alliance, as noted above. The Midrash cites an opinion that Moses specifically commanded Joshua regarding Hazor, which is why our passage speaks of Moses only here. Otherwise the people would not have wanted to destroy Hazor, which was a major city (*Bereishis Rabbah* 81:4).

The Sages comment that it was implicitly understood by everyone that whatever Joshua did was based on the traditions or commandments he received from Moses (*Yevamos* 96b).

15. לֹא־הֵסִיר דָּבָר — *He did not omit a thing.* This apparently redundant phrase implies that Joshua intuitively knew whatever God had commanded Moses, so well had the student absorbed the teachings of his master (*Yerushalmi, Pe'ah* 2:1).

16-23. Summary of Joshua's triumphs. This passage sums up the parts of the Land that Joshua conquered. He conquered the majority of the country — which is why verse 23 describes it as *the entire land* — but he did not complete the task, as is detailed in 13:2-14. In Chapter 2 of the Book of Judges, the tribes are severely criticized for allowing significant pockets of Canaanites to remain in *Eretz Yisrael,* and history demonstrated it to be a grave mistake.

16. כָּל־אֶרֶץ הַגֹּשֶׁן — *The entire land of Goshen.* In the plain sense, this was not the Goshen of Egypt. However, *Rashi* and *Radak* cite a Midrash that it was indeed Egyptian territory, and that it was given to the tribe of Judah, because Judah went to Goshen ahead of Jacob and his family to prepare a place for Torah study.

To explain how an Egyptian province became part of *Eretz Yisrael, Kli Yakar* conjectures that the governor of Goshen owned land in the Holy Land, and this property was ceded to Judah as a reward for their ancestor's dedication to the Torah.

הָעֲרָבָה — *The Arabah,* i.e., the Jordan River valley, from the Dead Sea northward to the Kinneret.

הַר יִשְׂרָאֵל — *Mount Israel.* The mountain was named for Jacob (Israel), who lived there (*Radak*).

17. הָהָר הֶחָלָק — *The split mountain,* so named because it was split into two halves. Alternatively, it is rendered *the smooth mountain,* because it had no trees (*Radak*).

18. A drawn-out war. The battles briefly described above, as well as those to be recounted in the next chapter, did not take place in quick succession; rather they happened over a period of several years. The only exception to this rule was the defeat of the five-city alliance (Ch. 10), when Joshua stopped the sun to complete the rout.

On the surface, this would be in fulfillment of Moses' prophecy that the conquest of the Land would be drawn out, because, if the Canaanites were driven out very quickly, many towns would be uninhabited for a long time and wild animals would multiply there (*Deuteronomy* 7:22).

The Sages, however, fault Joshua for delaying the conquest (*Bamidbar Rabbah* 22:6). God had assured Joshua that he would live to distribute the Land to the people, so he delayed the conquest to prolong his life, in sharp contrast to his teacher Moses, who attacked Midian with alacrity, even though God had told him that he would die as soon as the war was over. Because Joshua purposely delayed the conquest, his life was shortened by ten years (*Radak; Rashi*).

Maharzu explains that Joshua prolonged the conquest because he knew that Israel would not sin as long as he was alive. Nevertheless he was punished for it, because a person never has the right to substitute his own judgment for God's.

19-20. The Canaanites lose the chance to repent and survive. Verse 19 implies that if a city had wished to make peace with Israel, its offer would have been accepted, provided it agreed to abide by the Seven Noachide Laws and to perform national service (*Ralbag*). If so, why did they insist on engaging

כ אֶת־הַכֹּל לָקְחוּ בַמִּלְחָמָה: כִּֽי־מֵאֵת יהוָה ׀ הָיְתָה לְחַזֵּק אֶת־לִבָּם לִקְרַאת
הַמִּלְחָמָה אֶת־יִשְׂרָאֵל לְמַעַן הַחֲרִימָם לְבִלְתִּי הֱיוֹת־לָהֶם תְּחִנָּה כִּי לְמַעַן
כא הַשְׁמִידָם כַּאֲשֶׁר צִוָּה יהוָה אֶת־מֹשֶׁה: וַיָּבֹא יְהוֹשֻׁעַ בָּעֵת הַהִיא וַיַּכְרֵת
אֶת־הָעֲנָקִים מִן־הָהָר מִן־חֶבְרוֹן מִן־דְּבִר מִן־עֲנָב וּמִכֹּל הַר יְהוּדָה וּמִכֹּל הַר
כב יִשְׂרָאֵל עִם־עָרֵיהֶם הֶחֱרִימָם יְהוֹשֻׁעַ: לֹֽא־נוֹתַר עֲנָקִים בְּאֶרֶץ בְּנֵי יִשְׂרָאֵל רַק
כג בְּעַזָּה בְּגַת וּבְאַשְׁדּוֹד נִשְׁאָרוּ: וַיִּקַּח יְהוֹשֻׁעַ אֶת־כָּל־הָאָרֶץ כְּכֹל אֲשֶׁר דִּבֶּר יהוָה
אֶל־מֹשֶׁה וַיִּתְּנָהּ יְהוֹשֻׁעַ לְנַחֲלָה לְיִשְׂרָאֵל כְּמַחְלְקֹתָם לְשִׁבְטֵיהֶם וְהָאָרֶץ שָׁקְטָה

יב

א מִמִּלְחָמָה: וְאֵלֶּה ׀ מַלְכֵי הָאָרֶץ אֲשֶׁר הִכּוּ בְנֵֽי־יִשְׂרָאֵל וַיִּרְשׁוּ אֶת־
אַרְצָם בְּעֵבֶר הַיַּרְדֵּן מִזְרְחָה הַשָּׁמֶשׁ מִנַּחַל אַרְנוֹן עַד־הַר חֶרְמוֹן וְכָל־הָעֲרָבָה
ב מִזְרָֽחָה: סִיחוֹן מֶלֶךְ הָאֱמֹרִי הַיּוֹשֵׁב בְּחֶשְׁבּוֹן מֹשֵׁל מֵעֲרוֹעֵר אֲשֶׁר עַל־שְׂפַת־נַחַל
ג אַרְנוֹן וְתוֹךְ הַנַּחַל וַחֲצִי הַגִּלְעָד וְעַד יַבֹּק הַנַּחַל גְּבוּל בְּנֵי עַמּוֹן: וְהָעֲרָבָה עַד־יָם
כִּנְרוֹת מִזְרָחָה וְעַד יָם הָעֲרָבָה יָם־הַמֶּלַח מִזְרָחָה דֶּרֶךְ בֵּית הַיְשִׁמוֹת וּמִתֵּימָן
ד תַּחַת אַשְׁדּוֹת הַפִּסְגָּה: וּגְבוּל עוֹג מֶלֶךְ הַבָּשָׁן מִיֶּתֶר הָרְפָאִים הַיּוֹשֵׁב בְּעַשְׁתָּרוֹת
ה וּבְאֶדְרֶֽעִי: וּמֹשֵׁל בְּהַר חֶרְמוֹן וּבְסַלְכָה וּבְכָל־הַבָּשָׁן עַד־גְּבוּל הַגְּשׁוּרִי וְהַמַּעֲכָתִי

רש"י

(א) **אשר הכו בני ישראל.** בימי משה: (ב) **ועד יבק הנחל.** שהוא גבול ארץ בני עמון, סוף מיצר ארץ בני עמון, ומשם והלאה היו בני עמון מושלים:

רד"ק

(כ) **לחזק את לבם.** זה היה לשתי סבות, האחת שהיה זה עונש עוונם כמו בפרעה וַיְחַזֵּק ה׳ אֶת לֵב פַּרְעֹה (שמות י, ב), והשנית כמו שאומר הטעם כִּי לְמַעַן הַשְׁמִידָם כַּאֲשֶׁר צִוָּה ה׳ אֶת מֹשֶׁה כמו שכתוב כִּי אֶתֵּן בְּיֶדְכֶם אֵת יֹשְׁבֵי הָאָרֶץ וגו׳ (שמות כג, לא), ואמר פֶּן יַחֲטִיאוּ אֹתְךָ לִי (שם פסוק לג): **להם תחנה.** כמו חנינה ורחמנות: (כא) **ויכרת את הענקים.** ולמעלה (שופטים א, כ) הוא אומר כי כלב הורישם, כלב עשה במצות יהושע שנתן לו את ההר. ועוד יראה בספר שופטים (פרק א, י) כי אחרי מות יהושע הורישום בני יהודה, והאמת כי בחיי יהושע הורישו ישראל חברון והענקים אשר בהר חברון הכל הכריתו, ומה שאמר כי כלב הורישם, לפי שנתן לו יהושע חברון על פי ה׳ נקראת המלחמה על שמו ועל שם שבטו שהוא שבט יהודה והם השתדלו יותר במלחמה ההיא, ופירוש וַיֵּלֶךְ יְהוּדָה אֶל הַכְּנַעֲנִי הַיּוֹשֵׁב בְּחֶבְרוֹן שנאמר בספר שופטים (שם) וכבר הלך, אבל ספר אותו שם עם מה שכבשו אחרי מות יהושע, וכן וַיִּלָּחֲמוּ בְנֵי יְהוּדָה בִּירוּשָׁלַם (שופטים א, ח) פירושו וכבר נלחמו, כי מלך ירושלים הוא בחשבון שלושים ואחד מלכים שהכה יהושע ובני ישראל (לקמן יב, י): **הר יהודה.** נקרא כן על שם סופו כי קודם שלקחו אותו לא היה נקרא כן: **הר ישראל.** כמו שפירשנו למעלה (פסוק טז): (כב) **רק בעזה.** ומה שאמר בספר שופטים וַיִּלְכֹּד (יהושע) [יְהוּדָה אֶת] עַזָּה וְאֶת גְּבוּלָהּ וגו׳ (שופטים א, יח) אחרי מות יהושע היה זה, אבל בחיי יהושע הם הכריתו הענקים מן חברון ומן אלה המקומות שזכר, ונשארו בעזה ובשאר ערי פלשתים עד שלכדם אחר כן יהודה: (כג) **והארץ שקטה ממלחמה.** שלא התעוררו עוד הכנענים להאסף ולהלחם עם ישראל, כי ראו כי נפלו לפניהם בכל המלחמות, וגם ישראל עמדו באותה הארץ שכבשו ולא התעוררו לכבוש עוד, וכשזקן יהושע אמר לו האל יתברך שיזרז ישראל לכבוש הארץ הנשארת, ואמר ליהושע שיחלק אותה בחייו והתחיל בשני השבטים שהם יהודה ויוסף, כי נאמר לו ברוח הקדש שאלו ינחלו תחלה כי הם ראשי ישראל, ואלה יעמדו על גבולי ארץ ישראל יהודה מדרום ויוסף מצפון והשבעה שבטים ביניהם, וכיון שעלה גורל לאלו השבטים השנים וכבשו הגבולים חשבו כי כל הארץ נכבשת, כי המערב הים הגדול גבולו והמזרח הירדן וים כנרת, לפיכך נתעצלו לכבוש שבעה שבטים עד שבאו לשילה כי לא היו חוששין כיון שהיו הגבולים בידם, והכנענים הנשארים היו ביניהם וכל ישראל היו להם ערים הרבה לשבת בארץ הנכבשת, וכאשר באו לשילה אחר ארבעה עשר שנה משבאו לגלגל אמר להם יהושע שיכתבו הערים שבין יהודה ויוסף ויעשו מהם שבעה חלקים, ואחר כך יטילו גורל ביניהן על פי הקלפי ועל פי ה׳ לשבעה השבטים:

מצודת דוד

(כ) **לבלתי היות להם תחנה.** מן בני ישראל: **כי למען השמידם.** כי חיזק לבבם למען השמידם: (כא) **מן חברון.** אף כי כלב הוריש הענקים מחברון, ייחס הדבר אל יהושע, לפי שבימיו הוריש, וכל נצחון המלחמה יחשב אל המושל על הצבא: (כג) **כמחלקתם.** כפי המחלוקת האמורה למטה: **לשבטיהם.** לכל שבט ושבט חלק לבד: (ב) **יבק הנחל.** שם מקום סמוך להנחל, והיה מגְּבוּל בְּנֵי עַמּוֹן: (ג) **והערבה.** גם היא היתה ממשלת סיחון: **ומתימן.** ומפאת הדרום, משל תַּחַת אַשְׁדּוֹת הַפִּסְגָּה: (ד) **וגבול עוג וכו׳.** רצה לומר, גם גבול עוג ירשו:

מצודת ציון

(כ) **תחנה.** חנינה ורחמים: (כא) **הענקים.** בני אדם גבהי הקומה: (כג) **שקטה.** נחה, כמו אֶרֶץ יָרְאָה וְשָׁקָטָה (תהלים עו, ט): (ד) **הרפאים.** הענקים, על שם שמרפים ידי רואיהם, כי יפחדו מהם:

in suicidal wars against Israel? Verse 20 gives the answer. God did not permit them to save themselves by doing the logical thing for two reasons: (a) They had sinned so grievously for so many years that they had forfeited the right to repent, just as Pharaoh lost his chance to repent by flouting God's will over and over; and (2) their continued residency in the Land would be an evil influence on Israel and cause the people to sin, as God had warned Moses [*Exodus* 23:33] (*Radak*). It should be understood that these two factors are independent of one another. That it would have been better for the Jews without the sinful Canaanites in the Land was not enough reason for them to be annihilated; they could have

they took everything in battle. 20 *For it was from* HASHEM, *to harden their hearts toward*
battle against Israel, in order to destroy them — that they not find favor — so that they
would be exterminated, as HASHEM *had commanded Moses.*

21 *At that time Joshua came and cut down the Anakim from the mountain, from*
Hebron, from Debir, from Anab and from all the Mountains of Judah, and from all of
Mount Israel; Joshua destroyed them with their cities. 22 *No Anakim were left in the land*
of the Children of Israel; however, in Gaza, Gath, and Ashdod they remained. 23 *Thus,*
Joshua took the entire land, according to all that HASHEM *had spoken to Moses. Joshua*
gave it to Israel as a heritage, according to their divisions, to their tribes. The land then
rested from war.

12 *Moses' conquest: Sihon's territory* (See Map 3 in the Appendix)

1 *These are the kings of the land whom the Children of Israel smote and whose land*
they inherited on the other side of the Jordan, towards the rising sun, from the River
Arnon to Mount Hermon and the entire plain to the east: 2 *Sihon, king of the Amorite, who*
dwelled in Heshbon and who ruled from Aroer, that is on the edge of the River Arnon, and
the middle of the river, and half of the Gilead, until the River Jabbok, the border of the
Children of Ammon; 3 *and the plain until the Kinnereth Sea to the east and until the sea of*
the plain, the Salt [Dead] Sea, to the east, the way to Beth-jeshimoth; and from the south
Og's territory *under the falls of Pisgah.* 4 *And the boundary of Og, king of Bashan, who was a remnant*
of the giants, who lived in Ashtaroth and in Edrei, 5 *and who reigned in Mount Hermon*
and Salcah, and in all of Bashan up to the border of the Geshurite and the Maacathite

---

left the country, as did the Girgashites, or they could have sincerely repented. However, the efficacy of repentance is not a natural right; why should people be able to wipe the slate clean without paying the price for their transgressions? That repentance can be accepted is a prime example of God's lavish kindness. But the evil of the Canaanites was so massive and had become so ingrained that they had to be punished for their past sins and did not deserve the opportunity to wipe away their guilt through repentance.

21-23. Seven years of conquest; seven years of allocation. According to the Sages, Joshua lived in *Eretz Yisrael* for fourteen years; during the first seven he fought his wars of conquest and for the next seven he divided the country among the tribes. This passage sums up some of the accomplishments of the years of battle.

21. בָּעֵת הַהִיא — *At that time,* a reference to the seven years of conquest (*Malbim*).

הָעֲנָקִים — *The Anakim.* This was a family of giants that terrified everyone who saw them. Moses' spies cited them as proof that the land could not be conquered (*Numbers* 13:33). See *comm.* to Genesis 6:4.

Apparently the presence of the giants was a major impediment to the conquest, so that their removal, as implied by verse 23, is tantamount to the conquest of the *entire land.*

23. אֶת־כָּל־הָאָרֶץ — *The entire land.* As set forth in Chapter 13, there remained sizable sections of the land that had not been conquered, however the kings listed below were the most important ones, so that once they were disposed of, the land was substantially in Jewish hands (*Me'am Loez).*

כְּמַחְלְקֹתָם — *According to their divisions,* i.e., according to the shares allocated to the tribes (*Metzudos*). After his seven years of battle, Joshua went to the task of dividing the land among the tribes.

וְהָאָרֶץ שָׁקְטָה מִמִּלְחָמָה — *The land then rested from war.* Once the alliances were put down so decisively, the remaining Canaanites gave up all hope of fighting the newcomers, which was a positive development. Less positive, however, was the Jewish failure to carry on the fight to occupy all of their land, as Joshua exhorted them to do before his death (see Chapter 23), and for which God's prophet excoriated them (see *Judges* 2).

12.

Inventory of territory. This chapter lists all the land that was conquered by Moses and Joshua, and that was now ready for distribution to the tribes. The chapter also lists the two kings defeated by Moses and the thirty-one kings of the defeated Canaanite city-states conquered by Joshua.

1-6. Moses' conquest of Sichon and Og. Before his death, Moses conquered the lands of Sichon and Og on the east bank of the Jordan. His name is not mentioned as the conqueror of Sichon because he did not participate personally in that war. Moses is mentioned in verse 6, which comes after the delineation of Og's kingdom, because the gigantic, fearsome Og could not have been defeated without his participation (*Kli Yakar*).

According to *Ralbag,* Moses is not mentioned at the beginning of the passage to indicate that his triumphs were not in his personal merit, but because of God's covenant with the Patriarchs.

ו וַחֲצִי֙ הַגִּלְעָ֔ד גְּב֖וּל סִיח֥וֹן מֶֽלֶךְ־חֶשְׁבּֽוֹן׃ מֹשֶׁ֧ה עֶֽבֶד־יְהוָ֛ה וּבְנֵ֥י יִשְׂרָאֵ֖ל הִכּ֑וּם וַֽיִּתְּנָ֡הּ
ז מֹשֶׁ֨ה עֶֽבֶד־יְהוָ֜ה יְרֻשָּׁ֗ה לָרֽאוּבֵנִי֙ וְלַגָּדִ֔י וְלַחֲצִ֖י שֵׁ֥בֶט הַֽמְנַשֶּֽׁה׃ וְאֵ֜לֶּה
מַלְכֵ֣י הָאָ֗רֶץ אֲשֶׁ֨ר הִכָּ֥ה יְהוֹשֻׁ֣עַ וּבְנֵ֣י יִשְׂרָאֵל֮ בְּעֵ֣בֶר הַיַּרְדֵּן֒ יָ֔מָּה מִבַּ֤עַל גָּד֙ בְּבִקְעַ֣ת
הַלְּבָנ֔וֹן וְעַד־הָהָ֥ר הֶחָל֖ק הָעֹלֶ֣ה שֵׂעִ֑ירָה וַיִּתְּנָ֨הּ יְהוֹשֻׁ֜עַ לְשִׁבְטֵ֧י יִשְׂרָאֵ֛ל יְרֻשָּׁ֖ה
ח כְּמַחְלְקֹתָֽם׃ בָּהָ֣ר וּבַשְּׁפֵלָ֗ה וּבָֽעֲרָבָה֙ וּבָ֣אֲשֵׁד֔וֹת וּבַמִּדְבָּ֖ר וּבַנֶּ֑גֶב הַֽחִתִּי֙ הָֽאֱמֹרִ֔י
וְהַֽכְּנַעֲנִי֙ הַפְּרִזִּ֔י הַחִוִּ֖י וְהַיְבוּסִֽי׃

ט מֶ֣לֶךְ יְרִיח֔וֹ אֶחָ֑ד
מֶ֛לֶךְ הָעַ֛י אֲשֶׁר־מִצַּ֥ד בֵּֽית־אֵ֖ל אֶחָֽד׃
י מֶ֤לֶךְ יְרוּשָׁלִַ֙ם֙ אֶחָ֔ד
מֶ֥לֶךְ חֶבְר֖וֹן אֶחָֽד׃
יא מֶ֤לֶךְ יַרְמוּת֙ אֶחָ֔ד
מֶ֥לֶךְ לָכִ֖ישׁ אֶחָֽד׃
יב מֶ֤לֶךְ עֶגְלוֹן֙ אֶחָ֔ד
מֶ֥לֶךְ גֶּ֖זֶר אֶחָֽד׃
יג מֶ֤לֶךְ דְּבִר֙ אֶחָ֔ד
מֶ֥לֶךְ גֶּ֖דֶר אֶחָֽד׃
יד מֶ֤לֶךְ חָרְמָה֙ אֶחָ֔ד
מֶ֥לֶךְ עֲרָ֖ד אֶחָֽד׃
טו מֶ֤לֶךְ לִבְנָה֙ אֶחָ֔ד
מֶ֥לֶךְ עֲדֻלָּ֖ם אֶחָֽד׃
טז מֶ֤לֶךְ מַקֵּדָה֙ אֶחָ֔ד
מֶ֥לֶךְ בֵּֽית־אֵ֖ל אֶחָֽד׃
יז מֶ֤לֶךְ תַּפּ֙וּחַ֙ אֶחָ֔ד
מֶ֥לֶךְ חֵ֖פֶר אֶחָֽד׃
יח מֶ֤לֶךְ אֲפֵק֙ אֶחָ֔ד
מֶ֥לֶךְ לַשָּׁר֖וֹן אֶחָֽד׃
יט מֶ֤לֶךְ מָדוֹן֙ אֶחָ֔ד
מֶ֥לֶךְ חָצ֖וֹר אֶחָֽד׃
כ מֶ֜לֶךְ שִׁמְר֤וֹן מְראוֹן֙ אֶחָ֔ד
מֶ֥לֶךְ אַכְשָׁ֖ף אֶחָֽד׃

רש"י

(ה) **וחצי הגלעד גבול סיחון.** שם היה מיצר ממשלת סיחון, כשאמרנו למעלה שחצי הגלעד היה שלו, וזה חצי השני של עוג:

רד"ק

(ט) **מלך יריחו אחד.** כל אלה שלשים ואחד מלכים שזוכר לא היה מלך על עיר אחת לבדה, אלא כל עיר ועיר שזוכר היתה ראש ממלכתו והיה מושל על עיירות וכפרים אחרים:

מצודת דוד

(ה) **גבול סיחון.** אצל גבול סיחון, כי חצי הגלעד השנית של סיחון היתה: (ט) **מלך יריחו אחד.** מוסב על המקרא שלפני פניו (פסוק ז) וְאֵלֶּה מַלְכֵי הָאָרֶץ וכו׳ מֶלֶךְ יְרִיחוֹ וכו׳:

and half of the Gilead, [up to] the border of Sihon, king of Heshbon. [6] *Moses, servant of HASHEM, and the Children of Israel defeated them; and Moses, servant of HASHEM, gave it as an inheritance to the Reubenite and to the Gadite and to half the tribe of Manasseh.*

Joshua's conquest (See Map 4 in the Appendix)

[7] *These are the kings of the land whom Joshua and the Children of Israel smote on the
western side of the Jordan, from the plain of Gad in the Lebanon valley to the split
mountain that ascends to Seir; Joshua gave it as an inheritance to the tribes of Israel
according to their divisions,* [8] *in the mountain and in the lowland, in the plain and in [the
land of] the waterfalls, and in the wilderness and in the South — the Hittite, the Amorite
and the Canaanite, the Perizzite, the Hivvite and the Jebusite:*

The thirty-one Canaanite kings

[9] *The king of Jericho, one;*
the king of Ai, which was near Beth-el, one;
[10] *the king of Jerusalem, one;*
the king of Hebron, one;
[11] *the king of Jarmuth, one;*
the king of Lachish, one;
[12] *the king of Eglon, one;*
the king of Gezer, one;
[13] *the king of Debir, one;*
the king of Geder, one;
[14] *the king of Hormah, one;*
the king of Arad, one;
[15] *the king of Libnah, one;*
the king of Adullam, one;
[16] *the king of Makkedah, one;*
the king of Beth-el, one;
[17] *the king of Tappuah, one;*
the king of Hepher, one;
[18] *the king of Aphek, one;*
the king of the Sharon, one;
[19] *the king of Madon, one;*
the king of Hazor, one;
[20] *the king of Shimron Meron, one;*
the king of Achshaph, one;

---

6. מֹשֶׁה עֶבֶד־ה׳ — *Moses, servant of HASHEM.* The verse accentuates the source of Moses' greatness. Everything he did was in the service of God, without any personal considerations; see 1:1.

The tribes mentioned here requested the land east of the Jordan. See *Numbers* chapter 32.

6-24. Joshua's conquests. *Malbim* notes that in several cases, Jerusalem among them, the cities mentioned here remained in Canaanite hands, but their kings were killed in battle.

The thirty-one kings. *Kli Yakar* cites and explains the Midrashic explications (*Bereishis Rabbah* 53:10) on this chapter. *Eretz Yisrael* was so prestigious that many kings from outside the country owned cities in the Holy Land, which explains why there were so many kings for such a small country. [It also explains why the ruler of only one town should bear the august title of king (*Me'am Loez*).] All the kings of Canaan took part in the banquet celebrating Isaac's circumcision, and they joined in mocking Abraham, saying that surely Abimelech was the true father, since Abraham and Sarah had been married for many decades without offspring. God responded that these scoffers would be conquered by the millions of Isaac's offspring who would inherit the land God promised Isaac.

9. מֶלֶךְ יְרִיחוֹ אֶחָד — *The king of Jericho, one.* Noting that the word *one* seems superfluous, the Midrash (ibid.) comments that the word alludes to a second in command in each city, who died along with his monarch.

כא מֶ֣לֶךְ תַּעְנַ֔ךְ אֶחָ֑ד
מֶ֥לֶךְ מְגִדּ֖וֹ אֶחָֽד׃
כב מֶ֤לֶךְ קֶ֨דֶשׁ֙ אֶחָ֔ד
מֶֽלֶךְ־יָקְנְעָ֥ם לַכַּרְמֶ֖ל אֶחָֽד׃
כג מֶ֧לֶךְ דּ֛וֹר לְנָפַ֥ת דּ֖וֹר אֶחָ֑ד
מֶֽלֶךְ־גּוֹיִ֥ם לְגִלְגָּ֖ל אֶחָֽד׃
כד מֶ֥לֶךְ תִּרְצָ֖ה אֶחָ֑ד
כָּל־מְלָכִ֖ים שְׁלֹשִׁ֥ים וְאֶחָֽד׃

יג

א וִיהוֹשֻׁ֣עַ זָקֵ֔ן בָּ֖א בַּיָּמִ֑ים וַיֹּ֨אמֶר יְהוָ֜ה אֵלָ֗יו אַתָּ֤ה זָקַ֨נְתָּה֙ בָּ֣אתָ בַיָּמִ֔ים וְהָאָ֛רֶץ
ב נִשְׁאֲרָ֥ה הַרְבֵּֽה־מְאֹ֖ד לְרִשְׁתָּֽהּ׃ זֹ֥את הָאָ֖רֶץ הַנִּשְׁאָ֑רֶת כָּל־גְּלִיל֥וֹת הַפְּלִשְׁתִּ֖ים
ג וְכָל־הַגְּשׁוּרִֽי׃ מִן־הַשִּׁיח֞וֹר אֲשֶׁ֣ר ׀ עַל־פְּנֵ֣י מִצְרַ֗יִם וְעַ֨ד גְּב֤וּל עֶקְרוֹן֙ צָפ֔וֹנָה לַֽכְּנַעֲנִ֖י
תֵּחָשֵׁ֑ב חֲמֵ֣שֶׁת ׀ סַרְנֵ֣י פְלִשְׁתִּ֗ים הָֽעַזָּתִ֤י וְהָֽאַשְׁדּוֹדִי֙ הָֽאֶשְׁקְלוֹנִ֔י הַגִּתִּ֖י וְהָֽעֶקְרוֹנִ֑י
ד וְהָעַוִּֽים׃ מִתֵּימָ֞ן כָּל־אֶ֣רֶץ הַֽכְּנַעֲנִ֗י וּמְעָרָ֛ה אֲשֶׁ֥ר לַצִּידֹנִ֖ים עַד־אֲפֵ֑קָה עַ֖ד גְּב֥וּל
ה הָאֱמֹרִֽי׃ וְהָאָ֣רֶץ הַגִּבְלִ֗י וְכָל־הַלְּבָנוֹן֙ מִזְרַ֣ח הַשֶּׁ֔מֶשׁ מִבַּ֣עַל גָּ֔ד תַּ֖חַת הַר־חֶרְמ֑וֹן
ו עַ֖ד לְב֥וֹא חֲמָֽת׃ כָּל־יֹשְׁבֵ֨י הָהָ֜ר מִן־הַלְּבָנ֗וֹן עַד־מִשְׂרְפֹ֣ת מַ֘יִם֮ כָּל־צִידֹנִים֒
אָנֹכִ֣י אֽוֹרִישֵׁ֔ם מִפְּנֵ֖י בְּנֵ֣י יִשְׂרָאֵ֑ל רַ֗ק הַפִּלֶ֤הָ לְיִשְׂרָאֵל֙ בְּֽנַחֲלָ֔ה כַּאֲשֶׁ֖ר צִוִּיתִֽיךָ׃
ז וְעַתָּ֗ה חַלֵּ֞ק אֶת־הָאָ֤רֶץ הַזֹּאת֙ בְּנַחֲלָ֔ה לְתִשְׁעַ֖ת הַשְּׁבָטִ֑ים וַחֲצִ֖י הַשֵּׁ֥בֶט הַֽמְנַשֶּֽׁה׃

רש"י

(כג) **לנפת דור.** (תרגום) לְפִלְכֵי דוֹר: (א) **והארץ נשארה הרבה מאד.** ממה שאמרתי לאבותם, נשארה לרשתה שלא נכבשה: (ב) **גלילות.** הספר, מרקא"ש בלע"ז: (ג) **מן השיחור.** הוא נילוס, הוא נחל מצרים, הוא סמוך לתחום מקצוע דרומית מערבית של ארץ ישראל, כמו שאמר באלה מסעי (במדבר לד, ה), ולמדנו כאן שלא כבש יהושע בחייו כל מיצר הדרומי אלא ממדבר צין, הוא ההר החלק העולה שעירה, עד הנילוס, הוא תחום עזה האמור למעלה מקדש ברנע עד עזה: **ועד גבול עקרון צפונה.** העקרוני יושב על הים, ומתפשט לצד הצפון יותר מן האחרים: **לכנעני תחשב.** מארץ הכנעני שנתתי לאבותם הוא: **חמשת סרני פלשתים וגו'.** היא סוף גמר המצר עד הים הגדול שבמערב: **העזתי והאשדודי האשקלוני וגו'.** ששה סרנים הוא מונה, ומתחלתן קראן חֲמֵשֶׁת, אמר רבי יוחנן (חולין ס, ב), אידונריקי שלהם חמשה, החשובים חמשה היו, שהעוים אינו מונה מן הסרנים החשובים. ועוד יש לפרש, חֲמֵשֶׁת סַרְנֵי פְלִשְׁתִּים הָעַזָּתִי וְהָאַשְׁדּוֹדִי הָאֶשְׁקְלוֹנִי הַגִּתִּי וְהָעֶקְרוֹנִי הם חמשה, ועוד נשאר לכבוש ארץ הָעַוִּים שאינם מן הפלשתים: (ד) **מתימן כל ארץ הכנעני.** פסוק ראשון מנה מצד הדרומי מן המזרח למערב, וזה מונה את רוחב אותו המקצוע הנותר ליכבש, כמה הוא מן הדרום לצפון: **מתימן כל ארץ הכנעני.** מתימן זו מְעָרָה לצידונים, עד אֲפֵקָה עד האמורי: (ה) **והארץ הגבלי וכל הלבנון מזרח השמש.** ובמצר מזרחי נשאר לכבוש במקצוע הצפון כל הלבנון, מבעל גד עד סוף המיצר, וברוחב מן המזרח למערב עַד לְבוֹא חֲמָת, זהו כל מיצר הצפוני שלבוא חמת במקצוע צפונית מערבית באלה מסעי (במדבר לד, ח): (ו) **אנכי אורישם.** אחרי מותך: **הפלה לישראל בנחלה.** ויכבוש לאחר זמן כל שבט ושבט מה שנפל בגורלו:

רד"ק

(ב) **גלילות.** כמו גבול או כמו מחוז וכן גְּלִיל הַגּוֹיִם (ישעיהו ח, כג): (ג) **מן השיחור.** הוא נילוס נחל מצרים והוא למקצוע דרומית מערבית של ארץ ישראל, שלא כבש יהושע כל מיצר הדרומית אלא ממדבר צין, הוא הר החלק העולה שעירה עד הנילוס, הוא תחום עזה האמור למעלה (י, מא) מִקָּדֵשׁ בַּרְנֵעַ וְעַד עַזָּה: **חמשת סרני פלשתים.** הוא גמר המיצר עד הים הגדול שבמערב, וסרנים עניינם שרים: **חמשת סרני.** וְהָעַוִּים שזוכר בסוף הפסוק אינו ממנינם, ובדברי רבותינו ז"ל ששה סרנים הוא מונה ומתחלה קראם חמשה, אמר רבי יוחנן אידונריקי שלהם חמשה, פירוש אידונריקי החשובים שבהם היו חמשה והעוים אינו מן הסרנים החשובים. ועוד בדבריהם, עוים מתימן באו, וסמכו עניינו לפסוק הבא אחריו: (ד) **מתימן.** ולפי פשט הפסוק מתימן פירוש מדרום, כלומר מצד דרום נשארה כל ארץ הכנעני: (ה) **והארץ הגבלי.** חסר הנסמך, ומשפטו הארץ ארץ הגבלי, וכן הָאָרוֹן הַבְּרִית (לעיל ג, יד):

מצודת דוד

(כב) **מלך יקנעם לכרמל.** יָקְנְעָם שם עיר המלוכה, והיתה סמוכה לעיר כרמל ואליה תחשב, וכן מֶלֶךְ דּוֹר וכו' וכן מֶלֶךְ גּוֹיִם וכו' (פסוק כג): (א) **זקן בא בימים.** זָקֵן יאמר לשון בני אדם המוחש, הנראה באדם מלובן השער והקמטת הפנים, ולפעמים מקדים לבא בלא עת, ולזה פירש ואמר בָּא בַּיָּמִים, כאומר הנה בא בזמנו לפי הימים: **הרבה מאד.** ולא תוכל לכבוש הכל בחייך: (ג) **לכנעני תחשב.** והלא ארץ הכנעני נתתי לישראל: **והעוים.** המה לא מפלשתים: (ו) **אנכי אורישם.** אחרי מותך אני אגרשם לפניהם: **הפלה.** הטל הגורל ביניהם על מה שכבר כבשו ועל מה שלא כבשו עדיין, וכל שבט יכבוש את חלקו: **כאשר צויתיך.** כמו שכתוב וְצַו אֶת יְהוֹשֻׁעַ וכו' וְהוּא יַנְחִיל (דברים ג, כח): (ז) **ועתה חלק.** רצה לומר, בתחלה חלק הארץ לתשעה חלקים ומחצה כמנין השבטים הנוחלים, ואחר זה הטל הגורל לדעת איזה חלק למי:

מצודת ציון

(כג) **לנפת דור.** למחוז דור: **גוים.** מקום נקבצו שמה מכמה גוים, וכן תִדְעָל מֶלֶךְ גּוֹיִם (בראשית יד, א): (ב) **גלילות.** מחוזות: (ג) **השיחור.** שם הנהר: **סרני.** ענין שררה:

21 the king of Taanach, one;
the king of Megiddo, one;
22 the king of Kedesh, one;
the king of Jokneam in the Carmel, one;
23 the king of Dor, of the district of Dor, one;
the king of Goiim in Gilgal, one;
24 the king of Tirzah, one;
all the kings, thirty-one.

13 DIVISION OF THE LAND 13:1-21:40 (See Map 5 in the Appendix)

1 Joshua was old, well on in years, and HASHEM said to him, "You have grown old, you
are well on in years, and very much land still remains to be possessed. 2 This is the
land that remains: all the districts of the Philistines and all the Geshurite [territory]; 3 from
the Shihor that is before Egypt to the border of Ekron northward is considered to be the
Canaanite's [territory]; the five governors of the Philistines, [who are] the Gazite and the
Ashdodite and the Ashkelonite, the Gittite and the Ekronite; and the Avvites. 4 From the
south: all the land of the Canaanite; Mearah that belongs to the Sidonians to Aphekah,
until the border of the Amorite; 5 and the land of the Giblite, and all the Lebanon toward
the rising sun — from the plain of Gad at the foot of Mount Hermon until the approach to
Hamath; 6 all the inhabitants of the mountains, from the Lebanon to Misrephoth-maim —
all the Sidonians — I will drive them out on behalf of the Children of Israel. You have only
to allot it to Israel as a heritage, as I have commanded you. 7 So now, divide this land as
a heritage for the nine tribes and half the tribe of Manasseh."

Chapters 13-21

Division of the Land among the tribes. The following chapters deal with the division of *Eretz Yisrael.* Moses had already allocated the lands east of the Jordan, although the details of that division were left to be enumerated here, with the division of the rest of the country. The Sages teach that if Israel had not sinned, thus necessitating the punishments, exiles, and admonitions and promises of the prophets, the only Scriptures we would have are the Five Books of Moses and the chapters of Joshua that set forth the boundaries of *Eretz Yisrael* and its tribal portions (*Nedarim* 22b).

It is very difficult to study these chapters because they deal almost exclusively with the geography of the Land and mention hundreds of place names that are unfamiliar to us. By using the few works that attempt to identify these locations, we have drawn maps (at the end of this volume) that make the division of the Land as comprehensible as possible.

1. Joshua's work of conquest is over, but incomplete. Joshua lived to be 110 (24:29). Now his seven years of battle were over, and God commanded him to spend the last seven years of his life in dividing the country among the tribes and families. Although Joshua had marched triumphantly through the land, he occupied only the southern and central parts of the country, primarily the territories of Judah, Ephraim, and Manasseh. Thus, including the tribes east of the Jordan, only five tribes had actually taken over the land that would be designated for them. However, the Canaanites had been cowed by Joshua and they presented no threat, even in the parts of *Eretz Yisrael* where they still lived. This will be discussed further in the commentary to Chapter 18.

As noted in 11:18, the Sages fault Joshua for not having occupied the entire country when he was still vigorous enough to do so. Despite this, however, Joshua's stature remains very great, as indicated by the term בָּא בַּיָּמִים, *well on in years,* an expression which the *Zohar* and Midrash (*Bereishis Rabbah* 59) interpret to mean that the person grew day by day with a constant striving to come ever closer to God. Accordingly, God told Joshua now that after he had merited to bring the Land under Jewish control, he would now merit to allocate it among his people (*Kehillas Yaakov*).

וִיהוֹשֻׁעַ זָקֵן — *Joshua was old.* You are too old to complete the wars of conquest (*Ralbag*).

2-7. The unconquered territories. See Map 5 in Appendix. As the map shows, most of these territories were on the fringes of the country, but there were many other pockets of entrenched Canaanites that the tribes did not drive out, even after Joshua's death. They are listed in the Book of Judges, Ch.1. All these lands, though still occupied by the Canaanites, were to be apportioned by Joshua, so that the tribes would know which of the Canaanite lands belonged to them.

6. אָנֹכִי אוֹרִישֵׁם — *I will drive them out.* God promised that He would help the Jews drive out the Canaanites after Joshua's death, therefore it was important for the tribes to know how the still-occupied areas were to be divided (*Abarbanel*). This promise depended on Israel's readiness to fight for the lands, but many of the tribes declined to wage further wars of conquest, and, as a result, God let the Canaanites remain in *Eretz Yisrael* as a permanent challenge to Israel. See *Judges* Ch. 2.

רַק הַפִּלֶהָ לְיִשְׂרָאֵל בְּנַחֲלָה — *You have only to allot it to Israel as a*

ח עִמּוֹ הָרֻאוּבֵנִי וְהַגָּדִי לָקְחוּ נַחֲלָתָם אֲשֶׁר נָתַן לָהֶם מֹשֶׁה בְּעֵבֶר הַיַּרְדֵּן מִזְרָחָה
ט כַּאֲשֶׁר נָתַן לָהֶם מֹשֶׁה עֶבֶד יהוה: מֵעֲרוֹעֵר אֲשֶׁר עַל־שְׂפַת־נַחַל אַרְנוֹן וְהָעִיר
י אֲשֶׁר בְּתוֹךְ־הַנַּחַל וְכָל־הַמִּישֹׁר מֵידְבָא עַד־דִּיבוֹן: וְכֹל עָרֵי סִיחוֹן מֶלֶךְ הָאֱמֹרִי
יא אֲשֶׁר מָלַךְ בְּחֶשְׁבּוֹן עַד־גְּבוּל בְּנֵי עַמּוֹן: וְהַגִּלְעָד וּגְבוּל הַגְּשׁוּרִי וְהַמַּעֲכָתִי וְכֹל הַר
יב חֶרְמוֹן וְכָל־הַבָּשָׁן עַד־סַלְכָה: כָּל־מַמְלְכוּת עוֹג בַּבָּשָׁן אֲשֶׁר־מָלַךְ בְּעַשְׁתָּרוֹת
יג וּבְאֶדְרֶעִי הוּא נִשְׁאַר מִיֶּתֶר הָרְפָאִים וַיַּכֵּם מֹשֶׁה וַיֹּרִשֵׁם: וְלֹא הוֹרִישׁוּ בְּנֵי יִשְׂרָאֵל
יד אֶת־הַגְּשׁוּרִי וְאֶת־הַמַּעֲכָתִי וַיֵּשֶׁב גְּשׁוּר וּמַעֲכָת בְּקֶרֶב יִשְׂרָאֵל עַד הַיּוֹם הַזֶּה: רַק
לְשֵׁבֶט הַלֵּוִי לֹא נָתַן נַחֲלָה אִשֵּׁי יהוה אֱלֹהֵי יִשְׂרָאֵל הוּא נַחֲלָתוֹ כַּאֲשֶׁר דִּבֶּר־
טו־טז לוֹ: וַיִּתֵּן מֹשֶׁה לְמַטֵּה בְנֵי־רְאוּבֵן לְמִשְׁפְּחֹתָם: וַיְהִי לָהֶם הַגְּבוּל
מֵעֲרוֹעֵר אֲשֶׁר עַל־שְׂפַת־נַחַל אַרְנוֹן וְהָעִיר אֲשֶׁר בְּתוֹךְ־הַנַּחַל וְכָל־הַמִּישֹׁר
יז עַל־מֵידְבָא: חֶשְׁבּוֹן וְכָל־עָרֶיהָ אֲשֶׁר בַּמִּישֹׁר דִּיבוֹן וּבָמוֹת בַּעַל וּבֵית בַּעַל מְעוֹן:
יח־כ וְיַהְצָה וּקְדֵמֹת וּמֵפָעַת: וְקִרְיָתַיִם וְשִׂבְמָה וְצֶרֶת הַשַּׁחַר בְּהַר הָעֵמֶק: וּבֵית פְּעוֹר
כא וְאַשְׁדּוֹת הַפִּסְגָּה וּבֵית הַיְשִׁמוֹת: וְכֹל עָרֵי הַמִּישֹׁר וְכָל־מַמְלְכוּת סִיחוֹן מֶלֶךְ
הָאֱמֹרִי אֲשֶׁר מָלַךְ בְּחֶשְׁבּוֹן אֲשֶׁר הִכָּה מֹשֶׁה אֹתוֹ ׀ וְאֶת־נְשִׂיאֵי מִדְיָן אֶת־אֱוִי
כב וְאֶת־רֶקֶם וְאֶת־צוּר וְאֶת־חוּר וְאֶת־רֶבַע נְסִיכֵי סִיחוֹן יֹשְׁבֵי הָאָרֶץ: וְאֶת־בִּלְעָם
כג בֶּן־בְּעוֹר הַקּוֹסֵם הָרְגוּ בְנֵי־יִשְׂרָאֵל בַּחֶרֶב אֶל־חַלְלֵיהֶם: וַיְהִי גְּבוּל בְּנֵי רְאוּבֵן
כד הַיַּרְדֵּן וּגְבוּל זֹאת נַחֲלַת בְּנֵי־רְאוּבֵן לְמִשְׁפְּחֹתָם הֶעָרִים וְחַצְרֵיהֶן: וַיִּתֵּן
כה מֹשֶׁה לְמַטֵּה גָד לִבְנֵי־גָד לְמִשְׁפְּחֹתָם: וַיְהִי לָהֶם הַגְּבוּל יַעְזֵר וְכָל־עָרֵי הַגִּלְעָד
כו וַחֲצִי אֶרֶץ בְּנֵי עַמּוֹן עַד־עֲרוֹעֵר אֲשֶׁר עַל־פְּנֵי רַבָּה: וּמֵחֶשְׁבּוֹן עַד־רָמַת הַמִּצְפֶּה

רש״י

(ח) עמו הראובני והגדי. עם חצי הראשון של מנשה, הָרֻאוּבֵנִי וְהַגָּדִי לָקְחוּ נַחֲלָתָם: **(ט) מערוער אשר על שפת וגו׳.** מונה והולך כל ארץ עבר הירדן, ואחר כך מפרש גבול כל שבט ושבט ויתן משה למטה פלוני ופלוני: **(יב) מיתר הרפאים.** שהרג כדרלעומר והמלכים אשר אתו, כמה שנאמר וַיַּכּוּ אֶת רְפָאִים בְּעַשְׁתְּרֹת קַרְנַיִם (בראשית יד, ה): **(יט) בהר העמק.** (תרגום) בְּטוּרָא דְמֵישְׁרָא: **(כה) וחצי ארץ בני עמון.** חצי מה שכבשו מארץ בני עמון ומסיחון:

רד״ק

(ח) עמו הראובני והגדי. עם חצי שבט מנשה האחד, ואמר עִמּוֹ ואף על פי שלא זכרו לפי שזכר החצי האחר אמר עִמּוֹ כאילו זכרו: **(יט) בהר העמק.** כתרגומו בְּטוּרָא דְמֵישְׁרָא: **(כא) נסיכי סיחון ישבי הארץ.** אלה חמשת מלכי מדין היו נסיכי סיחון בעוד שהיו סיחון והאמרי יושבי הארץ, קודם שלכדום ישראל היו אלה נשיאי הארץ נסיכי סיחון כי תחת ממשלת סיחון היה מדין בימים ההם: **(כב) הקוסם.** להודיע כי לא נביא היה אלא קוסם ונבואתו היתה לשעה, או לכבוד ישראל בא אליו מלאך ה׳ לדבר הנבואות ההם. ויש לשאול איך מצאו בלעם שם והלא כתיב וַיֵּלֶךְ וַיָּשָׁב לִמְקֹמוֹ (במדבר כד, כה), אלא שחזר שם לבקש שכרו על העצה שנתן להם למואב ולמדין להוציא בנותיהם היפות ויזנו ישראל עמהם ויהיה קצף ה׳ בהם, וזהו שאמר לְכָה אִיעָצְךָ (שם פסוק יד) כמו שכתוב בדבר בלעם, וכשראה שנתקיימה עצתו הלך למואב ולמדין לבקש שכרו מהם: **אל חלליהם.** עם חלליהם, וכמוהו רבים, ובתורה כתיב עַל חַלְלֵיהֶם (שם לא, ח) והוא גם כן כמו עם כמו וַיָּבֹאוּ הָאֲנָשִׁים עַל הַנָּשִׁים (שמות לה, כב) עם הנשים, ואחרים זולתו. ויש בו דרש (במדבר רבה מטות כב) שהיו מלכי מדין עושים כשפים עם בלעם ובורחים מפני חרב ישראל ופורחין באויר, כיון שהראה להם פנחס את הציץ נפלו על חלליהם, ועוד אמרו עַל חַלְלֵיהֶם שעשו לו ארבע מיתות בית דין, ועוד אמרו כי פנחס הרגו: **(כג) הירדן וגבול.** כתרגומו יַרְדְּנָא וּתְחוּמֵיהּ כלומר הערים הסמוכות אליו:

מצודת דוד

(ח) עמו. רצה לומר לפי שעם חצי השני משבט מנשה לקחו הראובני והגדי חלק נחלתם (ועם שלא הוזכר למעלה החצי השני משבט מנשה, עם כל זה אמר עִמּוֹ הואיל והזכיר חצי האחד): **כאשר נתן להם משה.** מוסב על לָקְחוּ נַחֲלָתָם, ורצה לומר, מאז, כאשר נתן להם משה הנחלה ההיא, לקחו אותה ונתרצו בה, ואם כן, הדבר קיים ואין לתת להם עוד בהעבר הזה: **(יד) אשי ה׳.** קדשי המזבח הניתן לאחר שקרבו מתיריו על האש: **לו.** למשה: **(טו) למשפחותם.** רצה לומר, לא נתן משה להם ביחד, לשהם עצמם יחלקו ביניהם, רק הוא בעצמו חלק לכל משפחה חלקה: **(יט) בהר העמק.** בההר שעמד בתוך העמק: **(כא) ישבי הארץ.** מתושבי ארץ סיחון: **(כב) אל חלליהם.** עם שאר החללים ודומה להם, ולא היה יכול להציל עצמו בקסמיו: **(כג) וגבול.** רצה לומר, גם גבול הירדן, והם הערים הסמוכים לירדן, גם המה לגבול ראובן יחשבו: **למשפחותם.** הנחלק לכל משפחה חלק לבד:

מצודת ציון

(ט) המישור. מקום ישר ושוה: **(יב) ויֹרשם.** גרשם: **(כא) נסיכי.** ענין שררה: **(כג) וחצריהן.** עיירות פרוזות מבלי חומה, העומדים סביב עיר חומה:

heritage. Malbim notes that 12:7 uses the word יְרוּשָׁה, *inheritance,* while our verse uses נַחֲלָה, *heritage.* The difference is that "inheritance" implies a change of ownership, which is applicable to the conquered land discussed in 12:7. "Her-

[8] With it, the Reubenite and the Gadite took their heritage that Moses had given them on
the eastern side of the Jordan, according to that which Moses, servant of HASHEM*, had*

The boundaries of trans-Jordan (See Map 3 in the Appendix)

given them. [9] From Aroer that is on the edge of the River Arnon and the city that is in the
middle of the river — the entire plain from Medeba to Dibon; [10] and all the cities of Sihon,
the king of the Amorite, who ruled in Heshbon to the border of the Children of Ammon;
[11] and Gilead, and the border of the Geshurite and the Maacathite, all of Mount Hermon,
and all of Bashan to Salcah; [12] the entire kingdom of Og in Bashan who ruled in Ashtaroth
and in Edrei; it is he who remained from the remnant of the giants — Moses defeated them
and drove them out. [13] But the Children of Israel did not drive out the Geshurite and the
Maacathite, rather the Geshurite and Maacathite dwell in the midst of Israel until this day.
[14] To the tribe of Levi, however, he did not give a heritage; the fire-offerings of HASHEM*, the*
God of Israel, are his heritage, as He had spoken to him.

Reuben's territory

[15] Moses gave to the tribe of the children of Reuben according to their families. [16] Their
border was from Aroer that is on the edge of the River Arnon and the city that is in the
middle of the river and all the plain to Medeba; [17] Heshbon and all its cities that are in the
plain — Dibon and Bamoth-baal and Beth-baal-meon; [18] and Jahaz and Kedemoth and
Mephaath; [19] and Kiriathaim and Sibmah and Zeres-hashahar on the mount of the valley;
[20] and Beth-peor and the falls of Pisgah and Beth-jeshimoth; [21] and all the cities of the
plain; and all the kingdom of Sihon, king of the Amorite, who ruled in Heshbon, whom
Moses had smitten: him and the princes of Midian — Evi and Rekem and Zur and Hur and
Reba — dukes of Sihon, the inhabitants of the land. [22] The Children of Israel slayed
Balaam son of Beor, the sorcerer, with the sword, along with their [other] slain. [23] The
border of the children of Reuben was the Jordan and its border. This was the inheritance
of the children of Reuben, according to their families — the cities and their villages.

Gad's territory

[24] Moses also gave to the tribe of Gad, to the children of Gad, according to their families.
[25] Their border was Jazer, and all the cities of Gilead, and half the land of the Children of
Ammon, to Aroer, which is before Rabbah; [26] and from Heshbon to Ramath-hamizpeh

---

itage," refers to something that is bequeathed not merely to a current owner but to succeeding generations. *Eretz Yisrael* is Israel's "heritage" even when it is not occupied by Jews, thus it is the proper term in our verse, which speaks of territories not yet possessed by the tribes.

8-33. The tribes on the east bank of the Jordan. Joshua began his work by recounting the lands that had been assigned by Moses (*Numbers* 32). *Lev Aharon* contends that it was necessary to mention them at this point because the tribes on the east bank did not acquire full ownership of their territories until *Eretz Yisrael* proper was in Jewish hands. Thus, it was not until Joshua apportioned the Land that the two-and-a-half tribes assumed title to their inheritance.

The tribe of Reuben was the first to be awarded its share of the east bank of the Jordan, because Reuben set an example of repentance. After he upset his father's bed (see *Genesis* 35:22), he repented and spent the rest of his life erasing the sin (*Sotah* 7b). Thus, this chapter alludes to the Talmudic dictum that the possibility of repentance had to precede the very creation of the universe, because man could not survive unless he could rehabilitate himself. This was stressed in the division of the Land, which was conditioned on Israel's obedience to the Torah — and if the nation could not gain forgiveness for its inevitable sins, it would not be able to survive.

8. עִמּוֹ — *With it,* i.e., with the *half the tribe of Manasseh* that was to the west; the other half would have its share to the east. Although Manasseh is not specifically mentioned, the reference to it is understood (*Radak*).

14. כַּאֲשֶׁר דִּבֶּר־לוֹ — *As He had spoken to him.* God said to Aaron, "In their Land you shall have no heritage, and a share you shall not have among them; I am your share and your heritage among the children of Israel" (*Numbers* 18:20). Not land, but service of God and the teaching of His word was the heritage of the tribe of Levi.

22. בִּלְעָם בֶּן־בְּעוֹר הַקּוֹסֵם — *Balaam son of Beor, the sorcerer.* The verse does not refer to Balaam as a prophet, because he had never been a prophet before he was hired to curse Israel, and he never prophesied again after that event. Only for the sake of Israel at that critical moment did God speak to the evil sorcerer in order to force him to bless Israel (see *Numbers* 22-24). After he returned ignominiously to his land, he reverted to his true status as nothing more than a sorcerer (*Ramban* to *Numbers* 22:31).

כז וּבְטֹנִ֑ים וּמִֽמַּחֲנַ֖יִם עַד־גְּב֥וּל לִדְבִֽר׃ וּבָעֵ֡מֶק בֵּ֣ית הָ֠רָם וּבֵ֨ית נִמְרָ֜ה וְסֻכּ֤וֹת וְצָפוֹן֙
יֶ֚תֶר מַמְלְכוּת֙ סִיח֣וֹן מֶ֣לֶךְ חֶשְׁבּ֔וֹן הַיַּרְדֵּ֖ן וּגְבֻ֑ל עַד־קְצֵ֣ה יָם־כִּנֶּ֗רֶת עֵ֥בֶר הַיַּרְדֵּ֖ן
כח-כט מִזְרָֽחָה׃ זֹ֛את נַחֲלַ֥ת בְּנֵי־גָ֖ד לְמִשְׁפְּחֹתָ֑ם הֶעָרִ֖ים וְחַצְרֵיהֶֽם׃ וַיִּתֵּ֣ן מֹשֶׁ֔ה
ל לַחֲצִ֖י שֵׁ֣בֶט מְנַשֶּׁ֑ה וַיְהִ֗י לַחֲצִ֛י מַטֵּ֥ה בְנֵי־מְנַשֶּׁ֖ה לְמִשְׁפְּחוֹתָֽם׃ וַיְהִ֣י גְבוּלָ֗ם מִֽמַּחֲנַ֙יִם֙
כָּל־הַבָּשָׁ֗ן כָּל־מַמְלְכ֤וּת ׀ ע֣וֹג מֶֽלֶךְ־הַבָּשָׁ֔ן וְכָל־חַוֺּ֥ת יָאִ֖יר אֲשֶׁ֣ר בַּבָּשָׁ֑ן שִׁשִּׁ֖ים עִֽיר׃
לא וַחֲצִ֙י הַגִּלְעָ֜ד וְעַשְׁתָּר֣וֹת וְאֶדְרֶ֗עִי עָרֵ֛י מַמְלְכ֥וּת ע֖וֹג בַּבָּשָׁ֑ן לִבְנֵ֞י מָכִ֣יר בֶּן־מְנַשֶּׁ֗ה
לב לַחֲצִ֥י בְנֵֽי־מָכִ֖יר לְמִשְׁפְּחוֹתָֽם׃ אֵ֕לֶּה אֲשֶׁר־נִחַ֥ל מֹשֶׁ֖ה בְּעַרְב֣וֹת מוֹאָ֑ב מֵעֵ֛בֶר לְיַרְדֵּ֥ן
לג יְרִיח֖וֹ מִזְרָֽחָה׃ וּלְשֵׁ֙בֶט֙ הַלֵּוִ֔י לֹֽא־נָתַ֥ן מֹשֶׁ֖ה נַחֲלָ֑ה יהוה֙ אֱלֹהֵ֤י יִשְׂרָאֵל֙ ה֣וּא נַחֲלָתָ֔ם
יד א כַּאֲשֶׁ֖ר דִּבֶּ֥ר לָהֶֽם׃ וְאֵ֛לֶּה אֲשֶׁר־נָחֲל֥וּ בְנֵֽי־יִשְׂרָאֵ֖ל בְּאֶ֣רֶץ כְּנָ֑עַן אֲשֶׁ֨ר נִחֲל֜וּ אוֹתָ֗ם
ב אֶלְעָזָ֤ר הַכֹּהֵן֙ וִיהוֹשֻׁ֣עַ בִּן־נ֔וּן וְרָאשֵׁ֛י אֲב֥וֹת הַמַּטּ֖וֹת לִבְנֵ֥י יִשְׂרָאֵֽל׃ בְּגוֹרַ֖ל נַחֲלָתָ֑ם
ג כַּאֲשֶׁ֨ר צִוָּ֤ה יהוה֙ בְּיַד־מֹשֶׁ֔ה לְתִשְׁעַ֥ת הַמַּטּ֖וֹת וַחֲצִ֥י הַמַּטֶּֽה׃ כִּֽי־נָתַ֨ן מֹשֶׁ֜ה נַחֲלַ֨ת
ד שְׁנֵ֤י הַמַּטּוֹת֙ וַחֲצִ֣י הַמַּטֶּ֔ה מֵעֵ֖בֶר לַיַּרְדֵּ֑ן וְלַלְוִיִּ֕ם לֹֽא־נָתַ֥ן נַחֲלָ֖ה בְּתוֹכָֽם׃ כִּֽי־הָי֧וּ
בְנֵֽי־יוֹסֵ֛ף שְׁנֵ֥י מַטּ֖וֹת מְנַשֶּׁ֣ה וְאֶפְרָ֑יִם וְלֹֽא־נָתְנוּ֩ חֵ֨לֶק לַלְוִיִּ֜ם בָּאָ֗רֶץ כִּ֤י אִם־עָרִים֙
ה לָשֶׁ֔בֶת וּמִ֨גְרְשֵׁיהֶ֔ם לְמִקְנֵיהֶ֖ם וּלְקִנְיָנָֽם׃ כַּאֲשֶׁ֨ר צִוָּ֤ה יהוה֙ אֶת־מֹשֶׁ֔ה כֵּ֥ן עָשׂ֖וּ בְּנֵ֣י
ו יִשְׂרָאֵ֑ל וַֽיַּחְלְק֖וּ אֶת־הָאָֽרֶץ׃ וַיִּגְּשׁ֨וּ בְנֵֽי־יְהוּדָ֤ה אֶל־יְהוֹשֻׁ֙עַ֙ בַּגִּלְגָּ֔ל וַיֹּ֣אמֶר
אֵלָ֔יו כָּלֵ֥ב בֶּן־יְפֻנֶּ֖ה הַקְּנִזִּ֑י אַתָּ֣ה יָדַ֡עְתָּ אֶת־הַדָּבָר֩ אֲשֶׁר־דִּבֶּ֨ר יהוה֙ אֶל־מֹשֶׁ֣ה
ז אִישׁ־הָאֱלֹהִ֗ים עַ֚ל אֹדוֹתַ֔י וְעַ֥ל אֹדוֹתֶ֖יךָ בְּקָדֵ֥שׁ בַּרְנֵֽעַ׃ בֶּן־אַרְבָּעִ֨ים שָׁנָ֜ה אָנֹכִ֗י

רש״י

(כז) **הירדן וגבל.** (תרגום) יַרְדְּנָא וּתְחוּמֵיהּ, הערים על שפתו: (כח) **הערים וחצריהם.** הערים המוקפות חומה: **וחצריהם.** ערי הפרזי בלא חומה: (א) **אשר נחלו אותם.** אשר הנחילו אותם: (ד) **כי היו בני יוסף שני מטות.** תחת שבט לוי:

רד״ק

(לא) **לחצי בני מכיר.** כי החצי האחר והם בני גלעד ששה בתי אבות לקחו נחלתם בארץ כנען: (ד) **כי היו בני יוסף.** אם תאמר לשבט לוי לא נתן נחלה היאך היו תשעה מטות וחצי המטה ושני מטות וחצי מעבר הירדן הנה שנים עשר, ואם לוי אינו נמנה היאך היו שנים עשר, לפיכך אמר כי היו בני יוסף שני מטות והנה הם שנים עשר מטות: **למקניהם ולקנינם.** כתרגומו לִבְעִירֵהוֹן וּלְגֵיתֵיהוֹן, רוצה לומר הבהמות הגסות ובהמות דקות:

מצודת דוד

(לא) **לבני מכיר.** חצי הגלעד וכו׳ נתן לבני מכיר, לא לכולם, כי אם לַחֲצִי בְּנֵי־מָכִיר: (לב) **אלה אשר נחל.** אלה השבטים אשר הנחילם משה: (לג) **ה׳ אלהי וכו׳.** רצה לומר, מותר אשי ה׳ הוא נחלתם: (א) **ואלה.** רצה לומר, אלה הערים האמורים בסוף הענין: (ב) **בגורל נחלתם.** בגורל חלק להם נחלתם: (ג) **כי נתן משה.** יבאר מדוע חלק יהושע נחלה לתשעת המטות וחצי, ואמר: עם כי משה נתן לשני המטות וחצי, וללוים לא נתן נחלה, כי אין לתת להם כאשר צוה ה׳, ולא נשארו אם כן ראויים לנחלה כי אם שמונת המטות וחצי, עם כל זה הוכרח יהושע לחלק נחלה לתשעת המטות וחצי: (ד) **כי היו.** רצה לומר, לפי שבני יוסף נחלקו לשתי מטות, והיו אם כן תשעה וחצי לבד הלוים, אבל ללוים לא נתנו נחלה לא משה ולא יהושע: **לשבת.** רצה לומר, לבד לדור בהם, ולא להיות שלהם לגמרי: (ה) **כאשר צוה ה׳.** שלא לתת נחלה ללוים: **ויחלקו.** ביניהם חלקו ולא נתנו ממנה ללוים: (ו) **ויגשו בני יהודה.** לעזור לכלב בשאלת בקשתו: **על אדותי וכו׳.** שנחיה ונבוא אל הארץ ולא נמות במדבר:

מצודת ציון

(ל) **חות יאיר.** תרגומו כפרני יאיר: (א) **המטות.** השבטים: (ד) **ומגרשיהם.** הם הבנינים הסמוכים להעיר, מחוץ לחומה, וכאלו נגרשו ממנה: **למקניהם.** הם בהמות גסות: **ולקנינם.** הם בהמות דקות: (ו) **אדותי.** תרגומו עֲסַק דִילִי, וכן עַל כָּל אֹדוֹת (ירמיהו ג, ח):

---

30. חַוֹּת יָאִיר — *Havvoth-jair,* i.e., the villages of Jair son of Manasseh. Since Jair had no children, he named these villages after himself, as his memorial (*Rashi, Numbers* 32:41).

14.

1-5. The apportionment begins. Joshua carried out the apportionment of *Eretz Yisrael* with the participation of Eliezer, the *Kohen Gadol,* and one representative from each of the tribes, as prescribed by Numbers 34:16-29. The division was done by Divinely guided lots and by consulting the *Urim V'Tumim,* the *Kohen Gadol's* Breastplate, which proved to all the people that God Himself chose the locations of the tribal portions. The procedure is described in the comm. to *Numbers* 26:55.

3-5. The Levites. The familiar rule is that Israel is always counted as twelve tribes. When Levi is included, Manasseh and Ephraim are reckoned as the single tribe of Joseph; when Levi is excluded, the two halves of Joseph — Manasseh and Ephraim — are counted as two tribes. This passage explains that in the disposition of the Land, the Levites were not counted, since they did not receive a portion, so that Man-

and Betonim; and from Mahanaim to the border toward Debir. [27] *And in the valley:*
Beth-haram and Beth-nimrah and Succoth and Zaphon — the rest of the kingdom of
Sihon, king of Heshbon — the Jordan and its border, to the shore of the Kinnereth Sea on
the eastern side of the Jordan. [28] *This is the heritage of the children of Gad according to*
their families — the cities and their villages.

Manasseh's territory

[29] *Moses also gave to half the tribe of Manasseh; and it was for half of the tribe of the*
children of Manasseh according to their families. [30] *Their boundary was from Mahanaim,*
all the Bashan, all the kingdom of Og, king of Bashan, and all of Havvoth-jair in Bashan —
sixty cities; [31] *and half of the Gilead, and Ashtaroth and Edrei — the royal cities of Og in*
Bashan — were given to the children of Machir son of Manasseh, to half the children of
Machir, according to their families. [32] *These are the ones to whom Moses distributed*
inheritances in the plains of Moab, on the eastern side of the Jordan, across from Jericho.
[33] *But to the tribe of Levi, Moses gave no heritage; HASHEM, the God of Israel, is their*
heritage, as He had spoken to them.

14

The division of Canaan
(See Map 6 in the Appendix)

[1] *These are [the areas] that the Children of Israel inherited in the land of Canaan, which*
were distributed to them as heritages — by Elazar the Kohen and Joshua son of Nun
and the heads of the ancestral [families] of the tribes of the Children of Israel — [2] *by the*
lottery of their inheritance, as HASHEM had commanded through Moses, for the nine tribes
and the half tribe. [3] *For Moses had given the heritage of the two tribes and the half tribe*
across the Jordan, but to the Levites he had given no heritage among them. [4] *The children*
of Joseph, however, were two tribes, Manasseh and Ephraim. They gave no share to the
Levites in the land, only cities for dwelling and their open land around them for their cattle
and their flocks. [5] *As HASHEM had commanded Moses, so the Children of Israel did, and*
they divided the land.

Caleb's request

[6] *The Children of Judah approached Joshua in Gilgal, and Caleb son of Jephunneh*
the Kenizzite said to him, "You are aware of the matter that HASHEM told Moses, the man
of God, concerning me and concerning you in Kadesh-barnea. [7] *I was forty years old*

asseh and Ephraim received separate portions, as two distinct tribes. Although the Levites did not receive a contiguous portion, they were given forty-eight towns with the open land around them (*Numbers* 35:1-8).

The Levites, like the Kohanim, did not receive a regular portion, because their role among the Jewish people is to be the צְבָא ה׳, *legion of God.* When Moses descended from Mount Sinai and saw the horrifying spectacle of Jews dancing around the Golden Calf, he called out מִי לַה׳ אֵלָי, *whoever is for HASHEM, join me — and all the Levites gathered around him* (*Exodus* 32:26). This set the pattern for the tribe. They were the servants of God and the teachers of the nation. Their towns were scattered throughout the country so that they would be in proximity to the masses of the people. Included among their towns were the six cities of refuge, where people who had killed through carelessness would go to live, and where they would be exposed to the beneficial influence of God's tribe.

6-15. Caleb claims his promised portion. In the tragic episode of the twelve spies sent by Moses to spy out the Land, only Caleb and Joshua resisted the decision of the other spies to slander it. During their mission, Caleb detoured to the Cave of Machpelah in Hebron, where he prayed for the strength to withstand the pressure of his colleagues. As his reward, God said, "to him shall I give the land on which he walked" (*Deuteronomy* 1:36), which, the Sages explain, means that Hebron would be presented to him as his portion of the Land (*Sotah 34b*). Now Caleb came and asked for it. Later, when the Land was divided among the tribes, Hebron was in the province of Judah, Caleb's tribe.

6. וַיִּגְּשׁוּ בְנֵי־יְהוּדָה — *The Children of Judah approached.* This delegation escorted Caleb out of respect for the distinguished leader of the tribe (*Abarbanel*). Alternatively, Caleb came with an entourage in honor of Joshua (*Me'am Loez*).

הַקְּנִזִּי — *The Kenizzite.* After the death of Caleb's father, Jephunneh, his mother married Kenaz. Caleb was called the Kenizzite in honor of his stepfather (*Sotah* 11b).

עַל אֹדוֹתַי וְעַל אֹדוֹתֶיךָ — *Concerning me and concerning you.* Caleb recalled that he and Joshua were the only ones of the generation over the age of twenty that were permitted to enter *Eretz Yisrael,* because they stood up to the spies and urged the people to have faith. Because of this courageous act, Moses promised Hebron to Caleb (*Abarbanel*).

בִּשְׁלֹחַ מֹשֶׁה עֶבֶד־יְהוָה אֹתִי מִקָּדֵשׁ בַּרְנֵעַ לְרַגֵּל אֶת־הָאָרֶץ וָאָשֵׁב אֹתוֹ דָּבָר
ח כַּאֲשֶׁר עִם־לְבָבִי׃ וְאַחַי אֲשֶׁר עָלוּ עִמִּי הִמְסִיו אֶת־לֵב הָעָם וְאָנֹכִי מִלֵּאתִי אַחֲרֵי
ט יְהוָה אֱלֹהָי׃ וַיִּשָּׁבַע מֹשֶׁה בַּיּוֹם הַהוּא לֵאמֹר אִם־לֹא הָאָרֶץ אֲשֶׁר דָּרְכָה רַגְלְךָ
י בָּהּ לְךָ תִהְיֶה לְנַחֲלָה וּלְבָנֶיךָ עַד־עוֹלָם כִּי מִלֵּאתָ אַחֲרֵי יְהוָה אֱלֹהָי׃ וְעַתָּה הִנֵּה
הֶחֱיָה יְהוָה ׀ אוֹתִי כַּאֲשֶׁר דִּבֵּר זֶה אַרְבָּעִים וְחָמֵשׁ שָׁנָה מֵאָז דִּבֶּר יְהוָה אֶת־
הַדָּבָר הַזֶּה אֶל־מֹשֶׁה אֲשֶׁר־הָלַךְ יִשְׂרָאֵל בַּמִּדְבָּר וְעַתָּה הִנֵּה אָנֹכִי הַיּוֹם בֶּן־חָמֵשׁ
יא וּשְׁמוֹנִים שָׁנָה׃ עוֹדֶנִּי הַיּוֹם חָזָק כַּאֲשֶׁר בְּיוֹם שְׁלֹחַ אוֹתִי מֹשֶׁה כְּכֹחִי אָז וּכְכֹחִי
יב עָתָּה לַמִּלְחָמָה וְלָצֵאת וְלָבוֹא׃ וְעַתָּה תְּנָה־לִּי אֶת־הָהָר הַזֶּה אֲשֶׁר־דִּבֶּר יְהוָה
בַּיּוֹם הַהוּא כִּי־אַתָּה שָׁמַעְתָּ בַיּוֹם הַהוּא כִּי־עֲנָקִים שָׁם וְעָרִים גְּדֹלוֹת בְּצֻרוֹת
יג אוּלַי יְהוָה אוֹתִי וְהוֹרַשְׁתִּים כַּאֲשֶׁר דִּבֶּר יְהוָה׃ וַיְבָרְכֵהוּ יְהוֹשֻׁעַ וַיִּתֵּן אֶת־חֶבְרוֹן
יד לְכָלֵב בֶּן־יְפֻנֶּה לְנַחֲלָה׃ עַל־כֵּן הָיְתָה־חֶבְרוֹן לְכָלֵב בֶּן־יְפֻנֶּה הַקְּנִזִּי לְנַחֲלָה עַד
טו הַיּוֹם הַזֶּה יַעַן אֲשֶׁר מִלֵּא אַחֲרֵי יְהוָה אֱלֹהֵי יִשְׂרָאֵל׃ וְשֵׁם חֶבְרוֹן לְפָנִים קִרְיַת
א אַרְבַּע הָאָדָם הַגָּדוֹל בָּעֲנָקִים הוּא וְהָאָרֶץ שָׁקְטָה מִמִּלְחָמָה׃ וַיְהִי **טו**

רש״י

(ז) כאשר עם לבבי. ולא כאשר עם פי, שהמרגלים היו בעלה אחת, וירא כלב לומר להם שלא יאמר כמותם, וכשבא, הכחישם, וזהו שנאמר שם עֵקֶב הָיְתָה רוּחַ אַחֶרֶת עִמּוֹ (במדבר יד, כד), שהיה אומר להם אחד בפה ואחד בלב: **(י) זה ארבעים וחמש שנה.** למדנו ששהו בכיבוש הארץ שבע שנים, שהרי בשנה השנית שלח משה המרגלים, נשארו שלשים ושמנה שהלכו במדבר, ושבע שכבשו, הרי ארבעים וחמש (סדר עולם פרק יא): **(טו) האדם הגדול בענקים הוא.** אביהם של אחימן ששי ותלמי, ארבע היה שמו. דבר אחר על שם האב ושלשה בנים, שכן קורא אותם יְלִידֵי הָעֲנָק (שם יג, כב): **והארץ שקטה ממלחמה.** מוסב לענין הראשון, לאחר שבע שכבשו סביבותיהם, נכנעו האמוריים ולא נאספו עוד למלחמה עליהם, לכך התחילו לעסוק בחילוק הארץ. ומדרש אגדה הָאָדָם הַגָּדוֹל בָּעֲנָקִים הוא אברהם אבינו, הוא שגרם להם שהארץ שקטה ממלחמה ארבעים שנה שנתעכבו במדבר, בשכר שכבדו את הזקן בקרית ארבע, שאמרו לו נְשִׂיא אֱלֹהִים אַתָּה בְּתוֹכֵנוּ (בראשית כג, ו):

רד״ק

(ז) כאשר עם לבבי. נראה כי כאשר היה עמהם עד שבאו אל המחנה היה מסכים עמהם בדברים כדי שלא יהרגוהו, וכאשר בא אל המחנה השיב דבר אמת כאשר עם לבבו, וזהו שאמר כַּאֲשֶׁר עִם לְבָבִי ולא כאשר עם פי, ובדרך הדרש (סוטה לה, א) לפי שהתחיל לדבר כדבריהם כשאמר וַיַּהַס כָּלֵב (במדבר יג, ל) התחיל ואמר וכי זו בלבד עשה לנו בן עמרם והם חשבו כי מסייע היה להם ושתקו: **(ח) המסיו.** נכתב ביו״ד שהוא במקום למ״ד הפועל והיה משפטו המסיו בשורק הוי״ו על דרך נָטָיוּ רַגְלָי (תהלים עג, ב) והדומים לו, ובאה היו״ד נחה והוי״ו נעה שלא כמנהג וי״ו הרבים בלשון הקדש, אבל בלשון ארמי יבא כמו כן אִשְׁתִּיו חַמְרָא (דניאל ה, ד), ורבי אחי רבי משה ז״ל כתבו בשקל הפעיל, והוי״ו מקום למ״ד הפעל, אמר כי כל אחד מאחי אשר עלו עמי המסה את לב העם: **(ט) אשר דרכה רגלך בה.** זו היא חברון שנאמר וַיָּבֹא עַד חֶבְרוֹן (במדבר יג, כב) ולא אמר ויבואו לפי שהמרגלים האחרים היו יראים לבא שם מפני הענקים כמו שאמר וְשָׁם אֲחִימָן וגו׳ (שם), כלומר אף על פי שהיו שם אלה הענקים הגדולים בא שם כלב, לפיכך אמר לו משה שתהיה לו חברון לנחלה, ואם לא נזכר זה בספר התורה ידוע כי אמת היה אחר שאמר כלב ויהושע הודה לו, וכן כתוב בשופטים (א, כ) וַיִּתְּנוּ לְכָלֵב אֶת חֶבְרוֹן כַּאֲשֶׁר דִּבֶּר מֹשֶׁה: **(י) החיה ה׳ אותי כאשר דבר.** והביאותיו אל הארץ אשר בא שמה: **זה ארבעים וחמש.** כי דבר המרגלים היה בשנה השנית לצאתם ממצרים והנה נשארו להם במדבר שלשים ושמנה שנה ושבע שכבשו הנה ארבעים וחמש, ומזה ראו רז״ל כי בשבע שנים כבשו הארץ, ושבע שחלקו ראו מפסוק בְּאַרְבַּע עֶשְׂרֵה שָׁנָה אַחַר אֲשֶׁר הֻכְּתָה הָעִיר (יחזקאל מ, א) כי ישראל לא מנו ליובלות ושמטות אלא אחר שחלקו, והפסוק אומר כי ארבע עשרה שנה אחר החרבן היה תחלת יובל, כמו שאומר (שם) בְּרֹאשׁ הַשָּׁנָה בֶּעָשׂוֹר לַחֹדֶשׁ, ואיזו היא שנה שראש השנה שלה בעשור לחדש הוי אומר זו שנת יובל, צא וחשוב משנכנסו ישראל לארץ אי אתה מוצא ארבע עשרה שנה אחר חרבן תחלת יובל אם לא תוציא ארבע עשרה שנה משנכנסו עד שמנו והם שבע שכבשו ושבע שחלקו: **מאז דבר ה׳.** כי במצות האל

מצודת דוד

(ז) עם לבבי. כי בפיו היה בעצה אחת עם יתר המרגלים, כי פחד מהם, ובבואו לפני משה כחש אותם: **(ח) ואחי.** המרגלים כולם המסו לב העם: **מלאתי.** השלמתי להחזיק דבר ה׳: **(ט) אם לא.** הוא ענין לשון שבועה, כאלו אמר אם לא יהיה הדבר הזה אזי יהיה עונשו כך וכך, וגזם ולא אמר, וכן אִם לֹא עַל פָּנֶיךָ יְבָרְכֶךָּ (איוב א, יא). **אשר דרכה רגלך בה.** זה חברון, שנאמר וַיָּבֹא עַד חֶבְרוֹן (במדבר יג, כב), וכלב לבד בא לחברון: **(י) אשר הלך וכו׳.** במשך השנים האלו: **(יא) עודני היום חזק.** לפי שבא לשאול את חברון, חשש פן ישיב יהושע לאמר הלא זקנת ותש כחך, ואיך תכבוש את חברון, לזה אמר עודני חזק כמאז: **ככחי אז** . כמו הכח שהיה בי אז, כזה הכח בי היום, הן להלחם בעצמי, הן לצאת ולבוא לפני העם להורותם תכסיסי המלחמה: **(יב) ההר הזה.** זה חברון: **ביום ההוא.** אשר הלכנו לתור את הארץ: **כי ענקים שם.** ומי יעצר כח להלחם בם: **אולי ה׳ אותי.** אולי יהיה ה׳ עמי, לכבשם ולגרשם, כאשר דבר לתת לי: **(יג) ויברכהו.** שיצלח בהלחמו בם: **את חברון.** שדה העיר וחצריה, אבל העיר עצמה היתה עיר מקלט, והיא ומגרשיה היו לכהנים כמו שכתוב למטה (פרק כא, יא־יג): **(יד) על כן.** רצה לומר, לא באה לו בחלקו וגורלו בתוך בני משפחתו ושבטו, כי אם בעבור זה באה לחלקו, חוזר ומפרש יַעַן אֲשֶׁר מִלֵּא וכו׳: **(טו) קרית ארבע.** קרית איש שהיה שמו ארבע והוא היה אדם הגדול בענקים, ורצה לומר, גם למול ענקים היה נחשב לגדול וגובה הקומה: **והארץ שקטה ממלחמה.** כאלו אמר הנה הדבר הזה, עם שנכתב פה אחר כל המלחמות, מכל מקום נהיה הדבר בזמן המלחמה, ולאחר זה שקטה הארץ ממלחמה:

מצודת ציון

(ח) המסיו. מלשון המסה: **מלאתי.** ענין השלמה וגמר: **(ט) דרכה.** צעדה, והוא מלשון דרך: **(יב) בצרות.** חזקות, והוא מלשון צור: **אותי.** עמי, אף כי הוא בחולם, וכן וַאֲדַבֵּר אֹתָךְ (יחזקאל ב, א): **והורשתים.** וגרשתים: **(יד) יען.** בעבור: **(טו) קרית.** מלשון קריה ועיר:

when Moses, the servant of HASHEM, sent me from Kadesh-barnea to spy out the land, and
I brought him back a report as was in my heart. 8 My brethren who went up with me melted
the heart of the people, but I fulfilled [the will of] HASHEM, my God. 9 Moses swore on that
day, saying, 'Surely the land on which your foot trod will be to you as a heritage, and to
your children forever, because you fulfilled [the will of] HASHEM, my God.' 10 And now,
behold — HASHEM has kept me alive as He had spoken, these forty-five years, from the time
HASHEM spoke this word to Moses when Israel went in the Wilderness; and now, behold, I
am eighty-five years old today. 11 I am still as strong today as I was on the day that Moses
sent me. As my strength was then, so my strength is now for war — to go out and to come
in. 12 So now, give me this mountain of which HASHEM spoke on that day, because you
heard on that day that the Anakim were there and that the cities were large and fortified.
Perhaps HASHEM will be with me, and I will drive them out, as HASHEM had spoken."

Joshua gives Hebron to Caleb

13 Joshua blessed him and gave Hebron to Caleb son of Jephunneh as a heritage.
14 Therefore, Hebron became the heritage of Caleb son of Jephunneh the Kenizzite to this
day, because he fulfilled the will of HASHEM, God of Israel. 15 The name of Hebron was
formerly Kiriath-arba, who was the biggest man among the Anakim. Then the land had rest
from war.

רד"ק

אמר משה לכלב שתהיה לו חברון לנחלה: **אשר הלך ישראל במדבר.** טעמו לזה ארבעים וחמש שנה שזכר, כלומר זה הזמן הארוך מן הדבר אשר דבר ה׳ עד היום, לפי שהלך ישראל במדבר שלושים ושמונה שנה בעון המרגלים. ויונתן תרגם דַאֲזַל עִם יִשְׂרָאֵל בְּמַדְבְּרָא, פירוש טעם אשר הלך עם משה: **(יא) וככחי עתה.** באו שני כפי"ן הדמיון זה אחר זה כמו כָעָם כַּכֹּהֵן (ישעיהו כד, ב) כַּעֶבֶד כַּאדֹנָיו (שם) כאילו אמר העם ככהן והכהן כעם, וכן כחי עתה ככחי אז וכחי אז ככחי עתה הכל בשוה: **(יב) ה׳ אותי.** כמו עמי, וכן וַאֲדַבְּרָה אותך [אוֹתָם] (ירמיהו ה, ה) והדומים להם: **(יג) ויתן את חברון לכלב.** פירוש שְׂדֵה הָעִיר וַחֲצֵרֶיהָ (דברי הימים־א ו, מא) כי העיר עצמה היתה מקלט כמו שאמר בספר ערי המקלט כי חברון ומגרשיה היו לכהנים (לקמן פרק כ, ז): **(טו) קרית ארבע.** ארבע הוא שם הענק, והוא הָאָדָם הַגָּדוֹל בָּעֲנָקִים: **שקטה ממלחמה.** כי התעצלו בני ישראל להוריש הנשארים:

7. **כַּאֲשֶׁר עִם־לְבָבִי** — *As was in my heart.* During the spying mission, Caleb's loyalty to God and Moses was concealed in his heart, for fear that his fellow spies might harm him if he opposed them, but when they reported to the people, he spoke out forcefully (*Rashi, Radak*).

Although I gave the appearance of agreeing with the other spies, when the time came to speak to the nation, I was not afraid to say what was truly *in my heart* (*Kli Yakar*).

9. **אֲשֶׁר דָּרְכָה רַגְלְךָ בָּהּ** — *On which your foot trod.* Moses spoke in the singular, because only Caleb was brave enough to go to Hebron. The other spies were afraid of the giants who lived there (*Radak*).

10. From Caleb's mention of "forty-five years," we can deduce that the war of conquest lasted for seven years. The spies were dispatched in the second year after the Exodus from Egypt, and the Jews remained in the Wilderness for another thirty-eight years. Thus, the forty-five years ended seven years after Israel entered the Land (*Rashi*).

11. **עוֹדֶנִּי הַיּוֹם חָזָק** — *I am still as strong today.* Caleb was about to request the city of Hebron, for which he would have to fight against its fierce inhabitants, including the remaining, awe-inspiring giants. He made the point, therefore, that he was fully capable of waging war (*Metzudos*).

Homiletically, Caleb was averring that he was still strong enough to prevail in the eternal battle with the Evil Inclination, for only by subduing his evil impulses can man aspire to God's help (*Be'er Moshe*).

לָצֵאת וְלָבוֹא — *To go out and to come in,* i.e., to lead people into battle and to bring them back safely.

12. Caleb declared that Joshua knew full well from the day he and his fellow spies reconnoitered *Eretz Yisrael* that Hebron was a fearsomely powerful city. Nevertheless, Caleb was ready to fight for it, strengthened by the conviction that, as he modestly expressed it, *perhaps Hashem will be with me, and I will drive them out.*

13-14. Joshua presented the city to Caleb, as requested, and Caleb prevailed over its inhabitants. *Radak* notes that the city of Hebron was one of the cities of refuge (21:13), all of which belonged to the Levites. Therefore, we must assume that Caleb received the surrounding villages, but not the city proper. See 10:36-39.

15. **קִרְיַת אַרְבַּע** — *Kiriath-arba,* literally the City of Arba. The city was named after Arba, who was the father of, and *the biggest man among the Anakim.* Alternatively, there were four giants, which is why Hebron was named the City of the Four [אַרְבַּע = four] (*Rashi*).

וְהָאָרֶץ שָׁקְטָה מִמִּלְחָמָה — *Then the land had rest from war.* After seven years of Jewish victories, the Canaanites desisted from further attacks, so that Joshua could turn to the task of dividing the Land (*Rashi*). *Radak,* however, interprets this as a reproach against the Jewish people, for they unjustifiedly stopped fighting for the rest of the country.

According to the Midrash, the verse refers to the Patriarch Abraham and the respect shown him by the inhabitants of

הַגּוֹרָל לְמַטֵּה בְּנֵי יְהוּדָה לְמִשְׁפְּחֹתָם אֶל־גְּבוּל אֱדוֹם מִדְבַּר־צִן נֶגְבָּה מִקְצֵה תֵימָן:
ב־ג וַיְהִי לָהֶם גְּבוּל נֶגֶב מִקְצֵה יָם הַמֶּלַח מִן־הַלָּשֹׁן הַפֹּנֶה נֶגְבָּה: וְיָצָא אֶל־מִנֶּגֶב
לְמַעֲלֵה עַקְרַבִּים וְעָבַר צִנָה וְעָלָה מִנֶּגֶב לְקָדֵשׁ בַּרְנֵעַ וְעָבַר חֶצְרוֹן וְעָלָה אַדָּרָה
ד וְנָסַב הַקַּרְקָעָה: וְעָבַר עַצְמוֹנָה וְיָצָא נַחַל מִצְרַיִם °והיה [°וְהָיוּ ק׳] תֹּצְאוֹת הַגְּבוּל
ה יָמָּה זֶה־יִהְיֶה לָכֶם גְּבוּל נֶגֶב: וּגְבוּל קֵדְמָה יָם הַמֶּלַח עַד־קְצֵה הַיַּרְדֵּן וּגְבוּל לִפְאַת
ו צָפוֹנָה מִלְּשׁוֹן הַיָּם מִקְצֵה הַיַּרְדֵּן: וְעָלָה הַגְּבוּל בֵּית חָגְלָה וְעָבַר מִצְּפוֹן לְבֵית
ז הָעֲרָבָה וְעָלָה הַגְּבוּל אֶבֶן בֹּהַן בֶּן־רְאוּבֵן: וְעָלָה הַגְּבוּל ׀ דְּבִרָה מֵעֵמֶק עָכוֹר
וְצָפוֹנָה פֹּנֶה אֶל־הַגִּלְגָּל אֲשֶׁר־נֹכַח לְמַעֲלֵה אֲדֻמִּים אֲשֶׁר מִנֶּגֶב לַנָּחַל וְעָבַר
ח הַגְּבוּל אֶל־מֵי עֵין־שֶׁמֶשׁ וְהָיוּ תֹצְאֹתָיו אֶל־עֵין רֹגֵל: וְעָלָה הַגְּבוּל גֵּי בֶן־הִנֹּם אֶל־
כֶּתֶף הַיְבוּסִי מִנֶּגֶב הִיא יְרוּשָׁלָ͏ִם וְעָלָה הַגְּבוּל אֶל־רֹאשׁ הָהָר אֲשֶׁר עַל־פְּנֵי גֵי־הִנֹּם

רש״י

(א) אל גבול אדום. סמוך למיצר אדום: **נגבה.** בתחום מיצר דרומי של ארץ ישראל: **מקצה תימן.** בסוף כל המיצר: **(ב) ויהי להם גבול.** מיצר דרומי של יהודה: **מקצה ים המלח.** הוא מקצוע דרומית מזרחית של ארץ ישראל באלה מסעי (במדבר לד, ג): **מן הלשן.** של ים: **(ג) ויצא אל מנגב למעלה עקרבים.** ואינו אומר ויצא ונסב ותאר, אלא במקום שחוט של גבול בולט אל החוץ או כונס לצד פנים שאינו הולך מכוון, וכאן הוא בולט אל החוץ ובא מנגב למעלה עקרבים בדרום של מעלה עקרבים, נמצא שמעלה עקרבים לפנים מן החוט, ועבר ובא לו אל המערב: **צנה.** לצן, וכל תיבה שצריכה למ״ד בתחלתה הטיל לה ה״א בסופה: **ועלה.** כל מה שהוא עולה מן המזרח, לצד ירושלים הוא עולה, ומירושלים והלאה הוא יורד. כאן למדנו שירושלים גבוהה מכל ארץ ישראל. וירושלים אינה נזכרת במיצר זה, שבמיצר צפונית של יהודה היתה, כמו שאמור בענין: **ועלה מנגב לקדש ברנע.** החוט הולך לדרומה של קדש ברנע, נמצאת קדש לפנים מן החוט: **ועבר חצרון.** לצד המערב הוא מונה והולך, עד והיו תוצאותיו הימה: **(ד) תצאות.** סופו של מיצר אל הים הגדול, שהוא מיצר מערבי לכל ארץ ישראל. נמצא גבול יהודה מחזיק כל ארכה של ארץ ישראל מן המזרח למערב, ועומד בדרומה של ארץ ישראל: **(ה) וגבול קדמה.** חוט המתוח למיצר מזרחי של יהודה: **ים המלח.** שהוא מקצוע דרומית מזרחית לארץ, באלה מסעי (שם): **עד קצה הירדן.** רחבו של גבול יהודה אינו אלא כנגד ים המלח, עד מקום שהירדן נופל בים המלח, שהירדן אף הוא במצר מזרח של ארץ כנען, כמו שנאמר באלה מסעי במיצר מזרחי, וְיָרַד הַגְּבוּל הַיַּרְדֵּנָה וְהָיוּ תוֹצְאֹתָיו יָם הַמֶּלַח (שם לד, יב), שהוא במקצוע: **וגבול לפאת צפונה.** חוט מיצר המתוח למיצר לפון מן המזרח למערב, מלשון ים המלח, ממקום שהירדן נופל בו שאמרנו ששם כלה רוחב גבול מיצר המזרחי ועלה לצד המערב בית חגלה, ועבר החוט מלפון לבית הערבה, נמצא בית הערבה בתוך גבול יהודה לפנים מן החוט: **(ו) ועלה הגבול וגו׳ אבן בהן.** כל מה שהולך עד ירושלים הוא עולה: **(ז) ועלה הגבול דברה מעמק עכור.** שהיה עמק עכור בין אבן בהן לדביר: **וצפונה פנה אל הגלגל.** וכשמגיע כנגד הגלגל, מרחיב הגבול ויוצא חוט המיצר לצד הצפון אל הגלגל, אשר הוא נוכח מעלה אדומים אשר המעלה בדרום הנחל, נמצא הנחל חוץ מן החוט שלא בגבול יהודה: **מנגב לנחל.** עמק ומדרון היה בלא מים: **אל עין רגל.** מעיין הכובסים, תרגם יונתן עֵין קַצְרָא, וקורא את הכובס רוגל, על שם שבועט את בגדי הצמר ברגליו, פולו״ש בלע״ז: **(ח) ועלה וגו׳ גי בן הנם.** עודנו עולה מעט עד עין עיטם, ומשם והלאה הוא יורד, וזהו שאמרו רבותינו זכרונם לברכה בשחיטת קדשים (זבחים כד, ב) סבור למבנייהו בעין עיטם שהוא גבוה מירושלים מעט: **אל כתף היבוסי מנגב.** נמצאת ירושלים חוץ מן החוט ואינה בגבול יהודה אלא בגבול בנימין שהוא בצפונו של יהודה:

רד״ק

(א) נגבה. בקצה תימן מדבר צין היה לצד דרום ולא כל דרום הגבול אלא מקצה דרומו: **(ב) מן הלשן.** לשון הים, ויונתן תרגם, כֵּיפָּא דְמִיתְפְּנֵי לְדָרוֹמָא רוצה לומר לשון סלע: **(ג) אל מנגב.** אל המקום שהיה מִנֶּגֶב לְמַעֲלֵה עַקְרַבִּים: **(ד) זה יהיה לכם גבול נגב.** היה לו לומר להם שהרי כל הפרשה ספור דברים הוא, ויתכן פירושו כי כן יהיה הגבול להם כמו שנאמר בתורה (במדבר לד, ג) וְהָיָה לָכֶם גְּבוּל נֶגֶב: **(ו) אבן בהן בן ראובן.** אדון המקום היה שמו בֹּהַן בֶּן רְאוּבֵן, וכן תרגם יונתן בַּר רְאוּבֵן, ושם המקום אֶבֶן אולי היתה שם אבן גדולה לסימן לגבול המקום: **(ז) אל הגלגל אשר נכח למעלה אדמים.** נקרא המקום גלגל ונקרא גְלִילוֹת (לקמן יח, יז) לענין ידוע אצלם, ואדומים גם כן שם מקום נקרא כך לענין ידוע אצלם, וכן תרגם יונתן לְמַסְקָנָא דַאֲדֻמִּים: **אל עין רגל.** תרגום יונתן לְעֵין קַצְרָא, וקצרא בדברי רז״ל (תענית כט, ב) הוא כובס הבגדים, ותרגום יונתן שְׂדֵה כוֹבֵס (מלכים־ב יח, יז) חֲקַל מַשְׁטָא קַצְרַיָא, ונקרא הכובס רוגל לפי שמשפשף הבגדים ברגליו בעת שמכבסם: **(ח) גי בן הנם.** תרגום יונתן חֵילַת בַּר הִינֹם, והיה הגיא הזה סמוך לירושלם, והוא המקום אשר טמא יאשיהו מפני הגלולים שהיו בו, ושם אדוני המקום מקדם בן הנום והנום, ומה שנאמר וְעָלָה הַגְּבוּל והמקום היה גֵּי, אינו אומר וְעָלָה כנגד הגיא אלא אל המקום שהיה בו הגיא, בכל אלה הגבולים הוא אומר וְעָלָה כי ירושלים גבוה מכל הארצות (ראה זבחים נד, ב):

מצודת דוד

(א) למשפחתם. מה שחלקו למשפחותם, כי יתכן שחלקו לכל משפחה ומשפחה חלק לבד, ולא היו מעורבבים אלה באלה: **אל גבול אדום.** לנחול אצל גבול אדום שעמדה בדרומה של ארץ ישראל: **מדבר צין נגבה.** רצה לומר, מדבר צין היתה מיצר הדרומי של יהודה, וחוזר ומפרש מקצה תימן, ורצה לומר, לא שהיתה מדבר צין כל אורך מיצר הדרומי, אלא מקצה תימן היתה, וממנה היה מתחיל מיצר הדרומי: **(ב) גבול נגב.** מיצר הדרומי ממזרח כלפי המערב: **מקצה ים המלח.** אשר עמד במזרחו של ארץ ישראל, ומשם התחיל מדבר צין: **מן הלשן.** של הים ההוא: **(ג) ויצא.** הגבול ההוא יצא כלפי חוץ להתרחב יותר, ובא אל המקום שהיתה מנגב למעלה עקרבים, אם כן, היתה מעלה עקרבים לפנים מן הגבול וליהודה תחשב (כל מקום שנאמר וְיָצָא, רצה לומר, חוט המיצר יצא כלפי חוץ ונתרחב הנחלה ההיא וברוחב ההיא הלכה משם והלאה. וכל מקום שנאמר וְנָסַב או וְתָאַר, רצה לומר, חוט המיצר סיבב רק המקום ההוא ואחרי זה חזר חוט המיצר לרוחב הראשון, או כשכלה הפאה האחת ומסבב לפאה אחרת. וכל מקום שנאמר תֹּצְאֹת, או רצה לומר שם כלה הגבול לגמרי, או רצה לומר, שם כלה ויצא רוחב הראשון, כי משם והלאה נתקצר הנחלה, וכאשר יראה בצורה): **ועבר צנה.** משם עבר הגבול לצין, כי הה״א בסופה עומדת במקום למ״ד בתחלה (כל מקום שנאמר וְעָבַר, רצה לומר, במקום ישר ושוה. וכל מקום שנאמר וְעָלָה, רצה לומר שעלה במעלה הר. וכל מקום שנאמר וְיָרַד, רצה לומר,

מצודת ציון

(א) גבול. מיצר וסוף: **(ב) הלשן.** ראש הים המשוך כלשון: **(ה) לפאת.** לצד ורוח: **(ו) אבן בהן.** הוא שם מקום: **בן ראובן.** עיר איש ששמו ראובן, וכן מִבֵּין סִיחוֹן (ירמיהו מח, מה): **(ז) נוכח.** נגד:

15 **JUDAH'S TERRITORY**
15:1-63
Judah's southern border

[1] *The lot for the tribe of the children of Judah according to their families was: up to the*
border of Edom, the Wilderness of Zin southward, at the southernmost edge. [2] *Their*
southern border was from the edge of the Dead Sea from the tip that faces south. [3] *It went*
out to the south of Maaleh-akrabbim, passed to Zin, ascended to the south of Kadesh-
barnea, passed Hezron, ascended toward Addar, and circled Karka. [4] *It passed to*
Azmon and went out to the Brook of Egypt; the border's outlets were to the Sea. This shall
be your southern border. [5] *The eastern border was from the Salt Sea to the end of the*
Jordan. The border on the northern side stretched from the tip of the Sea at the end of the
Jordan River; [6] *the border ascended to Beth-haglah and passed to the north of*
Beth-haarabah; the border ascended to the Stone of Bohan son of Reuben. [7] *The border*
ascended toward Debir from the Valley of Achor and northward facing Gilgal which
is opposite Maaleh-adummim, which is south of the valley. The border passed to the
waters of En-shemesh and its outlets were into En-rogel. [8] *The border ascended by the*
Valley of the Son of Hinnom to the southern shoulder of the Jebusite, which is Jerusalem.
The border ascended to the top of the mountain that faces the Valley of Hinnom

The eastern border
(See Map 6 in the Appendix)

מצודת דוד

שירד במורד הר): **מנגב לקדש ברנע.** והיתה אם כן מנחלת בני יהודה: **(ד) תצאות הגבול.** סוף הגבול כלה אל הים הגדול, נמצא החזיק גבול יהודה כל אורך ארץ ישראל מן המזרח למערב: **זה יהיה לכם.** רצה לומר, זה הגבול יהיה לכל ישראל גבול הנגב מן המזרח למערב, כאמור: **(ה) וגבול קדמה.** מדרום כלפי הצפון: **ים המלח.** כל אורך הים היה הגבול, וברוחב כל נחלתו: **עד קצה הירדן.** קצהו הדרומי הנופל בים (אולם משם הלך הירדן בפאת הדרומי כלפי המערב ונפל בים הגדול, כן אמרו רבותינו זכרונם לברכה (בכורות נה, א), ובזה ניחא מה שכתוב וַיִּסַּע לוֹט מִקֶּדֶם (בראשית יג, יא), כי פנה למערב, לככר הירדן שכלפי המערב, וניחא מה שכתוב וַיָּבֹאוּ וכו׳ אֲשֶׁר בְּעֵבֶר הַיַּרְדֵּן (בראשית נ, י), ורצה לומר, בעבר הירדן שכלפי המערב, כי לא היה צורך להם ללכת בדרך עבר הירדן המזרחי): **וגבול לפאת צפונה.** מן המזרח כלפי המערב: **מלשון הים.** הפונה צפונה, והוא מקצה הירדן הפונה לדרום: **(ו) בית חגלה.** רצה לומר, מצפונה, כמוזכר בגבולי בנימין (פרק יח, יט): **מצפון וכו׳.** אם כן, בית הערבה היתה לפנים מן המיצר וליהודה תחשב (ואף כי בית הערבה נמנית היא בנחלת בנימין (שם פסוק כב), צריך לומר שנים היו בשם אחד, והיה לאחת שם לווי להבדיל ביניהן, ולא הוזכר במקרא, וכמו כן צריך לומר בכל מקום שנזכר פעמים ושלש שם מקום אחד, הן בנחלת שבט אחד הן בנחלת שני שבטים): **(ז) מעמק עכור.** כי מאבן בהן בן ראובן בא הגבול לעמק עכור, עם שלא נזכר ומעצמו יובן: **וצפונה פנה.** כשבא הגבול מול הגלגל היה חוט המיצר מרחיב ויוצא לצד צפון אל הגלגל, אשר היא נוכח מעלה אדומים, אשר המעלה ההיא עומדת בדרום הנחל, והגבול הלך מהגלגל נכחו אל מעלה אדומים, והנחל היה מן החוט המיצר ולחוץ שלא בגבול יהודה: **ועבר הגבול.** ממעלה אדומים: **והיו תצאתיו וכו׳.** בצפון עין רוגל היה סוף הגבול בזה הרוחב, ומשם והלאה נכנס חוט המיצר לפנים ונתקצר הנחלה: **(ח) ועלה הגבול.** מעין רוגל נכנס הגבול לפנים, לצד הדרום, ועלה במעלה ההר לגי בן הנם, אשר עמדה מצד ירושלים בדרומה (וירושלים עצמה היתה מנחלת בנימין אבל רצועה היתה יוצאת מנחלת יהודה ובאה בירושלים (זבחים נד, ב)). ואמר לשון וְעָלָה, כי ירושלים היתה גבוה מכל ארץ ישראל, זולת עין עיטם: **היא ירושלם.** על היבוסי יאמר: **ועלה הגבול אל ראש ההר.** עודנו עולה עד מעין מי נפתוח, והוא עין עיטם הנזכר בדברי רבותינו זכרונם לברכה (זבחים נד, ב):

Hebron, when he came there to bury his wife Sarah. The *biggest man among the giants* was Abraham, the greatest of the great. It was because the giants and other inhabitants of Hebron showed him great deference when he sought their help in buying a burial plot for Sarah that God postponed the inevitable war against Hebron, and kept the Jews in the wilderness for forty years — i.e., *the land had rest from war* (*Rashi*). This is another illustration of God's fairness. No good deed is ignored, no matter how trivial it may seem, and no matter how evil the person who does it.

15.

⊸§ **Judah's territory.** This chapter delineates the borders of Judah and lists its towns and cities in minute detail. For a discussion of the location of the many landmarks mentioned here, most of which are unknown in modern geography, see the ArtScroll edition of *Joshua.* In general, Judah's territory was the entire southern part of the Land, from the Dead Sea to the Mediterranean, and from Jerusalem south to the middle of the Negev desert.

As noted above, the Talmud (*Sotah* 7b) comments that the first tribes to receive their portions were those that had exemplified repentance and the acknowledgment of sin (see comm. to 13:8-33). Therefore, Reuben was the first to receive a portion east of the Jordan, and the first tribe on the west was the tribe of Judah, whose ancestor had admitted his error in the affair of Tamar (see *Genesis* 38:24-5).

Another reason that Joshua began the division with the lot for Judah's portion is offered by *Abarbanel.* Since Caleb had requested the area of Hebron, as had been promised to him, Joshua wanted to determine which territory God had assigned to Judah, Caleb's tribe, to see if his portion would be in the province of his tribe. Indeed, Divine Providence placed Hebron in Judah's province, so that he would not be separated from his tribe.

If Israel had not sinned and fallen from its pinnacle of spiritual greatness, nearly all the Books of the Prophets, with their stories of sinfulness and prophetic chastisements would have been unnecessary; Scripture would have consisted only of the Five Books of Moses and the Book of *Joshua,* because it sets forth the boundaries of the tribal portions (*Nedarim* 22b). These boundaries are needed to avoid territorial disputes and

ט יָ֑מָּה אֲשֶׁ֨ר בִּקְצֵ֧ה עֵֽמֶק־רְפָאִ֛ים צָפֽוֹנָה׃ וְתָאַ֨ר הַגְּב֜וּל מֵרֹ֣אשׁ הָהָ֗ר אֶל־מַעְיַן֙ מֵ֣י
י נֶפְתּ֔וֹחַ וְיָצָ֖א אֶל־עָרֵ֣י הַר־עֶפְר֑וֹן וְתָאַ֤ר הַגְּבוּל֙ בַּעֲלָ֔ה הִ֖יא קִרְיַ֥ת יְעָרִֽים׃ וְנָסַ֣ב
הַגְּב֡וּל מִבַּעֲלָ֨ה יָ֜מָּה֙ אֶל־הַ֣ר שֵׂעִ֔יר וְעָבַ֛ר אֶל־כֶּ֥תֶף הַר־יְעָרִ֖ים מִצָּפ֑וֹנָה הִ֣יא
יא כְסָל֔וֹן וְיָרַ֥ד בֵּית־שֶׁ֖מֶשׁ וְעָבַ֥ר תִּמְנָֽה׃ וְיָצָ֨א הַגְּב֜וּל אֶל־כֶּ֤תֶף עֶקְרוֹן֙ צָפ֔וֹנָה וְתָאַ֤ר
יב הַגְּבוּל֙ שִׁכְּר֔וֹנָה וְעָבַ֥ר הַר־הַבַּעֲלָ֖ה וְיָצָ֣א יַבְנְאֵ֑ל וְהָי֛וּ תֹּצְא֥וֹת הַגְּב֖וּל יָֽמָּה׃ וּגְב֣וּל
יג יָ֔ם הַיָּ֥מָּה הַגָּד֖וֹל וּגְב֑וּל זֶ֗ה גְּב֛וּל בְּנֵֽי־יְהוּדָ֥ה סָבִ֖יב לְמִשְׁפְּחֹתָֽם׃ וּלְכָלֵ֣ב בֶּן־יְפֻנֶּ֗ה
נָ֤תַן חֵ֙לֶק֙ בְּת֣וֹךְ בְּנֵֽי־יְהוּדָ֔ה אֶל־פִּ֥י יְהוָ֖ה לִיהוֹשֻׁ֑עַ אֶת־קִרְיַ֥ת אַרְבַּ֛ע אֲבִ֥י הָעֲנָ֖ק
יד הִ֥יא חֶבְרֽוֹן׃ וַיֹּ֤רֶשׁ מִשָּׁם֙ כָּלֵ֔ב אֶת־שְׁלוֹשָׁ֖ה בְּנֵ֣י הָעֲנָ֑ק אֶת־שֵׁשַׁ֤י וְאֶת־אֲחִימַן֙
טו וְאֶת־תַּלְמַ֔י יְלִידֵ֖י הָעֲנָֽק׃ וַיַּ֣עַל מִשָּׁ֔ם אֶל־יֹשְׁבֵ֖י דְּבִ֑ר וְשֵׁם־דְּבִ֥ר לְפָנִ֖ים קִרְיַת־
טז סֵֽפֶר׃ וַיֹּ֖אמֶר כָּלֵ֑ב אֲשֶׁר־יַכֶּ֤ה אֶת־קִרְיַת־סֵ֙פֶר֙ וּלְכָדָ֔הּ וְנָתַ֥תִּי ל֛וֹ אֶת־עַכְסָ֥ה בִתִּ֖י
יז־יח לְאִשָּֽׁה׃ וַֽיִּלְכְּדָ֔הּ עָתְנִיאֵ֥ל בֶּן־קְנַ֖ז אֲחִ֣י כָלֵ֑ב וַיִּתֶּן־ל֛וֹ אֶת־עַכְסָ֥ה בִתּ֖וֹ לְאִשָּֽׁה׃ וַיְהִ֣י
בְּבוֹאָ֗הּ וַתְּסִיתֵ֙הוּ֙ לִשְׁא֤וֹל מֵֽאֵת־אָבִ֙יהָ֙ שָׂדֶ֔ה וַתִּצְנַ֖ח מֵעַ֣ל הַחֲמ֑וֹר וַיֹּֽאמֶר־לָ֥הּ כָּלֵ֖ב
יט מַה־לָּֽךְ׃ וַתֹּ֜אמֶר תְּנָה־לִּ֣י בְרָכָ֗ה כִּ֣י אֶ֤רֶץ הַנֶּ֙גֶב֙ נְתַתָּ֔נִי וְנָתַתָּ֥ה לִ֖י גֻּלֹּ֣ת מָ֑יִם
כ וַיִּתֶּן־לָ֗הּ אֵ֚ת גֻּלֹּ֣ת עִלִּיּ֔וֹת וְאֵ֖ת גֻּלֹּ֥ת תַּחְתִּיּֽוֹת׃ זֹ֗את

רש"י

(ט) **ותאר.** לשון ונסב בעוגל, כמו וּבַמְּחוּגָה יְתָאֳרֵהוּ (ישעיהו מד, יג), ויונתן תרגם את כולם וְיִסְחַר: **ויצא אל עריי הר עפרון.** החוט יוצא לצד הצפון, והגבול הרחיב עד ערי הר עפרון: **ותאר הגבול בעלה.** אין זה לצד המערב, אלא הבליטה לצד צפון: (י) **ונסב הגבול מבעלה ימה.** עכשיו חוזר למינו הראשון, מן המזרח למערב: **אל כתף הר יערים מצפונה.** שהיה החוט בצפונה של הר יערים, נמצא הר יערים בתוך גבול יהודה לפנים מן החוט: (יא) **והיו תצאות הגבול.** סוף המיצר: **ימה.** אל ים הגדול שהוא מיצר מערבי: (יג) **אל פי ה' ליהושע.** כמה שאמר הקדוש ברוך הוא ליהושע: (יד) **וירש משם כלב.** לאחר מיתת יהושע, כי עדיין בימי יהושע לא נלכדה חברון, כמו שכתוב בספר שופטים (א, כ), ולא נכתבה כאן אלא מפני החלוקה: (טו) **קרית ספר.** רבותינו אמרו (תמורה טז, א) אלו הלכות שנשתכחו בימי אבלו של משה שהחזיר עתניאל בן קנז מפלפולו: (יז) **אחי כלב.** מאמו: (יח) **ותצנח.** וְאִתְרְכִינַת, הטתה עצמה ליפול לרגליו: (יט) **תנה לי ברכה.** פרנסה: **ארץ הנגב.** חרבה, כמו חָרְבוּ פְּנֵי הָאֲדָמָה (בראשית ח, יג) ומתרגם נְגוּבוּ, שייק"א בלע"ז, בית מנוגב מכל טוב, אדם שאין בו אלא תורה: **נתתני.** נתת לי, כמו דַּבְּרוֹ לְשָׁלֹם (שם לז, ד) דבר אליו, פְּנֵי יְלָחֲנִי (ירמיהו י, כ) יצאו ממני, וּבִשְּׁלָם (מלכים־א יט, כא) בשל להם: **גלת.** מעיינות:

רד"ק

עמק רפאים. תרגום יונתן מֵישַׁר גִּבָּרַיָּא והוא שנאמר עליו כִּמְלַקֵּט שִׁבֳּלִים בְּעֵמֶק רְפָאִים (ישעיהו יז, ה) והיה המקום ההוא מאז מקום הגבורים הענקים: (ט) **ותאר הגבול.** כל וְתָאַר תרגם יונתן יִסְחַר כמו וּבַמְּחוּגָה יְתָאֳרֵהוּ (שם מד, יג) שהוא ענין סבוב: **מעין מי נפתוח.** הוא הנקרא בדברי רז"ל (יומא לא, א) עין עיטם: (יב) **הימה הגדול וגבול.** וגבול יהודה למערב היה הים הגדול וגבול הים. כלומר, הים הגדול וגבולו היה גבול יהודה לצד מערב, וכן תרגם יונתן וּתְחוּמֵיהּ: (טו) **ושם דבר לפנים קרית ספר.** אמרו רז"ל (עבודה זרה, כד, ב) כי בלשון פרסי קוראין דביר לספר: (יז) **עתניאל בן קנז אחי כלב.** אמרו רז"ל (תמורה טז, א) כי אחיו מאמו היה, כי כלב בן יפונה היה, ועתניאל בן קנז, ומה שאמר על כלב הַקְּנִזִּי (לעיל יד, ו) ייחס אותו לבעל אמו. ויתכן לפרש כי אחיו מאביו ומאמו היה, והיה שם אביו כלב בן יפונה וקנז, כי הרבה נמצאים שתי שמות לאדם אחד.
והנכון אצלי עוד כי קנז היה שם ראש המשפחה והתיחסו בני המשפחה אליו, ובאמרו הַקְּנִזִּי או בֶּן קְנַז הכל אחד, כי רחוק הוא ליחס האדם לבעל אמו, כי אפילו למשפחת האם לא מצאנו שיתיחס האדם כי אם לבית אבותיו, ומה שאמר כָּל אֵלֶּה בְּנֵי מָכִיר אֲבִי גִלְעָד (דברי הימים־א ב, כג) והיה שגוב ויאיר בני בת מכיר (שם פסוק כא, כב) בעבור הערים שהיו ליאיר בארץ הגלעד אמר כן: (יח) **ויהי בבואה.** באות בי"ת השמוש, ופירוש כבואה לבית בעלה: **ותסיתהו.** הסיתה בעלה לשאול מאת אביה שדה, ולא רצה הוא לשאול, וכשראתה כן וַתִּצְנַח מֵעַל הַחֲמוֹר, כלומר הפילה עצמה מעל החמור שהיתה רוכבת עליו, ותרגום יונתן וְאִתְרְכִינַת וכן תרגום וַתִּפֹּל מֵעַל הַגָּמָל (בראשית כד, סד): (יט) **ברכה.** תרגום יונתן אַחֲסַנְתָּא, ויתכן לפרש ברכה ממש שהיא תוספת טובה, כלומר שיוסיף לו על מה

מצודת דוד

ימה. ההר היה במערבה של גי בן הנם ובקצה הצפוני של עמק רפאים, נמצא העמק היה מגבול יהודה: (ט) **ויצא אל ערי הר עפרון.** רצה לומר, בעבר הצפוני, והיו משל יהודה: (י) **ימה.** כלפי המערב: **מצפונה.** נמצא הר יערים, היא כסלון, לפנים מן הגבול, ומשל יהודה היתה: (יא) **צפונה.** והיה עקרון לפנים מן הגבול: **תצאות.** סוף הגבול כלה אל הים הגדול: (יב) **וגבול ים.** גבול המערבי, מן הצפון אל הדרום: **הימה הגדול.** הים הגדול היה לגבול: **וגבול.** רצה לומר, איי הים יחשבו גם הם לגבול יהודה, ונחלתו היו: **סביב למשפחתם.** רצה לומר, המסבב נחלת כל משפחותם: (יג) **אל פי ה'.** רצה לומר, לא מעצמו נתנו יהושע לכלב, כי אם על פי ה': **אבי הענק.** רצה לומר, ארבע היה אבי הענק, רצה לומר הגדול שבענקים: (יח) **בבואה.** בבית בעלה: **ותסיתהו.** הסיתה את בעלה ופתתה אותו לתת לה רשות שתשאל היא שדה מאביה: **ותצנח מעל החמור.** הפילה עצמה מעל החמור לנפול בארץ: **מה לך.** מה נחסר לך אשר תרצי לשאול עליו: (יט) **כי ארץ הנגב נתתני.** חלקת השדה אשר נתת לי מאז, היא ארץ נגובה, מבלי מעיני מים: **ונתתה לי.** לזה אשאל אשר תתן לי חלקת שדה ובה מעין מים: **את גלת.** נתן לה שדה עם מעין ממעל ועם מעין מתחת:

מצודת ציון

(ט) **ותאר.** ענין הקפה וסבוב, כמו וּבַמְּחוּגָה יְתָאֳרֵהוּ (ישעיהו מד, יג): (יח) **ותצנח.** ענין נעיצה, כמו וַתִּצְנַח בָּאָרֶץ (שופטים ד, כא), ורצה לומר הפילה עצמה בכח וכאלו ננעצה בארץ: (יט) **ברכה.** מתנה ומנחה, כמו קַח נָא אֶת בִּרְכָתִי (בראשית לג, יא): **הנגב.** ענין יובש, כמו כְּסוּפוֹת בַּנֶּגֶב (ישעיהו כא א): **נתתני.** נתת לי: **גלת.** מעין, כמו גַּל נָעוּל (שיר השירים ד, יב), ונקרא כן על שם סבובו וגלגולו: **את.** עם: **עליות.** מלשון עליון:

on the west, which is at the northern edge of the Valley of Rephaim. 9 *The border curved*
from the top of the mountain to the spring of the Waters of Nephtoah and went out to the
The northern border
cities of Mount Ephron. The border curved toward Baalah, which is Kiriath-jearim. 10 *The*
border went around from Baalah to the west to Mount Seir and passed to the flank of
Mount Jearim from the north, which is Chesalon. It descended to Beth-shemesh and
passed Timnah. 11 *The border went out to the flank of Ekron to the north; the border curved*
toward Shicron, passed Mount Baalah, and went out to Jabneel; the border's outlets were
The western border
to the Sea. 12 *The western border was the Great Sea and its border. This is the border of the*
children of Judah all around, according to their families.
Caleb's inheritance
13 *To Caleb son of Jephunneh he gave a portion among the Children of Judah in*
accordance with HASHEM'*s word to Joshua — Kiriath-arba, the father of the Anakim,*
which is Hebron. 14 *Caleb drove out the three sons of the Anak from there — Sheshai and*
Ahiman, and Talmai, the offspring of the Anak. 15 *He ascended from there to the*
inhabitants of Debir; the former name of Debir was Kiriath-sefer. 16 *Caleb said, "Whoever*
smites Kiriath-sefer and conquers it, I shall give him my daughter Achsah as a wife."
17 *Othniel son of Kenaz, brother of Caleb, conquered it; so he gave him his daughter*
Achsah as a wife. 18 *When she came [to him], she urged him to let her ask her father for a*
field. Then she slid off the donkey, and Caleb said to her, "What do you wish?" 19 *She said,*
"Give me a [source of] blessing, for you have given me an arid land; give me springs of
water." So he gave her the upper springs and the lower springs.

רד"ק

שנתן לה, כי ידמה שנתן לה ארץ צמאה ויבשה וזהו שאמרה אֶרֶץ הַנֶּגֶב נְתַתָּנִי, תרגום חָרְבוּ הַמַּיִם (שם ח, יג) נְגוּבוּ מַיָּא, ושאלה שיתן לה עוד השדה שהיו בו גלות המים להשקות ארץ הנגב שנתן לה, ופירוש נְתַתָּנִי נתת לי, ויש לפרש עוד ברכה כמו בְרֵכָה בצרי, ויונתן תרגם ארץ הנגב אֲרֵי לְאַרַע דָרוֹמָה יְהַבְתַּנִי, ופירוש גֻלֹּת מָיִם מעיינות כמו גַּל נָעוּל (שיר השירים ד, יב) או פירוש בריכות מים המכונסין, ויונתן תרגם בֵּית שַׁקְיָא:

to delineate the borders of the Land, since many of the commandments are applicable only in *Eretz Yisrael (Lev Aharon).*

13-19. Caleb and Othniel. In giving the borders of Judah, Scripture reviews the gift of Hebron to Caleb and its conquest, as well as the conquest of its neighbor, Debir, by Caleb's stepbrother and future son-in-law. According to *Rashi,* Caleb's victory took place after Joshua's death, which is why it is mentioned again in *Judges* 1:20. *Radak* (to 1:10) contends that the victory took place in Joshua's lifetime, and is repeated in *Judges* as part of the recapitulation of the conquests.

14. *Arba* was the father of the giants; see 14:15.

15-16. וְשֵׁם־דְּבִר לְפָנִים קִרְיַת־סֵפֶר — *The former name of Debir was Kiriath-sefer. Radak* cites the Sages that Debir is the Persian word for *sefer, book.*

Rashi quotes the Aggadah that, although there was a city named Debir, Scripture uses the name *Kiriath-sefer,* or "City of the Book," to allude to Caleb's declaration, quoted in the next verse. Caleb was not offering his daughter's hand to a mere warrior, even a mighty one. Indeed, if Caleb was able to defeat the fearsome giants of Hebron, he surely would not have needed someone else to fight the relatively humble town of Debir. Rather, the Sages explain, a total of 1,700 laws and teachings were forgotten during the period of mourning for Moses. When Caleb spoke of the *City of the Book,* he was alluding to these laws, which he longed to have restored. The scholar great enough to bring this forgotten Torah back to the people would be worthy of Caleb's daughter. [*Maharsha* explains why the Sages take the name Kiriath-sefer as an allusion rather than as the name of a place. Since Caleb's portion was Hebron, not Debir, he had no right to dictate the terms of conquest of Debir, therefore, his objective must have been not territory, but Torah.] And Caleb's daughter, who was herself a woman of exceptional caliber, was proud to be the wife of a man who had that degree of Divine knowledge. Although the actual teachings had been forgotten, Othniel's wisdom was so profound that he was able to deduce them from the text of the Torah and the related laws that were still known (*Temurah* 16a).

16. Superficially, Caleb's offer was improper, because the conqueror could conceivably be a low or halachically unacceptable person, but he is not faulted for making the offer, because (a) only a righteous and holy person would be capable of restoring the forgotten laws (*Rashi*); or (b) Caleb trusted in his own merit and the merit of his exceptionally pious daughter (*Tosafos, Taanis* 4a).

17. Caleb's mother married Kenaz after her first husband died. Othniel was a child of that marriage, and thus was Caleb's maternal half brother (*Radak*).

18-19. Achsah urged her new husband to ask Caleb for a source of water to assure their livelihood. When he refused she took the initiative (*Radak*).

Homiletically, she was not motivated by economic considerations. Knowing Othniel's greatness in Torah — indeed, he was to be Joshua's successor as the national leader — she felt

כא נַחֲלַת מַטֵּה בְנֵי־יְהוּדָה לְמִשְׁפְּחֹתָם: וַיִּהְיוּ הֶעָרִים מִקְצֵה לְמַטֵּה בְנֵי־יְהוּדָה אֶל־
כב־כג גְּבוּל אֱדוֹם בַּנֶּגְבָּה קַבְצְאֵל וְעֵדֶר וְיָגוּר: וְקִינָה וְדִימוֹנָה וְעַדְעָדָה: וְקֶדֶשׁ וְחָצוֹר
כד־כו וְיִתְנָן: זִיף וָטֶלֶם וּבְעָלוֹת: וְחָצוֹר ׀ חֲדַתָּה וּקְרִיּוֹת חֶצְרוֹן הִיא חָצוֹר: אֲמָם וּשְׁמַע
כז־כח וּמוֹלָדָה: וַחֲצַר גַּדָּה וְחֶשְׁמוֹן וּבֵית פָּלֶט: וַחֲצַר שׁוּעָל וּבְאֵר שֶׁבַע וּבִזְיוֹתְיָה:
כט־לב בַּעֲלָה וְעִיִּים וָעָצֶם: וְאֶלְתּוֹלַד וּכְסִיל וְחָרְמָה: וְצִקְלַג וּמַדְמַנָּה וְסַנְסַנָּה: וּלְבָאוֹת
לג וְשִׁלְחִים וְעַיִן וְרִמּוֹן כָּל־עָרִים עֶשְׂרִים וָתֵשַׁע וְחַצְרֵיהֶן: בַּשְּׁפֵלָה
לד־לה אֶשְׁתָּאוֹל וְצָרְעָה וְאַשְׁנָה: וְזָנוֹחַ וְעֵין גַּנִּים תַּפּוּחַ וְהָעֵינָם: יַרְמוּת וַעֲדֻלָּם
לו שׂוֹכֹה וַעֲזֵקָה: וְשַׁעֲרַיִם וַעֲדִיתַיִם וְהַגְּדֵרָה וּגְדֵרֹתָיִם עָרִים אַרְבַּע־עֶשְׂרֵה
לז־לט וְחַצְרֵיהֶן: צְנָן וַחֲדָשָׁה וּמִגְדַּל־גָּד: וְדִלְעָן וְהַמִּצְפֶּה וְיָקְתְאֵל: לָכִישׁ
מ־מא וּבָצְקַת וְעֶגְלוֹן: וְכַבּוֹן וְלַחְמָס וְכִתְלִישׁ: וּגְדֵרוֹת בֵּית־דָּגוֹן וְנַעֲמָה וּמַקֵּדָה עָרִים
מב־מד שֵׁשׁ־עֶשְׂרֵה וְחַצְרֵיהֶן: לִבְנָה וָעֶתֶר וְעָשָׁן: וְיִפְתָּח וְאַשְׁנָה וּנְצִיב: וּקְעִילָה
מה וְאַכְזִיב וּמָרֵאשָׁה עָרִים תֵּשַׁע וְחַצְרֵיהֶן: עֶקְרוֹן וּבְנֹתֶיהָ וַחֲצֵרֶיהָ:
מו־מז מֵעֶקְרוֹן וָיָמָּה כֹּל אֲשֶׁר־עַל־יַד אַשְׁדּוֹד וְחַצְרֵיהֶן: אַשְׁדּוֹד בְּנוֹתֶיהָ
וַחֲצֵרֶיהָ עַזָּה בְּנוֹתֶיהָ וַחֲצֵרֶיהָ עַד־נַחַל מִצְרָיִם וְהַיָּם °הגבול [°הַגָּדוֹל ק׳] וּגְבוּל:
מח־נ וּבָהָר שָׁמִיר וְיַתִּיר וְשׂוֹכֹה: וְדַנָּה וְקִרְיַת־סַנָּה הִיא דְבִר: וַעֲנָב וְאֶשְׁתְּמֹה וְעָנִים:
נא־נב וְגֹשֶׁן וְחֹלֹן וְגִלֹה עָרִים אַחַת־עֶשְׂרֵה וְחַצְרֵיהֶן: אֲרַב °וְרוּמָה [נ״א °וְדוּמָה]
נג־נד וְאֶשְׁעָן: °וינים [°וְיָנוּם ק׳] וּבֵית־תַּפּוּחַ וַאֲפֵקָה: וְחֻמְטָה וְקִרְיַת־אַרְבַּע הִיא
נה־נו חֶבְרוֹן וְצִיעֹר עָרִים תֵּשַׁע וְחַצְרֵיהֶן: מָעוֹן ׀ כַּרְמֶל וָזִיף וְיוּטָּה: וְיִזְרְעֶאל
נז־נח וְיָקְדְעָם וְזָנוֹחַ: הַקַּיִן גִּבְעָה וְתִמְנָה עָרִים עֶשֶׂר וְחַצְרֵיהֶן: חַלְחוּל

רש״י

(כא) ויהיו הערים מקצה למטה בני יהודה. בגבול מטה יהודה, הוא שאמרו רבותינו (גיטין ז, א) לא מנה יהושע אלא עיירות העומדות על הגבולים: **(לב) כל ערים עשרים ותשע.** ובפרטן אתה מוצא שלשים ושמונה, אלא אלה היתרות נטלו בני שמעון מחבל בני יהודה, ונזכרות הם בנחלת שמעון בְּאֵר־שֶׁבַע [וְשֶׁבַע] וּמוֹלָדָה וַחֲצַר שׁוּעָל [וּבָלָה] וָעָצֶם וְאֶלְתּוֹלַד [וּבְתוּל] וְחָרְמָה וְצִקְלַג [וכו׳] וְעַיִן וְרִמּוֹן (לקמן יט, ב־ז), הרי תשע היתרות המנויות כאן: **(לו) ערים ארבע עשרה.** ובפרטן חמש עשרה, אומר אני, תַּפּוּחַ וְהָעֵינָם (פסוק לד) אחד הוא, וזה פירושו, תפוח והעין שלו, הוא עין תפוח האמור בנחלת מנשה (לקמן יז,ז) אֶל יֹשְׁבֵי עֵין תַּפּוּחַ: **(מז) והים הגדול וגבול.** נסין שבים שקורין אלשי״ש בלע״ז:

רד״ק

(כא) ויהיו הערים מקצה למטה בני יהודה. פירוש כמו הפוך, ויהי מקצה הערים למטה בני יהודה אל גבול אדום בנגבה, ולפיכך נקדו בצרי לפי שהוא סמוך, ובאמרו מִקְצֵה הוא שאמרו רז״ל לא מנה יהושע אלא הערים העומדות על הגבולים: **(לב) כל ערים עשרים ותשע.** ובפרטם תמצא שלושים ושמונה, והתשע היתרים היו לבני שמעון, וספרם בנחלת בני יהודה בפרט לפי שהיו בנחלת בני יהודה כמו שאמר וַיְהִי נַחֲלָתָם בְּתוֹךְ נַחֲלַת בְּנֵי יְהוּדָה (לקמן יט, א) ושם כתיב אלה הערים היתרים לשמעון, בְּאֵר שֶׁבַע וַחֲצַר שׁוּעָל, בָּלָה (שם פסוק ב־ג) והיא בַּעֲלָה שכתוב הנה (פסוק ל) וְעֶצֶם וְאֶלְתּוֹלַד, וּבְתוּל זהו כְּסִיל שכתוב הנה (פסוק ל), וְחָרְמָה וצִקְלַג וְעַיִן רִמּוֹן, והנה הם עשר בזה המנין והם מנויות בנחלת בני שמעון ואין לנו נותרות אלא תשע, אלא נאמר כי בָלָה אינו בַּעֲלָה ובְתוּל אינו כְסִיל אף על פי שהוא נראה כן, ועוד יש ערים ספורות למטה שמעון בנחלת יהודה והם גם כן ספורות בנחלת בני שמעון והם עֶתֶר וְעָשָׁן כמו שכתוב (פסוק מב, ולקמן יט, ז), וצִקְלַג שזכר הנה (לקמן פסוק לא) לבני יהודה וזוכר אותה גם כן לבני שמעון (לקמן יט, ה), ואנו רואים כי מיום שישב בה דוד היתה למלכי יהודה (שמואל־א כז, ו), נאמר כי לקחוה בני ישראל בעת כבוש הארץ ונפלה לחלק שמעון,

מצודת דוד

(כ) למשפחתם. הנחלק לכל משפחה לבד: **(כא) מקצה.** העומדים מקצה נחלת יהודה אצל גבול אדום, בדרומה של יהודה: **(כה) וחצור וכו׳.** ארבע עיירות במקרא זה חָצוֹר א׳, חֲדַתָּה ב׳, קְרִיּוֹת ג׳, חֶצְרוֹן הִיא חָצוֹר ד׳, ולא זהו חצור האמור בתחלת המקרא, ולא זהו האמור במקרא שלפני פניו (פסוק כג): **(לב) עשרים ותשע.** ובפרטן תמצא שלשים ושמנה, וזהו לפי שתשעה מהן לא נשארו לבני יהודה, כי בני שמעון לקחום מחבל יהודה ונזכרות הנה בנחלת בני שמעון (לקמן יט, ב־ז), והם בְּאֵר־שֶׁבַע, [וְשֶׁבַע] וּמוֹלָדָה. חֲצַר שׁוּעָל, [וּבָלָה] וָעָצֶם. וְאֶלְתּוֹלַד, [וּבְתוּל] וְחָרְמָה. וְצִקְלַג, וכו׳ וְעַיִן, וְרִמּוֹן: **וחצריהן.** ומלבד חצריהן: **(לו) והגדרה וגדרתים.** היא עיר אחת ונקראה בשתי השמות: **(לז) צנן וכו׳.** גם אלו עמדו בשפלה, אולם במחוז אחרת, ולזה מנה אלו לעצמן ואלו לעצמן, וכמו כן נאמר בכל מקום שמנה אלו לבד ואלו לבד: **(מא) וגדרות בית דגון.** הן שתי עיירות, האחת גדרות, והשנית בית דגון: **(מו) מעקרון וימה וכו׳.** מעקרון לצד המערב היה ליהודה כל הערים אשר אצל מקום אשדוד, וגם חצרי הערים ההם: **(מז) עד נחל מצרים.** שהיה בדרומה של יהודה: **והים הגדול.** רצה לומר, ועד הים הגדול, שהיה במערבו: **וגבול.** גם גבול הים הם האיים אשר בים, אף הם לנחלת יהודה יחשבו: **(נה) וזיף.** אין זה זיף האמור למעלה (פסוק כד):

מצודת ציון

(מה) ובנתיה. הכפרים הסמוכים אליה: **(מו) על יד.** על מקום, כמו יַד אַבְשָׁלוֹם (שמואל־ב יח, יח):

[20] This is the heritage of the tribe of the children of Judah according to their families.
Judah's southern cities *[21] The cities at the extremity of [the territory of] the tribe of the children of Judah at the*
border of Edom in the south were: Kabzeal, Eder, Jagur, [22] Kinah, Dimonah, Ad'adah,
[23] Kedesh, Hazor, Ithnan, [24] Ziph, Telem, Bealoth, [25] Hazor, Hadattah, Kerioth, Hezron
which is Hazor, [26] Amam, Shema, Moladah, [27] Hazar-gaddah, Heshmon, Beth-pelet,
[28] Hazar-shual, Beer-sheba, Biziothiah, [29] Baalah, Iim, Ezem, [30] Eltolad, Chesil, Hormah,
[31] Ziklag, Madmannah, Sansannah, [32] Lebaoth, Shilhim, Ain, Rimmon — all the cities
twenty-nine, and their villages.

The lowland *[33] In the lowland: Eshtaol, Zorah, Ashnah, [34] Zanoah, En-gannim, Tapuah, Enam,*
[35] Jarmuth, Adullam, Socoh, Azekah; [36] Shaaraim, Adithaim, Hagederah [which is]
Gederothaim — fourteen cities and their villages.

[37] Zenan, Hadashah, Migdal-gad, [38] Dilan, Mizpeh, Joktheel, [39] Lachish, Bozkath,
Eglon, [40] Cabbon, Lahmas, Chithlish, [41] Gederoth, Beth-dagon, Naamah, Makkedah —
sixteen cities and their villages.

[42] Libnah, Ether, Ashan, [43] Iphtah, Ashnah, Nezib, [44] Keilah, Achzib, Mareshah — nine
cities and their villages.

[45] Ekron and its towns and villages; [46] from Ekron to the Sea, all that lay near Ashdod
and their villages: [47] Ashdod, its towns and villages; Gaza, its towns and villages to the
The mountain region *Brook of Egypt and the Great [Mediterranean] Sea, and its border. [48] And in the mountain:*
Shamir, Jattir, Socoh, [49] Dannah, Kiriath-sannah which is Debir, [50] Anab, Eshtemoh,
Anim, [51] Goshen, Holon, Giloh — eleven cities and their villages.

[52] Arab, Rumah, Eshan, [53] Janum, Beth-tappuah, Aphekah, [54] Humtah, Kiriath-arba
which is Hebron, and Zior — nine cities and their villages.

[55] Maon, Carmel, Ziph, Juttah, [56] Jezreel, Jokdeam, Zanoah, [57] Kain, Gibeah, and
Timnah — ten cities and their villages.

רד"ק

ואחר כך לקחה מלך גת מהם עד שישב דוד בה, על כן היתה למלכי יהודה מהיום ההוא והלאה: **(לה) שוכה ועזקה.** ועוד זוכר למטה שׂוֹכֹה (פסוק מח) וכן אַשְׁנָה זוכר אותה בשני מקומות (פסוק לג ומג), נקראים בשם אחד והיה לאחד מהם שם לווי להבדיל ביניהם ולא נזכר בכתוב: **(לו) ערים ארבע עשרה.** ובפרטן תמצא חמש עשרה ואפשר כי הַגְּדֵרָה וּגְדֵרֹתָיִם עיר אחת: **(מז) והים הגדול וגבול.** כתיב הגבול כלומר כי הים היה גבולם, וקרי הַגָּדוֹל:

that without a productive, fertile property, he would be prevented from exerting proper spiritual leadership (*Be'er Moshe*).

22, 31. Two ethical lessons. Verse 32 states that the preceding passage lists twenty-nine cities, when actually thirty-eight names are listed. The Sages (*Gittin* 7a; see *Tosafos HaRosh, Maharsha*) understand from this discrepancy that some of the names allude to ethical teachings rather than to actual place-names. They give homiletical interpretations to two groups of three names as follows:

22. In a play on words, the Sages homiletically read the verse as if it says [כָּל שֶׁיֵּשׁ לוֹ] קִנְאָה [עַל חֲבֵרוֹ] וְדוֹמֵם, [שׁוֹכֵן] עֲדֵי עַד [עוֹשֶׂה לוֹ דִּין], *Whoever has a grievance against his fellow but remains silent, He Who lives forever will execute judgment for him.*

31. The Sages homiletically read this verse as if it says [כָּל שֶׁיֵּשׁ לוֹ] צַעֲקַת לְגִימָה [עַל חֲבֵרוֹ] וְדוֹמֵם, [שׁוֹכֵן] בַּסְּנֶה [עוֹשֶׂה לוֹ דִּין], *Whoever has a complaint concerning his livelihood against his fellow but remains silent, He Who dwells in the thornbush will execute judgment for him.* God is called the Dweller in the Thornbush because that is how He appeared to Moses. The thornbush was a symbol for His concern for the downtrodden Jews in Egypt, therefore it is a fitting simile for His concern when someone's livelihood is harmed.

63. Abraham's oath. The Sages (*Sifre*) teach that the security of the Jebusites in Jerusalem lay not in their military prowess, but in who they were. They were descendants of a Philistine named Jebus, and were not part of the Jebusite branch of the Canaanite natives. Judah *could* have driven them out, but the Jebusites of Jerusalem were protected by a covenant of peace between Abraham and Abimelech, the Philistine king (*Genesis* 21:23-4). Because Abraham had promised not to harm Abimelech's grandchildren, his descendants could not attack these Jebusites. When the duration of the oath ran out, King David conquered Jerusalem (*Abarbanel*).

Likkutei Sichos comments that God's command to conquer the Land should have superseded Abraham's centuries-old promise, but it would have been a desecration of God's Name for Joshua to have ignored the covenant and sanctioned the conquest. For the same reason, Joshua kept the promise to the Gibeonites, even though they had won the pledge through deception. See 9:19.

נט-ס בֵּית־צוּר וּגְדוֹר׃ וּמַעֲרָת וּבֵית־עֲנוֹת וְאֶלְתְּקֹן עָרִים שֵׁשׁ וְחַצְרֵיהֶן׃ קִרְיַת־
סא בַּעַל הִיא קִרְיַת יְעָרִים וְהָרַבָּה עָרִים שְׁתַּיִם וְחַצְרֵיהֶן׃ בַּמִּדְבָּר בֵּית הָעֲרָבָה
סב-סג מִדִּין וּסְכָכָה׃ וְהַנִּבְשָׁן וְעִיר־הַמֶּלַח וְעֵין גֶּדִי עָרִים שֵׁשׁ וְחַצְרֵיהֶן׃ וְאֶת־
הַיְבוּסִי יוֹשְׁבֵי יְרוּשָׁלַ͏ִם לֹא־°יוכלו [°יָכְלוּ ק׳] בְנֵי־יְהוּדָה לְהוֹרִישָׁם וַיֵּשֶׁב הַיְבוּסִי

טז

א אֶת־בְּנֵי יְהוּדָה בִּירוּשָׁלַ͏ִם עַד הַיּוֹם הַזֶּה׃ וַיֵּצֵא הַגּוֹרָל לִבְנֵי יוֹסֵף מִיַּרְדֵּן
ב יְרִיחוֹ לְמֵי יְרִיחוֹ מִזְרָחָה הַמִּדְבָּר עֹלֶה מִירִיחוֹ בָּהָר בֵּית־אֵל׃ וְיָצָא מִבֵּית־
ג אֵל לוּזָה וְעָבַר אֶל־גְּבוּל הָאַרְכִּי עֲטָרוֹת׃ וְיָרַד יָמָּה אֶל־גְּבוּל הַיַּפְלֵטִי עַד־
ד גְּבוּל בֵּית־חוֹרֹן תַּחְתּוֹן וְעַד־גָּזֶר וְהָיוּ °תצאתו [°תֹּצְאֹתָיו ק׳] יָמָּה׃ וַיִּנְחֲלוּ
ה בְנֵי־יוֹסֵף מְנַשֶּׁה וְאֶפְרָיִם׃ וַיְהִי גְּבוּל בְּנֵי־אֶפְרַיִם לְמִשְׁפְּחֹתָם וַיְהִי גְּבוּל נַחֲלָתָם
ו מִזְרָחָה עַטְרוֹת אַדָּר עַד־בֵּית חוֹרֹן עֶלְיוֹן׃ וְיָצָא הַגְּבוּל הַיָּמָּה הַמִּכְמְתָת
ז מִצָּפוֹן וְנָסַב הַגְּבוּל מִזְרָחָה תַּאֲנַת שִׁלֹה וְעָבַר אוֹתוֹ מִמִּזְרַח יָנוֹחָה׃ וְיָרַד
ח מִיָּנוֹחָה עֲטָרוֹת וְנַעֲרָתָה וּפָגַע בִּירִיחוֹ וְיָצָא הַיַּרְדֵּן׃ מִתַּפּוּחַ יֵלֵךְ הַגְּבוּל יָמָּה
נַחַל קָנָה וְהָיוּ תֹצְאֹתָיו הַיָּמָּה זֹאת נַחֲלַת מַטֵּה בְנֵי־אֶפְרַיִם לְמִשְׁפְּחֹתָם׃
ט וְהֶעָרִים הַמִּבְדָּלוֹת לִבְנֵי אֶפְרַיִם בְּתוֹךְ נַחֲלַת בְּנֵי־מְנַשֶּׁה כָּל־הֶעָרִים וְחַצְרֵיהֶן׃

רש״י

(סג) **לא יכלו בני יהודה להורישם.** שנינו בספרי (דברים עב) רבי יהושע בן קרחה אומר יכולין היו, אלא שלא היו רשאין מחמת השבועה שנשבע אברהם לאבימלך (בראשית כא, כד־כה), ויבוסי זה לא על שם האומה היה, אלא מגדל דוד שהיה בירושלים ושמו יבוס, ובני אותו מחוז מפלשתים היו, וכשכבשו בני יהודה את ירושלים לא הורישו את בני אותו מחוז: (א) **ויצא הגורל לבני יוסף.** במילר לפוני של גמר כיבושו של יהושע נפל להם הגורל, כמו שכתוב למטה [וּבֵית] (ובני) יוֹסֵף יַעַמְדוּ עַל גְּבוּלָם מִצָּפוֹן (לקמן יח, ה), והרבה מן הארץ היה בין בני יהודה ובין בני יוסף שנטלו שאר השבטים אחריהם (רצה לומר ביניהם), כמו שמצינו בשבט בנימין וַיֵּצֵא גְּבוּל גּוֹרָלָם בֵּין בְּנֵי יְהוּדָה וּבֵין בְּנֵי יוֹסֵף (לקמן יח, יא): **מירדן יריחו למי יריחו מזרחה.** התחיל הגבול למזרח: **המדבר עלה מיריחו.** אל המדבר עולה הגבול מיריחו, ובא לו לצד מערב לבית אל: (ה) **מזרחה עטרות אדר.** למזרח מתחיל מעטרות אדר, ומשם רוחב תחומו עד בית חורון, הרי רחבו: (ו) **ויצא הגבול הימה.** ארכו היתה לצד המערב אל המכמתת, מצפון של המכמתת הולך החוט: **ונסב הגבול.** מתפשט רוחב התחום לצד צפון, והחוט יוצא בבליטתו במזרחה של תאנת שילה: **ועבר אותו.** ועבר הגבול את תאנת שילה, ועבר החוט ממזרח של ינוח, כל זה בליטת הרוחב, עד ויצא הירדן, ושם עיר ושמה תפוח, ומשם יסוב החוט למדת אורך הגבול ימה לנחל קנה: (ט) **והערים המבדלות.** וגם זה עוד מנחלת אפרים, ערים היו להם מובדלות מתחומו ומובלעות בתוך נחלת בני מנשה:

רד״ק

(סג) **לא יכלו בני יהודה להורישם.** כתיב יוכלו כי אף בזמן העתיד לא יוכלו עד שיבא דוד (שמואל־ב ה, ו), וקרי יָכְלוּ כי לא יכלו אז להורישם בעת כבוש הארץ, ואמרו רז״ל (ספרי דברים עב) יכולין היו אלא שלא היו רשאים מפני השבועה שנשבע אברהם לאבימלך (בראשית כא, כה), והיבוסי הזה לא היה היבוסי משבעה גוים אלא אדם אחד שהיה שמו יבוס, והיה מפלשתים מזרע אבימלך ונקרא המקום על שמו יבוס, ואנשי המשפחה ההיא יושבי ירושלים היה שמם יבוסי מתיחסים אל יבוס, וכן אֲרַוְנָה הַיְבֻסִי (שמואל־ב כד, יח) שהיה מלך המקום ההוא, ומבצר המקום הזה הוא ציון שהיא בירושלים, ועד דוד לא היה נכבש המקום הזה, ולדעת רז״ל לא כבשוהו מפני השבועה, ודוד הסיר העורים והפסחים (שם פסוק ח) שהיו צלמי נחשת והיה כתוב בהם דבר השבועה (פרקי דרבי אליעזר לו) ואחר כך כבש המגדל ההוא, ואחר כך קנה דוד את עיר היבוסי לישראל בממכר זהב בכתב לאחוזת עולם שנאמר וַיִּתֵּן דָּוִיד לְאָרְנָן בַּמָּקוֹם וגו׳ (דברי הימים־א כא, כה), ועוד אמרו (ראה במדבר רבה יד, א) כי השבועה היתה לִי וּלְנִינִי וּלְנֶכְדִּי (בראשית כא, כג) וכשכבשו בני יהודה את ירושלם היה נכד אבימלך חי עדיין ולא יכלו לכבוש המצודה עדיין מפני השבועה, ובימי דוד לא היה עוד הנכד חי, ועוד נכתב כזה עוד בספר שמואל (־ב ה, ו). ולפי הפשט היה המבצר חזק ולא היה כח לבני יהודה להורישם, אולי היתה סבה מאת ה׳ שלא תלכד המצודה ההיא עד מלוך דוד מלך ישראל, כדי שתקרא על שמו לפי שהיה ראש ממלכת

מצודת דוד

(סג) **היבוסי.** שם האומה: **לא יכלו בני יהודה להורישם.** כי גם להם חלק מה בירושלים עם בני בנימין, כמו שאמרו רבותינו זכרונם לברכה (זבחים נג, ב) רצועה היתה יוצאת מחלקו של יהודה וכו׳: (א) **לבני יוסף.** הם מנשה ואפרים ונטלו סמוכים זה לזה אבל כל אחד נטל חלק לבד, וגם נחלתם מלאו כל האורך של ארץ ישראל ממזרח למערב, וכמו נחלת יהודה: **מירדן יריחו.** מן הירדן שממול יריחו התחיל למשוך הגבול ובא אל מזרח מי יריחו, והוא גבול הדרומי מן המזרח כלפי המערב: **המדבר עלה מיריחו.** רצה לומר, ממי יריחו עלה אל המדבר ובא בָּהָר בֵּית־אֵל ולא זהו בית אל הקרויה לוז (בראשית כח, יט): (ב) **לוזה.** רצה לומר, מנגב לוז כמו שכתוב בגבול בנימן (לקמן יח, יג): (ג) **ימה.** לצד המערב: **עד גבול וכו׳.** רצה לומר, מנגב לבית חורון תחתון: **תצאתיו.** סוף הגבול כלה אל הים הגדול: (ד) **וינחלו.** בהרצועה ההיא נחלו מנשה ואפרים: (ה) **למשפחתם.** להנחלה הנחלקת לכל משפחותם: **מזרחה.** גבול הרוחב הפונה למזרח היה מעַטְרוֹת אַדָּר שעמדה בצפונו של בנימן, עַד בֵּית חוֹרֹן עֶלְיוֹן שעמדה בנחלת אפרים, ולפי שמבית חורון עליון נתארך עוד הגבול כלפי מערב כמו שכתוב בענין, אם כן גם שם היה גבול ברוחב, לזה אמר מִזְרָחָה, רצה לומר, גבול הרוחב הפונה למזרח, ולא הגבול הפונה למערב: (ו) **ויצא הגבול הימה.** מבית חורון עליון יצא הגבול להתארך עוד כלפי המערב מצפון למכמתת שהיתה מנחלת מנשה (לקמן יז, ז): **ונסב הגבול.** להרוחב כלפי הצפון למזרחה של תאנת שלה, ועבר את כל אורך תאנת שלה, ולא עבר סמוך לה כי אם ממזרח של ינוחה אשר עמדה למזרחה של תאנת שלה, ולא היה מנחלת אפרים לא תַּאֲנַת שִׁלֹה ולא יָנוֹחָה, ומנחלת מנשה היו: (ז) **וירד.** כי

[58] *Halhul, Beth-zur, Gedor;* [59] *Maarath, Beth-anoth, Eltekon — six cities and their*
villages.
[60] *Kiriath-baal which is Kiriath-jearim, and Harabbah — two cities and their villages.*
The Wilderness of Judah
[61] *In the wilderness: Beth-haarabah, Middin, Secacah,* [62] *and Nibshan, the City of Salt*
and En-gedi — six cities and their villages.
[63] *But the Jebusite, the inhabitants of Jerusalem, the children of Judah were not able to drive out; and the Jebusite dwelled among the children of Judah, in Jerusalem, until this day.*

16 **JOSEPH'S TERRITORIES** 16:1-18:1

[1] *The lot for the children of Joseph went out from the Jordan opposite Jericho to the Waters of Jericho to the east; the wilderness that ascends from Jericho to the*
mountain to Beth-el. [2] *It went out from Beth-el to Luz and passed to the border of the*
Archite, to Ataroth. [3] *It descended westward to the border of the Japhletite until the border*
Ephraim's territory (See Maps 6 and 7 in the Appendix)
of Lower Beth-horon and until Gezer; its outlets were to the Sea. [4] *The children of Joseph*
— Manasseh and Ephraim — received their heritages. [5] *The border of the children of*
Ephraim, according to their families, was: The border of their inheritance to the east was
from Atroth Addar to Upper Beth-horon. [6] *The border went out westward north of*
Michmethath, and the border circled to the east of Taanath-shiloh, passing it on the east of
Janoah. [7] *It descended from Janoah to Ataroth and Naarath and reached Jericho, and*
went out to the Jordan. [8] *From Tappuah the border went westward to the Brook of Kanah*
and its outlets were to the Sea. This is the heritage of the children of Ephraim according
Ephraim's isolated cities
to their families. [9] *There were isolated cities belonging to the children of Ephraim that*
were within the heritage of the children of Manasseh, all these cities and their villages.

רד"ק

ישראל, ומה שאמר עַד הַיּוֹם הַזֶּה יהושע כתב כן כי הוא כתב ספרו לפי הקבלה (בבא בתרא יד, ב), ובימיו לא הורישם מירושלים ואף בימי דוד מצאנו שהיו שם: (ב) **מבית אל לוזה.** זה מקום היה שמו בית אל ואינו המקום שקרא יעקב אבינו בֵּית־אֵל (בראשית כח, יט) כי אותו שמו לוז (שם), והנה הוא אומר שיצא הגבול מבית אל ללוז ומגבול בנימין היה לוז כמו שאומר בנחלת בנימין וְעָבַר מִשָּׁם הַגְּבוּל לוּזָה אֶל כֶּתֶף לוּזָה נֶגְבָּה הִיא בֵּית אֵל (לקמן יח, יג): (ט) **המבדלות** בחירק המ"ם והוא תואר, או החירק מקום שורק והוא פעול מבנין הפעיל, ופירוש הֶעָרִים הַמִּבְדָּלוֹת לפי שאמר זֹאת נַחֲלַת מַטֵּה בְנֵי אֶפְרַיִם אמר ועוד היו להם ערים בתוך נחלת מטה בני מנשה מבדלות ונכרות וידועות להם כמו שכתב, ומפרש אותם בספור נחלת בני מנשה:

מצודת דוד

שם כלה הרוחב וירד משם כלפי המזרח אל עטרות: **ופגע ביריחו.** הגבול פגע ביריחו, רצה לומר, במי יריחו, ועבר דרך בה וכלה הגבול אל הירדן: (ח) **מתפוח.** היא עמדה אצל הירדן בגבול מנשה, אבל היתה לאפרים, כמו שכתוב בענין (שם פסוק ח), וממנה היה נמשך גבול כלפי המערב ובא אל נחל קנה מנגב וסופו כלה אל הים, ובמקרא שלאחריו מפרש מה ענין הגבול הזה: **זאת.** רצה לומר, הגבול האמור במקראות שלפניו, סביב נחלת מטה בני אפרים הנחלק לכל משפחה ומשפחה: (ט) **והערים המבדלות.** רצה לומר, הערים של בני אפרים אשר היו מובדלות ומופרשות מגבול נחלתו, המה עמדו בתוך נחלת בני מנשה, בהגבול האמור במקרא שלפניו: **כל הערים.** אשר עמדו באורך הגבול ההיא המה וחצריהן היו של בני אפרים:

16.

⇝ **The territory of Joseph.** The two tribes of Joseph, Ephraim and Manasseh, were located in the center of the country, north of Judah and Benjamin (although half of Manasseh was east of the Jordan). Their territory, like Judah's, was allocated before that of the other tribes because the brothers Judah and Joseph had been the leaders of the family, and because future royalty would come from them — the Davidic dynasty from Judah and the kings of the breakaway Ten Tribes from Ephraim.

Rashi notes that the territory between Judah's northern border and Joseph's southern border later became the province of Benjamin (18:5).

1-5. Primacy of Ephraim. The chapter begins, and verse 4 repeats, that the portion of Joseph as a whole was designated, and only afterward was it divided between the two parts of the tribe. In verse 4, Manasseh is mentioned first, in deference to his firstborn status, but then, in verse 5, where the division of the land between the tribes of Manasseh and Ephraim begins, Ephraim's portion is given first. This is in consonance with Jacob's wish that Ephraim be given precedence over Manasseh (*Genesis* 48:20). As noted by many commentators, Manasseh was Joseph's assistant in administering the affairs of state, while Ephraim was Jacob's student in Torah. Thus Jacob established the precedent in Jewish life that the Torah scholar comes before the man of affairs.

9. וְהֶעָרִים הַמִּבְדָּלוֹת — *There were isolated cities.* In addition to its province, Ephraim received cities that were within the territory of Manasseh; thus they were "isolated" from the rest of Ephraim's territory.

י וְלֹא הוֹרִישׁוּ אֶת־הַכְּנַעֲנִי הַיּוֹשֵׁב בְּגָזֶר וַיֵּשֶׁב הַכְּנַעֲנִי בְּקֶרֶב אֶפְרַיִם עַד־הַיּוֹם הַזֶּה
יז א וַיְהִי לְמַס־עֹבֵד: וַיְהִי הַגּוֹרָל לְמַטֵּה מְנַשֶּׁה כִּי־הוּא בְּכוֹר יוֹסֵף לְמָכִיר בְּכוֹר
ב מְנַשֶּׁה אֲבִי הַגִּלְעָד כִּי הוּא הָיָה אִישׁ מִלְחָמָה וַיְהִי־לוֹ הַגִּלְעָד וְהַבָּשָׁן: וַיְהִי לִבְנֵי
מְנַשֶּׁה הַנּוֹתָרִים לְמִשְׁפְּחֹתָם לִבְנֵי אֲבִיעֶזֶר וְלִבְנֵי־חֵלֶק וְלִבְנֵי אַשְׂרִיאֵל וְלִבְנֵי־שֶׁכֶם
ג וְלִבְנֵי־חֵפֶר וְלִבְנֵי שְׁמִידָע אֵלֶּה בְּנֵי מְנַשֶּׁה בֶּן־יוֹסֵף הַזְּכָרִים לְמִשְׁפְּחֹתָם: וְלִצְלָפְחָד
בֶּן־חֵפֶר בֶּן־גִּלְעָד בֶּן־מָכִיר בֶּן־מְנַשֶּׁה לֹא־הָיוּ לוֹ בָּנִים כִּי אִם־בָּנוֹת וְאֵלֶּה שְׁמוֹת
ד בְּנֹתָיו מַחְלָה וְנֹעָה חָגְלָה מִלְכָּה וְתִרְצָה: וַתִּקְרַבְנָה לִפְנֵי אֶלְעָזָר הַכֹּהֵן וְלִפְנֵי ׀
יְהוֹשֻׁעַ בִּן־נוּן וְלִפְנֵי הַנְּשִׂיאִים לֵאמֹר יהוה צִוָּה אֶת־מֹשֶׁה לָתֶת־לָנוּ נַחֲלָה בְּתוֹךְ
ה אַחֵינוּ וַיִּתֵּן לָהֶם אֶל־פִּי יהוה נַחֲלָה בְּתוֹךְ אֲחֵי אֲבִיהֶן: וַיִּפְּלוּ חַבְלֵי־מְנַשֶּׁה עֲשָׂרָה
ו לְבַד מֵאֶרֶץ הַגִּלְעָד וְהַבָּשָׁן אֲשֶׁר מֵעֵבֶר לַיַּרְדֵּן: כִּי בְּנוֹת מְנַשֶּׁה נָחֲלוּ נַחֲלָה בְּתוֹךְ
ז בָּנָיו וְאֶרֶץ הַגִּלְעָד הָיְתָה לִבְנֵי־מְנַשֶּׁה הַנּוֹתָרִים: וַיְהִי גְבוּל־מְנַשֶּׁה מֵאָשֵׁר הַמִּכְמְתָת
ח אֲשֶׁר עַל־פְּנֵי שְׁכֶם וְהָלַךְ הַגְּבוּל אֶל־הַיָּמִין אֶל־יֹשְׁבֵי עֵין תַּפּוּחַ: לִמְנַשֶּׁה הָיְתָה
ט אֶרֶץ תַּפּוּחַ וְתַפּוּחַ אֶל־גְּבוּל מְנַשֶּׁה לִבְנֵי אֶפְרָיִם: וְיָרַד הַגְּבוּל נַחַל קָנָה נֶגְבָּה לַנַּחַל

רש"י

(א) **למכיר בכור מנשה.** לפיכך נטל תחלה בימי משה בעבר הירדן, ויהי לו הגלעד והבשן: (ה) **ויפלו חבלי מנשה עשרה.** ששה לששה בתי אבות המנויים למעלה, וארבע לבנות צלפחד, לא שתהא כל אחת בית אב לעצמה, אלא שנטלו ארבעה חלקים, חלק של אביהם שהיה מיוצאי מצרים, ולפי מנין היוצאים ממצרים נתחלקה הארץ, וחלקו עם אחיו בנכסי חפר אביו שהיה גם הוא מיוצאי מצרים, ושהיה בכור ונטל שני חלקים, ועוד היה להם חלק אחי אביהם שמת במדבר בלא בנים, ונטלו נחלה בחלקו, כך אמרו רבותינו בבבא בתרא (קיח, א), ולא הוזקק הכתוב להשמיענו מנין חלקי הבנות אלא ללמד שנטלו חלק בכורה, ולהודיע שארץ ישראל חלק ירושה להם מוחזקת מאבותיהם, שאילולי כן אין הבכור נוטל בראוי כבמוחזק: (ו) **וארץ הגלעד.** שבעבר הירדן היתה לבני מנשה הנותרים: (ח) **ארץ תפוח.** הכפרים והחצרים, ותפוח עצמה העיר היתה לבני אפרים: **אל גבול מנשה.** על מיצר מנשה לסוף גבולו:

רד"ק

(א) **כי הוא בכור יוסף.** כלומר לפי שהיה הוא בכור יוסף ומכיר היה בכורו והיה איש מלחמה, זה גרם לו שבאה לו הנחלה בארץ הגלעד, כי בני גד ובני ראובן שאלו אותה הארץ מפני שהיה להם מקנה רב והיא היתה ארץ מקנה, אבל חצי שבט מנשה לא היה לו אלא מפני גבורתו של מכיר שלכד הארץ, וזו הברכה היתה לו מפני שהיה אביו בכור יוסף והוא היה בכור גם כן, ובעבורו רמז משה בברכתו בְּכוֹר שׁוֹרוֹ הָדָר לוֹ וְקַרְנֵי רְאֵם קַרְנָיו בָּהֶם עַמִּים יְנַגַּח יַחְדָּו (דברים לג, יז): (ה) **ויפלו חבלי מנשה עשרה.** בפתח החי"ת, ומה שספר החבלים שנפלו למנשה להודיע חלקי בנות צלפחד, כי חצי שבט מנשה הנותרים היו ששה בתי אבות אביעזר וחלק ואשריאל ושכם וחפר ושמידע ונטלו ששה חלקים ובנות צלפחד נטלו ארבעה חלקים, חלק אביהם שהיה מיוצאי מצרים, וליוצאי מצרים נתחלקה הארץ לדעת רבותינו ז"ל (בבא בתרא קיז, א), ואף על פי שיש ביניהם מחלוקת בדבר הרוב השוו בזה כי ליוצאי מצרים נתחלקה הארץ, והנה בנות צלפחד נטלו חלק אביהם שהיה מיוצאי מצרים, וחלקו עם אחיו בנכסי חפר שהיה גם הוא מיוצאי מצרים וחלק בכורה שהיה צלפחד בכור, וחלק אחי אביהם אחר שהיה מיוצאי מצרים ומת במדבר בלא בנים וזכה צלפחד בירושתו עם אחיו: (ז) **מאשר המכמתת.** הגבול היה יוצא מגבול אשר למכמתת שהוא שם מקום, והוא היה על פני שכם:

מצודת דוד

(י) **ולא הורישו.** חוזר על בני אפרים, כי גזר היה מנחלתם מן הערים אשר עמדו בהגבול ההולך מתפוח אל הים: **למס עבד.** רצה לומר, לא מס ממון, כי אם מס עבודה בגוף: (א) **כי הוא בכור.** רצה לומר, אף שהוא הבכור והיה אם כן מהראוי לקחת גורלו ראשון, מכל מקום נתאחר מלקחת גורלו עד שלקח אפרים תחלה, ואחר זה היה הגורל למטה מנשה, וזה היה בעבור ברכת יעקב שהקדימו בכל דבר: **למכיר בכור מנשה.** רצה לומר, אבל בבני מנשה שלא היתה סיבה מה להקדים הצעיר להבכור, לזה לקח הבכור תחלה: **אבי הגלעד.** על שם בנו גלעד היה נקרא, או רצה לומר, שר הגלעד, ואמר על שם סופו: **איש מלחמה.** ובחר לשבת בעבר הירדן על הספר במקום סכנה, להראות העובדי גילולים את גבורתו, ולזה היה לו הגלעד והבשן: (ב) **ויהי.** רצה לומר, ואחר זה היה הגורל לבני מנשה הנותרים, לכל משפחה ומשפחה: **הזכרים.** לפי שנאמר בענין שאף נקבות מבני מנשה לקחו נחלה (פסוק ו) לזה אמר הזכרים שבמשפחותם: (ד) **אחינו.** רצה לומר, אחי אבינו: **אל פי ה'.** על פי ה', במצותו: (ה) **חבלי מנשה עשרה.** בארץ ישראל עצמה לקחו עשרה מחוזות: (ו) **כי בנות מנשה וכו'.** רצה לומר, לפי שבנות מנשה גם המה לקחו נחלה, ובני מנשה הנותרים לקחו ארץ הגלעד, לזה היה ראוי ונכון שיקחו בארץ ישראל עצמה אלו העשרה מחוזות, לא פחות ולא יותר, כי החשבון הזה היה ראוי להם: (ז) **ויהי גבול מנשה.** הרוחב מצפון כלפי הדרום היה מגבול בני אשר, אשר נחלו מצפון מנשה עד מכמתת, שעמדה מול מקצוע דרומית מערבית של נחלת אפרים, לפני שכם שהיתה משל אפרים אשר עמדה במקצוע דרומית מערבית: **והלך הגבול.** מן המערב כלפי המזרח, בצד הצפון: **אל הימין.** פונה היה באלכסון אל הדרום, ובא אל יושבי עין תפוח: (ח) **ארץ תפוח.** המקומות אשר סביב תפוח, אבל העיר תפוח עצמה עם שעמדה בגבול מנשה, עם כל זה היתה לאפרים: (ט) **וירד הגבול.** רצה לומר, הגבול אשר ירד מתפוח לנחל קנה, מדרום לנחל האמור למעלה, הערים האלה אשר עמדו בהגבול ההוא המה היו לאפרים, עם שעמדו בתוך ערי מנשה, וכמו שכתוב למעלה (טז, ט):

מצודת ציון

(ה) **חבלי.** המחוזות יקראו חבלים, על שם כי בחבל יחולק נחלה (ראה עמוס ז, יז):

10. Although the Canaanites of Gezer remained subservient to the tribe of Ephraim, the Ephraimites did not drive them out, as they were required to do, According to *Malbim,* Ephraim was unable to do so because Gezer was one of the cities that was isolated within the territory of Manasseh. [This implies, however, that Manasseh would not cooperate with

10 They did not drive out the Canaanite that dwelled in Gezer; rather the Canaanite dwelled
in the midst of Ephraim until this day, and they were indentured laborers.

17 *Manasseh's family*
1 Then was the lot for the tribe of Manasseh, though he was Joseph's firstborn. For
Machir the firstborn of Manasseh, the father of Gilead — because he was a man of
war — unto him was Gilead and the Bashan. 2 There was [also a portion] for the remaining
sons of Manasseh according to their families: for the children of Abiezer, for the children
of Helek, for the children of Asriel, for the children of Shechem, for the children of Hepher,
and for the children of Shemida. These were the male children of Manasseh son of Joseph
according to their families.

Zelophehad's daughters
3 But Zelophehad, son of Hepher, son of Gilead, son of Machir, son of Manasseh, had
no sons, only daughters; and these are the names of his daughters: Mahlah, Noah,
Hoglah, Milcah, and Tirzah. 4 They approached before Elazar the Kohen, before Joshua
son of Nun, and before the leaders, saying, "HASHEM commanded Moses to give us a
heritage among our brethren"; and he gave them, according to the word of HASHEM, a
heritage among their father's brothers. 5 Ten portions fell to Manasseh — besides the land
of Gilead and the Bashan which are on the other side of the Jordan — 6 because the
women of Manasseh received a heritage among his sons. The land of Gilead went to
Manasseh's remaining sons.

Manasseh's territory (See Map 6 in the Appendix)
7 The border of Manasseh was from Asher to Michmethath which faces Shechem, and
the border went to the south to the inhabitants of En-tappuah. 8 The land of Tappuah
belonged to Manasseh, but Tappuah on the border of Manasseh belonged to the children
of Ephraim. 9 The border descended to the Brook of Kanah — south of the brook.

Ephraim to conquer Gezer, which is rather difficult.]

According to *Kli Yakar,* Gezer was in the boundaries of Ephraim, and the verse means to criticize Ephraim for not expelling them. How could Ephraim tolerate the presence of idolaters in their midst, with all the pernicious influence this implies?

17.

The portion of Manasseh

1. כִּי־הוּא בְּכוֹר יוֹסֵף — *Though he was Joseph's firstborn,* i.e., even though Manasseh, as Joseph's firstborn, would have been expected to receive his portion before Ephraim, this was not done. The reason for this is that Joshua was following the precedent of Jacob (*Genesis* 48:19), who had given his primary blessing to Ephraim and explained that although Manasseh's descendants would be great, Ephraim's would be greater (*Metzudos*).

Malbim renders *because;* i.e., the verse explains that Manasseh received portions on both sides of the Jordan — as if he was given a double portion — *because he was Joseph's firstborn.*

לְמָכִיר בְּכוֹר מְנַשֶּׁה . . . אִישׁ מִלְחָמָה — *For Machir the firstborn of Manasseh . . . a man of war.* Because Machir was the firstborn, his family took its share before the rest of the tribe (*Rashi*).

Abarbanel conjectures that because Machir was a man of war, i.e., that his part of Manasseh's family consisted of powerful fighting men, the Machirites volunteered to settled east of the Jordan in order to defend the vulnerable eastern flank of the country against foreign invaders. They settled there not for economic reasons, but for the sake of their fellow Jews. This might also explain why they settled there even though they did not originally ask for that land and, unlike the tribes of Reuben and Gad, apparently did not have extensive flocks (see *Numbers* 32). As noted in *Numbers* 32:33, other reasons are offered for their choice, among them that Moses wanted one tribe to straddle the Jordan in order to maintain a strong familial connection between the Jewish settlements on east and west, lest there be a split; or because he knew that without a strong presence of Torah scholars, like the family of Machir, the settlement on the east would weaken spiritually (see there).

אֲבִי הַגִּלְעָד — *The father of Gilead.* Machir had a son named Gilead. Alternatively, Machir was the "father" of the territory called Gilead, in the sense that he was its leader (*Metzudos*).

3-6. The daughters of Zelophehad. The story of these righteous women is found in *Numbers* 27:1-11. There, the Torah relates that their right to their deceased father's inheritance in *Eretz Yisrael* was confirmed by God. Now they came to claim that legacy.

5. חַבְלֵי־מְנַשֶּׁה עֲשָׂרָה — *Ten portions . . . to Manasseh.* Six portions went to the families mentioned in verse 2. The daughters of Zelophehad divided four portions among themselves, as follows: their father's portion, a share of the portion of an uncle who died childless in the Wilderness, and since Hepher, their grandfather, was a firstborn who was entitled to a double share of the inheritance, they received part of each of those two portions.

עָרִ֣ים הָאֵ֔לֶּה לְאֶפְרַ֔יִם בְּת֖וֹךְ עָרֵ֣י מְנַשֶּׁ֑ה וּגְב֤וּל מְנַשֶּׁה֙ מִצְּפ֣וֹן לַנַּ֔חַל וַיְהִ֥י תֹצְאֹתָ֖יו
י הַיָּֽמָּה׃ נֶ֣גְבָּה לְאֶפְרַ֗יִם וְצָפ֙וֹנָה֙ לִמְנַשֶּׁ֔ה וַיְהִ֥י הַיָּ֖ם גְּבוּל֑וֹ וּבְאָשֵׁר֙ יִפְגְּע֣וּן מִצָּפ֔וֹן
יא וּבְיִשָּׂשכָ֖ר מִמִּזְרָֽח׃ וַיְהִ֨י לִמְנַשֶּׁ֜ה בְּיִשָּׂשכָ֣ר וּבְאָשֵׁ֗ר בֵּית־שְׁאָ֣ן וּ֠בְנוֹתֶיהָ וְיִבְלְעָ֨ם
וּבְנוֹתֶ֜יהָ וְֽאֶת־יֹשְׁבֵ֧י דֹ֣אר וּבְנוֹתֶ֗יהָ וְיֹשְׁבֵ֨י עֵין־דֹּ֜ר וּבְנֹתֶ֗יהָ וְיֹשְׁבֵ֤י תַעְנַךְ֙ וּבְנֹתֶ֔יהָ
יב וְיֹשְׁבֵ֥י מְגִדּ֖וֹ וּבְנוֹתֶ֑יהָ שְׁלֹ֖שֶׁת הַנָּֽפֶת׃ וְלֹ֤א יָֽכְלוּ֙ בְּנֵ֣י מְנַשֶּׁ֔ה לְהוֹרִ֖ישׁ אֶת־הֶעָרִ֣ים
יג הָאֵ֑לֶּה וַיּ֙וֹאֶל֙ הַֽכְּנַעֲנִ֔י לָשֶׁ֖בֶת בָּאָ֥רֶץ הַזֹּֽאת׃ וַיְהִ֗י כִּ֤י חָֽזְקוּ֙ בְּנֵ֣י יִשְׂרָאֵ֔ל וַיִּתְּנ֥וּ אֶת־
יד הַֽכְּנַעֲנִ֖י לָמַ֑ס וְהוֹרֵ֖שׁ לֹ֥א הוֹרִישֽׁוֹ׃ וַֽיְדַבְּרוּ֙ בְּנֵ֣י יוֹסֵ֔ף אֶת־יְהוֹשֻׁ֖עַ לֵאמֹ֑ר מַדּ֡וּעַ
נָתַ֣תָּה לִּי֩ נַחֲלָ֨ה גּוֹרָ֤ל אֶחָד֙ וְחֶ֣בֶל אֶחָ֔ד וַאֲנִ֣י עַם־רָ֔ב עַ֥ד אֲשֶׁר־עַד־כֹּ֖ה בֵּרְכַ֥נִי יְהוָֽה׃
טו וַיֹּ֨אמֶר אֲלֵיהֶ֜ם יְהוֹשֻׁ֗עַ אִם־עַם־רַ֤ב אַתָּה֙ עֲלֵ֣ה לְךָ֔ הַיַּ֔עְרָה וּבֵרֵאתָ֤ לְךָ֙ שָׁ֔ם בְּאֶ֥רֶץ
טז הַפְּרִזִּ֖י וְהָרְפָאִ֑ים כִּֽי־אָ֥ץ לְךָ֖ הַר־אֶפְרָֽיִם׃ וַיֹּֽאמְרוּ֙ בְּנֵ֣י יוֹסֵ֔ף לֹֽא־יִמָּ֥צֵא לָ֖נוּ הָהָ֑ר

רש"י

(ט) **ערים האלה.** מתפוח עד נחל קנה, לאפרים היו בתוך ערי מנשה: (י) **נגבה לאפרים.** אפרים נטל חלקו מדרום לצד הארץ שבין בני יהודה לשאר השבטים: **וצפונה למנשה.** מנשה נטל לצד צפון: (יא) **שלשת הנפת.** (תרגום) תְּלָתָא פִּלְכִין, שלשת הנפת הנזכרים כאן, של דאר ושל עין דור היו, כמו שאמור למעלה בספר זה מֶלֶךְ דּוֹר לְנָפַת דּוֹר (יב, כג), ובפסוק אחר אומר וּבְנָפוֹת דּוֹר מִיָּם (לעיל יא, ב), וכאן כך הוא אומר, וְאֶת יֹשְׁבֵי דֹאר וּבְנוֹתֶיהָ . . . שְׁלֹשֶׁת הַנָּפֶת שהיו לה: (יב) **ויואל.** ויאבה: (יד) **וידברו בני יוסף.** שבט מנשה: **עד אשר עד כה ברכני ה'.** עד אשר ראית שנתרבה מנינו ממנין ראשון למנין שני עשרים אלף וחמש מאות כמנין כֹּה בגימטריא, במנין ראשון אתה מוצא במנשה בספר במדבר (א, לה) שְׁנַיִם וּשְׁלֹשִׁים אֶלֶף וּמָאתָיִם, ובפנחס (שם כו, לד) שְׁנַיִם וַחֲמִשִּׁים אֶלֶף וּשְׁבַע מֵאוֹת. דבר אחר, עַד אֲשֶׁר עַד כֹּה, ברכה שנאמרה לאברהם כֹּה יִהְיֶה זַרְעֶךָ (בראשית טו, ה) נתקיימה בי. ולפי פשוטו, עַד אֲשֶׁר עַד כֹּה, עד אשר כך, כאשר אתה רואה: (טו) **אם עם רב אתה.** יש בך כח לכרות יערות ולפנותם כענין שקורין אישרטי"ר בלע"ז, ושם תבנה ערים: **ובראת.** לשון כריתה, כמו וּבָרֵא אוֹתְהֶן בְּחַרְבוֹתָם (יחזקאל כג, מז), אישרטרא"ש בלע"ז: **אץ.** דחוק: (טז) **לא ימצא לנו ההר.** כי אץ הוא לנו כאשר אמרת: **לא ימצא.** לא יספיק:

רד"ק

(יד) **וידברו בני יוסף.** שבט בני מנשה אבל בני אפרים לא היה להם לצעוק כי יותר היו בצאתם ממצרים ממה שהיו בבואם לארץ, אבל בני מנשה היה יותר מספרם כשנכנסו לארץ (במדבר כו, לד) ממספרם כשיצאו ממצרים (שם א, לה) עשרים אלף וחמש מאות, לפיכך צעקו לפי שאבותיהם שהיו מיוצאי מצרים היו מעטים, והיו הם עם רב ולא נטלו חלקם אלא כנגד אבותיהם שהיו יוצאי מצרים שנאמר לִשְׁמוֹת מַטּוֹת אֲבֹתָם יִנְחָלוּ (שם כו, נה), ומה שאמר לָאֵלֶּה תֵּחָלֵק הָאָרֶץ ... אִישׁ לְפִי פְקֻדָיו (שם שם, נג־נד) להוציא את הטפלים שהיו אז פחותים מבני עשרים שלא נטלו חלק בארץ אלא לבני עשרים שנה נתחלקה ולחשבון יוצאי מצרים, ולפחותים מבני עשרים לא נתחלקה אף על פי שהגיעו לכלל עשרים בשעת חילוק הארץ, ומה שאומר גּוֹרָל אֶחָד וְחֶבֶל אֶחָד לפי שארץ ישראל נתחלקה לשבטים ועשו שנים עשר חלקים שוים, מי שהיה עם רב בשבטו לא היה לו אלא כמו השבט האחר שהיו מעטים, ומפני זה צעקו בני יוסף לפי שלא נתנו למנשה אלא כמו שבט אחר שהיה מעט ממנו ואף על פי שהיו עם רב, וראיה עוד כי בני מנשה היו הצועקים ולא בני אפרים תשובתם ליהושע לֹא יִמָּצֵא לָנוּ הָהָר וגו' לַאֲשֶׁר בְּבֵית שְׁאָן וּבְנוֹתֶיהָ (לקמן פסוק טז) הוא היה למנשה (לעיל פסוק יא), ומה שנתחלקה הארץ על פי ה' ועל פי הגורל, מפני החלק היפה והחלק הרע, כי מי שבא לחלקו חלק היפה על פי הגורל היה לו, ומי שבא לחלקו חלק רע על פי הגורל היה לו, ואף על פי כן היו מעלין בכספים ומי שהיה לו חלק היפה היה מעלה בכספים למי שהיה לו חלק רע. ועל זה הסדר היתה חלוקת הארץ (בבא בתרא קכב, א) אלעזר מלובש באורים ותומים ויהושע וכל ישראל עומדים לפניו, וקלפי שבטים וקלפי תחומים מונחים לפניו והיה מכוין ברוח הקדש ואומר אם זבולון עולה תחום עכו עולה, טרף בקלפי של שבטים ועלה בידו זבולון טרף בקלפי של תחומין ועלה בידו תחום עכו, והיה מכוין ברוח הקדש עוד ואומר אם נפתלי עולה תחום גינוסר עולה, טרף בקלפי של שבטים ועלה בידו נפתלי בקלפי של תחומין ועלה בידו תחום גינוסר, וכן בכל שבט ושבט, והשבט היה מחלק חלוקות לבתי אבות לפי יוצאי מצרים, וזהו שאמר לָרַב תַּרְבֶּה נַחֲלָתוֹ וְלַמְעַט תַּמְעִיט (במדבר כו, נד) ומי שהיו רבים בתי אבות בצאתם ממצרים נטלו חלקים רבים ואף על פי שהיו עתה מעטים, ומי שהיו מעטים בצאתם ממצרים נטלו חלקים מעטים ואף על פי שהיו עתה מרובים, כמו בני יוסף, ואף על פי שצעקו בני יוסף לא הועילה להם צעקתם כי לא היה יכול יהושע להוסיף להם נחלתם אלא כמו שנתנה להם על פי ה' עַל פִּי הַגּוֹרָל (שם שם, נו), אבל יהושע נתן להם עצה שיכרתו היער שהיה סמוך לחלק, והוא היה ההר שהיה לאפרים (לקמן פסוק טו) ועמק ההר ההוא היה למנשה, ואמר להם שהם יתפשטו בחלק אפרים ובארץ הפריזי והרפאים וזהו שאמר כִּי אָץ לְךָ הַר אֶפְרָיִם (שם), כלומר אם דחוק לך הר אפרים תוסיף לך עוד אחר שתכרות יער ההר תוסיף לך עוד בארץ הפריזי והרפאים הסמוכים: (טו־יח) **ובראת וכו' והיה לך.** פירוש תכרות יער הפריזי והרפאים ויהיה לך ההר ההוא ליישוב ותרחיב בו נחלתך ברצון בני

מצודת דוד

תצאתיו. סוף גבול מנשה כלה אל הים: (י) **נגבה לאפרים.** בהרצועה שלקחו בני יוסף, לקח אפרים בדרומה, ומנשה בצפונה: **גבולו.** של מנשה: **ובאשר.** בגבול אשר: **יפגעון.** מנשה עם אשר בצפון מנשה: **ממזרח.** כי נחלת יששכר היתה אצל הירדן, למזרחה של מנשה: (יא) **ויהי למנשה וכו'.** ערים היו לו למנשה בתוך נחלת יששכר ואשר, שהיו סמוכים אליו: **שלשת הנפת.** בשלש מחוזות עמדו הערים האלה: (יד) **נתתה לי.** לכל בני יוסף למנשה ולאפרים: **נחלה גורל אחד.** רצה לומר, נחלה מועטת, כאלו הוא גורל אחד ומחוז אחד: **עם רב.** ואין די לי בהנחלה הזאת: **עד כה.** עד אשר נתרבה כמו שאתה רואה: (טו) **עלה לך היערה.** רצה לומר, אם כן שאתה עם רב, תוכל לעלות ביער של הפריזי והרפאים, לכרות האילנות להיות לך מקום לשבת, כי אלו היית מתי מספר, לא היית יכול לעצור כח לכרות כל כך אילני יער, אבל הואיל ועם רב אתה יכול תוכל: **כי אץ לך.** אם דחוק וצר לך הר אפרים עם רוב גדלו: (טז) **לא ימצא לנו ההר.** אמת הדבר שאין מספיק לנו הר אפרים:

מצודת ציון

(י) **יפגעון.** יפגשון: (יב) **ויואל.** ענין רצון, כמו (לעיל ז, ז) וְלוּ הוֹאַלְנוּ: (יג) **והורש.** ענין גרושין: (יד) **כה.** רצה לומר כמו שאתה רואה: (טו) **ובראת.** ענינו כריתה, כמו וּבָרֵא אוֹתְהֶן בְּחַרְבוֹתָם (יחזקאל כג, מז): **אץ.** ענין מהירות, כמו וְלֹא אָץ לָבוֹא (לעיל י, יג), ורצה לומר המקום צר וקטן ומהר יעברו מן הקצה אל הקצה: (טז) **ימצא.** ענין די הספוק, כמו וּמָצָא לָהֶם (במדבר יא, כב):

Ephraim's separated cities

These cities were Ephraim's, in the midst of the cities of Manasseh. The border of
Manasseh was on the north of the brook, and its outlets were to the Sea. 10 *The southern*
part [of Joseph's portion] was Ephraim's and the northern part was Manasseh's. The Sea
was their [western] border; they met with Asher on the north and Issachar on the east.

Manasseh's separated cities

11 *There was unto Manasseh, within [the territory of] Issachar and within [the territory of]*
Asher: Beth-shean and its towns, Ibleam and its towns, the inhabitants of Dor and its
towns, the inhabitants of En-dor and its towns, the inhabitants of Taanach and its towns,
and the inhabitants of Megiddo and its towns — three provinces. 12 *But the children of*
Manasseh were not able to drive out [the inhabitants of] these cities, and the Canaanite
wished to dwell in this land. 13 *It happened when the Children of Israel became strong that*
they imposed tribute on the Canaanite, but they did not drive them out.

Joseph's demand . . .

14 *The children of Joseph spoke to Joshua, saying, "Why have you given me an*
inheritance of [only] a single lot and a single portion, seeing that I am a numerous people,
for HASHEM *has blessed me to such an extent?"*
15 *Joshua said to them, "If you are such a numerous people, ascend to the forest and*
clear an area for yourselves there — in the land of the Perizzite and the Rephaim — since
the mountain range of Ephraim is too confined for you."
16 *The children of Joseph said, "The mountain is insufficient for us, and all the*

רד"ק

אפרים כי הם יתרצו בזה, כי טוב להם שיהיה יישוב משיהיה יער ועוד כדי שיורישו הפרזי והוא הכנעני שזכר כי כל שבעה אומות נקראים כנענים כי כלם היו בני כנען, לפיכך אמר להם ולֹא יִהְיֶה לְךָ גּוֹרָל אֶחָד, כלומר שתוסיף גורלך בנחלת בני אפרים. והם אמרו לֹא יִמָּצֵא לָנוּ הָהָר אף על פי שנכרת היער, ועוד אם תאמר שנוסיף בערי הפרזי והרפאים רכב ברזל לכנעני היושב בעמק ההר ההוא ואנחנו יראים ממנו. אמר להם יהושע לאפרים ולמנשה, לאפרים אמר שיעזרו לבני מנשה ויתרצו בכרתם היער לטובתם, ולמנשה אמר אחר שאתה עם רב כח גדול לך ויכול אתה להוריש את הכנעני יושב העמק, ואם לא תורישנו יזיק לך כִּי רֶכֶב בַּרְזֶל לוֹ, לפיכך צריך שתתחזק עד שתורישנו: **ובראת.** ענין כריתה, וכן וּבָרֵא אוֹתְהֶן בְּחַרְבוֹתָם (יחזקאל כג, מז) ויונתן תרגם וּתְתַקֵּין לָךְ תַּמָּן אֲתַר, ויש מפרשים ענין בחירה מענין בְּרוּ לָכֶם אִישׁ (שמואל־א יז, ח):

11-13. Manasseh's isolated cities. Just as Ephraim had isolated cities in Manasseh's territory (16:9), so Manasseh had cities in the territories of Issachar and Asher, but the people of Manasseh were unable to dislodge the Canaanites from those areas. When the Jewish forces became stronger, they imposed their will upon the Canaanites, but still did not drive them out. Whether they were unable to or preferred not to is not clear, but Joshua rebuked Israel for not exerting themselves to eliminate the Canaanite presence. After his death, the rebuke was repeated in harsher terms by a prophet (see *Judges* Ch. 2).

14-18. Manasseh's complaint and Joshua's response. Although only the people of Manasseh had a grievance, they were joined by their brother-tribe, Ephraim (*Ramban*). That the complaint applied only to Manasseh is clear because Beth-shean (v. 16) was in the province of Manasseh, and it was Manasseh, not Ephraim, that could have had a grievance, because Manasseh's population had grown very much, while Ephraim's had remained stable (*Radak*).

The *Vilna Gaon,* however, comments that Ephraim, too, had grown phenomenally, but their growth did not begin until after Israel entered its Land. This was in fulfillment of Jacob's blessing that Joseph's offspring would *proliferate like fish "within the land"* (*Genesis* 48:16), i.e., Jacob conditioned his blessing on their presence in the Land.

There are several views among the commentators regarding how the land was apportioned; for a lengthy discussion of what the complaint was according to the various views, see *Abarbanel* and ArtScroll *Joshua.* Briefly, the land was divided according to the numbers of people who left Egypt. During the forty years between the Exodus and the last census before the entry into *Eretz Yisrael,* Manasseh grew by seventy percent, from 32,200 to 52,700, by far the largest increase of any of the tribes. In addition, the Sages (*Bava Basra* 118a) state that this growth was reflected in large numbers of young people who were coming of age in the years that the land was being settled, but were not included in the number upon which the allocation was based. Therefore, the people of Manasseh presented their grievance to Joshua.

14. גּוֹרָל אֶחָד וְחֶבֶל אֶחָד — [Only] *a single lot and a single portion.* Although every tribe received a single portion, the tribes of Manasseh and Ephraim argued that the two of them together received only enough for a single tribe. In addition, 16:1 implies that the entire tribe of Joseph was given a single territory that was later divided between them. Now they contended that it was too small to divide (*Ramban*).

15-18. Joshua could not give them more land, since the extent of a tribe's territory was Divinely ordained. Instead he told them to conquer the rest of their portion, drive out the Perizzites and the Rephaim, and clear the forests to provide inhabitable land. He turned their own argument against them: Precisely because they were so populous they had the manpower to fight the enemy and clear the forests. The tribes of Joseph responded that they were powerless against the

וְרֶכֶב בַּרְזֶל בְּכָל־הַכְּנַעֲנִי הַיֹּשֵׁב בְּאֶרֶץ־הָעֵמֶק לַאֲשֶׁר בְּבֵית־שְׁאָן וּבְנוֹתֶיהָ וְלַאֲשֶׁר
יז בְּעֵמֶק יִזְרְעֶאל: וַיֹּאמֶר יְהוֹשֻׁעַ אֶל־בֵּית יוֹסֵף לְאֶפְרַיִם וְלִמְנַשֶּׁה לֵאמֹר עַם־רַב אַתָּה
יח וְכֹחַ גָּדוֹל לָךְ לֹא־יִהְיֶה לְךָ גּוֹרָל אֶחָד: כִּי הַר יִהְיֶה־לָּךְ כִּי־יַעַר הוּא וּבֵרֵאתוֹ וְהָיָה
יח א לְךָ תֹּצְאֹתָיו כִּי־תוֹרִישׁ אֶת־הַכְּנַעֲנִי כִּי רֶכֶב בַּרְזֶל לוֹ כִּי חָזָק הוּא: וַיִּקָּהֲלוּ
כָּל־עֲדַת בְּנֵי־יִשְׂרָאֵל שִׁלֹה וַיַּשְׁכִּינוּ שָׁם אֶת־אֹהֶל מוֹעֵד וְהָאָרֶץ נִכְבְּשָׁה לִפְנֵיהֶם:
ב־ג וַיִּוָּתְרוּ בִּבְנֵי יִשְׂרָאֵל אֲשֶׁר לֹא־חָלְקוּ אֶת־נַחֲלָתָם שִׁבְעָה שְׁבָטִים: וַיֹּאמֶר יְהוֹשֻׁעַ
אֶל־בְּנֵי יִשְׂרָאֵל עַד־אָנָה אַתֶּם מִתְרַפִּים לָבוֹא לָרֶשֶׁת אֶת־הָאָרֶץ אֲשֶׁר נָתַן לָכֶם
ד יְהוָה אֱלֹהֵי אֲבוֹתֵיכֶם: הָבוּ לָכֶם שְׁלֹשָׁה אֲנָשִׁים לַשָּׁבֶט וְאֶשְׁלָחֵם וְיָקֻמוּ וְיִתְהַלְּכוּ
ה בָאָרֶץ וְיִכְתְּבוּ אוֹתָהּ לְפִי נַחֲלָתָם וְיָבֹאוּ אֵלָי: וְהִתְחַלְּקוּ אֹתָהּ לְשִׁבְעָה חֲלָקִים
ו יְהוּדָה יַעֲמֹד עַל־גְּבוּלוֹ מִנֶּגֶב וּבֵית יוֹסֵף יַעַמְדוּ עַל־גְּבוּלָם מִצָּפוֹן: וְאַתֶּם תִּכְתְּבוּ

רש"י

ורכב ברזל. ומה שאתה אומר לעלות היערה ולכבוש בארץ הפריזי והרפאים, עם חזק הוא אותו כנעני ורכב ברזל לו. ואל תתמה אם קראו לפריזי ורפאים כנעני, כי כולם בני כנען היו: **(יח) כי הר יהיה לך.** אותו שאמרתי לך עֲלֵה לְךָ הַיַּעְרָה (לעיל פסוק טו): **כי יער הוא ובראתו.** כי יער הוא ואינו ראוי אלא לעם רב ויבראוהו ויפנוהו: **ובראתו.** אתה שאתה עם רב: **והיה לך תצאתיו כי תוריש את הכנעני.** על ידי שאתה עם רב: **כי רכב ברזל לו.** ואין אחד משאר השבטים כדאי להלחם בו: **כי חזק הוא.** ואתה יש בך היכולת ותורישנו. ורבותינו פירשו (בבא בתרא קיח, א) עֲלֵה לְךָ הַיַּעְרָה, החביאו עצמכם ביערות שלא תשלוט בכם עין הרע: **(א) וישכינו שם את אהל מועד.** שעשו במדבר, ולא היה שם תקרה, אלא בית של אבנים מלמטן ויריעות מלמעלן, כך שנינו בשחיטת קדשים (זבחים כד, ב): **והארץ נכבשה לפניהם.** משנקבע המשכן, היתה הארץ נוחה ליכבש לפניהם: **(ב) שבעה שבטים.** שכבר קבלו נחלתם ראובן וגד וחצי שבט מנשה בימי משה בעבר הירדן, ובארץ כנען כבר נפל גורל ליהודה ולאפרים ולחצי שבט מנשה, הרי חמשה שבטים: **(ג) מתרפים.** (תרגום) מִתְרַשְּׁלִין: **(ד) לשבט.** לכל שבט מן השבעה: **לפי נחלתם.** לשבעה חלקים, ולא בשוה אלא לפי השבטים הראויין לחלקם, לרב לפי רובו ולמעט לפי מיעוטו, כמה שנאמר לָרַב תַּרְבֶּה נַחֲלָתוֹ וְלַמְעַט תַּמְעִיט נַחֲלָתוֹ וגו' (במדבר כו, כד): **(ה) והתחלקו אתה לשבעה חלקים.** אותה שנכבשה כבר והעתידה ליכבש: **יהודה יעמד על גבלו מנגב.** ארץ ישראל ששם נפל לו גורל כל המיצר הדרומי: **ובית יוסף וגו' מצפון.** לפוני למה שנכבש כבר, ועוד יש הרבה לכבוש אל המיצר מבעל גד עד לבא חמת, שהוא אצל הר ההר במיצר לפוני, והשבעה שבטים יחלקו אותה שבין יהודה ליוסף, ואותה העומדת ליכבש:

רד"ק

(א) ויקהלו כל עדת בני ישראל שלה וישכינו שם את אהל מועד. זה היה אחר ארבע עשרה שנה משבאו לארץ, שבע שכבשו ושבע שחלקו, וארבע עשרה שנים אלו היה אוהל מועד בגלגל, ואחר כך השכינוהו בשילה ואז נאסרו הבמות כל זמן שהיה בשילה, ואמרו רז"ל (מדרש שמואל ג) כי עשו בית של אבנים מלמטה והיריעות מלמעלה כמו שאמר דוד וַאֲרוֹן הָאֱלֹהִים יֹשֵׁב בְּתוֹךְ הַיְרִיעָה (שמואל־ב ז, ב) כלומר שעדיין לא היה אלא בתוך היריעה, ועוד ראו זה מן הכתוב שאמר וַתְּבִאֵהוּ בֵית ה' שִׁלוֹ (שמואל־א א, כד) אלמא בית הוה וכתיב וַיִּטֹּשׁ מִשְׁכַּן שִׁלוֹ אֹהֶל שִׁכֵּן בָּאָדָם (תהלים עח, ס) אלמא אהל היה, הא כיצד מלמד שלא היה שם תקרה אלא בית אבנים מלמטה ויריעות מלמעלה, והיה שם בשילה שלש מאות ושמנים ותשע שנה עד שהגלו פלשתים את הארון ועליו נאמר וַיִּטֹּשׁ מִשְׁכַּן שִׁלוֹ אֹהֶל שִׁכֵּן בָּאָדָם: **(ב) שבעה שבטים.** כי ראובן וגד וחצי שבט מנשה לקחו נחלתם מעבר לירדן, ובארץ כנען כבר נפל הגורל ליהודה ולאפרים ולחצי שבט מנשה כמו שפירשתי למעלה (פרק יא, כג) למה קדמו הם בפסוק וְהָאָרֶץ שָׁקְטָה מִמִּלְחָמָה הראשון: **(ה) והתחלקו אתה.** פירוש והתחלקו בה, פירוש בשבעה חלקים שיכתבו יהיו מתחלקים אותם שבעה שבטים באותה הארץ: **יהודה יעמד על גבלו.** כמו שנפל גורלו לדרום ארץ ישראל, וכן בֵּית יוֹסֵף יַעַמְדוּ עַל־גְּבוּלָם כמו שנפל גורלם לארץ צפון של ארץ ישראל, ובינידם יקחו נחלתם שבעה שבטים הנותרים בארץ הנכבשת ואשר עתידה להכבש: **(ו) ואתם.** אמר כנגד השלוחים לכתוב הארץ:

מצודת דוד

ורכב ברזל. רצה לומר, ואם תשיב לומר, הלא נחלתם גם העמק, ועמו הלא יספיק, על זה נשיב אמרים כי יושבי העמק חזקים ביותר, ואנשי הרכב המה כברזל ואי אפשר לכבשם: **לאשר בבית שאן וכו'.** מפרש לומר שהם אשר בבית שאן וכו' הניתן לנחלת מנשה (לעיל פסוק יא): **בעמק יזרעאל.** כי יזרעאל עצמה היתה מנחלת יששכר, ולבד העמק היתה מנחלתם: **(יז) עם רב אתה.** ולזה יש לך כח גדול להלחם ולהרחיב את גבולך, שלא יהיה לך נחלה מועטת כאלו הוא גורל אחד: **(יח) כי הר יהיה לך.** רצה לומר היער אשר אמרתי העומד בהר הנה זה יהיה לך מבלי טורח רב, כי יער הוא ולא ימצאו בה הרבה אנשים להלחם עמך: **ובראתו.** ואתה תכרות האילנות לשבת בה, ובזה יהיה לך תוצאותיו, רצה לומר, הגבול היוצא מההר ההוא ולהלאה: **כי תוריש.** כי במה שתשב בהר, תוכל בקלות לירש את הכנעני היושב בעמק אשר בבית שאן וכו': **כי רכב.** אף שיש לו אנשי רכב כברזל ואף שהוא חזק, כי היושב למעלה בהר מאד יתחזק על היושב מתחת בעמק: **(א) והארץ נכבשה.** מעת השכינו את אוהל מועד בשלה, שהיתה בנחלת בני יוסף, עוזרם ה' וכבשו הארץ, מה שלא יכלו לכבוש מקודם, כמו שכתוב למעלה (יז, יב): **(ב) אשר לא חלקו.** היות כי לא ידעו עדיין גבולות הארץ לחלקם בגורל: **שבעה שבטים.** כי לחמשה כבר חלקו, כי משה חלק לבני ראובן ולבני גד ולחצי מנשה (במדבר לב, לג) ויהושע חלק לבני יהודה ולבני אפרים ולחצי מנשה: **(ג) עד אנה וכו' אשר נתן וכו'.** רצה לומר, הן ידעתי מחשבותיכם מה שאינכם שולחים לכתוב גבולות הארץ ולחלקה, כי תחשבו אם כל אחד יכיר חלקו פן יפרדו איש מאחיו ולא ילחם האחד בעבור חלק האחר, ולזה אמר עד מתי יהיה לכם רפיון ידים, הלא ה' הוא הנותן לכם את הארץ, ואם כן אף בשלא יעזור האחד לחבירו, תוכלו להם, כי ה' ילחם לכם: **(ד) לפי נחלתם.** לפי מספר החלקים המצטרך להנחיל: **(ה) לשבעה חלקים.** כי עוד לשבעה ינחילו, כי יהודה יעמוד לנחול גבולו מנגב ארץ ישראל, ובית יוסף יעמדו לנחול גבולם מצפון ממה שכבר נכבש, ונשארו עוד שבעה: **(ו) ואתם.** רצה לומר, השלוחים ההולכים במקום כולכם:

מצודת ציון

(ב) ויותרו. מלשון נותר: **(ג) עד אנה.** עד מתי: **מתרפים.** מלשון רפיון: **(ד) הבו.** ענינו הזמנה, כמו הָבָה נִלְבְּנָה (בראשית יא, ג):

Canaanite that dwell in the land of the valley — those in Beth-shean and its villages and
those in the Valley of Jezreel — have iron chariots."

. . . and Joshua's response

17 *Joshua spoke to the House of Joseph, to Ephraim and to Manasseh, saying, "You*
are a numerous people and you have great strength. You should not have [only] one lot.
18 *That mountain shall be yours because it is a forest; you can cut it down and its outskirts*
will be yours, for you shall drive out the Canaanite even though they have iron chariots
and are strong."

18

THE REMAINING TRIBES' TERRITORIES
18:2-19:51

1 *The entire assembly of the Children of Israel gathered at Shiloh and erected the Tent*
of Meeting there, and the land had been conquered before them, 2 *but there was*
left among the Children of Israel seven tribes that had not yet received their heritage.
3 *Joshua said to the Children of Israel, "How long will you be lax in coming to possess the*
Land that HASHEM, the God of your fathers, has given you? 4 *Appoint for yourselves three*
men for each tribe. I will dispatch them, and they will arise and traverse the land and
describe it in writing according to their heritage; then they will come back to me. 5 *They*
will divide it into seven portions; Judah will remain at his border to the south and the
House of Joseph will remain at their border to the north. 6 *You shall describe in writing*

---

powerfully armed natives, but Joshua rejected their claims. This refrain is found at the end of this Book and at the beginning of *Judges*. Well entrenched though the Canaanites were, the tribes should have fought together and helped one another take over the lands that had been ceded to them by God.

18.

1. The Tabernacle is erected in Shiloh. The Tabernacle of the Wilderness accompanied Israel into its Land and was in Gilgal temporarily until the fourteen years of conquest and distribution were over. Now, at the end of that period, the Tabernacle was transferred to Shiloh, in the province of Ephraim, where it would remain for 369 years, until it was destroyed by the invading Philistines. Unlike the Tabernacle of the Wilderness, which had wooden walls covered by draperies (see *Exodus* 26), the Tabernacle at Shiloh had stone walls with a drapery roof. Until it was erected in Shiloh, an individual Jew was permitted to set up a *bamah*, a private altar, where some, but not all, offerings could be brought. Once the permanent Tabernacle in Shiloh came into existence, it became the center of spiritual life, and offerings could be brought only there (*Radak; Zevachim* 112, 118).

וַיַּשְׁכִּינוּ שָׁם אֶת־אֹהֶל מוֹעֵד — *And erected the Tent of Meeting there.* By inserting this fact before stating that the Land had been conquered, Scripture alludes to the true purpose of the conquest. God gave *Eretz Yisrael* to the Jewish people not merely so they would have a place to live, but so that they would establish God's Presence in the Land. Without sanctity, settlement of the Land would be useless (*Be'er Moshe*).

וְהָאָרֶץ נִכְבְּשָׁה לִפְנֵיהֶם — *And the land had been conquered before them.* On its face, this phrase is difficult because much of the land was still in Canaanite hands. In fact, as the following verses show, seven of the tribes had not yet conquered their designated inheritances. According to *Rashi*, the verse means that the existence of Shiloh, with its high degree of sanctity, made it easier to conquer the rest of the country. According to *Malbim*, this phrase refers to the land of the five tribes that had already been conquered and settled.

3-10. Joshua's expedites the division of the Land. Joshua chastised the seven remaining tribes for not going ahead with the conquest. In order to expedite the matter, he assigned three men from each tribe to map out the Land and draw up fair and exact boundaries for the tribal portions, and then the Divinely inspired lots would match up the individual tribes with the appropriate portions.

Abarbanel comments that the blessings of Jacob (*Genesis* Ch. 49) and Moses (*Deuteronomy* Ch. 33) indicated in which part of the country each of the tribes would be, so that all that was needed was to determine the extent and fair value of the portions. He contends that the reason the tribes had refrained from participating in the lots to determine their portions was because they felt that as long as the individual tribes were not tied to specific boundaries, they would be more likely to unite in fighting the Canaanites, but if the boundaries were tightly drawn, it would be each tribe for itself. To this Joshua countered that God, not armed might, would win victories and that the merit of the Tabernacle at Shiloh would help them.

3. עַד־אָנָה אַתֶּם מִתְרַפִּים — *How long will you be lax. . . ?* Seven years before this (13:1,7), God had commanded that the lots be drawn and He would assist in the conquest, but the people had been lax (*Malbim*).

4. Joshua chose three people from each tribe, rather than one, because their determinations would have major financial consequences for all seven tribes. Their maps and evaluations would decide the value of the respective portions, and therefore Joshua wanted them to have the status of a court, whose minimum number is three (*Kehillas Yitzchak*).

5. The powerful tribes of Judah and Joseph had not needed allies to conquer their portions. Now they would stand guard over the borders they controlled in order to prevent attacks from foreign powers.

6. The delegates would write the general boundaries for the remaining seven tribes: Simeon, Dan, Naftali, Asher, Issachar,

אֶת־הָאָרֶץ שִׁבְעָה חֲלָקִים וַהֲבֵאתֶם אֵלַי הֵנָּה וְיָרִיתִי לָכֶם גּוֹרָל פֹּה לִפְנֵי יְהוָה
ז אֱלֹהֵינוּ: כִּי אֵין־חֵלֶק לַלְוִיִּם בְּקִרְבְּכֶם כִּי־כְהֻנַּת יְהוָה נַחֲלָתוֹ וְגָד וּרְאוּבֵן וַחֲצִי
שֵׁבֶט הַמְנַשֶּׁה לָקְחוּ נַחֲלָתָם מֵעֵבֶר לַיַּרְדֵּן מִזְרָחָה אֲשֶׁר נָתַן לָהֶם מֹשֶׁה עֶבֶד יְהוָה:
ח וַיָּקֻמוּ הָאֲנָשִׁים וַיֵּלֵכוּ וַיְצַו יְהוֹשֻׁעַ אֶת־הַהֹלְכִים לִכְתֹּב אֶת־הָאָרֶץ לֵאמֹר לְכוּ
וְהִתְהַלְּכוּ בָאָרֶץ וְכִתְבוּ אוֹתָהּ וְשׁוּבוּ אֵלַי וּפֹה אַשְׁלִיךְ לָכֶם גּוֹרָל לִפְנֵי יְהוָה
ט בְּשִׁלֹה: וַיֵּלְכוּ הָאֲנָשִׁים וַיַּעַבְרוּ בָאָרֶץ וַיִּכְתְּבוּהָ לֶעָרִים לְשִׁבְעָה חֲלָקִים עַל־סֵפֶר
י וַיָּבֹאוּ אֶל־יְהוֹשֻׁעַ אֶל־הַמַּחֲנֶה שִׁלֹה: וַיַּשְׁלֵךְ לָהֶם יְהוֹשֻׁעַ גּוֹרָל בְּשִׁלֹה לִפְנֵי יְהוָה
יא וַיְחַלֶּק־שָׁם יְהוֹשֻׁעַ אֶת־הָאָרֶץ לִבְנֵי יִשְׂרָאֵל כְּמַחְלְקֹתָם: וַיַּעַל גּוֹרַל
יב מַטֵּה בְנֵי־בִנְיָמִן לְמִשְׁפְּחֹתָם וַיֵּצֵא גְּבוּל גּוֹרָלָם בֵּין בְּנֵי יְהוּדָה וּבֵין בְּנֵי יוֹסֵף: וַיְהִי
לָהֶם הַגְּבוּל לִפְאַת צָפוֹנָה מִן־הַיַּרְדֵּן וְעָלָה הַגְּבוּל אֶל־כֶּתֶף יְרִיחוֹ מִצָּפוֹן וְעָלָה
יג בָהָר יָמָּה °והיה [°וְהָיוּ ק׳] תֹּצְאֹתָיו מִדְבַּרָה בֵּית אָוֶן: וְעָבַר מִשָּׁם הַגְּבוּל לוּזָה
אֶל־כֶּתֶף לוּזָה נֶגְבָּה הִיא בֵּית־אֵל וְיָרַד הַגְּבוּל עַטְרוֹת אַדָּר עַל־הָהָר אֲשֶׁר מִנֶּגֶב
יד לְבֵית־חֹרוֹן תַּחְתּוֹן: וְתָאַר הַגְּבוּל וְנָסַב לִפְאַת־יָם נֶגְבָּה מִן־הָהָר אֲשֶׁר עַל־פְּנֵי
בֵית־חֹרוֹן נֶגְבָּה °והיה [°וְהָיוּ ק׳] תֹּצְאֹתָיו אֶל־קִרְיַת־בַּעַל הִיא קִרְיַת יְעָרִים עִיר
טו בְּנֵי יְהוּדָה זֹאת פְּאַת־יָם: וּפְאַת־נֶגְבָּה מִקְצֵה קִרְיַת יְעָרִים וְיָצָא הַגְּבוּל יָמָּה
טז וְיָצָא אֶל־מַעְיַן מֵי נֶפְתּוֹחַ: וְיָרַד הַגְּבוּל אֶל־קְצֵה הָהָר אֲשֶׁר עַל־פְּנֵי גֵּי בֶן־הִנֹּם
אֲשֶׁר בְּעֵמֶק רְפָאִים צָפוֹנָה וְיָרַד גֵּי הִנֹּם אֶל־כֶּתֶף הַיְבוּסִי נֶגְבָּה וְיָרַד עֵין
יז רֹגֵל: וְתָאַר מִצָּפוֹן וְיָצָא עֵין שֶׁמֶשׁ וְיָצָא אֶל־גְּלִילוֹת אֲשֶׁר־נֹכַח מַעֲלֵה אֲדֻמִּים
יח וְיָרַד אֶבֶן בֹּהַן בֶּן־רְאוּבֵן: וְעָבַר אֶל־כֶּתֶף מוּל־הָעֲרָבָה צָפוֹנָה וְיָרַד הָעֲרָבָתָה:

רש"י

(ו) **ויריתי.** והשלכתי, כמו יָרָה בַיָּם (שמות טו, ד): (יב) **ויהי להם הגבול לפאת צפונה.** ויהי מצר גבול הצפוני שלהם מן הירדן, שבמזרח מתחיל המצר, ועלה אל כתף יריחו מצפון, ועלה משם אל המערב אל עבר יריחו, ומושך החוט בצפונה של יריחו, נמצאת יריחו לפנים מן החוט בחלק בנימין: **מדברה בית און.** למדבר של בית און: (יג) **ועבר משם.** לצד המערב: **לוזה אל כתף לוזה נגבה היא בית אל.** שקראה יעקב (בראשית כח, יט), ולא זו היא בית אל שאצל העי, שהרי אומר בגבול יוסף וְיָצָא מִבֵּית אֵל לוּזָה (לעיל טז, ב), למדנו ששנים היו, ולוז לא בחלק בנימין היתה, שהרי חוט המצר מלוז ולפנים הוא, כמו שהוא אומר אֶל כֶּתֶף לוּזָה נֶגְבָּה (פסוק יג), החוט הולך בדרומה של לוז, נמצאת לוז מן החוט ולחוץ בנחלת בני יוסף, ובית אל היתה בחלק בנימין, כמו שכתוב למטה בענין (להלן פסוק כב): (יד) **ותאר הגבול ונסב לפאת ים נגבה.** בעטרות אדר כלה אורך הצפוני מן המזרח למערב, ומשם נסב החוט לגבול המערב של בנימין לילך נגבה מן הצפון לדרום, חוט המערבית מן ההר אשר על פני בית חורון נגבה מן ההר אשר בדרומה של בית חורון, משם היה מתחיל מקצוע מערבית צפונית של בנימין, ובא לו החוט מצפון לדרום: **והיו תצאתיו.** מקצוע מערבית דרומית שלו אל קרית יערים של יהודה, נמצא רוחב גבול בנימין נוטל כל רוחב הארץ שבין יהודה לאפרים, גבול דרומי שלו עם גבול צפוני של יהודה, ושם היתה ירושלים כמו שאמור למטה בענין (לקמן פסוק כח), לפיכך היה

רד"ק

ויריתי. והשלכתי: (ז) **כי כהנת ה' נחלתו.** כמו שאמר בכתוב אִשֵּׁי ה' וְנַחֲלָתוֹ יֹאכֵלוּן (דברים יח, א) והם כהונת ה': (ח) **ויקמו.** וכאשר קמו האנשים ללכת הזהירם ואמר להם כך וכך תעשו: (יב) **מדברה בית און.** סמוך לבית און, לפיכך הבי"ת פתוחה רוצה לומר למדבר בית און:

מצודת דוד

(ז) **כי אין חלק.** יבאר עוד למה שבעה חלקים, ואמר כִּי אֵין חֵלֶק לַלְוִיִּם, וְגָד וּרְאוּבֵן וַחֲצִי (שֵׁבֶט הַ)מְנַשֶּׁה לָקְחוּ וכו', והלא ליהודה ולבית יוסף חלק הששי, ונשארו עוד שבעה: **כהנת ה'.** הראוי להם לקחת חלף עבודת כהונתם: (ח) **האנשים.** השלוחים: **ויצו יהושע.** רצה לומר, זרז אותם על זאת: (ט) **לערים.** לפי גודל הערים, עיר גדולה מול שתי עיירות קטנות: (י) **במחלקתם.** כפי החלוקה המפורשת במקראות שלפנינו: (יא) **למשפחתם.** הנחלק לפי המשפחות: (יב) **לפאת צפונה.** מן המזרח כלפי המערב היה התחלת הגבול מן הירדן: **מצפון.** אם כן היתה יריחו לפנים מן הגבול, ומשל בנימין היתה: **בהר.** הוא הר בית אל המוזכר בגבול בני יוסף (לעיל טז, א): **ימה.** לצד המערב: **תצאתיו.** סוף הגבול בזה הרוחב, ומשם והלאה נכנס חוט המיצר לפנים ונתקצר נחלתו: (יג) **נגבה.** אם כן לא היתה לוז מנחלת בנימין, ומשל אפרים היתה: **היא בית אל.** כי יעקב קרא ללוז בית אל כמו שאמור בתורה (בראשית כח, יט), ולא זה הוא בית אל שעמדה אצל העי, אשר היתה מנחלת בנימין: **על ההר אשר מנגב לבית חרון תחתון.** ולא היתה אם כן מנחלתו, ומשל אפרים היתה: (יד) **ותאר הגבול.** הגבול סובב בפאת המערבי מן הצפון אל הדרום: **מן ההר.** הגבול נמשך מן ההר וכו' העומד בצפון והלך כלפי הדרום, וכלה הגבול בקרית בעל היא קרית יערים, שהיא במיצר הצפוני של יהודה: (טו) **ופאת נגבה.** גבול הדרומי מן המערב כלפי המזרח היה מתחיל מקצה קרית יערים: **ימה.** אל הים, ולא זהו ים הגדול העומד

מצודת ציון

(ו) **הנה.** להמקום הזה: **ויריתי.** והשלכתי, כמו יָרָה בַיָּם (שמות טו, ד): **פה.** במקום הזה: (יד) **ותאר.** וסבב: (יז) **נכח.** נגד:

seven portions of the land and bring it to me here. I will then draw lots for you here
before HASHEM, our God. 7 *For there is no share for the Levites in your midst, since the*
service of HASHEM is their heritage. Gad, Reuben, and half the tribe of Manasseh have
taken their heritage across the Jordan to the east, which Moses the servant of HASHEM
gave them."
8 *The men arose and went. Joshua commanded those who went to write about the*
land, saying, "Go walk through the land, describe it in writing, and return to me. I will
cast a lottery for you here before HASHEM in Shiloh."
9 *The men went and passed through the land; they described it in writing, according to*
the cities, in seven portions, in a book; then they came to Joshua, to the encampment at
Shiloh. 10 *Joshua cast a lottery for them in Shiloh before HASHEM; there Joshua*
apportioned the land for the Children of Israel according to their portions.

Benjamin's territory (See Map 6 in the Appendix)

11 *The lottery for the tribe of the children of Benjamin came up, according to their*
families; the boundary of their lot went out between the children of Judah and the
children of Joseph. 12 *Their northern border was from the Jordan, and it ascended to the*
flank of Jericho on the north and ascended the mountain to the west; its outlets were to
the wilderness of Beth-aven. 13 *From there the border passed toward Luz, to the southern*
flank of Luz which is Beth-el; and the border descended to Atroth-addar, to the mountain
that is south of Lower Beth-horon. 14 *The border curved and circled around the western*
side, going southward from the mountain that faces Beth-horon on the south. Its outlets
were toward Kiriath-baal which is Kiriath-jearim, a city of the children of Judah. This was
the western side. 15 *The southern side [was] from the edge of Kiriath-jearim; and the*
border went out from the west and went out to the spring of the Waters of Nephtoah.
16 *The border descended to the edge of the mountain that faces the Valley of the Son of*
Hinnom, which is north of the Valley of Rephaim, and descended to the Valley of Hin-
nom to the southern flank of the Jebusite, and descended to En-rogel. 17 *It curved*
from the north and went out to En-shemesh; it went out to Geliloth which was across
from Maaleh-adummim. It then descended toward the Stone of Bohan son of Reuben.
18 *It passed to the northern flank opposite the plain, and it descended to the plain.*

רש"י

לשני השבטים חלק בה, וגבול צפוני של בנימין ודרומי של אפרים נוגעין זה בזה, ושם היתה שילה בחלק אפרים, כמה שנאמר וַיִּטֹּשׁ מִשְׁכַּן שִׁלוֹ וגו' וַיִּמְאַס בְּאֹהֶל יוֹסֵף וּבְשֵׁבֶט אֶפְרַיִם לֹא בָחָר (תהלים עח, ס-סז), ואף לבנימין היה בו חלק, וכן שנינו בשחיטת קדשים (זבחים נד, ב) בשלשה מקומות שרתה להם שכינה לישראל, בשילה ונוב ובית העולמים, ובכולן לא שרתה אלא בחלקו של בנימין: **זאת פאת ים.** רוח מערבי מעטרות אדר עד קרית יערים: **(טו) ופאת נגבה.** מיצר דרומי לבנימין והוא צפוני של יהודה, וכל התחומין המנויין כאן נמנו בצפונה של יהודה, וכל מקום שכתוב כאן וְיָרַד, כתוב ביהודה וְעָלָה, לפי שכאן הוא מונה מן המערב למזרח, ושם מונה מן המזרח למערב: **ויצא הגבול ימה.** אל ים אחד ולא ידעתי איזה ים הוא:

מצודת דוד

במערב, והים הזה היה מצפון יהודה ועם כי לא הוזכר למעלה, וכמו כן ימצא בהרבה מקומות שבאחד יזכיר ולא בשני, עם שהיה גבולם זה אצל זה: **(טז) וירד הגבול.** כי מעין מי נפתוח, שהיא עין עיטם (זבחים נד, ב רש"י ד"ה סבור) היתה במקום הגבוה שבכל ארץ ישראל, לזה אמר וְיָרַד: **אשר בעמק רפאים.** ההר עמד בעמק רפאים בצפונה: **אל כתף.** אשר עמדה בכתף היבוסי מנגב, אם כן היבוסי היא ירושלים עמדה בנחלת בנימין: **(יז) ותאר מצפון.** הגבול בא בפאת מערב וסיבב את עין רוגל מצפונו, והיתה אם כן משל יהודה: **ויצא עין שמש.** מן עין רוגל יצא לעין שמש: **אל גלילות.** היא גלגל האמור בגבול יהודה הצפוני (לעיל טו, ז), ובשני השמות נקראה, ואצל גלגל יצא הגבול כלפי הדרום, ונתרחב נחלת בנימין: **(יח) ועבר.** משם עבר מעבר המקום הנקרא מול-הָעֲרָבָה בצד הצפוני, ולא היתה אם כן מנחלת בנימין: **הערבתה.** הוא בית הערבה המוזכר בגבול יהודה (שם פסוק ו), והגבול היה מצפונו:

Zebulun, and Benjamin. Then Joshua would cast lots, which would show that the deliberations of the delegates had been Divinely inspired (*Malbim*).

7-8. Joshua clarified why only seven portions had to be allocated. The Levites were not included because they would not receive a province, and three of the tribes had been settled on the east bank.

11-28. Benjamin's territory. The province of Benjamin was sandwiched between Judah to the south, Ephraim to the north, Dan to the west, and the Jordan to east.

יט וְעָבַ֣ר הַגְּב֗וּל אֶל־כֶּ֣תֶף בֵּית־חָגְלָה֮ צָפ֒וֹנָה֒ °והיה [°וְהָי֣וּ ק׳] ׀ °תצאותיו [°תֹּֽצְא֣וֹת ק׳]
הַגְּב֗וּל אֶל־לְשׁ֤וֹן יָם־הַמֶּ֙לַח֙ צָפ֔וֹנָה אֶל־קְצֵ֖ה הַיַּרְדֵּ֑ן נֶ֑גְבָּה זֶ֖ה גְּב֥וּל נֶֽגֶב׃
כ וְהַיַּרְדֵּ֥ן יִגְבֹּל־אֹת֖וֹ לִפְאַת־קֵ֑דְמָה זֹ֡את נַחֲלַת֩ בְּנֵ֨י בִנְיָמִ֜ן לִגְבֽוּלֹתֶ֛יהָ סָבִ֖יב
כא לְמִשְׁפְּחֹתָֽם׃ וְהָי֣וּ הֶעָרִ֗ים לְמַטֵּה֙ בְּנֵ֣י בִנְיָמִ֔ן לְמִשְׁפְּחֽוֹתֵיהֶ֑ם יְרִיח֥וֹ וּבֵית־חָגְלָ֖ה
כב־כד וְעֵ֥מֶק קְצִֽיץ׃ וּבֵ֧ית הָעֲרָבָ֛ה וּצְמָרַ֖יִם וּבֵֽית־אֵֽל׃ וְהָעַוִּ֥ים וְהַפָּרָ֖ה וְעָפְרָֽה׃ וּכְפַ֧ר
כה °העמני [°הָֽעַמֹּנָ֛ה ק׳] וְהָעָפְנִ֖י וָגָ֑בַע עָרִ֥ים שְׁתֵּים־עֶשְׂרֵ֖ה וְחַצְרֵיהֶֽן׃ גִּבְע֥וֹן וְהָרָמָ֖ה
כו־כח וּבְאֵרֽוֹת׃ וְהַמִּצְפֶּ֥ה וְהַכְּפִירָ֖ה וְהַמֹּצָֽה׃ וְרֶ֥קֶם וְיִרְפְּאֵ֖ל וְתַרְאֲלָֽה׃ וְצֵ֡לַע הָאֶ֜לֶף
וְהַיְבוּסִ֨י הִ֤יא יְרֽוּשָׁלִַ֙ם֙ גִּבְעַ֣ת קִרְיַ֔ת עָרִ֖ים אַרְבַּֽע־עֶשְׂרֵ֣ה וְחַצְרֵיהֶ֑ן זֹ֛את נַחֲלַ֥ת
יט א בְּנֵֽי־בִנְיָמִ֖ן לְמִשְׁפְּחֹתָֽם׃ וַיֵּצֵ֞א הַגּוֹרָ֤ל הַשֵּׁנִי֙ לְשִׁמְע֔וֹן לְמַטֵּ֥ה בְנֵֽי־
ב שִׁמְע֖וֹן לְמִשְׁפְּחוֹתָ֑ם וַֽיְהִי֙ נַחֲלָתָ֔ם בְּת֖וֹךְ נַחֲלַ֥ת בְּנֵֽי־יְהוּדָֽה׃ וַיְהִ֥י לָהֶ֖ם בְּנַחֲלָתָ֑ם
ג־ד בְּאֵֽר־שֶׁ֥בַע וְשֶׁ֖בַע וּמוֹלָדָֽה׃ וַחֲצַ֥ר שׁוּעָ֛ל וּבָלָ֖ה וָעָֽצֶם׃ וְאֶלְתּוֹלַ֥ד וּבְת֖וּל וְחָרְמָֽה׃
ה־ו וְצִֽקְלַ֥ג וּבֵית־הַמַּרְכָּב֖וֹת וַחֲצַ֥ר סוּסָֽה׃ וּבֵ֥ית לְבָא֖וֹת וְשָׁרוּחֶ֑ן עָרִ֛ים שְׁלֹשׁ־עֶשְׂרֵ֖ה
ז־ח וְחַצְרֵיהֶֽן׃ עַ֣יִן ׀ רִמּ֣וֹן וָעֶ֗תֶר וְעָשָׁ֛ן עָרִ֥ים אַרְבַּ֖ע וְחַצְרֵיהֶֽן׃ וְכָל־הַחֲצֵרִ֗ים אֲשֶׁר֙
סְבִיבוֹת֙ הֶעָרִ֣ים הָאֵ֔לֶּה עַד־בַּעֲלַ֥ת בְּאֵ֖ר רָ֣מַת נֶ֑גֶב זֹ֗את נַחֲלַ֛ת מַטֵּ֥ה בְנֵֽי־שִׁמְע֖וֹן
ט לְמִשְׁפְּחֹתָֽם׃ מֵחֶ֙בֶל֙ בְּנֵ֣י יְהוּדָ֔ה נַחֲלַ֖ת בְּנֵ֣י שִׁמְע֑וֹן כִּֽי־הָיָ֞ה חֵֽלֶק בְּנֵֽי־יְהוּדָה֙ רַ֣ב
י מֵהֶ֔ם וַיִּנְחֲל֥וּ בְנֵֽי־שִׁמְע֖וֹן בְּת֥וֹךְ נַחֲלָתָֽם׃ וַיַּ֙עַל֙ הַגּוֹרָ֣ל הַשְּׁלִישִׁ֔י לִבְנֵ֥י
יא זְבוּלֻ֖ן לְמִשְׁפְּחֹתָ֑ם וַיְהִ֛י גְּב֥וּל נַחֲלָתָ֖ם עַד־שָׂרִֽיד׃ וְעָלָ֨ה גְבוּלָ֧ם ׀ לַיָּ֛מָּה וּמַרְעֲלָ֖ה

רש״י

(יט) **אל לשון ים המלח צפונה.** בצפונו של לשון, נמצא כל הלשון בחלקו של יהודה: **אל קצה הירדן.** מקום שהירדן נופל בים המלח, והוא נמנה מקצוע מזרחית צפונית ליהודה, וכאן הוא מונה מקצוע דרומית מזרחית לבנימין: (כ) **והירדן יגבל אתו לפאת קדמה.** הירדן היה לו לבנימין מיצר מזרחי, שהירדן הולך על פני רוחב כל גבולו למזרח: (כח) **וצלע האלף והיבוסי היא ירושלם.** כל אחת עיר לעצמה, וכן גבעת, קרית, חמש ערים בפסוק זה: (א) **ויצא הגורל השני.** שני לבנימין, שגורל בנימין היה ראשון לשבעה השבטים שאמר יהושע לשלוחיו וְהִתְחַלְּקוּ אֹתָהּ לְשִׁבְעָה חֲלָקִים (לעיל יח, ה), שכבר נטלו יהודה ויוסף, כמו שנאמר שם יְהוּדָה יַעֲמֹד עַל־גְּבוּלוֹ מִנֶּגֶב וגו׳, מכאן ואילך מונה והולך שבעה גורלות: (ט) **רב מהם.** מן הראוי להם:

רד״ק

(כח) **וצלע האלף.** הם שתי ערים, וכן הוא אומר בְּאֶרֶץ בִּנְיָמִן בְּצֵלָע (שמואל־ב כא, יד) וכתיב וְצֵלַע (הָ)אֶלֶף וכן גִּבְעַת קִרְיַת הם שתי ערים: **והיבוסי היא ירושלם.** ובגורל בני יהודה אמר גם כן כי היבוסי היא ירושלם בחלק יהודה (לעיל טו, ח) והנה אומר כי היא לבנימין, כן הוא, כי לכל אחד מהם היה לו חלק בה, ואמרו רז״ל (זבחים נג, ב) כי רצועה יוצאה מחלקו של יהודה לחלקו של בנימין ובה מזבח בנוי, והיה בנימין הצדיק מצטער עליה לבלעה שנאמר חֹפֵף עָלָיו כָּל הַיּוֹם וּבֵין כְּתֵפָיו שָׁכֵן (דברים לג, יב), ויש אומרים המזבח היה בחלקו של בנימין שנאמר וּבֵין כְּתֵפָיו שָׁכֵן, ויש אומרים כי בין שניהם היה המזבח (שם), והנה יהודה היה עולה גי בן הנם כתף היבוסי והיה עולה אֶל רֹאשׁ הָהָר אֲשֶׁר עַל פְּנֵי גֵי (בן) הִנֹּם יָמָּה אֲשֶׁר בִּקְצֵה עֵמֶק־רְפָאִים וּמֵרֹאשׁ הָהָר אֶל־מַעְיַן מֵי נֶפְתּוֹחַ (לעיל טו, ח־ט) ואמרו כי הוא עין עיטם הנזכר בדברי רז״ל (לעיל פסוק טו־טז) וחלק בנימין היה כנגדו, חלק יהודה היה עולה אל ההר וחלק בנימין היה יורד אל קצה ההר אשר בגי בן הנם אשר בעמק רפאים והיה יורד אל כתף היבוסי היא ירושלים, נמצא שבין שניהם היה הגבול הזה זה עולה וזה יורד: (ב) **באר שבע ושבע.** עיר אחת: (ט) **רב מהם.** היה חלקם יותר ממה שראוי להם כי כבשו הרבה מהארץ, ובני שמעון עלו עמם להלחם כמו שכתוב בספר שופטים, וַיֹּאמֶר יְהוּדָה לְשִׁמְעוֹן אָחִיו וגו׳ (פרק א, ג):

מצודת דוד

(יט) **בית חגלה צפונה.** וגם היא לא היתה מנחלת בנימין (ומה שהוזכר בנחלת בנימין בית חגלה, היא עיר אחרת ששמה כשמה): **לשון ים המלח וכו׳.** רצה לומר, במקום שהירדן נופל בים המלח, והוא קצה הדרומי מהירדן, וקצה הצפוני מהים: **זה גבול נגב.** ממערב כלפי המזרח: (כ) **יגבול אתו.** יהיה לו לגבול בפאת המזרחי: **לגבולתיה.** את הגבולות המגבילים סביב את הנחלק לכל בני משפחותם: (כא) **למשפחותיהם.** הנחלק למשפחותיהם: (כח) **וצלע האלף.** חמש עיירות במקרא זה צֵלַע א׳, הָאֶלֶף ב׳, ירושלים ג׳, גִּבְעַת ד׳, קִרְיַת ה׳: (א) **בתוך וכו׳.** היה מובלע נחלת יהודה בתוך הגבול האמור למעלה (פרק טו): (ב) **באר שבע ושבע.** היא עיר אחת, ובשני השמות נקראה: (ז) **עין רמון.** הם שתי עיירות: האחת עַיִן, והשנית רִמּוֹן: (ח) **רמת נגב.** מקום הרם והגבוה בפאת הדרום: (ט) **מחבל.** מהמחוז הניתן בתחלה לבני יהודה נתנו אחרי זה לבני שמעון לנחלה: **כי היה.** כי הנחלה הניתן בתחלה לבני יהודה היתה מרובה מהראוי להם, ולזה נחלו בני שמעון בתוכם: (י) **עד שריד.** העומדת בסוף גבול ארץ ישראל, במקצוע צפונית מערבית: (יא) **ועלה גבולם.** משריד בפאת המערבי מצפון כלפי הדרום: **לימה.** אל הים, ומשם לַמַּרְעֲלָה וכו׳:

מצודת ציון

(יט) **לשון.** קצה הים המשוך כלשון: (ט) **מחבל.** ענין מחוז:

28. **וְהַיְבוּסִי הִיא יְרוּשָׁלַם** — *The Jebusite [city] which is Jerusalem.* See comm. to 15:63 for the identity of Jebus and why the city was not conquered by Israel until centuries later. Judah, too, received Jerusalem (ibid.). The city was divided

19 The border passed the northern flank of Beth-hoglah; the border's outlets were to the
northern tip of the Salt Sea, to the southern end of the Jordan. This was the southern
border. 20 The Jordan bordered it on the eastern side. This is the heritage of the children of
Benjamin according to its borders all around, according to their families.
21 These are the cities of the tribe of the children of Benjamin according to their families:
Jericho, Beth-hoglah, and Emek Keziz, 22 Beth-haarabah, Zemaraim,Beth-el, 23 Avvim,
Parah, Ophrah, 24 Cephar-ammonah, Ophni, Geba — twelve cities and their villages;
25 Gibeon, Ramah, Beeroth, 26 Mizpeh, Chephirah, Mozah; 27 Rekem, Irpeel, Taralah,
28 Zela, Eleph, the Jebusite [city] which is Jerusalem, Gibeath, [and] Kiriath — fourteen
cities and their villages. This is the heritage of the children of Benjamin according to their
families.

19 *Simeon's territory* (See Maps 6 and 8 in the Appendix)

1 The second lottery came out for Simeon, for the tribe of the children of Simeon
according to their families. Their heritage was situated in the midst of the heritage
of the children of Judah. 2 They received for their heritage: Beer-sheba [which is]
Sheba, Moladah, 3 Hazar-shual, Balah, Ezem, 4 Eltolad, Bethul, Hormah, 5 Ziklag, Beth-
marcaboth, Hazar-susah, 6 Beth-lebaoth, and Sharuhen — thirteen cities and their
villages. 7 Ain, Rimmon, Ether, and Ashan — four cities and their villages — 8 and all the
villages that surrounded these cities until Baalath-beer and Ramah of the south; this is the
heritage of the tribe of the children of Simeon according to their families. 9 The heritage of
the children of Simeon was from the portion of the children of Judah, because the lot of the
children of Judah was too large for them. Therefore, the children of Simeon received their
heritage within [Judah's] heritage.

Zebulun's territory

10 The third lottery came up for the children of Zebulun according to their families; the
border of their heritage extended to Sarid. 11 Their border ascended to the west and Maralah

---

between Judah and Benjamin. There are various opinions regarding the location of the Altar of the future Temple: It was on Judah's land, on Benjamin's, or on both (*Radak*).

19.

The division for the other six tribes

1-9. The cities of Simeon. The tribe of Simeon was unique among the twelve tribes that were to receive portions in the Land. Rather than a contiguous territory, the Simeonites were given only isolated cities within the territory of Judah. *Ramban* (*Genesis* 49:7) explains that this was based on the blessings of Jacob, who cursed the violent rage of Simeon and Levi, and saw that their violence could be repeated if they were firmly established in the Land, and especially if they were settled in close proximity to one another. Jacob declared, "I will separate them within Jacob and I will disperse them in Israel" (ibid.). This meant that both those tribes would be given isolated cities. In the case of Simeon it was entirely because of Jacob's expressed wish, and in the case of Levi there was the additional reason that they were to devote themselves to the service of God, rather than to typical commercial or agricultural pursuits.

Rashi (ibid.) observes that the Simeonites would be scribes and teachers who would travel among the tribes to ply their trade, while the Levites, would be forced to go from farm to farm to collect their tithes. *R' Yaakov Kamenetsky* noted that such people inevitably have a great influence on the people they serve. True, the excessive zeal of these two brothers in waging war against the city of Shechem to rescue their sister Dinah elicited Jacob's sharp criticism and he wanted to prevent them from exercising too much temporal power. But he also wanted their loving concern for their brethren to become the legacy of the rest of the nation, so he curtailed their power, but increased their influence.

Kli Yakar suggests that the Simeonites were punished because they and their prince Zimri ben Salu instigated the orgy with the daughters of Midian that ended tragically for the nation (see *Numbers* 25:14).

1. הַגּוֹרָל הַשֵּׁנִי — *The second lottery.* Of the group of tribes that were now to receive their inheritances, Simeon was the second. The first was Benjamin, whose portion was given in the previous chapter (*Rashi*).

9. כִּי־הָיָה חֵלֶק בְּנֵי־יְהוּדָה רַב מֵהֶם — *Because the lot of the children of Judah was too large for them.* In its battles with the Canaanites, the tribe of Judah conquered more land than it needed for itself (*Radak*), although it realized that the excess land would be allocated to another tribe. It may be that Judah knew that Simeon would be encompassed in its territory, as indicated in *Judges* 1:3, where Judah initiated an alliance with Simeon to fight for their shares of the Land.

יב וּפָגַע בְּדַבָּשֶׁת וּפָגַע אֶל־הַנַּחַל אֲשֶׁר עַל־פְּנֵי יָקְנְעָם׃ וְשָׁב מִשָּׂרִיד קֵדְמָה מִזְרַח
יג הַשֶּׁמֶשׁ עַל־גְּבוּל כִּסְלֹת תָּבֹר וְיָצָא אֶל־הַדָּבְרַת וְעָלָה יָפִיעַ׃ וּמִשָּׁם עָבַר קֵדְמָה
יד מִזְרָחָה גִּתָּה חֵפֶר עִתָּה קָצִין וְיָצָא רִמּוֹן הַמְּתֹאָר הַנֵּעָה׃ וְנָסַב אֹתוֹ הַגְּבוּל מִצְּפוֹן
טו חַנָּתֹן וְהָיוּ תֹּצְאֹתָיו גֵּי יִפְתַּח־אֵל׃ וְקַטָּת וְנַהֲלָל וְשִׁמְרוֹן וְיִדְאֲלָה וּבֵית לָחֶם עָרִים
טז שְׁתֵּים־עֶשְׂרֵה וְחַצְרֵיהֶן׃ זֹאת נַחֲלַת בְּנֵי־זְבוּלֻן לְמִשְׁפְּחוֹתָם הֶעָרִים הָאֵלֶּה
יז-יח וְחַצְרֵיהֶן׃ לְיִשָּׂשכָר יָצָא הַגּוֹרָל הָרְבִיעִי לִבְנֵי יִשָּׂשכָר לְמִשְׁפְּחוֹתָם׃ וַיְהִי
יט-כ גְּבוּלָם יִזְרְעֶאלָה וְהַכְּסֻלּוֹת וְשׁוּנֵם׃ וַחֲפָרַיִם וְשִׁיאֹן וַאֲנָחֲרַת׃ וְהָרַבִּית וְקִשְׁיוֹן וָאָבֶץ׃
כא-כב וְרֶמֶת וְעֵין־גַּנִּים וְעֵין חַדָּה וּבֵית פַּצֵּץ׃ וּפָגַע הַגְּבוּל בְּתָבוֹר °ושחצומה
[°וְשַׁחֲצִימָה ק׳] וּבֵית שֶׁמֶשׁ וְהָיוּ תֹּצְאוֹת גְּבוּלָם הַיַּרְדֵּן עָרִים שֵׁשׁ־עֶשְׂרֵה וְחַצְרֵיהֶן׃
כג-כד זֹאת נַחֲלַת מַטֵּה בְנֵי־יִשָּׂשכָר לְמִשְׁפְּחֹתָם הֶעָרִים וְחַצְרֵיהֶן׃ וַיֵּצֵא הַגּוֹרָל
כה הַחֲמִישִׁי לְמַטֵּה בְנֵי־אָשֵׁר לְמִשְׁפְּחוֹתָם׃ וַיְהִי גְּבוּלָם חֶלְקַת וַחֲלִי וָבֶטֶן וְאַכְשָׁף׃
כו-כז וְאַלַמֶּלֶךְ וְעַמְעָד וּמִשְׁאָל וּפָגַע בְּכַרְמֶל הַיָּמָּה וּבְשִׁיחוֹר לִבְנָת׃ וְשָׁב מִזְרַח הַשֶּׁמֶשׁ
בֵּית דָּגֹן וּפָגַע בִּזְבֻלוּן וּבְגֵי יִפְתַּח־אֵל צָפוֹנָה בֵּית הָעֵמֶק וּנְעִיאֵל וְיָצָא אֶל־כָּבוּל
כח-כט מִשְּׂמֹאל׃ וְעֶבְרֹן וּרְחֹב וְחַמּוֹן וְקָנָה עַד צִידוֹן רַבָּה׃ וְשָׁב הַגְּבוּל הָרָמָה וְעַד־עִיר
מִבְצַר־צֹר וְשָׁב הַגְּבוּל חֹסָה °ויהיו [°וְהָיוּ ק׳] תֹּצְאֹתָיו הַיָּמָּה מֵחֶבֶל אַכְזִיבָה׃
ל-לא וְעֻמָה וַאֲפֵק וּרְחֹב עָרִים עֶשְׂרִים וּשְׁתַּיִם וְחַצְרֵיהֶן׃ זֹאת נַחֲלַת מַטֵּה בְנֵי־אָשֵׁר
לב לְמִשְׁפְּחֹתָם הֶעָרִים הָאֵלֶּה וְחַצְרֵיהֶן׃ לִבְנֵי נַפְתָּלִי יָצָא הַגּוֹרָל הַשִּׁשִּׁי
לג לִבְנֵי נַפְתָּלִי לְמִשְׁפְּחֹתָם׃ וַיְהִי גְבוּלָם מֵחֵלֶף מֵאֵלוֹן בְּצַעֲנַנִּים וַאֲדָמִי הַנֶּקֶב וְיַבְנְאֵל
לד עַד־לַקּוּם וַיְהִי תֹּצְאֹתָיו הַיַּרְדֵּן׃ וְשָׁב הַגְּבוּל יָמָּה אַזְנוֹת תָּבוֹר וְיָצָא מִשָּׁם חוּקֹקָה
לה וּפָגַע בִּזְבֻלוּן מִנֶּגֶב וּבְאָשֵׁר פָּגַע מִיָּם וּבִיהוּדָה הַיַּרְדֵּן מִזְרַח הַשָּׁמֶשׁ׃ וְעָרֵי מִבְצָר
לו-לז הַצִּדִּים צֵר וְחַמַּת רַקַּת וְכִנָּרֶת׃ וַאֲדָמָה וְהָרָמָה וְחָצוֹר׃ וְקֶדֶשׁ וְאֶדְרֶעִי וְעֵין חָצוֹר׃
לח-לט וְיִרְאוֹן וּמִגְדַּל־אֵל חֳרֵם וּבֵית־עֲנָת וּבֵית שָׁמֶשׁ עָרִים תְּשַׁע־עֶשְׂרֵה וְחַצְרֵיהֶן׃ זֹאת

רש"י

(יב) **בסלת תבור.** אומר אני שהוא לשון כסלים, פלנק"ש בלע"ז, לא בגובהו ולא בשיפולו אלא בשיפועו וסמוך לאמצעו קרוב לצד אחוריו ומצד פניו, כדרך שהכסלים עומדות בבהמה, ובמקום שהוא אומר אַזְנוֹת תָּבוֹר (להלן פסוק לד), סמוך לראשו הוא, במקום האזנים: (יג) **קדמה מזרחה גתה חפר.** ממזרח לגת החפר, שם עירו של יונה בן אמיתי (מלכים־ב יד, כה): **עתה קצין.** שם העיר עִתָּה קָצִין: **המתאר הנעה.** המוסב על נעה, כלומר משם תאר הגבול לנעה, וכן תרגם יונתן וְנָפֵיק לְרִמּוֹן וּמִתַּמָּן מִסְתְּחַר לְנֵעָה: (כט) **מבצר צר.** (תרגום) קִרְוִין כְּרִיכָן קִרְוֵי תוּקְפָּא: **צר.** לשון צור: **מחבל אכזיבה.** (תרגום) מֵעֲדַב אַכְזִיבָה, מגורל כזיב: (לה) **וערי מבצר.** היו לנפתלי הלדים לר:

רד"ק

(יג) **גתה חפר.** הוא גת החפר אשר משם היה יונה בן אמתי הנביא, כמו שנאמר עליו אֲשֶׁר מִגַּת הַחֵפֶר (מלכים־ב יד, כה): **המתואר.** כתרגומו דמִסְתְּחַר: (טו) **ובית לחם.** אינו בית לחם אשר ליהודה, כי תמצא ערים נקראים בשם אחד בשני מקומות כמו שכתבנו (לעיל טז, ב) וכן מצאנו בית לחם אשר ליהודה מִבֵּית לֶחֶם יְהוּדָה (שופטים יז, ז) נראה כי (אחד) [אחר] היה: (כט) **עיר מבצר צר.** מבצר שהיה בצור גבוה: (לד) **אזנות תבור.** ולמעלה בחלק זבולון אומר כִּסְלֹת תָּבֹר (פסוק יב) ושני שמות היו לו לענין ידוע אצלם:

מצודת דוד

(יב) **ושב משריד.** ושב הגבול משריד ללכת ממערב כלפי המזרח בפאת הצפונה, והלך עַל גְּבוּל כִּסְלוֹת תָּבוֹר וכו׳: (יג) **ומשם.** ומן יפיע עבר כלפי הדרום במזרחו של גת החפר, והיתה אם כן מנחלת זבולון: **עתה קצין.** רצה לומר, ממזרח גת החפר עבר לעתה קצין, והוא שם מקום: **המתאר הנעה.** אשר היה מסבב את הנעה: (יד) **ונסב אתו.** הגבול הזה סיבב את רמון בצפונה של חנתון אשר עמדה בצפון רימון, אם כן רימון וחנתון והנעה היו משל זבולון: **והיו תצאתיו.** סוף הגבול של הרוחב כלה אל גי יפתח אל, אשר עמדה בגבול צפוני של אשר (להלן פסוק כז): (טו) **וקטת וכו׳.** רצה לומר, עם קטת וכו׳ היה שתים עשרה, כי במקרא זה חשב חמש עיירות ושבע מאותן שזכר בהגבול, והנשארים היו לבני השבט שמצדו: (יח) **ויהי גבולם.** הגבול הלך ביזרעאל והיא היתה סמוכה לנחלת מנשה, כי עמק יזרעאל היתה של מנשה כמו שכתוב למעלה (פרק יז, טז): **והכסלות.** ומיזרעאל הלך לכסלות וכו׳: (כב) **ובית שמש.** לא זהו בית שמש הנזכר בנחלת נפתלי (פסוק לח) היושב בצפון ישׂשכר, ולא זהו שהיה בגבול יהודה (לעיל טו, י): **גבולם.** על שני הגבולים יאמר, על הצפוני ועל הדרומי, שניהם כלו אל הירדן: **(כה)**

מצודת ציון

(יג) **המתאר.** המסבב: (כט) **מבצר צר.** מבצר הבנוי בצור:

and reached to Dabbesheth; it reached the river that is alongside Jokneam. 12 *It returned*
from Sarid eastward, toward the rising sun on the border of Chisloth-tabor, and it went
out to Dobrath and ascended to Japhia. 13 *From there it passed to the east, to*
Gath-hepher and to Ittah-kazin, and it went out to Rimmon, curving to Neah. 14 *The*
border circled it, at the north of Hannathon, and its outlets were the Valley of Iphtah-el,
15 *with Kattath, Nahalal, Shimron, Idalah, and Beth-lehem — twelve cities and their*
villages. 16 *This is the heritage of the children of Zebulun according to their families, these*
cities and their villages.

Issachar's territory (See Map 6 in the Appendix)

17 *The fourth lottery came out for Issachar, for the children of Issachar according to*
their families. 18 *Their border was: Jezreel, Chesuloth, Shunem,* 19 *Hapharaim, Shion,*
Anaharath, 20 *Rabbith, Kishion, Ebez,* 21 *Remeth, En-gannim, En-chaddah, and Beth-*
pazzez. 22 *The border reached Tabor, Shahazim, Beth-shemesh; their border's outlets*
were to the Jordan — sixteen cities and their villages. 23 *This is the heritage of the tribe of*
the children of Issachar according to their families, the cities and their villages.

Asher's territory (See Map 6 in the Appendix)

24 *The fifth lottery came out for the tribe of the children of Asher according to their*
families. 25 *Their border was: Helkath, Hali, Beten, Achshaph,* 26 *and Alammelech,*
Amad, Mishal; and it reached Carmel at the sea and at Shihor-libnath. 27 *It turned toward*
the rising sun, to Beth-dagon, and it reached Zebulun and the north of the Valley of
Iphtah-el and Beth-haemek and Neiel. It then went out to the north of Cabul, 28 *and to*
Ebron, Rehob, Hammon, and Kanah, until Great Sidon. 29 *The border turned to Ramah*
and to the fortified city of Tyre; the border turned to Hosah, and its outlets were to the Sea
from the portion of Achzib; 30 *with Ummah and Aphek and Rehob — twenty-two cities*
and their villages. 31 *This is the heritage of the tribe of the children of Asher according to*
their families, these cities and their villages.

Naphtali's territory (See Map 6 in the Appendix)

32 *The sixth lottery came out for the children of Naphtali, for the children of Naphtali*
according to their families. 33 *Their border was: from Heleph, from Elon-bezaanannim,*
Adami, Nekeb, and Jabneel until Lakkum, and its outlets were the Jordan. 34 *The*
border turned westward to Aznoth-tabor and went out from there to Hukok; it reached
Zebulun in the south, and reached Asher in the west, and Judah at the Jordan toward
the rising sun. 35 *The fortified cities were: Ziddim, Zer, Hammath, Rakkath, Kin-*
nereth, 36 *Adamah, Haramath, Hazor,* 37 *Kedesh, Edrei, En-hazor,* 38 *Iron, Migdal-el,*
Horem, Beth-anath, and Beth-shemesh — nineteen cities and their villages. 39 *This is*

מצודת דוד

ויהי גבולם. הגבול הלך בפאת המערב, מדרום כלפי הצפון לחלקת וכו׳: (**כו**) **ופגע.** הגבול פגע בכרמל העומדת במערב: (**כז**) **ושב.** הגבול שב ממערב כלפי המזרח בפאת הצפוני, והלך אל בית דגון: **בזבולן.** בגבול זבולון שהיה בצפונו: **ובגי יפתח אל צפונה.** מצפון לגי יפתח אל, והיתה אם כן מנחלת אשר, ולמולה כלתה רוחב גבול זבולון כמו שכתוב למעלה (פסוק יד): **בית העמק** . מגי יפתח אל בא הגבול לבית העמק וכו׳: **משמאל.** מצפון כבול, והיתה אם כן משל אשר: (**כח**) **ועברן.** משמאל כבול בא לעברון וכו׳: (**כט**) **ושב הגבול.** מצדון רבה חזר הגבול מצפון כלפי הדרום אל הרמה וכו׳: **ושב הגבול חסה.** מעיר מבצר צור חזר הגבול ממזרח כלפי המערב, אל חוסה: **מחבל אכזיבה.** כי מחוסה בא הגבול לחבל אכזיבה, ומשם כלה הגבול אל הים הגדול: (**ל**) **ועמה ואפק ורחב.** רצה לומר עם שלשת הערים האלה אשר לא עמדו על הגבול היה לו ערים עשרים ושתים, והם שלש אלו ותשע עשרה מאלו שעמדו על הגבול, והנשארים היו לבני השבט אשר אצלו: (**לב**) **לבני נפתלי למשפחתם.** הנחלק לבני נפתלי לכל משפחה ומשפחה: (**לג**) **ויהי גבולם.** גבולם הלך בפאת הדרומי ממערב, כלפי המזרח מחלף וכו׳: (**לד**) **ושב הגבול ימה.** חזר הגבול ממזרח כלפי המערב בפאת הצפוני, ובא לאזנות תבור: **מנגב.** מנגב של זבולון, והוא צפונה של נפתלי: **מים.** ממערבה של נפתלי, והוא מזרחה של אשר: **וביהודה הירדן.** ובגבול יהודה פגע בהירדן העומד במזרח, כי גבול צפון יהודה כלה בקצה הירדן הדרומי, ולנפתלי היה כל הירדן לנחלה, אם כן פגע בגבול יהודה בסוף הירדן, והוא הדין שפגע בכל השבטים שהיה גבולם עד הירדן, אבל בא לומר שאף שהיה נחלת יהודה בסוף הדרומי, מכל מקום פגע גם בו: (**לה**) **וערי מבצר** . רצה לומר, ואלה ערי המבצר של נפתלי הצדים וכו׳: (**לח**) **תשע עשרה.** רצה לומר, עם ערי המבצר היה לו תשע עשרה, שש עשרה ערי מבצר ועוד שלש מאלו שעמדו על הגבול, והנשארים היו לבני השבט שאצלו:

15. **עָרִים שְׁתֵּים־עֶשְׂרֵה** — *Twelve cities*. Altogether nineteen cities are mentioned in the passage of Zebulun's borders. Twelve of them belonged to Zebulun and the others belonged to the neighboring tribes (*Metzudos*).

מ נַחֲלַ֗ת מַטֵּ֥ה בְנֵֽי־נַפְתָּלִ֖י לְמִשְׁפְּחֹתָ֑ם הֶעָרִ֖ים וְחַצְרֵיהֶֽן׃ לְמַטֵּ֥ה בְנֵי־דָ֖ן
מא לְמִשְׁפְּחֹתָ֑ם יָצָ֖א הַגּוֹרָ֥ל הַשְּׁבִיעִֽי׃ וַיְהִ֖י גְּב֣וּל נַחֲלָתָ֑ם צָרְעָ֥ה וְאֶשְׁתָּא֖וֹל וְעִ֥יר
מב־מד שָֽׁמֶשׁ׃ וְשַֽׁעֲלַבִּ֥ין וְאַיָּל֖וֹן וְיִתְלָֽה׃ וְאֵיל֥וֹן וְתִמְנָ֖תָה וְעֶקְרֽוֹן׃ וְאֶלְתְּקֵ֥ה וְגִבְּת֖וֹן וּבַעֲלָֽת׃
מה־מז וִיהֻ֥ד וּבְנֵֽי־בְרַ֖ק וְגַת־רִמּֽוֹן׃ וּמֵ֥י הַיַּרְק֖וֹן וְהָֽרַקּ֑וֹן עִֽם־הַגְּב֖וּל מ֥וּל יָפֽוֹ׃ וַיֵּצֵ֥א
גְבוּל־בְּנֵי־דָ֖ן מֵהֶ֑ם וַיַּעֲל֣וּ בְנֵי־דָ֡ן וַיִּלָּחֲמ֣וּ עִם־לֶ֠שֶׁם וַיִּלְכְּד֨וּ אוֹתָ֥הּ ׀ וַיַּכּ֧וּ אוֹתָ֣הּ
מח לְפִי־חֶ֗רֶב וַיִּֽרְשׁ֤וּ אוֹתָהּ֙ וַיֵּ֣שְׁבוּ בָ֔הּ וַיִּקְרְא֤וּ לְלֶ֙שֶׁם֙ דָּ֔ן כְּשֵׁ֖ם דָּ֥ן אֲבִיהֶֽם׃ זֹ֗את נַחֲלַ֛ת
מט מַטֵּ֥ה בְנֵי־דָ֖ן לְמִשְׁפְּחֹתָ֑ם הֶעָרִ֥ים הָאֵ֖לֶּה וְחַצְרֵיהֶֽן׃ וַיְכַלּ֥וּ לִנְחֹל־אֶת־
נ הָאָ֖רֶץ לִגְבוּלֹתֶ֑יהָ וַיִּתְּנ֨וּ בְנֵי־יִשְׂרָאֵ֧ל נַחֲלָ֛ה לִיהוֹשֻׁ֥עַ בִּן־נ֖וּן בְּתוֹכָֽם׃ עַל־פִּ֨י יְהֹוָ֜ה
נָ֣תְנוּ ל֗וֹ אֶת־הָעִיר֙ אֲשֶׁ֣ר שָׁאָ֔ל אֶת־תִּמְנַת־סֶ֖רַח בְּהַ֣ר אֶפְרָ֑יִם וַיִּבְנֶ֥ה אֶת־הָעִ֖יר
נא וַיֵּ֥שֶׁב בָּֽהּ׃ אֵ֣לֶּה הַנְּחָלֹ֡ת אֲשֶׁ֣ר נִחֲל֣וּ אֶלְעָזָ֣ר הַכֹּהֵ֣ן ׀ וִיהוֹשֻׁ֣עַ בִּן־נ֡וּן
וְרָאשֵׁ֣י הָאָב֣וֹת לְמַטּ֣וֹת בְּנֵֽי־יִשְׂרָאֵ֣ל ׀ בְּגוֹרָ֣ל ׀ בְּשִׁלֹה֩ לִפְנֵ֨י יְהֹוָ֜ה פֶּ֣תַח אֹ֣הֶל מוֹעֵ֔ד
וַיְכַלּ֕וּ מֵֽחַלֵּ֖ק אֶת־הָאָֽרֶץ׃

כ א־ב וַיְדַבֵּ֣ר יְהֹוָ֔ה אֶל־יְהוֹשֻׁ֖עַ לֵאמֹֽר׃ דַּבֵּ֛ר אֶל־בְּנֵ֥י יִשְׂרָאֵ֖ל לֵאמֹ֑ר תְּנ֤וּ לָכֶם֙ אֶת־עָרֵ֣י
ג הַמִּקְלָ֔ט אֲשֶׁר־דִּבַּ֥רְתִּי אֲלֵיכֶ֖ם בְּיַד־מֹשֶֽׁה׃ לָנ֥וּס שָׁ֙מָּה֙ רוֹצֵ֔חַ מַכֵּה־נֶ֥פֶשׁ בִּשְׁגָגָ֖ה
ד בִּבְלִי־דָ֑עַת וְהָי֣וּ לָכֶם֙ לְמִקְלָ֔ט מִגֹּאֵ֖ל הַדָּֽם׃ וְנָ֗ס אֶל־אַחַ֣ת ׀ מֵהֶעָרִ֣ים הָאֵ֒לֶּה֒ וְעָמַד֩

רש"י

(מא) **צרעה ואשתאול.** משל יהודה היה (לעיל טו, לג), ונפל גורל בני דן סמוך להם: (מז) **ויצא גבול בני דן מהם.** כאן נטלו קלת, ועוד נפל להם גורל במקום אחר רחוק מגבולם, ושאר שבטים מפסיקין בינתים: **וילחמו עם לשם.** לאחר זמן בימי עתניאל בן קנז, ובימי פסל מיכה, כמה שנאמר בספר שופטים (יח): **לשם.** היא ליש האמורה בספר שופטים (יח, יד): (נא) **אשר נחלו.** הנחילו:

רד"ק

(מד) **וגבתון ובעלת.** אינו בעלה הנזכר למעלה בנחלת בני יהודה (פרק טו, כט) כי אותו שמו בעלה בה"א וזה בעלת בתי"ו, ורז"ל אמרו כי שניהם אחד והקשו הפסוקים ותרצו בתים של יהודה ושדות של דן: (מז) **ויצא גבול בני דן מהם.** פחות מהם, שלא הספיקה להם הארץ הנכבשת לחלקם והוצרכו ללכת אל לשם, הוא לַיִשׁ הנזכר בספר שופטים (פרק יח, כז) ולכבוש אותה, ומגורלם היתה לשם אלא שלא היתה נכבשת עם שאר השבטים, והם כבשוה לאחר זמן בימי פסל מיכה, ויש לפרש כי לשם לא היתה מהארץ הנחלקת לשבעה חלקים ובני דן כל הגורל שנפל להם היה להם, אלא שהם היו רבים ולא היה חלקם מספיק לבתי אבות שהיו בשבטים ויצאו לארץ רחוקה חוץ מחלקי השבטים ורגלו אותה, והיתה הארץ טובה והלכו להם שם ולכדוה והיא היתה סוף תחום ארץ ישראל שהיה להם בימים ההם כמו שאמר מִדָּן וְעַד בְּאֵר שָׁבַע (שמואל־א ג, כ). ובדברי רז"ל (מגילה ו, א) אמר רבי יצחק לשם זו פמייס, ותניא (בבא בתרא עד, ב) ירדן יוצא ממערת פמייס ואמרו (בכורות נה, א) אמר רבי יוחנן למה נקרא שמה ירדן שיורד מדן: (נא) **וראשי האבות למטות.** כמו אבות המטות, כלומר ראשי בתי אבות לכל שבט ושבט, ורז"ל (יבמות פט, ב) סמכו בזה הפסוק להפקר בית דין שהיו בארץ ישראל הפקר, ואמרו וכי מה ענין ראשים אצל אבות אלא לומר לך מה אבות מנחילין את בניהם כל מה שירצו אף ראשים מנחילין את העם כל מה שירצו: (ב) **תנו לכם את ערי.** אחר שנאמר וַיְכַלּוּ מֵחַלֵּק אֶת הָאָרֶץ (לעיל יט, נא) צום על ערי המקלט שלא נצטוו בה על ידי משה גם כן, אלא אחר ירושה וישיבה שנאמר כִּי יַכְרִית ה׳ אֱלֹהֶיךָ וגו׳ (דברים יט, א):

מצודת דוד

(מא) **צרעה ואשתאול.** יתכן שאין אלו שהיו בגבול יהודה (לעיל טו, לג), ונחלת דן היה במקצוע צפונית מערבית של יהודה: (מג) **ועקרון.** לא זהו שהיה בגבול יהודה (שם פסוק מה): (מו) **עם הגבול וכו׳.** רצה לומר, הערים ההם היו מנחלת דן, עם הגבול של מול יפו: (מז) **ויצא גבול בני דן מהם.** רצה לומר, גבול נחלת דן יצא בגורל פחות מהראוי להם, ולא הספיק להם, ולזה עלו לאחר זה להלחם בלשם, והוא לַיִשׁ האמורה בספר שופטים (יח, כז), והיתה מחוץ לגבול ארץ ישראל ולא בגבולה (ובמקצוע צפונית מזרחית היתה מול נחלת נפתלי, כי אמרו רבותינו זכרונם לברכה (בכורות נה, א) ירדן נקרא על שם שיורד מדן, והוא לשם, והירדן הלא יתחיל במקצוע צפונית מזרחית, וזה שאמר הכתוב מִדָּן וְעַד בְּאֵר שָׁבַע (שמואל־א ג, כ), ורצה לומר, מקצה ארץ ישראל עד קצהו באלכסון, כי דן היה במקצוע צפונית מזרחית, ובאר שבע היה במקצוע דרומית מערבית, כי משל נחלת שמעון היתה שלקחו בהמקצוע ההיא): (מח) **הערים האלה.** האמורים למעלה: (מט) **לנחל.** להנחיל על ידי הגורל: **לגבולתיה.** לפי הגבולים האמורים למעלה: (נ) **על פי ה׳.** שאלו באורים ותומים, ועל פיהם נתנו לו את העיר אשר שאל, והיא תמנת סרח: (נא) **נחלו.** הנחילו לישראל בגורל: **וראשי האבות למטות.** ראשי בתי אבות של מטות בני ישראל: **בגורל.** חוזר לתחלת המקרא, לומר אלה הנחלות אשר נחלו בגורל: **ויכלו מחלק.** השלימו חלוקת הארץ בגורל: (ב) **לכם.** להנאתכם: (ג) **למקלט.** לקלוט את הרוצח מיד גואל הדם, לבל יהרגנו כאשר יחם לבבו:

מצודת ציון

(מז) **וירשו.** מלשון ירושה: (ב) **המקלט.** על שם שקולטת את הרוצחים, שאין מדרך עיר אחרת להניח להרוצחים לדור בה: (ג) **לנוס.** ענין בריחה: **בבלי דעת.** בלא כוונה: **מגאל.** מלשון גאולה, כי בהנקם נקמת הנרצח, לגאולה תחשב לו:

47. The tribe of Dan grew rapidly and became cramped for space, so they sought more land, in addition to what had been Divinely allotted to them. Leshem, the name given here, is identical to Laish (*Judges* 18), the city where part of the Danites settled and set up the infamous Molten Image of Micah (*Rashi*).

Leshem/Laish was northeast of Dan's neighbor Naphtali, far from the rest of Dan's territory, and, as indicated by the narra-

the heritage of the tribe of the children of Naphtali according to their families, the cities and
their villages.

Dan's territory

40 *For the tribe of the children of Dan according to their families, the seventh lottery went*
out. 41 *The border of their heritage was: Zorah, Eshtaol, Ir-shemesh,* 42 *Shaalabbin,*
Aijalon, Ithlah, 43 *Elon, Timnah, Ekron,* 44 *Eltekeh, Gibbethon, Baalath,* 45 *Jehud, Bene-*
berak, Gath-rimmon, 46 *Mei-jarkon, and Rakkon, with the border opposite Jaffa.* 47 *The*
boundary of the children of Dan was not sufficient for them, so the children of Dan
ascended and battled with Leshem, and conquered it, smiting it by the edge of the sword.
They took possession of it and dwelled there, and changed the name of Leshem to Dan,
after the name of Dan their ancestor. 48 *This is the heritage of the tribe of the children of Dan*
according to their families, these cities and their villages.
49 *Thus they finished apportioning the Land according to its borders. The Children of*
Israel gave a heritage to Joshua son of Nun within their midst. 50 *By the word of HASHEM*
they gave him the city that he requested, Timnath-serah in Mount Ephraim; and he built
the city and dwelled there.
51 *These are the heritages that Elazar the Kohen, and Joshua son of Nun, and the heads*
of the ancestral [families] of the tribes of the Children of Israel apportioned by lottery, in
Shiloh, before HASHEM, at the entrance of the Tent of Meeting. Thus they finished dividing
the land.

20 THE CITIES OF REFUGE 20:1-9 (See Map 9 in the Appendix)

1 *HASHEM spoke to Joshua, saying,* 2 *"Speak to the Children of Israel, saying, 'Prepare for*
yourselves the cities of refuge, about which I spoke to you through Moses, 3 *where a*
killer may flee — one who kills a person through carelessness, unintentionally. They will
be a refuge for you from the avenger of the blood. 4 *He shall flee to one of these cities, stand*

---

tive in *Judges* (ibid.), was not originally assigned to Dan. It was conquered during the judgeship of Othniel ben Kenaz, after Joshua's death and after he wrote this Book. Someone else inserted this verse so that the listing of Dan's territory would be complete (*Abarbanel* 49-50).

49-50. The Talmud (*Bava Basra* 122a) derives hermeneutically that God exempted both Joshua and Caleb from the regular procedure of dividing the Land. Caleb had already requested Hebron, which was given to him. Joshua did not ask for a portion until it was offered to him by the people, and he waited until all the tribes had been assigned their portions before he expressed his preference.

The Sages (ibid.) derive that the produce of Joshua's area improved remarkably after he took title to it.

20.

Cities of refuge. See *Numbers* 35:9-34 for the background of these laws. If someone kills without premeditation, he must flee to one of these cities until his case is decided by the court. If he is found to have exercised all reasonable care, he is acquitted and is free to return home. If he is found guilty of killing through carelessness as defined by the Torah and the Oral Law, he must remain in a city of exile until the death of the Kohen Gadol.

2. Immediately after the division of the Land was complete (19:51), God commanded Joshua to designate the cities of refuge. *Radak* comments that this follows the pattern of God's command to Moses, that as soon as the Land is conquered and the people are settled in their cities and homes, they should set aside cities of refuge (*Deuteronomy* 19:1-2).

The Talmud (*Makkos* 11a) notes that the commandment here is expressed with the word דַּבֵּר, *speak,* a verb which implies לְשׁוֹן עַזָּה, *strong* or *harsh expression,* indicating that it was important that these cities be designated without delay. This shows how seriously God views bloodshed. Manslaughter, even when unintentional, cannot be taken lightly, and this attitude toward the sanctity of human life had to be inculcated as soon as the Land was settled; it must be the very basis for the settlement of the country. On the other hand, even a murderer must be protected from the wrath of his victim's avenger unless he is found guilty and liable to the death penalty.

3. בִּשְׁגָגָה בִּבְלִי־דָעַת — *Through carelessness, unintentionally.* Though seemingly redundant, these expressions imply different degrees of responsibility for the tragedy, both of which are essential to the court's deliberations. To be exiled, a killer must not only have taken a life by accident, but with a legally sufficient degree of carelessness. Sometimes the carelessness was so pronounced that exile is an insufficient punishment; sometimes it was so insignificant that no punishment is called for, although one must repent for having been responsible for the loss of a life.

4. The perpetrator contends that he killed unintentionally. Even though the elders cannot know whether he is telling the

פֶּתַח שַׁעַר הָעִיר וְדִבֶּר בְּאָזְנֵי זִקְנֵי הָעִיר־הַהִיא אֶת־דְּבָרָיו וְאָסְפוּ אֹתוֹ הָעִירָה
ה אֲלֵיהֶם וְנָתְנוּ־לוֹ מָקוֹם וְיָשַׁב עִמָּם: וְכִי יִרְדֹּף גֹּאֵל הַדָּם אַחֲרָיו וְלֹא־יַסְגִּרוּ אֶת־
הָרֹצֵחַ בְּיָדוֹ כִּי בִבְלִי־דַעַת הִכָּה אֶת־רֵעֵהוּ וְלֹא־שֹׂנֵא הוּא לוֹ מִתְּמוֹל שִׁלְשׁוֹם:
ו וְיָשַׁב ׀ בָּעִיר הַהִיא עַד־עָמְדוֹ לִפְנֵי הָעֵדָה לַמִּשְׁפָּט עַד־מוֹת הַכֹּהֵן הַגָּדוֹל אֲשֶׁר
יִהְיֶה בַּיָּמִים הָהֵם אָז ׀ יָשׁוּב הָרוֹצֵחַ וּבָא אֶל־עִירוֹ וְאֶל־בֵּיתוֹ אֶל־הָעִיר אֲשֶׁר־נָס
ז מִשָּׁם: וַיַּקְדִּשׁוּ אֶת־קֶדֶשׁ בַּגָּלִיל בְּהַר נַפְתָּלִי וְאֶת־שְׁכֶם בְּהַר אֶפְרָיִם וְאֶת־קִרְיַת
ח אַרְבַּע הִיא חֶבְרוֹן בְּהַר יְהוּדָה: וּמֵעֵבֶר לְיַרְדֵּן יְרִיחוֹ מִזְרָחָה נָתְנוּ אֶת־בֶּצֶר
בַּמִּדְבָּר בַּמִּישֹׁר מִמַּטֵּה רְאוּבֵן וְאֶת־רָאמֹת בַּגִּלְעָד מִמַּטֵּה גָד וְאֶת־°גלון
ט [°גּוֹלָן ק׳] בַּבָּשָׁן מִמַּטֵּה מְנַשֶּׁה: אֵלֶּה הָיוּ עָרֵי הַמּוּעָדָה לְכֹל ׀ בְּנֵי יִשְׂרָאֵל וְלַגֵּר
הַגָּר בְּתוֹכָם לָנוּס שָׁמָּה כָּל־מַכֵּה־נֶפֶשׁ בִּשְׁגָגָה וְלֹא יָמוּת בְּיַד גֹּאֵל הַדָּם עַד־
כא א עָמְדוֹ לִפְנֵי הָעֵדָה: וַיִּגְּשׁוּ רָאשֵׁי אֲבוֹת הַלְוִיִּם אֶל־אֶלְעָזָר הַכֹּהֵן וְאֶל־
ב יְהוֹשֻׁעַ בִּן־נוּן וְאֶל־רָאשֵׁי אֲבוֹת הַמַּטּוֹת לִבְנֵי יִשְׂרָאֵל: וַיְדַבְּרוּ אֲלֵיהֶם בְּשִׁלֹה
בְּאֶרֶץ כְּנַעַן לֵאמֹר יהוה צִוָּה בְיַד־מֹשֶׁה לָתֶת־לָנוּ עָרִים לָשָׁבֶת וּמִגְרְשֵׁיהֶן
ג לִבְהֶמְתֵּנוּ: וַיִּתְּנוּ בְנֵי־יִשְׂרָאֵל לַלְוִיִּם מִנַּחֲלָתָם אֶל־פִּי יהוה אֶת־הֶעָרִים הָאֵלֶּה
ד וְאֶת־מִגְרְשֵׁיהֶן: וַיֵּצֵא הַגּוֹרָל לְמִשְׁפְּחֹת הַקְּהָתִי וַיְהִי לִבְנֵי אַהֲרֹן הַכֹּהֵן

רש״י

(ו) **עד עמדו וגו׳ למשפט.** אם יפטר מגלות יפטר, ואם יתחייב גלות יחזור לעיר מקלטו וישב שם עד מות הכהן הגדול (במדבר לה, כה): (ח) **ומעבר לירדן יריחו מזרחה נתנו.** בימי משה, שנאמר אֶת בֶּצֶר בַּמִּדְבָּר וגו׳ (דברים ד, מג): (ט) **המועדה.** ההזמנה, היעודות לכך:

רד״ק

(ד) **ונתנו לו מקום.** פירשו רז״ל (מכות יג, א) שלא יהא שוכר בית כל ימי שבתו שם, שנאמר ונתנו לו מקום: (ו) **עד עמדו לפני העדה למשפט עד מות הכהן הגדול.** הרוצח היה נס אל אחת הערים, ובית דין שולחין אחריו ומביאין אותו ועומד למשפט, אם נתחייב מיתה הורגין אותו, אם נתחייב גלות משיבין אותו שם שנאמר וְיָשַׁב (שם) [בָּהּ] עַד מוֹת הַכֹּהֵן הַגָּדֹל (במדבר לה, כה). והמקרא קצר, וטעם עד מות הכהן הגדול פירשוהו רז״ל (ספרי מסעי ב), רבי מאיר אומר רוצח מקצר ימיו של אדם וכהן גדול מאריך ואינו דין שיהא המקצר לפני המאריך, רבי אומר הרוצח מטמא את הארץ ומסלק את השכינה וכהן גדול מטהר וגורם לשכינה שתשרה על אדם בארץ אינו דין שיהיה זה אצל זה: (ט) **ערי המועדה.** שהיו נועדים שם כל מכה נפש בשגגה, והוא שם בשקל מוסדה מן מוּסְדוֹת הַצְּלָעוֹת (יחזקאל מא, ח):

מצודת דוד

(ד) **את דבריו.** איך שגג בהרציחה: **ואספו אתו.** עם שלא ידעו שהאמת אתו: (ה) **גאל הדם.** קרוב הנרצח, הרוצה לנקום נקמתו: **אחריו.** אל עיר מקלטו: **ולא יסגרו.** רצה לומר, אנשי העיר יעזרו להרוצח ולא ימסרו אותו ביד גואל הדם: **כי בבלי דעת.** אם הרג בבלי דעת: **ולא שנא.** לומר שהיה מערים בדבר: (ו) **למשפט.** לדונו אם הוא חייב גלות, וכאשר יצא חייב, יחזור לעיר מקלטו וְיָשַׁב בָּהּ עַד (י)מוֹת הַכֹּהֵן הַגָּדֹל: **אז.** אחרי מות הכהן הגדול: (ט) **עד עמדו.** עד יעמוד למשפט לדונו אם הוא חייב מיתה, וכאשר יצא חייב, אז ביד גואל הדם להמיתו: (ב) **לתת לנו וכו׳.** רצה לומר, ולזאת תנו לנו: (ג) **אל פי ה׳.** על פי מצותו: **האלה.** האמורות למטה:

מצודת ציון

(ד) **ואספו.** ענין הכנסה, כמו מְאַסֵּף אוֹתָם (שופטים יט, טו): (ה) **יסגרו.** ענין מסירה, כמו (עמוס א, ו) לְהַסְגִּיר לֶאֱדוֹם: **שלשום.** יום השלישי מהיום הזה: (ז) **ויקדשו.** ויזמינו, כמו: קַדְּשׁוּ קָהָל (יואל ב, טז): **בגליל.** בארץ הגליל, והוא שם מדינה בארץ ישראל: (ט) **המועדה.** מלשון ועד וקבוץ להתאסף בהן הרוצחים, כמו בְּהַר מוֹעֵד (ישעיהו יד, יג):

truth, they must *provide him* [וְנָתְנוּ] *a place* where he can dwell safely, until the court decides his fate. If exile is his punishment, he remains in the city of refuge free of charge.

6. עַד־מוֹת הַכֹּהֵן הַגָּדוֹל — *Until the death of the Kohen Gadol.* Various reasons are given for the length of the exile to be predicated on the lifespan of the Kohen Gadol. Among them are: The Kohen Gadol is partly to blame for the tragedy of the unintentional death, because he should have prayed that such tragedies would not occur (*Makkos* 11a).

It would have been incongruous for the killer to be free during the tenure of the Kohen Gadol, because the killer acted at cross purposes to the priest. According to R' Meir, the Kohen Gadol's service brings atonement and thus longer life to people, while the killer's indifference to safety shortened a life. According to Rabbi [Rabbi Yehudah the Prince] the Kohen Gadol brings holiness to the Land and makes it hospitable to God's Presence, while the bloodshed caused by the killer defiled the Land (*Sifre*).

The killer's exile is an atonement for him, and it is for God, in His infinite wisdom, to determine when the punishment is commensurate with the crime. God calibrates the extent of the exile with the severity of the killer's sin to determine when it should be ended. Only the Divine Intelligence can determine how to balance the extent of the punishments earned by the many exiled killers with the merits of the Kohen Gadol, so that he will die at such a time that justice is done to all (*Rosh*).

at the entrance to the city gate, and speak his words into the ears of the elders of that city;
they shall bring him into the city, to them, and provide him a place, and he shall dwell
among them. 5 *If the avenger of the blood chases after him, they shall not deliver the killer*
into his hand, for he struck his fellow unintentionally; he did not hate him from yesterday
and before yesterday. 6 *He shall dwell in that city until he stands before the tribunal for*
judgment, until the death of the Kohen Gadol who will be in those days. Then the killer may
return and go to his city and to his house, to the city from which he fled.' "
7 *They designated Kedesh in the Galilee in the mountains of Naphtali, and Shechem in*
the mountains of Ephraim, and Kiriath-arba which is Hebron in the mountains of Judah.
The six cities 8 *On the other side of the Jordan, by Jericho, to the east, they designated Bezer in the*
wilderness in the plain from the tribe of Reuben, and Ramoth in Gilead from the tribe of
Gad, and Golan in the Bashan from the tribe of Manasseh. 9 *These were the cities*
appointed for all the Children of Israel and for the resident who dwells among them — to
which any person who kills through carelessness may flee, and not die by the hand of the
avenger of the blood before he stands before the tribunal.

21 THE CITIES OF THE LEVITES AND KOHANIM
21:1-40
(See Maps 10 and 11 in the Appendix)

1 *The heads of the ancestral [families] of the Levites approached Elazar the Kohen,*
Joshua son of Nun, and the heads of the fathers' [household] of the tribes of the
Children of Israel. 2 *They spoke to them in Shiloh, in the land of Canaan, saying, "HASHEM*
commanded through Moses to give us cities in which to dwell and their open [surrounding]
spaces for our animals." 3 *So the Children of Israel gave to the Levites from their heritages,*
according to the word of HASHEM, these cities and their open spaces.
4 *The lottery came out for the families of the Kohathite: for the sons of Aaron the Kohen,*

---

8. Moses had already designated the three eastern cities (*Deuteronomy* 4:41-43), even though they could not assume their official status until all six were chosen. Though Moses knew that his choices would not go into effect until after his death, he nevertheless hurried to name the three cities, because one who loves to serve God will seize every opportunity to do a good deed (*Makkos* 10a).

9. גֹּאֵל הַדָּם — *The avenger of the blood,* i.e., the relative who has the right to kill the one who took the life. See *Numbers* 35:9-34,19.

21.

The Levite cities. Although the Levites did not have a province in the Land, they received cities: the six cities of refuge plus forty-two more cities, for a total of forty-eight, thirteen of which, as listed in this chapter, went to the Kohanim. *Rambam* explains that this tribe was not given an ordinary share in the Land so that they would devote themselves primarily to the service of God and to teach Torah to the nation, without the distractions of agriculture and battle (*Shemittah v'Yovel* 13:12).

Ramban (*Numbers* 35:8) notes that the distribution of the cities does not seem to follow a rational pattern. For example, the tribe of Dan had twice as many people as Ephraim, but both were required to give four cities to the Levites. He suggests that the cities were allocated according to the value of the respective provinces. Accordingly, we may assume that Ephraim's territory was more fertile or otherwise desirable than Dan's, so that Ephraim had a greater obligation to contribute Levite cities.

The allocation of the cities also shows that the Kohanim received all their thirteen cities in close proximity to Jerusalem and Shiloh, because they had the responsibility for the Temple service (*Abarbanel*).

1-3. The Levite request. Until the Tabernacle was established in Shiloh, private altars could be erected anywhere and the Kohanim and Levites did not assume their central status as the ones who performed the Divine service. Consequently, the tribe did not feel entitled to ask for their cities. Now that the Tabernacle had been set up, the Levites came to the national leadership *in Shiloh* (v. 2) to make the request. Immediately, Joshua and the elders complied (*Kli Yakar*).

2. וּמִגְרְשֵׁיהֶן — *And their open [surrounding] spaces.* The Torah provides that the Levite cities be surrounded with open land for the Levites' *animals, for their wealth, and for all their needs* (*Numbers* 35:3). The commentators disagree regarding how much land there was for these purposes. See Map 11 in the Appendix.

3. אֶל־פִּי ה׳ — *According to the word of HASHEM,* i.e., according to the lots, as verified by the *Urim v'Tumim.*

4-39. The Levite cities. The Levites were divided into four family groups, each of which received cities for its use: (1) the Kohanim, who were the descendants of Aaron, a member of the Levite family of Kohath; (2) the remainder of the Kohathites; (3) the family of Gershon; and (4) the family of Merari.

מִן־הַלְוִיִּם מִמַּטֵּה יְהוּדָה וּמִמַּטֵּה הַשִּׁמְעֹנִי וּמִמַּטֵּה בִנְיָמִן בַּגּוֹרָל עָרִים שְׁלֹשׁ
ה עֶשְׂרֵה: וְלִבְנֵי קְהָת הַנּוֹתָרִים מִמִּשְׁפְּחֹת מַטֵּה־אֶפְרַיִם וּמִמַּטֵּה־
ו דָן וּמֵחֲצִי מַטֵּה מְנַשֶּׁה בַּגּוֹרָל עָרִים עָשֶׂר: וְלִבְנֵי גֵרְשׁוֹן מִמִּשְׁפְּחוֹת
מַטֵּה־יִשָּׂשכָר וּמִמַּטֵּה־אָשֵׁר וּמִמַּטֵּה נַפְתָּלִי וּמֵחֲצִי מַטֵּה מְנַשֶּׁה בַבָּשָׁן בַּגּוֹרָל
ז עָרִים שְׁלֹשׁ עֶשְׂרֵה: לִבְנֵי מְרָרִי לְמִשְׁפְּחֹתָם מִמַּטֵּה רְאוּבֵן וּמִמַּטֵּה־גָד וּמִמַּטֵּה
ח זְבוּלֻן עָרִים שְׁתֵּים עֶשְׂרֵה: וַיִּתְּנוּ בְנֵי־יִשְׂרָאֵל לַלְוִיִּם אֶת־הֶעָרִים הָאֵלֶּה
ט וְאֶת־מִגְרְשֵׁיהֶן כַּאֲשֶׁר צִוָּה יְהוָה בְּיַד־מֹשֶׁה בַּגּוֹרָל: וַיִּתְּנוּ מִמַּטֵּה בְּנֵי
י יְהוּדָה וּמִמַּטֵּה בְּנֵי שִׁמְעוֹן אֵת הֶעָרִים הָאֵלֶּה אֲשֶׁר־יִקְרָא אֶתְהֶן בְּשֵׁם: וַיְהִי לִבְנֵי
יא אַהֲרֹן מִמִּשְׁפְּחוֹת הַקְּהָתִי מִבְּנֵי לֵוִי כִּי לָהֶם הָיָה הַגּוֹרָל רִאישֹׁנָה: וַיִּתְּנוּ לָהֶם
אֶת־קִרְיַת אַרְבַּע אֲבִי הָעֲנוֹק הִיא חֶבְרוֹן בְּהַר יְהוּדָה וְאֶת־מִגְרָשֶׁהָ סְבִיבֹתֶיהָ:
יב־יג וְאֶת־שְׂדֵה הָעִיר וְאֶת־חֲצֵרֶיהָ נָתְנוּ לְכָלֵב בֶּן־יְפֻנֶּה בַּאֲחֻזָּתוֹ: וְלִבְנֵי ׀
אַהֲרֹן הַכֹּהֵן נָתְנוּ אֶת־עִיר מִקְלַט הָרֹצֵחַ אֶת־חֶבְרוֹן וְאֶת־מִגְרָשֶׁהָ וְאֶת־לִבְנָה
יד־טו וְאֶת־מִגְרָשֶׁהָ: וְאֶת־יַתִּר וְאֶת־מִגְרָשֶׁהָ וְאֶת־אֶשְׁתְּמֹעַ וְאֶת־מִגְרָשֶׁהָ: וְאֶת־חֹלֹן
טז וְאֶת־מִגְרָשֶׁהָ וְאֶת־דְּבִר וְאֶת־מִגְרָשֶׁהָ: וְאֶת־עַיִן וְאֶת־מִגְרָשֶׁהָ וְאֶת־יֻטָּה וְאֶת־
מִגְרָשֶׁהָ אֶת־בֵּית־שֶׁמֶשׁ וְאֶת־מִגְרָשֶׁהָ עָרִים תֵּשַׁע מֵאֵת שְׁנֵי הַשְּׁבָטִים
יז הָאֵלֶּה: וּמִמַּטֵּה בִנְיָמִן אֶת־גִּבְעוֹן וְאֶת־מִגְרָשֶׁהָ אֶת־גֶּבַע וְאֶת־
יח־יט מִגְרָשֶׁהָ: אֶת־עֲנָתוֹת וְאֶת־מִגְרָשֶׁהָ וְאֶת־עַלְמוֹן וְאֶת־מִגְרָשֶׁהָ עָרִים אַרְבַּע: כָּל־
כ עָרֵי בְנֵי־אַהֲרֹן הַכֹּהֲנִים שְׁלֹשׁ־עֶשְׂרֵה עָרִים וּמִגְרְשֵׁיהֶן: וּלְמִשְׁפְּחוֹת
כא בְּנֵי־קְהָת הַלְוִיִּם הַנּוֹתָרִים מִבְּנֵי קְהָת וַיְהִי עָרֵי גוֹרָלָם מִמַּטֵּה אֶפְרָיִם: וַיִּתְּנוּ
לָהֶם אֶת־עִיר מִקְלַט הָרֹצֵחַ אֶת־שְׁכֶם וְאֶת־מִגְרָשֶׁהָ בְּהַר אֶפְרָיִם וְאֶת־
כב גֶּזֶר וְאֶת־מִגְרָשֶׁהָ: וְאֶת־קִבְצַיִם וְאֶת־מִגְרָשֶׁהָ וְאֶת־בֵּית חוֹרֹן וְאֶת־מִגְרָשֶׁהָ עָרִים
כג אַרְבַּע: וּמִמַּטֵּה־דָן אֶת־אֶלְתְּקֵא וְאֶת־מִגְרָשֶׁהָ אֶת־גִּבְּתוֹן וְאֶת־מִגְרָשֶׁהָ:

רש״י

(ה) **ולבני קהת הנותרים.** הם בני משה, ובני יצהר, וחברון ועוזיאל: **ממשפחת מטה אפרים.** מנחלת שבט בני אפרים נפלו להם אלה הערים, שבכל שבט ושבט נטלו כמה שנאמר מֵאֵת הָרַב תַּרְבּוּ וּמֵאֵת הַמְעַט תַּמְעִיטוּ אִישׁ כְּפִי נַחֲלָתוֹ אֲשֶׁר יִנְחָלוּ יִתֵּן מֵעָרָיו לַלְוִיִּם (במדבר לה, ח): (ט) **אשר יקרא אתהן בשם.** לפי שלא הזכיר למעלה את שמות הערים שנתנו להם, ולמטה הוא מפרש את שמותם, לכך אמר אֲשֶׁר יִקְרָא אֶתְהֶן בְּשֵׁם: (יח) **ואת עלמון.** ובדברי הימים (ד״א ו, מה) וְאֶת עָלֶמֶת, הוא בַּחֻרִים (שמואל־ב ג, טז), שיונתן מתרגם אותה עַלְמוּת:

רד״ק

(ז) **לבני מררי.** בזה הפסוק אומר כי שתים עשרה ערים היו לבני מררי ממטה ראובן וממטה גד וממטה זבולון, ולמטה בספור הערים לא כתב אלא שמנה ערים, ממטה זבולון ארבע (פסוק לה) וממטה גד ארבע (פסוק לז) וממטה ראובן לא כתב, ויש ספרים מוגה בהם וּמִמַּטֵּה רְאוּבֵן אֶת בֶּצֶר וְאֶת מִגְרָשֶׁיהָ אֶת יַהְצָה וְאֶת מִגְרָשֶׁיהָ אֶת קְדֵמוֹת וְאֶת מִגְרָשֶׁיהָ וְאֶת מֵפַעַת וְאֶת מִגְרָשֶׁיהָ עָרִים אַרְבַּע, ולא ראיתי שני פסוקים אלו בשום ספר ישן מדוייק אלא מוגה במקצתם, וראיתי כי נשאל רבינו האיי ז״ל בזאת השאלה והשיב אף על פי דהכא לא חשיב להו בדברי הימים (ד״א ו, סג־סד) חשיב להו, נראה מתשובתו כי אינן כתובים בספריהם: (ט) **אשר יקרא אתהן.** מתחלה ספר מנין הערים ואחר כך ספר שמם ומניינם כמו שהיו קוראים אותו באותו הזמן, ופירוש אֲשֶׁר יִקְרָא אשר יקרא הקורא, כמו וַיַּגֵּד לְיַעֲקֹב (בראשית מח, ב) והדומים לו: (י) **כי להם היה הגורל ראישונה.** נכתב באל״ף וביו״ד האל״ף שרש והיו״ד למשך וכן הֲרִאישׁוֹן אָדָם תִּוָּלֵד (איוב טו, ז) באל״ף וביו״ד: (יא) **אבי הענוק.** שם כלל לענקים, ופירוש אבי גדול הענקים כמו שאמר עליו הָאָדָם הַגָּדוֹל בָּעֲנָקִים

מצודת דוד

(ד) **מן הלוים.** שהיו מן הלוים, מבני לוי: **ממטה יהודה.** הגורל בא להם ממטה יהודה וכו׳: (ה) **הנותרים.** כי בני אהרן שהיו מבני קהת לקחו ממטה יהודה וכו׳, והנותרים מבני קהת שהם בני משה ובני יצהר וחברון ועזיאל לקחו ממטה אפרים וכו׳: (ו) **בבשן.** רצה לומר, החצי שלקחו נחלתם בעבר הירדן המזרחי בארץ הבשן: (ז) **למשפחתם.** הנחלק לשבת בהן משפחה משפחה לבד, ופירש באחד, וכמו כן בכולן: (ח) **בגורל.** מי מהשבטים יתן למי מן הלוים: (ט) **אשר יקרא.** רצה לומר, אשר למטה בענין, יפרש השמות: (י) **ממשפחות.** אשר היו ממשפחות הקהתי: **כי להם וכו׳ ראשונה.** רצה לומר, לפי שבא להם הגורל ראשונה, לזה לקחו ראשונה, ולא בעבור מעלת הכהונה: (יב) **באחזתו.** בחלק נחלתו: (יג) **ולבני וכו׳ נתנו.** את כל מספר הערים האלה:

[who were] of the Levites, [there were] from the tribe of Judah, from the tribe of the Simeonite, and from the tribe of Benjamin, by lottery, thirteen cities.

5 For the remaining sons of Kohath: from the families of the tribe of Ephraim, from the tribe of Dan, and from half the tribe of Manasseh, by lottery, ten cities.

6 To the sons of Gershon: from the families of the tribe of Issachar, from the tribe of Asher, from the tribe of Naphtali, and from half the tribe of Manasseh in the Bashan, by lottery, thirteen cities.

7 For the sons of Merari according to their families: from the tribe of Reuben, from the tribe of Gad, and from the tribe of Zebulun, twelve cities.

8 The Children of Israel gave these cities and their open spaces to the Levites, as HASHEM had commanded through Moses, by lottery.

The cities of the Kohanim — from Judah, Simeon, and Benjamin

9 They gave — from the tribe of the children of Judah and from the tribe of the children
of Simeon — these cities which will be mentioned by name, 10 and they belonged to the
sons of Aaron from the Kohathite family of the children of Levi, for theirs was the first
lottery. 11 They gave them Kiriath-arba, father of the giants, which is Hebron in Mount
Judah, and its open spaces around it; 12 but the fields of the city and its villages they gave
to Caleb son of Jephunneh as his possession.

13 To the sons of Aaron the Kohen they gave the city of refuge for killers, Hebron and its
open spaces, Libnah and its open spaces, 14 Jattir and its open spaces, Eshtemoa and its
open spaces, 15 Holon and its open spaces, Debir and its open spaces, 16 Ain and its open
spaces, Juttah and its open spaces, and Beth-shemesh and its open spaces — nine cities
from these two tribes.

17 From the tribe of Benjamin: Gibeon and its open spaces, Geba and its open
spaces, 18 Anathoth and its open spaces, and Almon and its open spaces — four cities.
19 All the cities of the sons of Aaron, the Kohanim, were thirteen cities and their open
spaces.

The cities of Kohath — from Ephraim, Dan, and half of Manasseh

20 As for the families of the sons of Kohath, the Levites — those that were left from the
sons of Kohath — the cities of their lottery were from the tribe of Ephraim. 21 They gave
them the city of refuge for killers, Shechem and its open spaces in Mount Ephraim, Gezer
and its open spaces, 22 Kivzaim and its open spaces, and Beth-horon and its open spaces
— four cities.

23 From the tribe of Dan — Elteke and its open spaces, Gibbethon and its open spaces,

רד"ק

(לעיל יד, טו), ואֲבִי שם גדולה כמו אֲבִי קִרְיַת יְעָרִים (דברי הימים־א ב, נב), אֲבִי דָּבָר גָּדוֹל הַנָּבִיא דִּבֶּר אֵלֶיךָ (מלכים־ב ה, יג), והדומים להם: **(יח) ואת** **עלמון.** הוא עָלֶמֶת הנזכר בספר דברי הימים (־א ו, מה) והוא בַּחֻרִים הנזכר בספר שמואל (־ב ג, טז) והכל לשון אחד:

5. **וְלִבְנֵי קְהָת הַנּוֹתָרִים** — *For the remaining sons of Kohath.* Kohath had four sons: Amram (father of Aaron and Moses), Izhar, Hebron, and Uziel. Thus, after the Kohanim received their cities, their cousins, the Levites, were given theirs (*Rashi*).

6. Verses 34-36 list the cities given by Zebulun and Gad, but the cities of Reuben are not given in this chapter, which is an exception to the rule. They are, however, listed in *I Chronicles* 6:63-64. Although some versions of the Book of *Joshua* included those verses from *Chronicles,* Rav Hai Gaon ruled that the extrapolation was done in error (*Radak*).

9. Up to now, the chapter related how many cities were given by the tribal groups. Now it begins to enumerate the cities by name.

כד-כה אֶת־אַיָּלוֹן֙ וְאֶת־מִגְרָשֶׁ֔הָ אֶת־גַּת־רִמּ֖וֹן וְאֶת־מִגְרָשֶׁ֑הָ עָרִ֖ים אַרְבַּֽע׃ וּמִֽמַּחֲצִית֙
מַטֵּ֣ה מְנַשֶּׁ֔ה אֶת־תַּעְנַךְ֙ וְאֶת־מִגְרָשֶׁ֔הָ וְאֶת־גַּת־רִמּ֖וֹן וְאֶת־מִגְרָשֶׁ֑הָ עָרִ֖ים שְׁתָּֽיִם׃
כו-כז כָּל־עָרִ֥ים עֶ֖שֶׂר וּמִגְרְשֵׁיהֶ֑ן לְמִשְׁפְּח֥וֹת בְּנֵי־קְהָ֖ת הַנּוֹתָרִֽים׃ וְלִבְנֵ֣י גֵרְשׁוֹן֮
מִמִּשְׁפְּחֹ֣ת הַלְוִיִּם֒ מֵחֲצִ֞י מַטֵּ֣ה מְנַשֶּׁ֗ה אֶת־עִיר֙ מִקְלַ֣ט הָרֹצֵ֔חַ אֶת־°גלון [°גּוֹלָ֤ן ק]
כח בַּבָּשָׁן֙ וְאֶת־מִגְרָשֶׁ֔הָ וְאֶֽת־בְּעֶשְׁתְּרָ֖ה וְאֶת־מִגְרָשֶׁ֑הָ עָרִ֖ים שְׁתָּֽיִם׃ וּמִמַּטֵּ֖ה
כט יִשָּׂשכָ֑ר אֶת־קִשְׁי֖וֹן וְאֶת־מִגְרָשֶׁ֔הָ אֶת־דָּֽבְרַ֖ת וְאֶת־מִגְרָשֶֽׁהָ׃ אֶת־יַרְמוּת֙ וְאֶת־
ל מִגְרָשֶׁ֔הָ אֶת־עֵ֥ין גַּנִּ֖ים וְאֶת־מִגְרָשֶׁ֑הָ עָרִ֖ים אַרְבַּֽע׃ וּמִמַּטֵּ֣ה אָשֵׁ֔ר אֶת
לא מִשְׁאָ֖ל וְאֶת־מִגְרָשֶׁ֑הָ אֶת־עַבְדּ֖וֹן וְאֶת־מִגְרָשֶֽׁהָ׃ אֶת־חֶלְקָת֙ וְאֶת־מִגְרָשֶׁ֔הָ וְאֶת־
לב רְחֹ֖ב וְאֶת־מִגְרָשֶׁ֑הָ עָרִ֖ים אַרְבַּֽע׃ וּמִמַּטֵּ֣ה נַפְתָּלִ֗י אֶת־עִ֣יר ׀ מִקְלַ֣ט הָרֹצֵ֔חַ
אֶת־קֶ֤דֶשׁ בַּגָּלִיל֙ וְאֶת־מִגְרָשֶׁ֔הָ וְאֶת־חַמֹּ֥ת דֹּאר֙ וְאֶת־מִגְרָשֶׁ֔הָ וְאֶת־קַרְתָּ֖ן
לג וְאֶת־מִגְרָשֶׁ֑הָ עָרִ֖ים שָׁלֹֽשׁ׃ כָּל־עָרֵ֥י הַגֵּרְשֻׁנִּ֖י לְמִשְׁפְּחֹתָ֑ם שְׁלֹשׁ־עֶשְׂרֵ֥ה עִ֖יר
לד וּמִגְרְשֵׁיהֶֽן׃ וּלְמִשְׁפְּח֣וֹת בְּנֵֽי־מְרָרִי֮ הַלְוִיִּ֣ם הַנּוֹתָרִים֒ מֵאֵת֩ מַטֵּ֨ה זְבוּלֻ֜ן אֶת־
לה יָקְנְעָ֖ם וְאֶת־מִגְרָשֶׁ֑הָ אֶת־קַרְתָּ֖ה וְאֶת־מִגְרָשֶֽׁהָ׃ אֶת־דִּמְנָה֙ וְאֶת־מִגְרָשֶׁ֔הָ אֶת־נַהֲלָ֖ל
לו וְאֶת־מִגְרָשֶׁ֑הָ עָרִ֖ים אַרְבַּֽע׃ וּמִמַּטֵּה־גָ֗ד אֶת־עִיר֙ מִקְלַ֣ט הָרֹצֵ֔חַ אֶת־רָמֹ֥ת
לז בַּגִּלְעָ֖ד וְאֶת־מִגְרָשֶׁ֑הָ וְאֶת־מַחֲנַ֖יִם וְאֶת־מִגְרָשֶֽׁהָ׃ אֶת־חֶשְׁבּוֹן֙ וְאֶת־מִגְרָשֶׁ֔הָ אֶת־
לח יַעְזֵ֖ר וְאֶת־מִגְרָשֶׁ֑הָ כָּל־עָרִ֖ים אַרְבַּֽע׃ כָּל־הֶ֣עָרִ֔ים לִבְנֵ֤י מְרָרִי֙ לְמִשְׁפְּחֹתָ֔ם
לט הַנּוֹתָרִ֖ים מִמִּשְׁפְּח֣וֹת הַלְוִיִּ֑ם וַיְהִי֙ גּֽוֹרָלָ֔ם עָרִ֖ים שְׁתֵּ֥ים עֶשְׂרֵֽה׃ כֹּ֗ל עָרֵי֙ הַלְוִיִּ֔ם בְּת֖וֹךְ
מ אֲחֻזַּ֣ת בְּנֵֽי־יִשְׂרָאֵ֑ל עָרִ֛ים אַרְבָּעִ֥ים וּשְׁמֹנֶ֖ה וּמִגְרְשֵׁיהֶֽן׃ תִּֽהְיֶ֙ינָה֙ הֶעָרִ֣ים הָאֵ֔לֶּה עִ֥יר
מא עִ֖יר וּמִגְרָשֶׁ֑יהָ סְבִיבֹתֶ֑יהָ כֵּ֖ן לְכָל־הֶעָרִ֥ים הָאֵֽלֶּה׃ וַיִּתֵּ֤ן יהוה לְיִשְׂרָאֵ֔ל אֶת־
מב כָּל־הָאָ֔רֶץ אֲשֶׁ֥ר נִשְׁבַּ֖ע לָתֵ֣ת לַאֲבוֹתָ֑ם וַיִּרָשׁ֖וּהָ וַיֵּ֥שְׁבוּ בָֽהּ׃ וַיָּ֨נַח יהוה לָהֶם֙ מִסָּבִ֔יב
כְּכֹ֥ל אֲשֶׁר־נִשְׁבַּ֖ע לַאֲבוֹתָ֑ם וְלֹא־עָ֨מַד אִ֤ישׁ בִּפְנֵיהֶם֙ מִכָּל־אֹ֣יְבֵיהֶ֔ם אֵ֚ת כָּל־
מג אֹ֣יְבֵיהֶ֔ם נָתַ֥ן יהוה בְּיָדָֽם׃ לֹֽא־נָפַ֣ל דָּבָ֗ר מִכֹּל֙ הַדָּבָ֣ר הַטּ֔וֹב אֲשֶׁר־דִּבֶּ֥ר יהוה
כב א אֶל־בֵּ֣ית יִשְׂרָאֵ֑ל הַכֹּ֖ל בָּֽא׃ אָ֚ז יִקְרָ֣א יְהוֹשֻׁ֔עַ לָרֽאוּבֵנִ֖י וְלַגָּדִ֑י וְלַחֲצִ֖י מַטֵּ֥ה
ב מְנַשֶּֽׁה׃ וַיֹּ֣אמֶר אֲלֵיהֶ֔ם אַתֶּ֣ם שְׁמַרְתֶּ֔ם אֵ֚ת כָּל־אֲשֶׁ֣ר צִוָּ֣ה אֶתְכֶ֔ם מֹשֶׁ֖ה עֶ֣בֶד יהוה

רש"י

(מ) ומגרשיה סביבתיה. אלפים אמה לכל רוח:

רד"ק

(כד) את גת רמון. וכן נזכר במחצית שבט מנשה (פסוק כה), דן ומחצית מטה מנשה כל אחד מהם היה לו עיר ששמה גת רמון:

מצודת דוד

(מ) תהיינה. להלוים: **עיר עיר.** לכל עיר ועיר מגרשיה סביבותיה: **(מב) וינח ה'.** נתן להם מנוחה מסביב ולא נתגרו בהם העובדי גילולים: **ולא עמד.** לא נתקיים: **(מג) לא נפל דבר.** לא נחסר שום דבר: **(ב) אשר צוה.** שתעברו חלוצים לפני בני ישראל למלחמה:

35-36. Some editions contain the following two verses after verse 35: וּמִמַּטֵּה רְאוּבֵן אֶת־בֶּצֶר וְאֶת־מִגְרָשֶׁהָ וְאֶת־יַהְצָה וְאֶת־מִגְרָשֶׁהָ׃ אֶת־קְדֵמוֹת וְאֶת־מִגְרָשֶׁהָ וְאֶת־מֵיפַעַת וְאֶת־מִגְרָשֶׁהָ עָרִים אַרְבַּע׃ — *From the tribe of Reuben: Bezer and its open spaces, Jahaz and its open spaces, Kedemoth and its open spaces, Mephaath and its open spaces — four cities.* However, most Masoretic authorities maintain that although the information contained in these verses is recorded in *I Chronicles* 6:63-64, it is nevertheless not part of the original Masoretic text of Joshua (*Radak; Minchas Shai*).

41-43. The promises are kept. The conquest and division of the Land is complete; God had fulfilled all of His promises to the tribes, the Kohanim, and the Levites. Although significant sections of the Land were still in enemy hands, this was due to the failure of Joshua and the nation to pursue the conquest, as

24 *Aijalon and its open spaces, and Gath-rimmon and its open spaces — four cities.*
25 *From half the tribe of Manasseh: Taanach and its open spaces and Gath-rimmon and
its open spaces — two cities.* 26 *In all there were ten cities and their open spaces for the
remaining families of the sons of Kohath.*

The cities of Gershon — from half of Manasseh, Issachar, Asher, and Naphtali

27 *For the sons of Gershon of the families of the Levites: from half the tribe of Manasseh,
the city of refuge for the killer, Golan in the Bashan and its open spaces, and Beeshterah
and its open spaces — two cities.*
28 *From the tribe of Issachar: Kishion and its open spaces, Dobrath and its open spaces,*
29 *Jarmuth and its open spaces, and En-gannim and its open spaces — four cities.*
30 *From the tribe of Asher: Mishal and its open spaces, Abdon and its open spaces,*
31 *Helkath and its open spaces, and Rehob and its open spaces — four cities.*
32 *From the tribe of Naphtali: the city of refuge for the killers, Kedesh in the Galilee and
its open spaces, Hammoth-dor and its open spaces, and Kartan and its open spaces —
three cities.* 33 *All the Gershonite cities according to their families were thirteen cities and
their open spaces.*

The cities of Merari — from Zebulun, Reuben, and Gad

34 *For the families of the sons of Merari, the remaining Levites: from the tribe of Zebulun,
Jokneam and its open spaces, Kartah and its open spaces,* 35 *Dimnah and its open spaces,
and Nahalal and its open spaces — four cities.*
36 *From the tribe of Gad: the city of refuge for the killers, Ramoth, in the Gilead, and its
open spaces, Mahanaim and its open spaces,* 37 *Heshbon and its open spaces, and Jazer
and its open spaces — all the cities four.*
38 *All the cities for the sons of Merari according to their families, the remaining families
of the Levites — their lot was twelve cities.*
39 *All the cities of the Levites within the possession of the Children of Israel were
forty-eight, and their open spaces.* 40 *Every single city of these cities shall be [given] with
its open spaces all around it; so shall it be for all these cities.*

DIVISION OF TERRITORIES CONCLUDED 21:41-22:34

God's promises fulfilled

41 *Thus* HASHEM *gave to Israel the entire land that He swore to their forefathers to give;
they inherited it and dwelled in it.* 42 HASHEM *granted them rest from all around, according
to all that He had sworn to their forefathers; no man from among all their enemies stood
before them;* HASHEM *delivered all their enemies into their hands.* 43 *Nothing of all the good
things of which* HASHEM *had spoken to the House of Israel was lacking; everything came
to pass.*

22

Farewell to the two-and-a-half tribes

1 *Then Joshua summoned the Reubenite, and the Gadite and half of the tribe of Manas-
seh.* 2 *He said to them, "You have observed all that Moses, the servant of* HASHEM, *has*

---

they had been commanded. Indeed, whenever they *did* fight, God *delivered all their enemies into their hands* (*Ralbag; Abarbanel*).

22.

1-8. Farewell to the tribes of the East. At the outset of his mission, Joshua had reminded the tribes of Reuben, Gad, and half of Manasseh of their pledge to fight with their brethren to conquer *Eretz Yisrael*, and they had promised to go even beyond their commitment (1:12-18). Now that the war and division of the Land were over, Joshua summoned these tribes and praised their unselfish allegiance to their brethren and their promise. He gave them permission to return to their families and urged them to remain faithful to God and the Torah. It was especially important to exhort them to hew to the Torah because they would be relatively isolated from the other tribes and it would be easy for them to consider themselves a separate segment of the nation and eventually drift from the Torah.

1. אָז — *Then,* i.e., once the battles and allocations were over.

2. Joshua began by saying that the two-and-a-half tribes had obeyed Moses' command that they cross the Jordan to fight with their brethren and they had obeyed his orders in the actual fray.

ג וְתִּשְׁמְעוּ בְקוֹלִי לְכֹל אֲשֶׁר־צִוִּיתִי אֶתְכֶם: לֹא־עֲזַבְתֶּם אֶת־אֲחֵיכֶם זֶה יָמִים רַבִּים
ד עַד הַיּוֹם הַזֶּה וּשְׁמַרְתֶּם אֶת־מִשְׁמֶרֶת מִצְוַת יהוה אֱלֹהֵיכֶם: וְעַתָּה הֵנִיחַ יהוה
אֱלֹהֵיכֶם לַאֲחֵיכֶם כַּאֲשֶׁר דִּבֶּר לָהֶם וְעַתָּה פְּנוּ וּלְכוּ לָכֶם לְאָהֳלֵיכֶם אֶל־אֶרֶץ
ה אֲחֻזַּתְכֶם אֲשֶׁר ׀ נָתַן לָכֶם מֹשֶׁה עֶבֶד יהוה בְּעֵבֶר הַיַּרְדֵּן: רַק ׀ שִׁמְרוּ מְאֹד לַעֲשׂוֹת
אֶת־הַמִּצְוָה וְאֶת־הַתּוֹרָה אֲשֶׁר צִוָּה אֶתְכֶם מֹשֶׁה עֶבֶד־יהוה לְאַהֲבָה אֶת־יהוה
אֱלֹהֵיכֶם וְלָלֶכֶת בְּכָל־דְּרָכָיו וְלִשְׁמֹר מִצְוֹתָיו וּלְדָבְקָה־בוֹ וּלְעָבְדוֹ בְּכָל־לְבַבְכֶם
ו־ז וּבְכָל־נַפְשְׁכֶם: וַיְבָרְכֵם יְהוֹשֻׁעַ וַיְשַׁלְּחֵם וַיֵּלְכוּ אֶל־אָהֳלֵיהֶם: וְלַחֲצִי ׀
שֵׁבֶט הַמְנַשֶּׁה נָתַן מֹשֶׁה בַּבָּשָׁן וּלְחֶצְיוֹ נָתַן יְהוֹשֻׁעַ עִם־אֲחֵיהֶם °מעבר [°בְּעֵבֶר ק]
ח הַיַּרְדֵּן יָמָּה וְגַם כִּי שִׁלְּחָם יְהוֹשֻׁעַ אֶל־אָהֳלֵיהֶם וַיְבָרְכֵם: וַיֹּאמֶר אֲלֵיהֶם לֵאמֹר
בִּנְכָסִים רַבִּים שׁוּבוּ אֶל־אָהֳלֵיכֶם וּבְמִקְנֶה רַב־מְאֹד בְּכֶסֶף וּבְזָהָב וּבִנְחֹשֶׁת
ט וּבְבַרְזֶל וּבִשְׂלָמוֹת הַרְבֵּה מְאֹד חִלְקוּ שְׁלַל־אֹיְבֵיכֶם עִם־אֲחֵיכֶם: וַיָּשֻׁבוּ
וַיֵּלְכוּ בְּנֵי־רְאוּבֵן וּבְנֵי־גָד וַחֲצִי ׀ שֵׁבֶט הַמְנַשֶּׁה מֵאֵת בְּנֵי יִשְׂרָאֵל מִשִּׁלֹה אֲשֶׁר־
בְּאֶרֶץ־כְּנָעַן לָלֶכֶת אֶל־אֶרֶץ הַגִּלְעָד אֶל־אֶרֶץ אֲחֻזָּתָם אֲשֶׁר נֹאחֲזוּ־בָהּ עַל־פִּי
י יהוה בְּיַד־מֹשֶׁה: וַיָּבֹאוּ אֶל־גְּלִילוֹת הַיַּרְדֵּן אֲשֶׁר בְּאֶרֶץ כְּנָעַן וַיִּבְנוּ בְנֵי־רְאוּבֵן
יא וּבְנֵי־גָד וַחֲצִי שֵׁבֶט הַמְנַשֶּׁה שָׁם מִזְבֵּחַ עַל־הַיַּרְדֵּן מִזְבֵּחַ גָּדוֹל לְמַרְאֶה: וַיִּשְׁמְעוּ
בְנֵי־יִשְׂרָאֵל לֵאמֹר הִנֵּה־בָנוּ בְנֵי־רְאוּבֵן וּבְנֵי־גָד וַחֲצִי שֵׁבֶט הַמְנַשֶּׁה אֶת־הַמִּזְבֵּחַ

רש"י

(ז) **וגם כי שלחם יהושע.** לחצי שבט המנשה, כאשר שלח את בני ראובן וגד: (ח) **עם אחיכם.** בני ראובן ובני גד. ויש פותרין עִם אֲחֵיכֶם, שנשארו לשמור את הערים עם הנשים והטף, ולא עברו את הירדן עם החלוצים, גם הם נטלו חלק בבזה:

רד"ק

(ז) **ולחצי שבט המנשה.** ואף על פי שזכרו כשקרא להם יהושע (לעיל פסוק א), חזר לתת טעם איך היה חצי שבט עם בני גד ובני ראובן: **וגם כי שלחם.** יש אומרים לחצי שבט מנשה ואף על פי שהיו בכלל וַיְשַׁלְּחֵם (פסוק ו). והנכון כי על כולם אמר אף על פי שאמר וַיְבָרְכֵם יְהוֹשֻׁעַ וַיְשַׁלְּחֵם, חזר אחר כן וְגַם כִּי שִׁלְּחָם . . . וַיְבָרְכֵם להשלים הדבר שאמר להם כאשר שלחם שאמר להם בִּנְכָסִים רַבִּים שׁוּבוּ (פסוק ח׳), ובדרש (בראשית רבה לה, ג) לאחר שנטלו רשות נשתהו שני ימים וחזרו ונטלו רשות פעם שנייה וזהו שאמר וְגַם כִּי שִׁלְּחָם יְהוֹשֻׁעַ וגו׳: (ח) **חלקו שלל איביכם עם אחיכם.** אם אמר לחצי שבט מנשה יהיה פירוש עם אחיכם בני גד ובני ראובן, ואם אמר לכולם יהיה פירוש עם השבטים אשר בארץ כנען, כמו שאמר בִּנְכָסִים רַבִּים שׁוּבוּ שתחלקו עם אחיכם השבטים הבזה, ומי שמפרש עם אחיכם האנשים אשר הניחו בארץ הגלעד לשמור הערים אין לו טעם, כי נשיהם וטפם הוא שהניחו:

מצודת דוד

(ד) **הניח.** נתן להם מקום מנוחה: **פנו ולכו.** פנו מכאן, ולכו וכו׳: (ה) **רק שמרו מאד.** אף אם תרחיקו ממשכן ה׳: (ז) **ולחצי שבט המנשה.** בזה יתן טעם למה היה רק חצי שבט המנשה עם בני ראובן ובני גד: **וגם כי שלחם.** רצה לומר, וגם זאת דבר להם כאשר שלחם והוא הדבר הנאמר במקרא שלאחריו: (ח) **אליהם.** לבני ראובן, ולבני גד ולחצי שבט מנשה: **עם אחיכם.** הם אשר נשארו בעבר הירדן לשמור הנשים והטף והרכוש: (י) **אשר בארץ כנען.** רצה לומר, בשפת עבר הירדן המערבי שהיא מארץ כנען: **למראה.** רצה לומר, להיות למראה עיניים, לא לעולה וזבח:

מצודת ציון

(ד) **הניח.** מלשון מנוחה: (ח) **בנכסים.** זה הלשון ידוע בדברי רבותינו זכרונם לברכה כלול בה זהב וכסף וכלים ומקנה וכו׳, וכן עֹשֶׁר וּנְכָסִים (קהלת ה, יח): **ובשלמות.** ובבגדים, ויתהפך משמלה שלמה, כמו מכבש כשב: (י) **על.** אצל:

3. **לֹא־עֲזַבְתֶּם אֶת־אֲחֵיכֶם זֶה יָמִים רַבִּים** — *You have not forsaken your brethren these many days.* Moses had asked these tribes to remain in *Eretz Yisrael* only for the duration of the battles (*Numbers* 32:21), which meant that they would be free to rejoin their families after the seven years of conquest. Voluntarily, however, the tribes did much more. They stayed for an additional seven years, until the Land was allocated and settled, because they felt that it would be unfair for them to enjoy their own inheritance while most of their brethren were still awaiting their assigned plots in the Land. Not only that, they did not take the initiative to return home until Joshua summoned them and gave them leave to go (*Alshich*).

There were 40,000 warriors from these tribes, much less than half of the men of military age (see comm. to 1:14). It may be assumed that the same 40,000 men did not stay away from their families and property for a full fourteen years. Presumably, they rotated with the rest of their tribes on a regular basis.

5. To "walk in God's ways" is to imitate His constant acts of goodness and mercy (*Sotah* 14a) and to "cling to Him" means to submit to His will and always to act for His sake (*Sforno*). Moses had exhorted the people in almost identical terms (*Deuteronomy* 10:12, 11:22).

Given the fact that these tribes would be separated from the

commanded you, and you have obeyed my voice, in all that I have commanded you.
3 You have not forsaken your brethren these many days — until this day; you have kept
the charge of the commandment of HASHEM, your God. 4 And now HASHEM, your God, has
granted rest to your brethren as He had told them; so now turn and go to your tents, to the
land of your possession, which Moses, the servant of HASHEM, gave you across the
Jordan. 5 Only be very careful to fulfill the commandment and the Torah that Moses, the
servant of HASHEM, commanded you: to love HASHEM, your God, and to walk in all His
ways and to observe His commandments and to cling to Him and to serve Him with all
your heart and with all your soul." 6 Then Joshua blessed them and sent them forth, and
they went to their tents.
7 To half the tribe of Manasseh, Moses had given [territory] in the Bashan, and to half of
it, Joshua had given [territory] among their brothers on the western side of the Jordan.
When Joshua sent them away to their dwellings he blessed them, as well. 8 And he said
to them saying, "With much wealth return to your tents, and with very much cattle, with
silver, gold, copper, and iron, and garments, very much. Divide the spoils of your enemies
with your brothers."
9 They returned and went — the children of Reuben, the children of Gad, and half the
tribe of Manasseh — from the Children of Israel, from Shiloh that is in the land of Canaan,
to go to the land of Gilead, to the land of their possession, of which they took possession

The suspected rebellion

in accordance with the word of HASHEM through the hand of Moses. 10 They came to the
regions of the Jordan that are in the land of Canaan. The children of Reuben, the children
of Gad, and half the tribe of Manasseh built an altar there, near the Jordan — a large
altar as a showpiece. 11 The Children of Israel heard, saying, "Behold, the children
of Reuben, the children of Gad, and half the tribe of Manasseh have built the altar

bulk of the nation and from the spiritual atmosphere of *Eretz Yisrael* proper, this charge can be seen as the formula to be followed by any Jew who is separated from the Holy Land and the positive influences of his brethren. Since the eastern tribes would distant from the Tabernacle, the Sanhedrin, and most of the great centers of Torah, it was of crucial importance that they extend themselves in Torah study, observance of the commandments, and wholehearted devotion to God's ways.

7-8. Joshua gave a special blessing to the eastern half of Manasseh, because they would be parted from the rest of their tribe, which meant that extended families would be split. The Torah states that only the tribes of Gad and Reuben had huge flocks (*Numbers* 32:1), but not the tribe of Manasseh, therefore Joshua blessed Manasseh with prosperity. He concluded his charge by telling all the easterners that they should share their loot with their kinsmen who had remained behind to guard the women and children and the tribal property from marauders (*Malbim*).

9-12. The misinterpreted symbol. The eastern tribes had the noblest intention, but they did something that was misinterpreted as carrying the seeds of a potentially disastrous rebellion.

9. מֵאֵת בְּנֵי יִשְׂרָאֵל מִשִּׁלֹה — *From the Children of Israel, from Shiloh.* Joshua met with the easterners at his home, but instead of going directly to their homes across the Jordan, the eastern tribes went first to Shiloh, to bid farewell to their brethren and to pray and bring offerings. This indicated that their motive for their subsequent deed was pure (*Malbim*).

10. The eastern tribes built *a large altar* — which, because of its size, was obviously not intended to be used for offerings. Furthermore, since they built it on the *west* bank of the Jordan, it could not have been meant for use by the tribes living east of the river. Nevertheless, this was an unprecedented construction, and it was misinterpreted.

לְמַרְאָה — *As a showpiece.* The so-called altar was not meant for offerings, but to be seen. Exactly what this meant was explained later by the eastern tribes (vv. 21-29), but at this point the western tribes thought that it was truly an altar and they reacted with fear and anger.

11-12. What the tribes feared. To the tribes in *Eretz Yisrael* proper, the showpiece-altar represented such a significant danger that it was sufficient cause for war. As noted above, once the Tabernacle was established at Shiloh, it became forbidden to use altars for offerings anywhere else. Though it was a sin, it was not a capital offense; if so, why were the tribes ready for a civil war?

It was a crucial period. The tribes were settling in their own provinces and the Tabernacle would be the spiritual unifier of the nation. If, indeed, the eastern tribes were establishing their own separate altar, they would be undercutting the unity of the nation, and the new altar could be but the opening wedge in a split that — given the powerful pull of idolatry and the influ-

יב אֶל־מוּל אֶרֶץ כְּנַעַן אֶל־גְּלִילוֹת הַיַּרְדֵּן אֶל־עֵבֶר בְּנֵי יִשְׂרָאֵל׃ וַיִּשְׁמְעוּ בְּנֵי יִשְׂרָאֵל
יג וַיִּקָּהֲלוּ כָּל־עֲדַת בְּנֵי־יִשְׂרָאֵל שִׁלֹה לַעֲלוֹת עֲלֵיהֶם לַצָּבָא׃ וַיִּשְׁלְחוּ
בְנֵי־יִשְׂרָאֵל אֶל־בְּנֵי־רְאוּבֵן וְאֶל־בְּנֵי־גָד וְאֶל־חֲצִי שֵׁבֶט־מְנַשֶּׁה אֶל־אֶרֶץ
יד הַגִּלְעָד אֶת־פִּינְחָס בֶּן־אֶלְעָזָר הַכֹּהֵן׃ וַעֲשָׂרָה נְשִׂאִים עִמּוֹ נָשִׂיא אֶחָד נָשִׂיא אֶחָד
לְבֵית אָב לְכֹל מַטּוֹת יִשְׂרָאֵל וְאִישׁ רֹאשׁ בֵּית־אֲבוֹתָם הֵמָּה לְאַלְפֵי יִשְׂרָאֵל׃
טו וַיָּבֹאוּ אֶל־בְּנֵי־רְאוּבֵן וְאֶל־בְּנֵי־גָד וְאֶל־חֲצִי שֵׁבֶט־מְנַשֶּׁה אֶל־אֶרֶץ הַגִּלְעָד
טז וַיְדַבְּרוּ אִתָּם לֵאמֹר׃ כֹּה אָמְרוּ כֹּל ׀ עֲדַת יְהוָה מָה־הַמַּעַל הַזֶּה אֲשֶׁר מְעַלְתֶּם
בֵּאלֹהֵי יִשְׂרָאֵל לָשׁוּב הַיּוֹם מֵאַחֲרֵי יְהוָה בִּבְנוֹתְכֶם לָכֶם מִזְבֵּחַ לִמְרָדְכֶם הַיּוֹם
יז בַּיהוָה׃ הַמְעַט־לָנוּ אֶת־עֲוֺן פְּעוֹר אֲשֶׁר לֹא־הִטַּהַרְנוּ מִמֶּנּוּ עַד הַיּוֹם הַזֶּה וַיְהִי
יח הַנֶּגֶף בַּעֲדַת יְהוָה׃ וְאַתֶּם תָּשֻׁבוּ הַיּוֹם מֵאַחֲרֵי יְהוָה וְהָיָה אַתֶּם תִּמְרְדוּ הַיּוֹם בַּיהוָה
יט וּמָחָר אֶל־כָּל־עֲדַת יִשְׂרָאֵל יִקְצֹף׃ וְאַךְ אִם־טְמֵאָה אֶרֶץ אֲחֻזַּתְכֶם עִבְרוּ לָכֶם
אֶל־אֶרֶץ אֲחֻזַּת יְהוָה אֲשֶׁר שָׁכַן־שָׁם מִשְׁכַּן יְהוָה וְהֵאָחֲזוּ בְּתוֹכֵנוּ וּבַיהוָה
אַל־תִּמְרֹדוּ וְאֹתָנוּ אַל־תִּמְרֹדוּ בִּבְנֹתְכֶם לָכֶם מִזְבֵּחַ מִבַּלְעֲדֵי מִזְבַּח יְהוָה אֱלֹהֵינוּ׃
כ הֲלוֹא ׀ עָכָן בֶּן־זֶרַח מָעַל מַעַל בַּחֵרֶם וְעַל־כָּל־עֲדַת יִשְׂרָאֵל הָיָה קָצֶף וְהוּא אִישׁ
כא אֶחָד לֹא גָוַע בַּעֲוֺנוֹ׃ וַיַּעֲנוּ בְּנֵי־רְאוּבֵן וּבְנֵי־גָד וַחֲצִי שֵׁבֶט הַמְנַשֶּׁה

רש״י

(יב) לעלות עליהם לצבא. לפי שנאסרו הבמות משנקבע המשכן בשילה: **(יט) אם טמאה ארץ אחזתכם.** שלא בחר הקדוש ברוך הוא להשרות בה שכינתו: **ואותנו אל תמרדו.** כמו ובנו אל תמרדו:

רד״ק

(יב) לעלות עליהם לצבא. כמו בצבא, כמו וַיֵּשְׁבוּ אִתּוֹ לָאָרֶץ (איוב ב, יג) לִפְנֵיכֶם לֶחָרֶב (ויקרא כו, ז) הָרַגְתִּי לְפִצְעִי (בראשית ד, כג) ולפי שחשבו כי להעלות עליו עולה וזבח עשו אותו ולהיות להם מזבח לבדם מבלי שיבואו למזבח ה׳ לשילה, או באשר יהיה שם, ומשבאו לשילה נאסרו הבמות שכך שנינו (זבחים קיב, ב) עד שלא הוקם המשכן היו הבמות מותרות משהוקם המשכן נאסרו הבמות, באו לגלגל הותרו הבמות, באו לשילה נאסרו הבמות, באו לנוב וגבעון הותרו הבמות, באו לירושלם נאסרו הבמות ולא היה להם היתר עוד, לפיכך חשבוהו להם לעון ולמרד בה׳: **(יד) ואיש ראש בית אבותם.** כל איש מאלה העשרה שהלכו עם פנחס כל אחד היה בשבטו ראש בית אבות, והמה היו הראשים לאלפי ישראל: **(יט) ואך אם טמאה.** פירוש אם טמאה בעיניכם לפי שאין המשכן שם, עִבְרוּ לָכֶם אֶל אֶרֶץ אֲחֻזַּת ה׳: **ואתנו אל תמרדו.** כמו ובנו אל תמרדו וכן וְהִתְחַלְּקוּ אֹתָהּ (לעיל יח, ה) כמו בה: **(כ) מעל מעל.** הראשון פעל עבר חציו קמץ וחציו פתח, והשני שם כלו פתח, ושניהם מלעיל הראשון מפני השני: **לא גוע בעונו.** לא גוע לבדו, וכמוהו לֹא אַחַת וְלֹא שְׁתָּיִם (מלכים־ב ו, י) לא פעם אחת לבדה ולא שתים לבדן:

מצודת דוד

(יב) לצבא. אם לא יתקנו את אשר עותו, כי הם חשבו שעשאוהו לעולה וזבח: **(יג) וישלחו.** טרם עלו לצבא, שלחו להוכיחם, כי אולי ישובו: **(יד) ואיש.** כל אחד מעשרה הנשיאים היה הראש לבית אבותם, והמה היו הראשים לכל אלפי ישראל: **(טז) מה המעל.** רצה לומר, למה מעלתם בה׳: **בבנותכם.** במה שבניתם: **למרדכם.** לעשות בזה מרידה בה׳: **(יז) המעט.** רצה לומר, וכי העון שבידנו מאז האם קל הוא: **עון פעור.** העון שעבדו לפעור: **לא הטהרנו.** רצה לומר, לא נתכפר מכל וכל: **בעדת ה׳.** אף באלו שלא חטאו היה הנגף על שלא מיחו: **(יח) אתם תמרדו.** ואנו הלא נקיים אנחנו מזה העון: **ומחר.** רצה לומר, לאחר זמן בעת התשלומין, יקצוף ה׳ על כולם על שלא מיחו, ונהיה כולם נלקים על ידו, אם כן, בעל כרחנו צריכין אנו למחות בידכם: **(יט) ואך אם טמאה.** אם בעיניכם טמאה ארץ אחוזתכם לפי שאין המשכן שם, ובעבור זה תחשבו לומר שאין השגחת המקום עליכם רק על ידי אמצעות השר השורר, ואליו תעשו המזבח לעולה וזבח: **עברו לכם.** הלא זאת עשו עברו הנה והאחזו נחלה בתוכנו: **ובה׳ אל תמרדו.** כי גם בדבר זה יחשב למורד בה׳: **ואותנו אל תמרדו.** כי הואיל ועל ידכם יבוא הקצף על כולנו, הרי הוא כאלו מרדתם בנו: **בבנתכם.** במה שבניתם: **(כ) לא גוע בעונו.** תחסר מלת לבד, ורצה לומר, אף שהיה רק איש אחד ואין בדבר חלול ה׳, מכל מקום לא גוע הוא לבד, כי הקצף היה על כולם:

מצודת ציון

(יב) לצבא. כמו בצבא, ובאה הלמ״ד במקום הבי״ת, וכן לִפְנֵיכֶם לֶחָרֶב (ויקרא כו, ז), ומשפטו בחרב: **(טז) המעל.** החטא ופשע: **(יח) ומחר.** יש מחר שהוא לאחר זמן רב, וכן כִּי־יִשְׁאָלְךָ בִנְךָ מָחָר (שמות יג, יד): **(יט) ואותנו.** ענינו, כמו ובנו: **מבלעדי.** ענינו כמו זולת, וכן (בראשית יד, כד) בִּלְעָדַי רַק אֲשֶׁר אָכְלוּ הַנְּעָרִים:

ence of the Canaanite and the surrounding cultures — would drag Israel down to the abominations of the region. The nation was resolved to prevent this, even if they had to resort to force.

13-20. The delegation. Though battle might be necessary, it was clearly only a last resort. First, the tribes sent an impressive delegation to the eastern tribes to warn them of the potential danger of the altar and demand an explanation. Phinehas, the future Kohen Gadol, was the "zealot" who ended a catastrophic plague and was blessed by God with a "covenant of peace" (*Numbers* 25:7-12), and as such he represented both peace and the readiness to take drastic action, if unavoidable. He was accompanied by a representative of each of the tribes, including the western half of Manasseh, whose eastern brothers were part of the suspected rebellion. In their desire to

opposite the land of Canaan in the regions of the Jordan, across from the side of the
Children of Israel." 12 *When the Children of Israel heard, the entire assembly of the Children*
of Israel congregated at Shiloh to advance upon them with an army.
13 *To the children of Reuben, the children of Gad, and half the tribe of Manas-*
seh, the Children of Israel sent Phinehas the son of Elazar the Kohen to the land of Gilead.
14 *Ten leaders were with him, one head of an ancestral family for each tribe of Israel; each*
man was the head of his ancestral family of the thousands of Israel. 15 *They came to the*
children of Reuben, the children of Gad, and half the tribe of Manasseh, to the land of
Gilead, and they spoke with them, saying, 16 *"Thus said the entire assembly of HASHEM:*
'What is this treachery that you have committed against the God of Israel — to turn away
from HASHEM this day, by building for yourselves an altar for your rebellion this day against
HASHEM? 17 *Is the sin of Peor not enough for us — from which we have not become*
cleansed until this day, and which resulted in the plague in the assembly of HASHEM? 18 *Yet*
today you would turn away from HASHEM? If you rebel against HASHEM today, tomorrow
He will be angry with the entire assembly of Israel. 19 *But if the land of your possession is*
contaminated, cross over to the land of HASHEM's possession where the Sanctuary of
HASHEM is, and take your possession among us; but do not rebel against HASHEM and do
not rebel against us by building for yourselves an altar other than the Altar of HASHEM, our
God. 20 *Did not Achan son of Zerah commit treachery regarding the consecrated property,*
and wrath fell upon the entire assembly of Israel? That man was not the only one to perish
for his sin!' "

The explanation

21 *The children of Reuben, the children of Gad, and half the tribe of Manasseh responded*

prevent sin and bring peace, the delegation suggested that if the eastern tribes were upset that their territory had less sanctity than *Eretz Yisrael* proper, let them resettle in the west, and the western tribes would redivide their land into twelve provinces, instead of nine-and-a-half. This was a remarkable offer, especially in view of the fact that some of the tribes felt that they did not have enough space. Nations have often gone to war for territory; seldom if ever has a nation offered to give up land voluntarily.

16. הַיּוֹם — *This day.* They emphasized this word, repeating it twice, as if to say, "God's constant miracles and salvations are still fresh in our minds; how can you rebel against Him so soon?" (*Malbim*).

17. The sin of Peor (*Numbers* 24:1-9) came about when large numbers of Moabite women seduced Jewish men and influenced them to perform the worship of the idol Peor. As a result, God sent a plague that killed 24,000 Jews.

The worship of Peor, which involved defecating in front of the idol, is particularly revolting. Even assuming that the eastern tribes intended to bring offerings on their altar, how could the delegation compare it to the incident of Peor? *Be'er Moshe* explains when the Jewish men involved themselves with Peor, they did it only to appease the Midianite women, but in their own minds, they meant to show utter contempt for the idol; they thought they were actually performing a *mitzvah*. Well meaning though they were, however, they were guilty of idol worship, because they were actually performing an idolatrous act. Such "well intended" acts can lead to horrible consequences. So, too, if the eastern tribes were planning to bring offerings on a forbidden altar, as the westerners suspected, it was surely because they sincerely wanted to serve God, but Shiloh was too far away. Nevertheless, from such sincere deviations from the law of the Torah, the most terrible consequences can ensue — as at Peor.

The bizarre service of Peor is based on the body's ability to separate and absorb the nourishing content of food, and expelling the waste, and was thus meant to symbolize the human responsibility to distinguish good from evil, and spiritual from material. In the Wilderness, where Israel lived a spiritual existence, the differences between the two was plain, but as the people began the transition to a material life, it became harder to draw the proper distinctions, and the danger that people could err grievously in the process — and thus the analogy of Peor (*Likkutei Sichos*).

18. The westerners contended that they could not look the other way and say that the sin of the easterners was not their concern. Jews are collectively responsible for one another [כָּל יִשְׂרָאֵל עֲרֵבִים זֶה לָזֶה], so that if the westerners shirked their obligation to protest, they too would be liable. They reinforced their contention in verse 20 by citing the case of Achan (Ch.7), the individual whose sin caused the defeat at Ai.

19. אִם־טְמֵאָה אֶרֶץ אֲחֻזַּתְכֶם — *If the land of your possession is contaminated.* The east bank is *contaminated* in the sense that it has less holiness than *Eretz Yisrael* proper (*Radak*), and God does not rest His Presence there (*Rashi*).

21-29. The eastern tribes respond. The two-and-a-half tribes are shocked at the accusation. They explain that they have violated neither the letter nor the spirit of the law. Far

כב וַיְדַבְּרוּ אֶת־רָאשֵׁי אַלְפֵי יִשְׂרָאֵל: אֵל ׀ אֱלֹהִים ׀ יְהוָה אֵל ׀ אֱלֹהִים ׀ יְהוָה הוּא
יֹדֵעַ וְיִשְׂרָאֵל הוּא יֵדָע אִם־בְּמֶרֶד וְאִם־בְּמַעַל בַּיהוָה אַל־תּוֹשִׁיעֵנוּ הַיּוֹם הַזֶּה:
כג לִבְנוֹת לָנוּ מִזְבֵּחַ לָשׁוּב מֵאַחֲרֵי יְהוָה וְאִם־לְהַעֲלוֹת עָלָיו עוֹלָה וּמִנְחָה וְאִם־
כד לַעֲשׂוֹת עָלָיו זִבְחֵי שְׁלָמִים יְהוָה הוּא יְבַקֵּשׁ: וְאִם־לֹא מִדְּאָגָה מִדָּבָר עָשִׂינוּ אֶת־
זֹאת לֵאמֹר מָחָר יֹאמְרוּ בְנֵיכֶם לְבָנֵינוּ לֵאמֹר מַה־לָּכֶם וְלַיהוָה אֱלֹהֵי יִשְׂרָאֵל:
כה וּגְבוּל נָתַן־יְהוָה בֵּינֵנוּ וּבֵינֵיכֶם בְּנֵי־רְאוּבֵן וּבְנֵי־גָד אֶת־הַיַּרְדֵּן אֵין־לָכֶם חֵלֶק
כו בַּיהוָה וְהִשְׁבִּיתוּ בְנֵיכֶם אֶת־בָּנֵינוּ לְבִלְתִּי יְרֹא אֶת־יְהוָה: וַנֹּאמֶר נַעֲשֶׂה־נָּא לָנוּ
כז לִבְנוֹת אֶת־הַמִּזְבֵּחַ לֹא לְעוֹלָה וְלֹא לְזָבַח: כִּי עֵד הוּא בֵּינֵינוּ וּבֵינֵיכֶם וּבֵין
דֹּרוֹתֵינוּ אַחֲרֵינוּ לַעֲבֹד אֶת־עֲבֹדַת יְהוָה לְפָנָיו בְּעֹלוֹתֵינוּ וּבִזְבָחֵינוּ וּבִשְׁלָמֵינוּ
כח וְלֹא־יֹאמְרוּ בְנֵיכֶם מָחָר לְבָנֵינוּ אֵין־לָכֶם חֵלֶק בַּיהוָה: וַנֹּאמֶר וְהָיָה כִּי־יֹאמְרוּ
אֵלֵינוּ וְאֶל־דֹּרֹתֵינוּ מָחָר וְאָמַרְנוּ רְאוּ אֶת־תַּבְנִית מִזְבַּח יְהוָה אֲשֶׁר־עָשׂוּ
כט אֲבוֹתֵינוּ לֹא לְעוֹלָה וְלֹא לְזֶבַח כִּי־עֵד הוּא בֵּינֵינוּ וּבֵינֵיכֶם: חָלִילָה לָּנוּ מִמֶּנּוּ
לִמְרֹד בַּיהוָה וְלָשׁוּב הַיּוֹם מֵאַחֲרֵי יְהוָה לִבְנוֹת מִזְבֵּחַ לְעֹלָה לְמִנְחָה וּלְזָבַח
ל מִלְּבַד מִזְבַּח יְהוָה אֱלֹהֵינוּ אֲשֶׁר לִפְנֵי מִשְׁכָּנוֹ: וַיִּשְׁמַע פִּינְחָס הַכֹּהֵן
וּנְשִׂיאֵי הָעֵדָה וְרָאשֵׁי אַלְפֵי יִשְׂרָאֵל אֲשֶׁר אִתּוֹ אֶת־הַדְּבָרִים אֲשֶׁר דִּבְּרוּ
לא בְּנֵי־רְאוּבֵן וּבְנֵי־גָד וּבְנֵי מְנַשֶּׁה וַיִּיטַב בְּעֵינֵיהֶם: וַיֹּאמֶר פִּינְחָס בֶּן־אֶלְעָזָר הַכֹּהֵן
אֶל־בְּנֵי־רְאוּבֵן וְאֶל־בְּנֵי־גָד וְאֶל־בְּנֵי מְנַשֶּׁה הַיּוֹם יָדַעְנוּ כִּי־בְתוֹכֵנוּ יְהוָה אֲשֶׁר
לב לֹא־מְעַלְתֶּם בַּיהוָה הַמַּעַל הַזֶּה אָז הִצַּלְתֶּם אֶת־בְּנֵי יִשְׂרָאֵל מִיַּד יְהוָה: וַיָּשָׁב
פִּינְחָס בֶּן־אֶלְעָזָר הַכֹּהֵן ׀ וְהַנְּשִׂיאִים מֵאֵת בְּנֵי־רְאוּבֵן וּמֵאֵת בְּנֵי־גָד מֵאֶרֶץ
לג הַגִּלְעָד אֶל־אֶרֶץ כְּנַעַן אֶל־בְּנֵי יִשְׂרָאֵל וַיָּשִׁבוּ אוֹתָם דָּבָר: וַיִּיטַב הַדָּבָר בְּעֵינֵי

רש"י

(כב) אל אלהים ה׳. אל כל האלהים הוא ה׳ היודע כי לא במרד וגו׳, וכשכפל לומר שתי פעמים אלהים, בעולם הזה ובעולם הבא: **אל תושיענו.** כלפי שכינה אמרו: **(כג) הוא יבקש.** יפרע ממנו: **(כד) מדאגה מדבר.** מחמת דאגת יראת דבר חרפה עשינו, כמה שמפרש פן יאמרו בניכם מחר לחרף את בנינו, כשילכו להקריב במשכן שילה, שמא יאמרו מַה לָּכֶם וְלַה׳, והלא גבול נתן בינינו וביניכם את הירדן, זו דאגנו ועשינו. כל דאגה שבמקרא לשון יראה הוא, כמו אֲנִי דֹאֵג אֶת הַיְּהוּדִים (ירמיהו לח, יט) דלדקיהו: **(כז) כי עד הוא.** שלא סילקנו עצמנו מתורת מזבח:

רד"ק

(כב) אל אלהים. כמו מלך מלכים, ואלהים הם המלאכים והוא יתברך אל אלהים ואדוני האדנים, ואמר שתי פעמים לחזק הדבר ולהעמידו: **הוא ידע.** פירוש הוא יודע הלבבות ויודע כוונתו: **וישראל הוא ידע.** מכאן ואילך ידע ישראל כי כוונתינו לטובה, לא במרד ולא במעל: **אל תושיענו.** כנגד השם יתברך: **(כד) מדאגה מדבר.** דאגתנו מזה הדבר מָחָר יֹאמְרוּ בְנֵיכֶם לְבָנֵינוּ: **(כח) ואמרנו.** כאילו אמר ואמרו בנינו, כי האבות במקום הבנים והבנים במקום האבות, כמו וְאוֹתָנוּ הוֹצִיא מִשָּׁם (דברים ו, כג): **(כט) חלילה לנו ממנו.** לפי שאמרו להם וְאֹתָנוּ אַל תִּמְרֹדוּ (לעיל פסוק יט) אמרו הם מחמת עצמנו היינו חדלים מלמרוד בה׳, הניחו המרד שהיינו מורדים בכם:

מצודת דוד

(כב) אל אלהים ה׳. רצה לומר ה׳ שהוא אל על כל אלהים, והם המלאכים הקרואים אלהים (בראשית לב, כט–לא), וכפלו דבריהם לחזק מאמרם: **הוא ידע.** מאז יודע הוא שלבבנו נאמן לפניו: **וישראל הוא ידע.** רצה לומר, ובהאריך הזמן גם ישראל ידע ויכיר כי כנים אנחנו: **אל תושיענו.** הסבו פניהם כלפי מעלה, ואמרו אם מעשה המזבח היה במרד ובמעל, אזי אל תושיענו היום הזה, ולא תאריך אפך: **(כג) לבנות.** רצה לומר, אם הכוונה היתה לבנות לנו מזבח לשוב מה׳ וכו׳: **ה׳ הוא יבקש.** אם הכוונה היתה על זאת, אזי יבקש ה׳ מאתנו וישלם גמול: **(כד) ואם לא.** מוסב למעלה, לומר ואם לא עשינו את זאת מחמת דאגה ופחד מדבר אחר, אזי ה׳ הוא יבקש: **לאמר.** עתה מפרשים דבריהם ואומרים, כי אמרנו, פן לאחר זמן יאמרו בניכם וכו׳: **מה לכם ולה׳.** כאלו יאמרו מה לכם לה׳, ומה לה׳ לכם, רצה לומר, אין לכם חלק בה׳ ולא ה׳ בכם: **(כה) והשביתו.** ובזה ימנעו את בנינו מליראה את ה׳: **(כו) ונאמר.** ובעבור זה אמרנו נעשה את זאת לבנות מזבח, אולם לא לעולה וזבח: **(כז) כי עד הוא.** כי רק להיות הוא עד בינינו, שגם אנחנו נעבוד את ה׳, כי גם לנו חלק בו, כי המזבח אשר בינינו דומה הוא למזבח ה׳, ולזה יחשב לעד: **ולא יאמרו.** ולא יוכלו עוד לומר כזאת: **(כח) ונאמר.** בהיות המזבח בנוי, נאמר כאשר יאמרו בניכם כזאת, אז נשיב להם, ראו תבנית המזבח העומד לעד, כי הלא לא נעשה עליו עולה וזבח, ואם לא להיות לעד, על מה נבנה: **(כט) חלילה לנו ממנו.** המרד בה׳ הוא חולין לנו מצד עצמינו, מבלי דבר התוכחה: **מלבד.** להיות עוד אחד זולת המזבח אשר לפני משכן ה׳: **(לא) היום ידענו וכו׳.** בתת בלבבנו להזהר מבוא בדמים ולדבר תחלה פנים אל פנים,

מצודת ציון

(כה) והשביתו. ענין בטול ומניעה, כמו שָׁבַת נֹגֵשׂ (ישעיהו יד, ד): **(כח) תבנית.** צורת: **(כט) חלילה.** הוא מלשון חולין וגנאי:

and spoke to the heads of the thousands of Israel, 22 *"God of the powerful ones, HASHEM;*
God of the powerful ones, HASHEM: He knows and Israel shall know. If it is in rebellion or
in treachery against HASHEM, save us not this day. 23 *[If we meant] to build an altar for*
ourselves to turn away from following HASHEM, or to offer an elevation-offering or meal-
offering upon it, or to offer peace-offerings upon it, let HASHEM Himself exact [retribution],
24 *if we did not do this out of fear, saying [to ourselves]: In the future your children might*
say to our children, 'What have you to do with HASHEM the God of Israel? 25 *HASHEM has*
established a border between us and you, O children of Reuben and children of Gad — the
Jordan! You have no share in HASHEM!' So your children will cause our children to stop
fearing HASHEM. 26 *Therefore, we said, 'Let us do this for ourselves — to build the altar, not*
for elevation-offering and not for sacrifice, 27 *but so that it will be a witness between us and*
you and our generations after us, to perform the service of HASHEM before Him with our
elevation-offerings, and with our offerings and with our peace-offerings.' Then your
children will not say to our children in the future, 'You have no share in HASHEM.' 28 *So we*
said, 'When they say this to us or to our generations tomorrow, we will say, "See the
structure of the altar of HASHEM that our fathers made — not for elevation-offering and not
for offering, but as a testimony between us and you." ' 29 *It would be sacrilegious for us to*
rebel against HASHEM and to turn away this day from following HASHEM, to build an altar
for burnt-offering, meal-offering, and sacrifice — other than the Altar of HASHEM, our God,
which is before His Sanctuary!"

The rest of the tribes approve

30 *When Phinehas the Kohen and the leaders of the assembly and the heads of the*
thousands of Israel that were with him heard the words that the children of Reuben, the
children of Gad, and the children of Manasseh spoke, it was good in their eyes. 31 *And*
Phinehas son of Elazar the Kohen said to the children of Reuben, the children of Gad, and
the children of Manasseh, "Today we know that HASHEM is in our midst, since you did not
commit this treachery against HASHEM. Now you have saved the Children of Israel from the
hand of HASHEM."

32 *Then Phinehas son of Elazar the Kohen and the leaders returned from the children of*
Reuben and the children of Gad, from the land of Gilead, to the land of Canaan, to the
Children of Israel, and they gave them a report. 33 *The matter was good in the eyes of*

מצודת דוד

כי רואים אנו אשר לא מעלתם המעל הזה אשר חשבנו, ואדרבה אז בבנין המזבח הצלתם את בני ישראל מיד מכת ה׳, כי מעתה לא יחטאו להשבית את בניכם מליראה את ה׳ ולא יענשו, מה שאין כן אם השביתו, כי אז לא היו נצולים מעונש: **(לב) דבר**. תשובה על דברי השליחות:

from seeking to separate themselves from their brethren, they meant to cement the national bonds into the future.

22. אֵל אֱלֹהִים ה׳ — *God of the powerful ones, HASHEM,* i.e.; God, Who is the Master of kings and angels. They invoked the Name and power of God, and repeated it for emphasis, to strengthen their passionate claim that rebellion had never even entered their minds. To the contrary, as they would explain, they set up their "showpiece" altar to demonstrate their loyalty to Him, "*as He knows and Israel shall know.*"

אַל־תּוֹשִׁיעֵנוּ — *Save us not.* They addressed God, to reinforce the sincerity of their declaration (*Rashi*).

In the next three verses, they went on to say that God should cease His help if (a) they intended to use their altar for actual offerings, which would be forbidden and which would indeed represent a separation from the nation; and (b) if their true motivation was not fear that the rest of the nation would ostracize their children as outsiders.

25. It is a normal, if sad, human reaction that if people are treated unfairly as pariahs, their defense mechanism will cause them to lash out not just at the critics, but also at the values they claim to represent. Thus, if the western tribes reject the eastern tribes, the easterners will respond by rejecting the Torah, as well as those who falsely claim to be its exemplars.

30-34. Good will replaces suspicion. Phinehas and his colleagues accepted the explanation and praised it, so that the altar was indeed accepted as a symbol of unity among the people and allegiance to God.

31. אָז הִצַּלְתֶּם — *Now you have saved . . .* By explaining and defusing the confrontation, you have saved our children and grandchildren from falsely maligning the eastern tribes and

בְּנֵי יִשְׂרָאֵל וַיְבָרְכוּ אֱלֹהִים בְּנֵי יִשְׂרָאֵל וְלֹא אָמְרוּ לַעֲלוֹת עֲלֵיהֶם לַצָּבָא לְשַׁחֵת
לד אֶת־הָאָרֶץ אֲשֶׁר בְּנֵי־רְאוּבֵן וּבְנֵי־גָד יֹשְׁבִים בָּהּ׃ וַיִּקְרְאוּ בְּנֵי־רְאוּבֵן וּבְנֵי־גָד
לַמִּזְבֵּחַ כִּי־עֵד הוּא בֵּינֹתֵינוּ כִּי יהוה הָאֱלֹהִים׃

כג

א וַיְהִי מִיָּמִים רַבִּים אַחֲרֵי אֲשֶׁר־הֵנִיחַ יהוה לְיִשְׂרָאֵל מִכָּל־אֹיְבֵיהֶם מִסָּבִיב וִיהוֹשֻׁעַ
ב זָקֵן בָּא בַּיָּמִים׃ וַיִּקְרָא יְהוֹשֻׁעַ לְכָל־יִשְׂרָאֵל לִזְקֵנָיו וּלְרָאשָׁיו וּלְשֹׁפְטָיו וּלְשֹׁטְרָיו
ג וַיֹּאמֶר אֲלֵהֶם אֲנִי זָקַנְתִּי בָּאתִי בַּיָּמִים׃ וְאַתֶּם רְאִיתֶם אֵת כָּל־אֲשֶׁר עָשָׂה יהוה
ד אֱלֹהֵיכֶם לְכָל־הַגּוֹיִם הָאֵלֶּה מִפְּנֵיכֶם כִּי יהוה אֱלֹהֵיכֶם הוּא הַנִּלְחָם לָכֶם׃ רְאוּ
הִפַּלְתִּי לָכֶם אֶת־הַגּוֹיִם הַנִּשְׁאָרִים הָאֵלֶּה בְּנַחֲלָה לְשִׁבְטֵיכֶם מִן־הַיַּרְדֵּן
ה וְכָל־הַגּוֹיִם אֲשֶׁר הִכְרַתִּי וְהַיָּם הַגָּדוֹל מְבוֹא הַשָּׁמֶשׁ׃ וַיהוה אֱלֹהֵיכֶם הוּא יֶהְדֳּפֵם
מִפְּנֵיכֶם וְהוֹרִישׁ אֹתָם מִלִּפְנֵיכֶם וִירִשְׁתֶּם אֶת־אַרְצָם כַּאֲשֶׁר דִּבֶּר יהוה אֱלֹהֵיכֶם
ו לָכֶם׃ וַחֲזַקְתֶּם מְאֹד לִשְׁמֹר וְלַעֲשׂוֹת אֵת כָּל־הַכָּתוּב בְּסֵפֶר תּוֹרַת מֹשֶׁה לְבִלְתִּי
ז סוּר־מִמֶּנּוּ יָמִין וּשְׂמֹאול׃ לְבִלְתִּי־בוֹא בַּגּוֹיִם הָאֵלֶּה הַנִּשְׁאָרִים הָאֵלֶּה אִתְּכֶם
ח וּבְשֵׁם אֱלֹהֵיהֶם לֹא־תַזְכִּירוּ וְלֹא תַשְׁבִּיעוּ וְלֹא תַעַבְדוּם וְלֹא תִשְׁתַּחֲווּ לָהֶם׃ כִּי
ט אִם־בַּיהוה אֱלֹהֵיכֶם תִּדְבָּקוּ כַּאֲשֶׁר עֲשִׂיתֶם עַד הַיּוֹם הַזֶּה׃ וַיּוֹרֶשׁ יהוה מִפְּנֵיכֶם
י גּוֹיִם גְּדֹלִים וַעֲצוּמִים וְאַתֶּם לֹא־עָמַד אִישׁ בִּפְנֵיכֶם עַד הַיּוֹם הַזֶּה׃ אִישׁ־אֶחָד
מִכֶּם יִרְדָּף־אָלֶף כִּי ׀ יהוה אֱלֹהֵיכֶם הוּא הַנִּלְחָם לָכֶם כַּאֲשֶׁר דִּבֶּר לָכֶם׃
יא־יב וְנִשְׁמַרְתֶּם מְאֹד לְנַפְשֹׁתֵיכֶם לְאַהֲבָה אֶת־יהוה אֱלֹהֵיכֶם׃ כִּי ׀ אִם־שׁוֹב תָּשׁוּבוּ
וּדְבַקְתֶּם בְּיֶתֶר הַגּוֹיִם הָאֵלֶּה הַנִּשְׁאָרִים הָאֵלֶּה אִתְּכֶם וְהִתְחַתַּנְתֶּם בָּהֶם וּבָאתֶם
יג בָּהֶם וְהֵם בָּכֶם׃ יָדוֹעַ תֵּדְעוּ כִּי לֹא יוֹסִיף יהוה אֱלֹהֵיכֶם לְהוֹרִישׁ אֶת־הַגּוֹיִם הָאֵלֶּה

רש"י

(לג) **ויברכו אלהים.** (תרגום) וְאוֹדִיאוּ קֳדָם ה׳ בְּנֵי יִשְׂרָאֵל: (לד) **ויקראו בני ראובן ובני גד למזבח כי עד הוא.** הרי זה מן המקראות הקצרים, וצריך להוסיף בו תיבה אחת, ויקראו בני ראובן ובני גד למזבח עד: (ד) **ראו הפלתי לכם.** בגורל לנחלה: **הגוים הנשארים.** ליכבש:

רד"ק

(לד) **ויקראו.** פירוש קראו למזבח עד כי עד הוא בינותינו, וכן תרגם יונתן וּקְרוֹ בְּנֵי רְאוּבֵן וּבְנֵי גָד סָהִיד לְמַדְבְּחָא אֲרֵי סָהִיד הוּא בֵּינָנָא: (ד) **והים הגדול.** פירוש ועד הים הגדול כמו שכתוב וְעַד הַיָּם הַגָּדוֹל מְבוֹא הַשָּׁמֶשׁ יִהְיֶה גְּבוּלְכֶם (לעיל א, ד): (ה) **יהדפם.** בקמץ חטף הדל"ת: (ז) **ולא תשביעו.** פירוש איש את חברו: (י) **ירדף אלף.** עתיד במקום עבר ורבים כמוהו:

מצודת דוד

(לג) **ויברכו אלהים.** על אשר נתן בלבם לשלוח להם טרם ילחמו: **ולא אמרו.** לא חשבו עוד להלחם בם, כי קבלו דבריהם הנאמרים באמת: (לד) **ויקראו וכו׳ למזבח.** תחסר מלת עד, ורצה לומר, ויקראו וכו׳ למזבח עד, כי עד הוא בינינו ובין בני ישראל היושבים בעבר הירדן המערבי אשר ה׳ הוא האלהים, וכמוהם כמונו מאמינים את זאת באמונה שלימה: (א) **מימים רבים.** מסוף ימים רבים: (ג) **הגוים האלה.** אשר כבר כבשתם: (ד) **הפלתי וכו׳.** רצה לומר, הפלתי הגורל להם וכו׳: **הנשארים.** אשר עדיין לא כבשתם: **בנחלה.** לחלקם בנחלה להשבטים: **מן הירדן.** היושבים מן הירדן והלאה, כלפי המערב: **וכל הגוים וכו׳.** גם הם חלקתים בגורל: **והים.** מוסב על מן הירדן, לומר מן הירדן ועד הים הגדול העומד במבוא השמש: (ה) **יהדפם.** את הנשארים: (ו) **ימין ושמאל.** הוא ענין מליצה, והושאל מההולך דרך ישר, שאין להטות ממנו לא לימין ולא לשמאל: (ז) **לבלתי בוא בגוים.** שלא תבואו לכללם להיות כמוהם: **ולא תשביעו.** רצה לומר, את הזולת: (ט) **ויורש.** ובעבור זה גרש ה׳ וכו׳: **ואתם.** רצה לומר, ואתם הלא ראיתם אשר לא עמד וכו׳: (י) **איש אחד.** כי אחד מכם היה רודף אלף: (יא) **לנפשתיכם.** בעבור קיום נפשותיכם: (יב) **תשובו.** מאחרי ה׳, ובאתם בהם לקחת מבנותיהם:

מצודת ציון

(ג) **לכם.** בשבילכם: (ד) **מבוא.** ענין שקיעה, כמו כִּי בָא הַשֶּׁמֶשׁ (בראשית כח, יא): (ה) **יהדפם.** ענין דחיפה והכאה, כמו תִּדְּפֶנּוּ רוּחַ (תהלים א, ד): **והוריש.** יגרש: (יב) **והתחתנתם.** מלשון חתון:

thereby earning Divine punishment (*Alshich*), and you have saved us from going to war against you.

23.

◆§ Joshua offers a choice. Joshua knew that he was nearing the end of his life, and he sought to prepare the nation for its future without him. In this chapter he concentrates on the painful dilemma of the unconquered portions of the Land and the Canaanites who were still dwelling among the Jews. He knew that these idolaters were a threat to the existence of the Israelites, and that, without his leadership, Israel might feel it was unworthy of the Divine assistance it needed to be victorious, as it had been under Joshua. He summoned the entire

*the Children of Israel; and the Children of Israel blessed God and no longer spoke of
advancing upon them with an army, to destroy the land in which the children of Reuben
and the children of Gad dwelled.* 34 *The children of Reuben and the children of Gad named
the altar ["Witness"], for "it is a witness between us that HASHEM is God."*

23 **JOSHUA'S FAREWELL** 23:1-24:33

Joshua encourages and admonishes the people

1 *It happened many days after HASHEM had given rest to Israel from all their surrounding
enemies, and Joshua was old, well on in years:* 2 *Joshua summoned all of Israel —
their elders, their heads, their judges, and their marshals — and said to them, "I have
aged and am well on in years.* 3 *You have seen all that HASHEM, your God, has done
to all these nations before you; that HASHEM, your God, has fought for you.* 4 *See, I
have allotted to you [the territories of] these remaining nations as a heritage for your
tribes, from the Jordan, including all the nations that I have destroyed, up to the Great
Sea toward the setting of the sun.* 5 *HASHEM, your God, will push them out from your
presence and drive them out from before you, and you will inherit their land, as HASHEM,
your God, has spoken to you.* 6 *Strengthen yourselves very much to observe and to do*

Do not deviate from the Torah and avoid mingling with the nations . . .

*all that is written in the book of the Torah of Moses, not to deviate from it to the right
or to the left,* 7 *not to come into these nations, those who still remain with you; you
shall not mention the name of their gods and you shall not cause others to swear by
them, you shall not serve them and you shall not bow down to them.* 8 *Only cling to
HASHEM, your God, as you have done up to this day.* 9 *HASHEM has driven out great and
powerful nations from before you, and not a man has stood against you, to this day.*
10 *One of you chased a thousand, because HASHEM, your God, it is He Who fought for you,
as He spoke to you.*

. . . or you will forfeit God's help

11 *"You shall beware greatly for your souls, to love HASHEM, your God.* 12 *For if you
should turn away and cling to the rest of these nations, these which remain with you, by
intermarrying with them and coming into them and they into you,* 13 *you should know
with certainty that HASHEM, your God, will not continue to drive these nations out*

---

nation and declared that their success depended not on him, but on their loyalty to the Torah. If they remained true to God and His commandments, He would make them victorious; if not, the Canaanites would remain and inflict bitter consequences upon them.

1. בָּא בַּיָּמִים — *Well on in years.* Not only was he old, he was weak from the strains of battle (*Abarbanel*).

God's promise that He would be with him as He had been with Moses (1:5) implied that Joshua, like Moses, would live to 120 and be healthy and vigorous until the end. Joshua was now only 110, but his life was shortened because he did not show enough zeal in conquering the entire Land (*Bamidbar Rabbah* 22:6).

3. Joshua encouraged the people that they should not be fearful at his impending death, because God, not Joshua, was responsible for their victories (*Kli Yakar*).

4-5. Looking to the future, Joshua said that he had already allocated all the Land's territory; it remained only for the Jews to fight for it, and for that they could rely on God's help.

6. Joshua echoed the exhortation that God had given him in 1:7.

7. לְבִלְתִּי־בוֹא בַּגּוֹיִם הָאֵלֶּה — *Not to come into these nations;* not to become assimilated into Canaanite culture (*Metzudos*), or to intermarry with them (*Malbim*).

8. כִּי אִם־בַּה׳ . . . תִּדְבָּקוּ — *Only cling to HASHEM.* To "cling" to God is to recall His Name and His love always, and never to separate one's mind from Him. When a person succeeds in achieving this, his dealings with other people are only superficial, while internally he is always before God. Such people are attached to Him and become "chariots of His Presence" even while they are alive in this world (*Ramban, Deuteronomy* 11:22).

Be'er Moshe notes that Joshua was speaking to the *entire* nation, not merely its great men (v. 1) when he urged them to *cling to Hashem.* This shows that everyone must attempt to achieve this very high level of spiritual atachment to God — and is capable of succeeding.

כַּאֲשֶׁר עֲשִׂיתֶם עַד הַיּוֹם הַזֶּה — *As you have done up to this day.* During the forty years in the Wilderness, when God's Presence was palpable and He provided for all the people's needs constantly and miraculously, their thoughts were surely with Him always. Therefore Joshua urged them to reflect on that period, even now when they were in the Land and no longer in such a miraculous environment. Such memories would enable them to *cling to HASHEM* (ibid.).

מִלִּפְנֵיכֶם וְהָיוּ לָכֶם לְפַח וּלְמוֹקֵשׁ וּלְשֹׁטֵט בְּצִדֵּיכֶם וְלִצְנִנִים בְּעֵינֵיכֶם עַד־אֲבָדְכֶם
יד °מֵעַל הָאֲדָמָה הַטּוֹבָה הַזֹּאת אֲשֶׁר נָתַן לָכֶם יְהוָה אֱלֹהֵיכֶם: וְהִנֵּה אָנֹכִי הוֹלֵךְ הַיּוֹם
בְּדֶרֶךְ כָּל־הָאָרֶץ וִידַעְתֶּם בְּכָל־לְבַבְכֶם וּבְכָל־נַפְשְׁכֶם כִּי לֹא־נָפַל° דָּבָר אֶחָד
מִכֹּל | הַדְּבָרִים הַטּוֹבִים אֲשֶׁר דִּבֶּר יְהוָה אֱלֹהֵיכֶם עֲלֵיכֶם הַכֹּל בָּאוּ לָכֶם לֹא־נָפַל
טו מִמֶּנּוּ דָּבָר אֶחָד: וְהָיָה כַּאֲשֶׁר־בָּא עֲלֵיכֶם כָּל־הַדָּבָר הַטּוֹב אֲשֶׁר דִּבֶּר יְהוָה
אֱלֹהֵיכֶם אֲלֵיכֶם כֵּן° יָבִיא יְהוָה עֲלֵיכֶם אֵת כָּל־הַדָּבָר הָרָע עַד־הַשְׁמִידוֹ אוֹתְכֶם
טז °מֵעַל הָאֲדָמָה הַטּוֹבָה הַזֹּאת אֲשֶׁר נָתַן לָכֶם יְהוָה אֱלֹהֵיכֶם: °בְּעָבְרְכֶם אֶת־בְּרִית
יְהוָה אֱלֹהֵיכֶם אֲשֶׁר צִוָּה אֶתְכֶם וַהֲלַכְתֶּם וַעֲבַדְתֶּם אֱלֹהִים אֲחֵרִים וְהִשְׁתַּחֲוִיתֶם
לָהֶם וְחָרָה אַף־יְהוָה בָּכֶם וַאֲבַדְתֶּם מְהֵרָה מֵעַל הָאָרֶץ הַטּוֹבָה אֲשֶׁר נָתַן
כד א לָכֶם: וַיֶּאֱסֹף יְהוֹשֻׁעַ אֶת־כָּל־שִׁבְטֵי יִשְׂרָאֵל שְׁכֶמָה וַיִּקְרָא° לְזִקְנֵי
ב יִשְׂרָאֵל וּלְרָאשָׁיו וּלְשֹׁפְטָיו וּלְשֹׁטְרָיו וַיִּתְיַצְּבוּ לִפְנֵי הָאֱלֹהִים: וַיֹּאמֶר יְהוֹשֻׁעַ אֶל־
כָּל־הָעָם כֹּה־אָמַר יְהוָה אֱלֹהֵי יִשְׂרָאֵל בְּעֵבֶר הַנָּהָר יָשְׁבוּ אֲבוֹתֵיכֶם מֵעוֹלָם
ג תֶּרַח אֲבִי אַבְרָהָם וַאֲבִי נָחוֹר וַיַּעַבְדוּ אֱלֹהִים אֲחֵרִים: °וָאֶקַּח אֶת־אֲבִיכֶם אֶת־
אַבְרָהָם מֵעֵבֶר הַנָּהָר וָאוֹלֵךְ אוֹתוֹ בְּכָל־אֶרֶץ כְּנָעַן °וארב [°וָאַרְבֶּה ק׳] אֶת־זַרְעוֹ

רש״י

(יג) **ולשטט בצדיכם.** ישוטטו לבוז ולשלול סביבותיכם: **ולצננים.** לשון מחנות, וכן וּבָאוּ עָלַיִךְ הֹצֶן (יחזקאל כג, כד), כלנה זו המקפת את האדם משלש רוחות, כמה שנאמר כַּצִּנָּה רָצוֹן תַּעְטְרֶנּוּ (תהלים ה, יג), תסובבנו, כמו וְשָׁאוּל וַאֲנָשָׁיו עֹטְרִים אֶל דָּוִד וְאֶל אֲנָשָׁיו (שמואל־א כג, כו), עוטרים, סובבים: (ג) **וארב את זרעו.** חסר ה״א, כמה מריבות ונסיונות עשיתי עמו, עד שלא נתתי לו זרע:

רד״ק

(יג) **ולשטט.** כמו ולשוט, מן שׁוֹט לַסּוּס (משלי כו, ג): (יד) **וידעתם בכל לבבכם ובכל נפשכם.** כלומר שימו לבבכם ודעתכם על כל הדברים הטובים שבאו אליכם, ולא יתכן להיותם מקרים אלא ככוונת מכוין אשר יעד אתכם בכל הטוב הזה ולא נפל דבר אחד מכל דברו אשר דבר, תוכלו להכיר כי מאתו בא לכם הכל: (טו) **עד השמידו אותכם.** בחולם האל״ף, וכן וּבָרֵא אוֹתְהֶן (יחזקאל כג, מז), יִשְׁפְּטוּ אוֹתְהֶם (שם פסוק מה): (א) **ויאסוף יהושע.** פעם אחרת, כי הנה כתב למעלה וַיִּקְרָא יְהוֹשֻׁעַ לְכָל יִשְׂרָאֵל (פרק כג, ב) אלא אסף אותם פעם אחרת והוכיחם פעם ושתים כדי שיהיו נזהרים לשמור התורה: **ויתיצבו לפני האלהים.** נראה שהביאו ארון האלהים שם כדי לכרות הברית לפני הארון, כמו שאמר וַיִּכְתֹּב יְהוֹשֻׁעַ (וכו׳) בְּסֵפֶר תּוֹרַת אֱלֹהִים (לקמן פסוק כו) נראה כי שם היה הארון שבו ספר התורה, ואספם יהושע שכם ולא שילה שהיה הארון שם, אולי על פי הדבור עשה זה שיכרתו הברית בשכם כי בו נתעכב אברהם אבינו תחלה כשנכנס לארץ, כמו שכתוב וַיַּעֲבֹר אַבְרָם בָּאָרֶץ עַד מְקוֹם שְׁכֶם (בראשית יב, ו) ועוד כי שם נעשה נס גדול ליעקב אבינו (בראשית לד) ושיזכרו אותו וידבקו בה׳ לבדו, ועוד כי תחלת הנחלה אשר היה ליעקב בארץ ישראל בשכם היה, שקנה חלקת השדה מִיַּד בְּנֵי חֲמוֹר אֲבִי שְׁכֶם (שם לג, יט), ושם אמר להם יהושע הָסִירוּ אֶת אֱלֹהֵי הַנֵּכָר אֲשֶׁר בְּקִרְבְּכֶם (לקמן פסוק כג) כמו שאמר יעקב לבניו בשכם הָסִרוּ אֶת אֱלֹהֵי הַנֵּכָר אֲשֶׁר בְּתֹכְכֶם (בראשית לה, ב): (ג) **וארב.** כתוב בלא ה״א וקרי וארבה בה״א ושניהם שוים בדרך הדקדוק, ויש בו דרש כי הכתב הוא לשון ריב ומסה, כלומר הרבה נסיונות נסיתיו ועמד בכלם:

מצודת דוד

(יג) **והיו לכם.** העובדי גילולים האלה: **ולשטט.** רצה לומר יכאיבו לכם כמכת השוט, וכקוץ המנקר העין: (יד) **בדרך כל הארץ.** בדרך אשר כל הבריות הולכים שם, ורצה לומר הנה אמות ככל בני אדם, ולא אראה בכל אשר יקרה אתכם לאחר זמן: **וידעתם וכו׳.** רצה לומר, עתה דעו והבינו בכל לב ובכל נפש את הקורות, כי הלא לא נפל דבר מהדברים הטובים אשר דבר ה׳: (טו) **והיה וכו׳.** וכמו שהיה כל דבר הטוב, כן יהיה כל דבר הרע: (טז) **בעברכם.** כאשר תעברו את ברית ה׳ וכו׳: (א) **לזקני ישראל וכו׳.** שיעמדו הם במקום כולם: **לפני האלהים.** לפני הארון אשר הביאו לשכם לכרות לפניו הברית, וכמו שאמר בסוף הענין (פסוק כו): (ב) **בעבר הנהר וכו׳.** הזכיר החסדים שעשה עמהם, ואמר הלא מעולם ישבו אבותיכם בעבר הנהר, ומאוד נשתקעו באמונות כוזבות, כאנשי הארץ ההיא: **תרח אבי וכו׳.** רצה לומר, הלא תרח היה אבי אברהם ואבי נחור (בראשית יא, כו), ושניהם, האב ונחור בנו, עבדו עבודת גילולים: (ג) **ואקח.** בחסדי נטיתי לבו מדרך אביו ואחיו, ואקח אותו מביניהם, שלא יהיה נמשך אחר דעתם הכוזב: **ואולך אותו וכו׳.** על כי היא ארץ קדושה וראוי להשראת שכינה: **וארבה.** רצה לומר, אף שהרביתי זרעו מישמעאל, כמו שכתוב וְגַם אֶת בֶּן הָאָמָה וכו׳ כִּי זַרְעֲךָ הוּא (שם כא, יג), והוא הלא רק עליו שאל, כמו שכתוב לוּ יִשְׁמָעֵאל יִחְיֶה לְפָנֶיךָ (שם יז, יח), מכל מקום עוד נתתי לו את יצחק, כאשר הבטחתיו:

מצודת ציון

(יג) **לפח.** לרשת: **ולמוקש.** למכשול: **ולשטט.** ענין שבט, כמו שׁוֹט לַסּוּס (משלי כו, ג), ונכפלה למ״ד הפעל: **ולצננים.** ענין קוצים, וכן וְלִצְנִינִים בְּצִדֵּיכֶם (במדבר לג, נה):

14-16. When people have a revered and trusted leader to guide them, they have less need to reflect on how events prove that it was God Who facilitated their success; their leader guides them to do good and they tend to follow without analysis.

Joshua counseled the people that he was soon to die and they would be left to their own devices. He urged them, therefore, to think for themselves and realize that only a protective, loving, all-powerful God could have brought them from Egypt and given them so much throughout the years from the Exodus to that moment. Surely He would continue His goodness to them — if they would continue to serve Him. But if they

from before you; they will be a snare and an obstacle to you, a lash in your sides and
thorns in your eyes, until you are banished from this goodly land that HASHEM, your God,
has given to you. 14 *Behold, this day I am going the way of all the world. You know with*
all your heart and with all your soul that not one of all the good things that HASHEM your
God has promised you has fallen short; all have come about for you, not one word of it
has fallen short.

Otherwise you will be banished

15 *"But it shall be that just as every good thing that HASHEM, your God, has told you has*
come to you, so will HASHEM bring upon you every bad thing until He will have eliminated
you from upon this goodly land that HASHEM, your God, has given you. 16 *If you*
transgress the covenant of HASHEM, your God, that He has commanded you, and you go
and serve gods of others and bow down to them, the wrath of HASHEM will burn against
you, and you will perish swiftly from the goodly land that He has given you."

24

A second assembly

1 *Joshua assembled all the tribes of Israel at Shechem; he summoned the elders of Israel,*
their heads, their judges, and their officers, and they stood before God. 2 *Joshua said*
to the entire nation, "Thus said HASHEM, the God of Israel: 'Your forefathers — Terah, the
father of Abraham and the father of Nahor — always dwelt beyond the [Euphrates]
River and they served gods of others. 3 *But I took your forefather Abraham from*
beyond the River and led him throughout all the land of Canaan; I increased his offspring

---

would become "Jewish Canaanites," they would lose everything.

24.

Joshua's last will and testament. Joshua ends his life much as Moses did, by summoning the entire nation and telling lovingly and forcefully that God had been very generous to them and that they must reciprocate with unwavering loyalty to Him and the Torah. Contrary to their confidence in themselves, idolatry was a clear and present danger to them and their children. Like a skilled educator, Joshua put the choice to the people themselves: Would they commit themselves to God or would they prefer the idols? They made a firm commitment to the Torah and Joshua solidified their covenant with God by erecting a monument.

That Joshua's warning about the enticement of idols was not exaggerated is demonstrated by the history of the next several centuries. This, of course, is yet another instance of the allure of idols, which seems implausible to modern intelligence, but that was all too real. Indeed, it took the earnest prayer of the Men of the Great Assembly to eradicate the desire for idolatry. It was a spiritual lobotomy of sorts. That we consider idolatry to be the ultimate of foolishness is not because our spiritual vision is superior to that of the ancients, but because we have been blinded to the temptation that overpowered them.

1-13. Summary of Jewish history. In Chapter 23, Joshua had charged the nation with their responsibility to conquer the rest of the Land. Now he would exhort them to conquer themselves (*Kli Yakar*). Before making his demand on the people, Joshua summarized their history from the birth of Abraham, thus providing the spiritual and rational foundation upon which they — and we — must base the Jewish destiny.

1. שְׁכֶמָה . . . לִפְנֵי הָאֱ־לֹהִים — *At Shechem . . . before God.* "Before God" implies that Joshua brought the Ark containing the Ten Commandments from Shiloh to Shechem, in order to seal a reaffirmation of the covenant. There are several reasons why he chose Shechem for this event: (a) It was Abraham's first station in the Land (*Genesis* 12:6); (b) a great miracle happened there for Jacob (ibid. 35:5); it was the first part of the Land that Jacob bought (ibid. 33:19); and it was there that Jacob instructed his household to divest themselves of all idols (ibid. 35:2), an order that Joshua was about to repeat (*Radak*).

2-4. This thumbnail history is familiar from the Pesach Haggadah. The Sages teach that the glory of the Exodus is best exemplified when one realizes the extent of the degradation that preceded it (*Pesachim* 116b). According to Rav, Israel's original degradation is that the family of Abraham worshipped idols, which is why the Haggadah quotes this passage. Here, too, Joshua wanted the people to realize how far God had taken them from such humble beginnings.

3. וָאֶקַּח . . . אֶת־אַבְרָהָם — *But I took . . . Abraham.* The implication is that God took the initiative, meaning that God provided Abraham with the opportunity to grow, and then it was up to him to take advantage of it. So, too, in every generation God reaches out, and it is up to us to seize the moment (*Be'er Moshe*).

God brought Abraham to *Eretz Yisrael* because it is conducive to holiness, as evidenced by the fact that wherever he went there, God revealed Himself to Abraham in prophetic visions (*Abarbanel*).

וָאַרְבֶּה אֶת־זַרְעוֹ — *And I increased his offspring.* The verse implies that Abraham had many children, but it mentions only Isaac. This implies either that qualitatively Isaac was equivalent to a large population or that God gave Abraham a son who had the potential of growing into a large nation. It would

ד וָאֶתֵּן־לוֹ אֶת־יִצְחָק׃ וָאֶתֵּן לְיִצְחָק אֶת־יַעֲקֹב וְאֶת־עֵשָׂו וָאֶתֵּן לְעֵשָׂו אֶת־הַר שֵׂעִיר
ה לָרֶשֶׁת אוֹתוֹ וְיַעֲקֹב וּבָנָיו יָרְדוּ מִצְרָיִם׃ וָאֶשְׁלַח אֶת־מֹשֶׁה וְאֶת־אַהֲרֹן וָאֶגֹּף אֶת־
ו מִצְרַיִם כַּאֲשֶׁר עָשִׂיתִי בְּקִרְבּוֹ וְאַחַר הוֹצֵאתִי אֶתְכֶם׃ וָאוֹצִיא אֶת־אֲבוֹתֵיכֶם
מִמִּצְרַיִם וַתָּבֹאוּ הַיָּמָּה וַיִּרְדְּפוּ מִצְרַיִם אַחֲרֵי אֲבוֹתֵיכֶם בְּרֶכֶב וּבְפָרָשִׁים יַם־סוּף׃
ז וַיִּצְעֲקוּ אֶל־יְהוָה וַיָּשֶׂם מַאֲפֵל בֵּינֵיכֶם ׀ וּבֵין הַמִּצְרִים וַיָּבֵא עָלָיו אֶת־הַיָּם וַיְכַסֵּהוּ
ח וַתִּרְאֶינָה עֵינֵיכֶם אֵת אֲשֶׁר־עָשִׂיתִי בְּמִצְרָיִם וַתֵּשְׁבוּ בַמִּדְבָּר יָמִים רַבִּים׃ °ואבאה
[°וָאָבִיא ק׳] אֶתְכֶם אֶל־אֶרֶץ הָאֱמֹרִי הַיּוֹשֵׁב בְּעֵבֶר הַיַּרְדֵּן וַיִּלָּחֲמוּ אִתְּכֶם וָאֶתֵּן
ט אוֹתָם בְּיֶדְכֶם וַתִּירְשׁוּ אֶת־אַרְצָם וָאַשְׁמִידֵם מִפְּנֵיכֶם׃ וַיָּקָם בָּלָק בֶּן־צִפּוֹר מֶלֶךְ
י מוֹאָב וַיִּלָּחֶם בְּיִשְׂרָאֵל וַיִּשְׁלַח וַיִּקְרָא לְבִלְעָם בֶּן־בְּעוֹר לְקַלֵּל אֶתְכֶם׃ וְלֹא אָבִיתִי
יא לִשְׁמֹעַ לְבִלְעָם וַיְבָרֶךְ בָּרוֹךְ אֶתְכֶם וָאַצִּל אֶתְכֶם מִיָּדוֹ׃ וַתַּעַבְרוּ אֶת־הַיַּרְדֵּן וַתָּבֹאוּ
אֶל־יְרִיחוֹ וַיִּלָּחֲמוּ בָכֶם בַּעֲלֵי־יְרִיחוֹ הָאֱמֹרִי וְהַפְּרִזִּי וְהַכְּנַעֲנִי וְהַחִתִּי וְהַגִּרְגָּשִׁי הַחִוִּי
יב וְהַיְבוּסִי וָאֶתֵּן אוֹתָם בְּיֶדְכֶם׃ וָאֶשְׁלַח לִפְנֵיכֶם אֶת־הַצִּרְעָה וַתְּגָרֶשׁ אוֹתָם מִפְּנֵיכֶם
יג שְׁנֵי מַלְכֵי הָאֱמֹרִי לֹא בְחַרְבְּךָ וְלֹא בְקַשְׁתֶּךָ׃ וָאֶתֵּן לָכֶם אֶרֶץ ׀ אֲשֶׁר לֹא־יָגַעְתָּ בָּהּ
וְעָרִים אֲשֶׁר לֹא־בְנִיתֶם וַתֵּשְׁבוּ בָּהֶם כְּרָמִים וְזֵיתִים אֲשֶׁר לֹא־נְטַעְתֶּם אַתֶּם
יד אֹכְלִים׃ וְעַתָּה יְראוּ אֶת־יְהוָה וְעִבְדוּ אֹתוֹ בְּתָמִים וּבֶאֱמֶת וְהָסִירוּ אֶת־אֱלֹהִים

רש"י

(ז) ויבא עליו את הים. על כל יחיד ויחיד שבהם, שאם היה היחיד בורח שלא ליכנס בים, גל של ים רודף אחריו וקולטו: **(יא) וילחמו בכם בעלי יריחו האמרי והפרזי וגו׳.** כל שבעת האומות נזכרין כאן, לפי שיריחו עומדת על הספר, והיתה נגרה ומנעולה של ארץ ישראל, ונתקבצו לתוכה מכל שבעת האומות גבורי החיל:

רד"ק

ואתן לו את יצחק. ולא זכר את ישמעאל כי בן אמה היה, ועוד שאמר לו גָּרֵשׁ הָאָמָה הַזֹּאת וְאֶת בְּנָהּ (בראשית כא, י): **(ה) כאשר עשיתי בקרבו.** הנגף שנגפתי אותם לא היה בפעם אחד אלא במכות רבות כאשר עשיתי המכות בקרבו: **(ו) ותבאו הימה.** כנגד אותם זקנים שעברו ים סוף, וכן וַתִּרְאֶינָה עֵינֵיכֶם (לקמן פסוק ז) כנגד אותם זקנים שהיו עדיין בחיים: **(ז) ויבא עליו את הים.** על פרעה, ואף על פי שלא זכרו הרי זכר מצרים, או אמר עָלָיו דרך כלל על מצרים, ובדרש על כל יחיד ויחיד שבהם אמר, שאם היה במצרים אחד שלא היה רוצה להכנס לים היה הגל טורדו לים: **(ח) ואביאה.** כתב בה״א וקרי בלא ה״א והענין אחד: **(ט) וילחם בישראל.** והנה לא ראינו בתורה שנלחם בלק עם ישראל, גם יפתח אמר אִם נִלְחֹם (בנו) נִלְחַם בָּם (שופטים יא, כה), אלא פירושו זו המלחמה עשה ששלח לבלעם לקלל אתכם והראה מתוך מעשיו כי אילו היה יכול להלחם אתכם היה נלחם, כמו שכתוב אוּלַי אוּכַל נַכֶּה בּוֹ (במדבר כב, ו) המחשבה חשבה הכתוב למעשה: **(יא) בעלי יריחו.** והנה לא ראינו שנלחמו בעלי יריחו בהם, אבל הכתוב אומר וִירִיחוֹ סֹגֶרֶת וּמְסֻגֶּרֶת מִפְּנֵי בְּנֵי יִשְׂרָאֵל (לעיל ו, א) אולי יצאו מיריחו מגדולי העיר אל מלכי כנען להזהירם ובין כך נלכדה יריחו, והם היו עם המלכים שנתקבצו אחר כן להלחם עם יהושע פה אחד, ואם נאמר כי משבעה גויים שזכר הנה נתקבצו ליריחו לפי שהיתה עומדת על הספר והיא מנעולה של ארץ ישראל ונתקבצו שם להלחם עם ישראל, הנה לא ספר הכתוב מלחמה זאת ואם היתה למה לא ספר אותה הכתוב, זהו דבר תימה, אלא הנכון כמו שפירשנו: **(יב) שני מלכי האמורי.** פירוש וגרשה שני מלכי האמורי גם כן והם סיחון ועוג, וכן אמרו רבותינו ז״ל (סוטה לו, א) שתי צרעות היו חדא דמשה וחדא דיהושע, והצרעה היא מין זבוב רע מטיל ארס, ואמרו (שם; תנחומא משפטים יח) כי היתה הצרעה מכה בעיניה[ם] ומסמא עיניהם ולא היו יכולין להלחם ובאין ישראל והורגין אותם, כמו שאמר לֹא בְחַרְבְּךָ וְלֹא בְקַשְׁתֶּךָ. ותרגום צִרְעָה, אַרְעִיתָא. ואמר למה נקרא שמה ארעיתא

מצודת דוד

(ד) את יעקב ואת עשו. כי לטובה יחשב ליעקב שהיה עם עשו בכרס אחד, כי הוא שאב כל הזוהמא, ויעקב יצא נקי: **ואתן לעשו וכו׳.** רצה לומר, מיד נתתי לו חלקו, ושלא ישתעבד במצרים להיות נחשב מזרע יצחק להתקיים בו כִּי גֵר יִהְיֶה זַרְעֲךָ וכו׳ (שם טו, יג) וְדוֹר רְבִיעִי יָשׁוּבוּ הֵנָּה (שם פסוק טז): **ויעקב וכו׳.** להיות הם נחשבים לזרע, ועליהם יאמר כִּי גֵר יִהְיֶה זַרְעֲךָ, ובהם יתקיים וְדוֹר רְבִיעִי יָשׁוּבוּ הֵנָּה: **(ה) ואגף.** על ידי משה ואהרן: **כאשר עשיתי.** רצה לומר, כאשר ידוע לכם מה עשיתי בקרבו: **(ז) וישם מאפל.** כמו שכתוב וַיְהִי הֶעָנָן וְהַחֹשֶׁךְ (שמות יד, כ): **ויבא וכו׳.** ובזה הביא עליו את הים, כי אם לא היה האופל היה אם כן רואה אשר ישראל הולכים בים ביבשה, ולא היה אם כן רודף אחריהם בראות הנס ההוא, ולא היה אם כן נטבע במי הים, אבל לפי שהלך בחושך לא ידע מכל זה, ובאו אחריהם בים מבלי דעת כי ים הוא, ובבואו נטבע בו: **(ט) וילחם בישראל.** חוזר ומפרש שהמלחמה היתה במה ששלח אחר בלעם לקללם להלחם עמהם בפה: **(י) לשמע לבלעם.** הספיק בידו לקלל כפי מחשבתו: **ויברך.** ועוד ברך אותם בברכה: **מידו.** מיד בלק שערך מלחמה בפיו של בלעם: **(יא) בעלי יריחו.** וחוזר ומפרש האמורי וכו׳ כי כל מלכי העובדי גילולים ההם היו אדונים ביריחו כמו שאמרו רז״ל שכל אחד היה לו חלק מה ביריחו לגודל חביבתה וכולם נתקבצו להלחם בישראל ונפלו בידם: **(יב) את הצרעה.** היא הטילה בהם ארס ולא יכלו להלחם וכאלו היא גרשה אותם, וחוזר ומפרש את שני מלכי האמורי סיחון ועוג: **לא בחרבך.** כי בדרך הטבע לא היית יכול לעמוד כנגדם: **(יג) אתם אכלים.** את פריהם: **(יד) ועתה.** הואיל והרבה להיטיב עמכם: **והסירו וכו׳.** רצה לומר, הסירו מהלב מכל וכל מחשבת עבודת גילולים:

מצודת ציון

(ה) ואגף. ענין הכאה, וכן וְנָגְפוּ אִשָּׁה הָרָה (שמות כא, כב): **(ז) מאפל.** מלשון אופל וחושך: **(י) אביתי.** ענין רצון, כמו לֹא אָבָה יַבְּמִי (דברים כה, ז): **(יא) בעלי יריחו.** אדוני יריחו, כמו אִם בְּעָלָיו עִמּוֹ (שמות כב, יד): **(יב) הצרעה.** אמרו רבותינו זכרונם לברכה (סוטה לו, א) שהוא מין שרץ עוף, שהטילה בהם ארס:

and I gave him Isaac. [4] *To Isaac I gave Jacob and Esau. To Esau I gave Mount Seir to*
inherit, and Jacob and his sons went down to Egypt.
[5] *" 'I sent Moses and Aaron, and I plagued Egypt with all that I did in their midst, and*
afterwards I brought you out. [6] *I brought your forefathers out of Egypt and you arrived at*
the sea. The Egyptians pursued your forefathers with chariot and horsemen to the Sea of
Reeds. [7] *They cried out to HASHEM, and He placed darkness between you and the*
Egyptians and brought the sea upon them and covered them — your own eyes saw what
I did with the Egyptians — and then you dwelled in the Wilderness for many years. [8] *I*
brought you to the land of the Amorite, who dwelled across the Jordan, and they battled
with you, but I delivered them into your hand and you inherited their land; I destroyed them
from before you. [9] *Then Balak the son of Zippor, king of Moab, arose and battled against*
Israel. He sent and summoned Balaam son of Beor to curse you, [10] *but I refused to listen*
to Balaam, and he pronounced a blessing upon you; thus I rescued you from his power.
[11] *" 'Then you crossed the Jordan and came to Jericho. The inhabitants of Jericho*
battled against you — the Amorite and the Perizzite and the Canaanite and the Hittite and
the Girgashite, the Hivvite and the Jebusite — and I delivered them into your hand. [12] *I sent*
the hornet-swarm ahead of you, and it drove them out before you — the two kings of the
Amorite — not by your sword and not by your bow. [13] *I gave you a land for which you did*
not labor and cities that you did not build, yet you occupied them; vineyards and olive
groves that you did not plant, yet you are eating from them.'

Joshua's discourse

[14] *"And now, fear HASHEM and serve Him with wholeheartedness and truth; remove the*

רד"ק

שעומדת לקראת אדם ומכה בפניו, כדמתרגמינן אֲשֶׁר קָרְךָ (דברים כה, יח) דְּאַרְעָךְ: **לא בחרבך**. פירוש אם לא היה עזר האל, והוא על דרך כִּי לֹא בְקַשְׁתִּי אֶבְטָח וְחַרְבִּי לֹא תוֹשִׁיעֵנִי (תהלים מד, ז): **(יד) בתמים**. שם לא תואר וכן אם בֶּאֱמֶת וּבְתָמִים (שופטים ט, טז): **והסירו את אלהים**. פירוש אלהי כסף ואלהי זהב שלקחו בערים אשר כבשו ובמצרים כמו שכתוב ביחזקאל (כ, ח):

hardly have been a satisfactory blessing for Abraham to have a son who could not bring about the glorious future God had promised the Jewish people (*Likutei Sichos*).

4. By taking this narrative through three generations, Joshua wished to show that God winnowed Israel, as it were, until it was completely worthy to be His chosen people. He chose Abraham over Terah and Nahor; he chose Isaac over Ishmael; he chose Jacob over Esau. Having made these three choices to arrive at the designation of Jacob, God's process of selection was complete, and all of Jacob's offspring were holy and worthy (*Maharal*).

וְיַעֲקֹב וּבָנָיו יָרְדוּ מִצְרָיִם — *And Jacob and his sons went down to Egypt.* This exile, too, was a blessing for Jacob's family. Had they remained in Canaan, where rain is sparse and its inhabitants always long and pray for it, it would have been almost inevitable that they would have followed the Canaanite pattern of worshiping the "gods" of rain and agriculture. Only by going to Egypt where they saw that Hashem reversed the laws of nature at will and the idols were powerless to protect their worshipers did Israel see that all the idols are worthless and nature is only a tool in the hands of God (*Netziv*).

7. וַיָּשֶׂם מַאֲפֵל — *And He placed darkness.* God placed His Clouds of Glory between Egypt and Israel (*Exodus* 14:20) to protect the Jews from attack and to conceal them from the Egyptians (*Metzudos*).

8. אֶרֶץ הָאֱמֹרִי — *The land of the Amorite* i.e. the lands of Sichon and Og. As the verse implies, Israel had no aggressive designs against the Amorite kings; they attacked the Jews, who then conquered them and occupied their lands (*Poras Yosef*).

9. וַיִּלָּחֶם בְּיִשְׂרָאֵל — *And* [*Balak*] *battled against Israel.* Balak did not literally attack Israel, but his hiring Balaam to curse the people was an act of war (*Abarbanel*). See *Numbers* Ch. 22-23.

11. Troops from all seven Canaanite nations converged into Jericho to fight the invaders, for a successful defense of Jericho would have shut the doors of the country to Israel (*Rashi*). Although there was no actual "battle" after Jericho's walls sunk, they had been ready to fight. Alternatively, the troops at Jericho fanned out to the north to fight in future wars (*Radak*).

14-15. The choice. Having finished his recitation of all God had given them, Joshua tells the people they must choose whether they would be loyal to Him or whether they would opt for the idols of the Canaanites. Clearly, his question was rhetorical; he wanted them to make a conscious commitment to the covenant with God.

14. וְהָסִירוּ אֶת־אֱלֹהִים — *Remove the gods*, i.e., the gold and silver idols that you looted in your conquests (*Radak*). According to *Malbim,* Joshua was telling them that they must undertake to serve God alone, without partnership with other deities, and with utmost sincerity, untainted by hypocrisy or calculations of reward.

טו אֲשֶׁר עָבְדוּ אֲבוֹתֵיכֶם בְּעֵבֶר הַנָּהָר וּבְמִצְרַיִם וְעִבְדוּ אֶת־יְהוָה: וְאִם רַע בְּעֵינֵיכֶם
לַעֲבֹד אֶת־יְהוָה בַּחֲרוּ לָכֶם הַיּוֹם אֶת־מִי תַעֲבֹדוּן אִם אֶת־אֱלֹהִים אֲשֶׁר־עָבְדוּ
אֲבוֹתֵיכֶם אֲשֶׁר °בעבר [°מֵעֵבֶר ק׳] הַנָּהָר וְאִם אֶת־אֱלֹהֵי הָאֱמֹרִי אֲשֶׁר אַתֶּם
טז יֹשְׁבִים בְּאַרְצָם וְאָנֹכִי וּבֵיתִי נַעֲבֹד אֶת־יְהוָה: וַיַּעַן הָעָם וַיֹּאמֶר
יז חָלִילָה לָּנוּ מֵעֲזֹב אֶת־יְהוָה לַעֲבֹד אֱלֹהִים אֲחֵרִים: כִּי יְהוָה אֱלֹהֵינוּ הוּא הַמַּעֲלֶה
אֹתָנוּ וְאֶת־אֲבוֹתֵינוּ מֵאֶרֶץ מִצְרַיִם מִבֵּית עֲבָדִים וַאֲשֶׁר עָשָׂה לְעֵינֵינוּ
אֶת־הָאֹתוֹת הַגְּדֹלוֹת הָאֵלֶּה וַיִּשְׁמְרֵנוּ בְּכָל־הַדֶּרֶךְ אֲשֶׁר הָלַכְנוּ בָהּ וּבְכֹל הָעַמִּים
יח אֲשֶׁר עָבַרְנוּ בְּקִרְבָּם: וַיְגָרֶשׁ יְהוָה אֶת־כָּל־הָעַמִּים וְאֶת־הָאֱמֹרִי יֹשֵׁב הָאָרֶץ
יט מִפָּנֵינוּ גַּם־אֲנַחְנוּ נַעֲבֹד אֶת־יְהוָה כִּי־הוּא אֱלֹהֵינוּ: וַיֹּאמֶר יְהוֹשֻׁעַ
אֶל־הָעָם לֹא תוּכְלוּ לַעֲבֹד אֶת־יְהוָה כִּי־אֱלֹהִים קְדֹשִׁים הוּא אֵל־קַנּוֹא הוּא
כ לֹא־יִשָּׂא לְפִשְׁעֲכֶם וּלְחַטֹּאותֵיכֶם: כִּי תַעַזְבוּ אֶת־יְהוָה וַעֲבַדְתֶּם אֱלֹהֵי נֵכָר וְשָׁב
כא וְהֵרַע לָכֶם וְכִלָּה אֶתְכֶם אַחֲרֵי אֲשֶׁר־הֵיטִיב לָכֶם: וַיֹּאמֶר הָעָם אֶל־יְהוֹשֻׁעַ לֹא
כב כִּי אֶת־יְהוָה נַעֲבֹד: וַיֹּאמֶר יְהוֹשֻׁעַ אֶל־הָעָם עֵדִים אַתֶּם בָּכֶם כִּי־אַתֶּם בְּחַרְתֶּם
כג לָכֶם אֶת־יְהוָה לַעֲבֹד אוֹתוֹ וַיֹּאמְרוּ עֵדִים: וְעַתָּה הָסִירוּ אֶת־אֱלֹהֵי הַנֵּכָר אֲשֶׁר
כד בְּקִרְבְּכֶם וְהַטּוּ אֶת־לְבַבְכֶם אֶל־יְהוָה אֱלֹהֵי יִשְׂרָאֵל: וַיֹּאמְרוּ הָעָם אֶל־
כה יְהוֹשֻׁעַ אֶת־יְהוָה אֱלֹהֵינוּ נַעֲבֹד וּבְקוֹלוֹ נִשְׁמָע: וַיִּכְרֹת יְהוֹשֻׁעַ בְּרִית לָעָם בַּיּוֹם
כו הַהוּא וַיָּשֶׂם לוֹ חֹק וּמִשְׁפָּט בִּשְׁכֶם: וַיִּכְתֹּב יְהוֹשֻׁעַ אֶת־הַדְּבָרִים הָאֵלֶּה בְּסֵפֶר

רש״י

(יט) אלהים קדשים. ברוב מקומות נקרא כל לשון רבנות לשון רבים, כמו אֲדֹנֵי הָאָרֶץ (בראשית מב, ל), אֲדֹנֵי יוֹסֵף (שם לט, כ), אִם בְּעָלָיו עִמּוֹ (שמות כב, יד), אֲשֶׁר הָלְכוּ אֱלֹהִים לִפְדּוֹת (שמואל־ב ז, כג), לפי שהשם הזה שם שררה הוא: **(כב) עדים אתם בכם.** ראה יהושע שעתידין לערער בימי יחזקאל ולומר נִהְיֶה כַגּוֹיִם (יחזקאל כ, לב), לפיכך הכביד עליהם עכשיו, ולכך הושב להם בימי יחזקאל, וְהָעֹלָה עַל רוּחֲכֶם הָיוֹ לֹא תִהְיֶה וגו׳ חַי אָנִי וגו׳ אִם לֹא בְּיָד חֲזָקָה וגו׳ (שם פסוקים לב, לג), כבר קבלתם עליכם בימי יהושע, ולא תאמרו מה שקבלנו עלינו בימי משה כדי ליכנס לארץ עשינו, הרי בימי יהושע כבר נכנסתם וקבלתם: **(כה) וישם לו חק ומשפט בשכם.** סידר להם את החוקים שבתורה, וקבלו עליהם: **(כו) ויכתב יהושע וגו׳.** תרגם יונתן וּכְתַב יְהוֹשֻׁעַ יַת פִּתְגָמַיָּא הָאִלֵּין וְאַצְנְעִינּוּן בְּסֵפֶר אוֹרַיְיתָא דַה׳, ובמסכת מכות (יא, א) נחלקו אמוראים, חד אמר אלו שמונה פסוקים מן וַיָּמָת שָׁם מֹשֶׁה עד לְעֵינֵי כָּל יִשְׂרָאֵל (דברים לד, ה־יב) שהיה ספר תורה חסר, והשלימו, וחד אמר פרשה זו של ערי מקלט כתב בספרו כמו שהיו כתובים בספר התורה:

רד״ק

(יט) אלהים קדשים הוא. קדושים לשון תפארת כמו אלהים, וכן יִשְׂמַח יִשְׂרָאֵל בְּעֹשָׂיו (תהלים קמט, ב) אַיֵּה אֱלוֹהַּ עֹשָׂי (איוב לה, י): **(כב) עדים אתם בכם.** אתם בעצמכם תהיו עדים בכם כי אתם בחרתם לכם את ה׳. ויש מפרשים עֵדִים אַתֶּם בָּכֶם הנשמה והגוף, וכן הַאֲזִינוּ הַשָּׁמַיִם וְתִשְׁמַע הָאָרֶץ (דברים לב, א) שִׁמְעוּ שָׁמַיִם וְהַאֲזִינִי אֶרֶץ (ישעיהו א, ב) הנשמה מן השמים והגוף מן הארץ: **(כה) וישם לו חק ומשפט.** פירוש לו לעם, ועניינו כמו שָׂם שָׂם לוֹ חֹק וּמִשְׁפָּט (שמות טו, כה) שסדר להם דרך כלל חקי התורה ומשפטים וקבלום עליהם. או פירוש וַיָּשֶׂם לוֹ חֹק וּמִשְׁפָּט יהושע שם לעצמו חק ומשפט בשכם על הברית שכרת להם, והחק והמשפט האבן והאלה ששם לעדים, ודברי הברית שכתב בספר תורת אלהים. ויונתן תרגם וִיהוֹשֻׁעַ כְּתַב יַת פִּתְגָמַיָּא הָאִילֵין בְּסִפְרָא וְאַצְנַע בְּסֵפֶר אוֹרַיְתָא דַה׳, ובדברי רז״ל (מכות יא, א) רבי יהודה ורבי נחמיה חד אמר שמנה פסוקים שבתורה וחד אמר ערי מקלט, ולא נראה לפי הפשט לא זה ולא זה, והאמת הוא שתרגם יונתן:

מצודת דוד

ובמצרים. כי רבים מהם עבדו במצרים עבודת גילולים כמו שכתוב וְאֶת גִּלּוּלֵי מִצְרַיִם לֹא עָזָבוּ (יחזקאל כ, ח): **(טו) בחרו לכם וכו׳.** חשב כאשר יבחרו מי, אז יביא טענות למאס אותם: **ואנכי וכו׳.** ולא נהיו נמשכים אחריכם: **(יח) גם אנחנו.** כמו אתה וביתך: **(יט) לא תוכלו.** כוונת יהושע היתה שיגלו מצפוני לבם באר היטב, ולקשרם במוסרי הברית אומר דבריו להטעותם שיחשבו כאלו הברירה בידם לבחור מי שירצו הם, ולדעת מה ישיבו: **אלהים קדשים.** קדוש בכל מיני קדושות ומאד קשה להיות נזהר בעבודתו: **אל קנוא הוא.** נוקם הוא מעוברי רצונו ולא ישא הפשעים: **(כ) כי תעזבו.** וכאשר תעזבו אותו ישוב להרע לכם ולכלות אתכם: **אחרי אשר היטיב לכם.** רצה לומר ותהיה אם כן הרעה כפולה, כי האדם הרגיל בטובה כפול צערו ממי שלא ראה בטובה מעולם: **(כא) לא.** רצה לומר, לא נעזוב אותו כי את ה׳ נעבוד כל הימים ונהיה נזהרים בעבודתו: **(כב) עדים אתם בכם.** אתם היו עדים בעצמיכם שבחרתם לעבוד את ה׳: **ויאמרו עדים.** רצה לומר נהיה עדים בעצמינו: **(כג) ועתה הסירו.** הם לא הניחו ליהושע לגמור את דבריו והשיבו עדים, ואחר זה חזר יהושע לגמור דבריו ואמר, ועתה הסירו מלב מכל וכל מחשבות עבודת גילולים: **(כד) ויאמרו העם.** חזרו העם לגמור דבריהם שאמרו נהיה עדים בעצמינו אשר קבלנו לעבוד ה׳ ולשמוע בקולו: **(כה) ויכרת וכו׳.** לקבל עבודת ה׳ מאהבה: **וישם לו.** סדר לישראל חוקי התורה ומשפטיה: **(כו) את הדברים האלה.** אשר דבר עם ישראל בשכם: **בספר וכו׳.** תרגום יונתן וְאַצְנְעִינּוּן בְּסֵפֶר אוֹרַיְיתָא דַה׳, רצה לומר נתנה במקום שמונח בה התורה:

מצודת ציון

(יט) קנוא. מתנקם ליפרע: **ישא.** ענין כפרה ומחילה, כמו נֹשֵׂא עָוֹן (שמות לד, ז):

gods that your forefathers served on the other side of the River and in Egypt, and serve HASHEM. 15 *If it is evil in your eyes to serve HASHEM, choose today whom you will serve: the gods your forefathers served across the River, or the gods of the Amorite in whose land you dwell. But as for me and my house, we will serve HASHEM!"*

16 *The nation responded and said, "It would be sacrilegious for us to forsake HASHEM, to serve gods of others.* 17 *For it is HASHEM our God Who brought us and our fathers up from the land of Egypt, from the house of bondage, Who performed these great wondrous signs before our eyes; He safeguarded us on all the paths upon which we walked and among all the peoples in whose midst we passed.* 18 *HASHEM drove out all the peoples and the Amorite who inhabited the land from before us. We, too, will serve HASHEM, for He is our God!"*

19 *But Joshua said to the people, "You will not be able to serve HASHEM, for He is a holy God; He is a jealous God; He will not forgive your rebellious sins or your transgressions.* 20 *If you forsake HASHEM and serve gods of the foreigner, He will turn and act harshly toward you and destroy you after having done good with you."*

21 *The people said to Joshua, "No, we will serve only HASHEM!"* 22 *Joshua said to the people, "You bear witness upon yourselves that you have chosen HASHEM, to serve Him"; and they said, "We are witnesses."*

The covenant and conclusion

23 *"So now, remove the gods of the foreigner that are among you and direct your hearts to HASHEM, the God of Israel."* 24 *The people replied to Joshua, "We shall serve HASHEM, our God, and we shall heed His voice."*

25 *Joshua made a covenant with the people that day and he set down decrees and laws for them in Shechem.* 26 *Joshua wrote these words [and placed them] with the Book of*

15. Joshua was hinting to them that there is no middle way. If they were not ready to commit themselves to total loyalty to God, it was inevitable that they fall under the spell of the practices of their neighbors.

16-28. The commitment. The people respond to Joshua's challenge with an unequivocal declaration of loyalty to the Torah, contending that there was no way they could turn their backs on the God Who had done so much for them. But Joshua continues to challenge them, suggesting that they would be too weak to keep the promise and that God would not tolerate such treachery. When the people again insisted vociferously that they would not be swayed, Joshua reaffirmed their covenant with God.

19-20. Sensing from their previous response that they were ready to serve God because they looked forward to blessings and prosperity, just as He had been so benevolent with them in the past, Joshua warned them that such resolve was doomed to fail. If all they wanted was blessing and safety from harm, they would surely drift away from God if they were tempted by some other promise of success. Now, Joshua warned them that God would never tolerate or forgive, especially if they were to spurn Him after He had done so much for them (*Malbim*).

22. עֵדִים אַתֶּם בָּכֶם — *You bear witness upon yourselves.* Every member of the nation is a witness that you have accepted God's service unconditionally. Alternatively, the body and soul of each person constitute two witnesses (*Radak*). The sense of this statement is that the nation has made an unequivocal and irreversible commitment.

24. ה' אֱ-לֹהֵינוּ — *HASHEM, our God.* We will serve Him whether He is merciful (as indicated by the Name Hashem) or whether He metes out justice (as indicated by Elokeinu) (*Alshich*).

25. חֹק וּמִשְׁפָּט — *Decrees and laws.* Joshua reviewed the commandments of the Torah with the people (*Rashi*).

Alternatively, this verse refers to ten enactments instituted by Joshua (*Bava Kamma* 80b). In order to foster cooperation among the Land's citizens, Joshua legalized the use of property if such activities would be very helpful to the public and only minimally harmful to the owners. For example, Joshua enacted that people may graze their flocks in privately owned forests; walk through farmland after the harvest; gather fallen twigs in a private field, and so on. The general principle of such enactments was that property owners should be willing to overlook minor inconvenience for the sake of the general good (*Ramban* to *Exodus* 15:25).

Joshua had a dual role: On the one hand, he had to understand people's individual needs and inspire disparate individuals with a sense of unity and loyalty (*Or HaChaim*); on the other hand, he assigned the tribes to their appropriate parts of the Land, where they could carry out their separate and individual roles within the nation (*Sfas Emes*). These roles of Joshua are symbolized by his ten enactments, which balanced private rights of ownership with needs of a well-functioning, harmonious society.

26. *The Book of God's Torah* referred to in this verse is the Book of *Joshua*, which Joshua composed and sanctified, like the Torah itself. In this Book, he included the above covenant. He took a hollow stone and deposited the Book in it

תּוֹרַת אֱלֹהִים וַיִּקַּח אֶבֶן גְּדוֹלָה וַיְקִימֶהָ שָּׁם תַּחַת הָאַלָּה אֲשֶׁר בְּמִקְדַּשׁ
כז יְהוָה׃ וַיֹּאמֶר יְהוֹשֻׁעַ אֶל־כָּל־הָעָם הִנֵּה הָאֶבֶן הַזֹּאת תִּהְיֶה־בָּנוּ לְעֵדָה
כִּי־הִיא שָׁמְעָה אֵת כָּל־אִמְרֵי יְהוָה אֲשֶׁר דִּבֶּר עִמָּנוּ וְהָיְתָה בָכֶם לְעֵדָה
כח־כט פֶּן־תְּכַחֲשׁוּן בֵּאלֹהֵיכֶם׃ וַיְשַׁלַּח יְהוֹשֻׁעַ אֶת־הָעָם אִישׁ לְנַחֲלָתוֹ׃ וַיְהִי
אַחֲרֵי הַדְּבָרִים הָאֵלֶּה וַיָּמָת יְהוֹשֻׁעַ בִּן־נוּן עֶבֶד יְהוָה בֶּן־מֵאָה וָעֶשֶׂר שָׁנִים׃
ל וַיִּקְבְּרוּ אֹתוֹ בִּגְבוּל נַחֲלָתוֹ בְּתִמְנַת־סֶרַח אֲשֶׁר בְּהַר־אֶפְרָיִם מִצְּפוֹן לְהַר־גָּעַשׁ׃
לא וַיַּעֲבֹד יִשְׂרָאֵל אֶת־יְהוָה כֹּל יְמֵי יְהוֹשֻׁעַ וְכֹל ׀ יְמֵי הַזְּקֵנִים אֲשֶׁר הֶאֱרִיכוּ יָמִים
לב אַחֲרֵי יְהוֹשֻׁעַ וַאֲשֶׁר יָדְעוּ אֵת כָּל־מַעֲשֵׂה יְהוָה אֲשֶׁר עָשָׂה לְיִשְׂרָאֵל׃ וְאֶת־
עַצְמוֹת יוֹסֵף אֲשֶׁר־הֶעֱלוּ בְנֵי־יִשְׂרָאֵל ׀ מִמִּצְרַיִם קָבְרוּ בִשְׁכֶם בְּחֶלְקַת הַשָּׂדֶה
אֲשֶׁר קָנָה יַעֲקֹב מֵאֵת בְּנֵי־חֲמוֹר אֲבִי־שְׁכֶם בְּמֵאָה קְשִׂיטָה וַיִּהְיוּ לִבְנֵי־יוֹסֵף
לג לְנַחֲלָה׃ וְאֶלְעָזָר בֶּן־אַהֲרֹן מֵת וַיִּקְבְּרוּ אֹתוֹ בְּגִבְעַת פִּינְחָס בְּנוֹ אֲשֶׁר נִתַּן־לוֹ בְּהַר
אֶפְרָיִם׃

סכום הפסוקים של ספר יהושע שש מאות וחמשים וששה. **ותרן** לשון אלם סימן.

רש"י

תחת האלה. (תרגום) תְּחוֹת אַלְתָּא, היא מזוזת הפתח, כמו שנאמר הָאַיִל מְזוּזוֹת חֲמִשִׁית (מלכים־א ו, לא) וּמִדָּה אַחַת לָאֵילִם (יחזקאל מ, י). ויש אומרים זו האלה אשר עם שכם, שכתוב ביעקב וַיִּטְמֹן אֹתָם יַעֲקֹב תַּחַת הָאֵלָה (בראשית לה, ד): **אשר במקדש ה'.** כלפי שהביאו שם את הארון, כמה שנאמר למעלה וַיִּתְיַצְּבוּ לִפְנֵי הָאֱלֹהִים (פסוק א): **(כז) האבן הזאת תהיה בנו לעדה וגו'.** (תרגום) הָא אַבְנָא הָדָא תְּהֵי לָנָא כִּתְרֵין לוּחֵי אֶבֶן קְיָימָא אֲרֵי יָתַהּ עֲבַדְנָא לְסַהֲדוּ אֲרֵי פִּתְגָמַיָּא דִכְתִיבִין עֲלָה מֵעֵין כָּל פִּתְגָמַיָּא דַה' דְמַלֵּיל עִמָּנָא. וגם יש לפותרו כמשמעו, כי היא שמעה את הדברים אשר דברתי לכם בשליחותו של מקום: **(ל) בתמנת סרח.** כך שמה. ובמקום אחר הוא קורא אותה תִּמְנַת חֶרֶס (שופטים ב, ט), על שם שהעמידו תמונת החמה על קברו (של יהושע) לומר, זה הוא שהעמיד החמה, וכל העובר עליה אומר חבל על זה שעשה דבר גדול כזה ומת. ויש אומרים, תמנת חרס שמה, ולמה נקרא שמה תמנת סרח, על שם שפירותיה מסריחין מרוב שמנן: **להר געש.** מלמד שרעש עליהם ההר להורגם לפי שלא הספידוהו כראוי (שבת קה, ב): **(לא) האריכו ימים.** ימים האריכו, שנים לא האריכו, שנענשו (שם): **(לב) קברו בשכם.** משכם גנבוהו (בראשית לז, יד), לשכם החזירוהו (סוטה יג, ב): **(לג) בגבעת פינחס בנו.** מהיכן היה לו לפנחס חלק בארץ, שירש מאשתו (בבא בתרא קיג, א):

רד"ק

(כו) תחת האלה. הדגש תמורת הנח אשר בתַּחַת הָאֵלָה אֲשֶׁר עִם שְׁכֶם (בראשית לה, ד), ובמדרש כי הוא האלה שטמן תחתיה יעקב אלהי הנכר כמו שכתוב וַיִּטְמֹן אֹתָם יַעֲקֹב תַּחַת הָאֵלָה אֲשֶׁר עִם שְׁכֶם ואין כן דעת המתרגם שתרגם אֵלָה בָּטְמָא ותרגם הָאַלָּה אַלְתָא והיא מזוזת השער כמו הָאַיִל (מלכים־א ו, לא) מזוזת השער, וּמִדָּה אַחַת לָאֵילִם (יחזקאל מ, י) שתרגם (אלון) אֵלַיָּא: **אשר במקדש ה'.** הבית שהיה שם הארון בשכם קראו מקדש לקדושת הארון שהיה שם לשעה: **(כז) אשר דבר עמנו.** תרגם יונתן הפסוק כן וַאֲמַר יְהוֹשֻׁעַ לְכָל עַמָּא הָא אַבְנָא הָדָא תְּהֵי לָנָא כִּתְרֵין לוּחֵי אֶבֶן קְיָימָא אֲרֵי יָתַהּ עֲבַדְנָא לְסַהֲדוּ אֲרֵי פִּתְגָמַיָּא דִכְתִיבִין עֲלָה מֵעֵין כָּל פִּתְגָמַיָּא דה' דִי מַלֵּיל עִמָּנָא וגו', ולפי הפשט אֲשֶׁר דִּבֶּר עִמָּנוּ רוצה לומר כי מה שדברתי עמכם והברית אשר כרתי עמכם לא מלבי, כי הם אמרי ה' אשר דבר עמנו בהר סיני, ופירוש כִּי הִיא שָׁמְעָה על דרך וְתִשְׁמַע הָאָרֶץ אִמְרֵי פִי (דברים לב, א): **(ל) בתמנת סרח.** ובספר שופטים בְּתִמְנַת חֶרֶס (שופטים ב, ט) ושניהם אחד כמו כבש וכשב. ורבותינו דרשו בו מהם אמרו סרח שמה ולמה קראה חרס בשביל שנקבר שם יהושע שהעמיד חמה לישראל, והחמה תקרא חרס כמו הָאֹמֵר לַחֶרֶס וְלֹא יִזְרָח (איוב ט, ז) ויש אומרים (בבא בתרא קכב, ב) חרס שמה ולמה נקרא שמה סרח שהיו פירותיה מסריחין מרוב שמנן: **מצפון להר געש.** רבי ברכיה ורבי סימון בשם רבי יהושע בן לוי חזרנו על המקרא ולא מצאנו מקום ששמו הַר גָּעַשׁ אלא מה הוא הר געש, על ידי שנתרשלו ישראל בו ולא הספידוהו כראוי רצה הקב"ה להגעיש עליהם ההר (שבת קה, ב; קהלת רבה ז), רוצה לומר שגעש ההר ביום קבורתו: **(לב) אשר העלו בני ישראל.** אף על פי שכתוב [וַיִּקַּח] (ויעל) מֹשֶׁה אֶת עַצְמוֹת יוֹסֵף עִמּוֹ (שמות יג, יט) הוא הזהיר את בני ישראל להעלותם, כמו וַיִּבֶן שְׁלֹמֹה (מלכים־א ו, יד) והדומים לו, ובדרש (תנחומא עקב ו) כל המתחיל במצוה ואחר גומרה נקראת על שם האחרון, ממי אתה למד ממשה דכתיב וַיִּקַּח מֹשֶׁה אֶת עַצְמוֹת יוֹסֵף עִמּוֹ, נסתלק משה במדבר ולא נכנס לארץ והכניסו ישראל עצמותיו לארץ וקברו אותם, ונתלית המצוה בהם דכתיב אֲשֶׁר הֶעֱלוּ בְנֵי יִשְׂרָאֵל מִמִּצְרַיִם, אשר העלה משה אין כתוב כאן אלא אֲשֶׁר הֶעֱלוּ: **קברו בשכם.** דרשו בו (דברים רבה ח, ד) משכם גנבוהו ולשכם החזירוהו, ולפי הפשט לפי שהיה שכם בחלק אפרים ולכבוד יוסף קברוהו בנחלה הראשונה אשר היה ליעקב אבינו בארץ ישראל (בראשית לג, יט), ולפי דעתי בפסוק וַאֲנִי נָתַתִּי לְךָ שְׁכֶם אַחַד עַל אַחֶיךָ (בראשית מח, כב) רמז לו שיקבר שם בשכם, זהו שאמר לך

מצודת דוד

במקדש ה'. היא שכם ולשעתו קראו מקדש לפי שהיה שם הארון: **(כז) כי היא שמעה.** רצה לומר במקום הזה נאמר וכאלו שמעה היא: **אמרי ה'.** כי כל הדברים האלה בנבואה נאמרו ולא מלבו: **(לא) אשר האריכו ימים.** עד כלות עשרים ושמונה שנה מיום שעמד יהושע, כן כתוב בסדר עולם: **ואשר ידעו וכו'.** רצה לומר, בימי הזקנים האלה עבדו את ה' אשר ידעו מעשה ה', כי בעיניהם ראו, ובזה היו מישרים את לבות ישראל לאביהם שבשמים: **(לב) העלו בני ישראל.** אף כי משה העלם ממצרים אבל לפי שמת במדבר ולא הספיק להביאם לשכם והביאום הם לכך נקרא על שמם: **ויהיו לבני יוסף לנחלה.** שדות החלקה ההיא היו לבני יוסף לנחלה ולזה קברו שם את יוסף אביהם. או יאמר שעצמות יוסף חשבו להם בני יוסף לנחלה טובה כי מאד נהנו והוטב להם במה שנקבר באחוזתם: **(לג) אשר נתן לו.** בני ישראל נתנו אותה לו במתנה עם שלא נתן נחלה לשבט הלוי:

מצודת ציון

(כו) האלה. הוא שם אילן מה: **(כז) לעדה.** לשון עד בלשון נקבה: **(לב) בחלקת.** ענין אחוזת שדה, כמו וַיִּקֶן אֶת חֶלְקַת הַשָּׂדֶה (בראשית לג, יט): **קשיטה.** מעה, והיא מטבע מה: **(לג) בגבעת.** מלשון גבעה והר:

God's Torah. He took a large stone and stood it there beneath the doorpost that was in the
Sanctuary of HASHEM, 27 *and Joshua declared to all the people, "Behold, this stone will be*
a witness for us, for it has heard all the words of HASHEM *that He has spoken to us; it will*
be a witness against you if you ever deny your God." 28 *Then Joshua sent the people forth,*
each man to his heritage.

Joshua's death and burial (See Timeline in the Appendix)

29 *It was after these events that Joshua son of Nun, the servant of* HASHEM, *died at the*
age of one hundred and ten years. 30 *They buried him in the border of his heritage in*
Timnath-serah, which is in Mount Ephraim, north of Mount Gaash.
31 *Israel served* HASHEM *all the days of Joshua and all the days of the Elders whose days*
were lengthened after Joshua, and who had known all the deeds of HASHEM, *which He had*
done for Israel.

Joseph's burial

32 *Joseph's bones, which the Children of Israel had brought up from Egypt, they buried*
in Shechem, in the portion of the field that Jacob acquired from the children of Hamor, the
father of Shechem, for a hundred kesitahs; and it became a heritage for the children of
Joseph.

Elazar's death and burial

33 *Elazar son of Aaron died, and they buried him in the Hill of Phinehas his son, which*
was given to him on Mount Ephraim.

רד"ק

כי כבר זכר הגבורה שנתן לו שיטלו בניו שני חלקים: **ויהיו לבני יוסף לנחלה**. וחשבו להם העצמות לנחלה טובה שנקברו בנחלתם, ודרשו בו על בני יוסף שהתעסקו בקברות העצמות בנחלתם: (לג) **אשר נתן לו בהר אפרים**. אמרו רבותינו ז״ל (בבא בתרא קיא, ב) מניין היה לו לפנחס שלא היה לו לאלעזר, אלא מלמד שנשא פנחס אשה ומתה וירשה, ומכאן סמכו לירושת הבעל, ומהם אמרו כי אפשר שנפלה לו בשדה חרמים, ויתכן גם כן לפרש כי ישראל נתנו לו כמו שנתנו לכלב ויהושע, אבל לא על פי השם יתברך כמו שנתנו להם וזהו שאמר אֲשֶׁר נִתַּן לוֹ, ואילו היתה ירושת אשתו או שדה חרמים לא היה אומר אֲשֶׁר נִתַּן לוֹ, ורבותינו ז״ל אמרו (שם קיב, א) כי לא נוכל לומר שקנה פנחס אותה גבעה דאם כן נמצאת שדה חוזרת ביובל ונמצא אותו צדיק קבור בקבר שאינו שלו, אבל לשון נִתַּן לוֹ לא הקשה להם כי מצאנו לשון מתנה במכר כמו וְיִתֶּן לִי אֶת מְעָרַת הַמַּכְפֵּלָה (בראשית כג, ט). ואם תאמר לפירושינו קשה גם כן שהרי מתנת יחיד חוזרת ביובל אבל מתנת רבים אינה חוזרת, וזאת הגבעה שבט אפרים נתנוה לו, ולדבריהם שאמרו כי ירושת אשתו היתה, הם אמרו גם כן כי ירושת הבעל אינה חוזרת ביובל, וכן הדין:

and put it in a permanent place in the Tabernacle (*Malbim*).

29-33. Joshua's era ends

29. עֶבֶד ה׳ — *The servant of* HASHEM. The Sages note that Joshua never referred to *himself* as a servant of God; God Himself bestowed that title on him (*Sifrei, Va'es'chanan*). As noted in the commentary to 1:1, this is an august title, one that Joshua earned through a lifetime of devoted service to God and Israel. At the end of Joshua's life, God conferred this title on him — the same title Moses had earned — as a testimonial to his greatness.

During Moses' lifetime, Joshua was referred to only as his *servant* (1:1; *Numbers* 11:28). During those years, Joshua's personal greatness was a function of his obedience to Moses, but now, after his years of dedicated, unselfish leadership, he had earned the supreme Divine compliment: service of God was his only aspiration, and he had achieved that pinnacle even without Moses to guide him.

30-31. Great and dedicated to them though Joshua was, the Jews were lax in eulogizing him properly. "One was busy with his vineyard, the other with his field, yet another with his coal." This incurred God's displeasure, and. as a symbol of his anger, the mountain near Joshua's burial place, Mount Gaash, erupted [the word גָּעַשׁ, *Gaash*, means erupt] (*Midrash Shmuel*).

THE SOUTHERN CONQUEST

1. Adoni Tzedek, King of Jerusalem, creates an alliance to seek revenge against Gibeon.
2. Joshua responds to the Gibeonites' appeal for aid.
3. Alliance flees from Joshua's crushing blow and is pummeled by huge hailstones from heaven.
4. Fleeing kings hide in a cave at Makkedah.
5. Joshua orders the cave sealed, puts the five kings to death, and systematically vanquishes the southern cities of *Eretz Yisrael.*
6. Horam, King of Gezer, attempts to aid Lachish but both he and Lachish are defeated by Joshua.

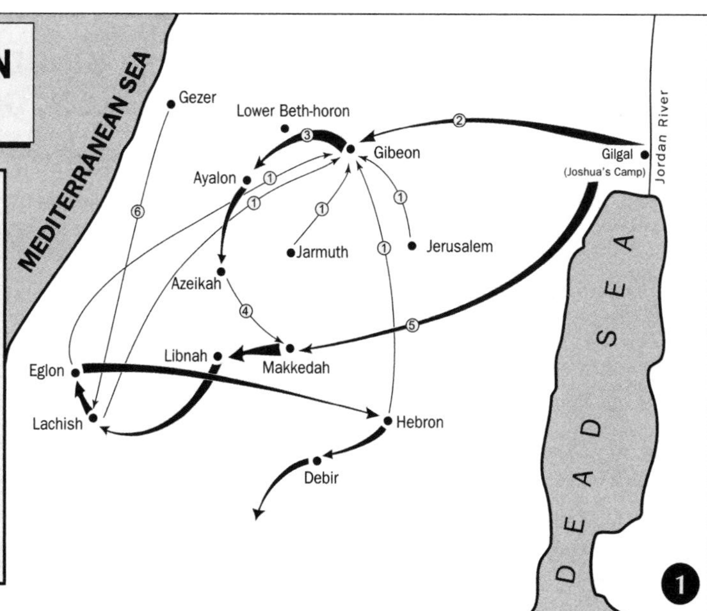

THE NORTHERN CONQUEST

1. Jabin, King of Hazor, creates a confederacy to stem the tide of the Israelites' success.
2. Joshua counters with a pre-emptive strike.
3. Canaanite confederacy flees and is vanquished; Hazor is set ablaze.

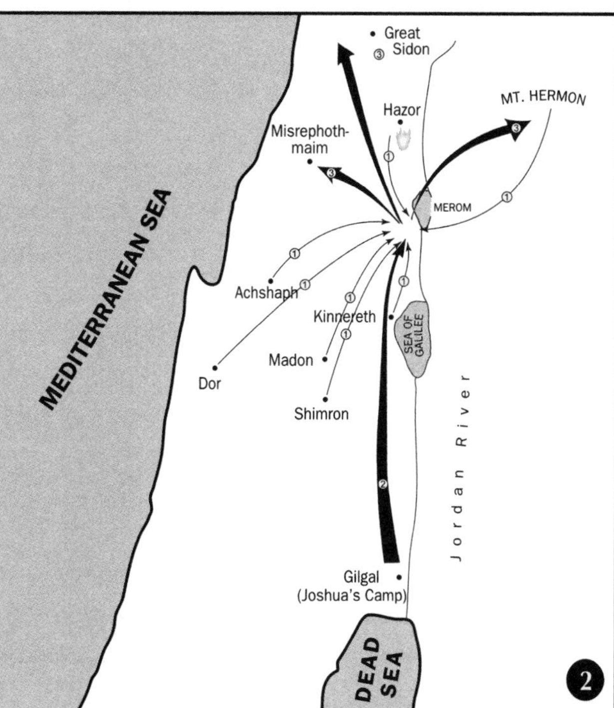

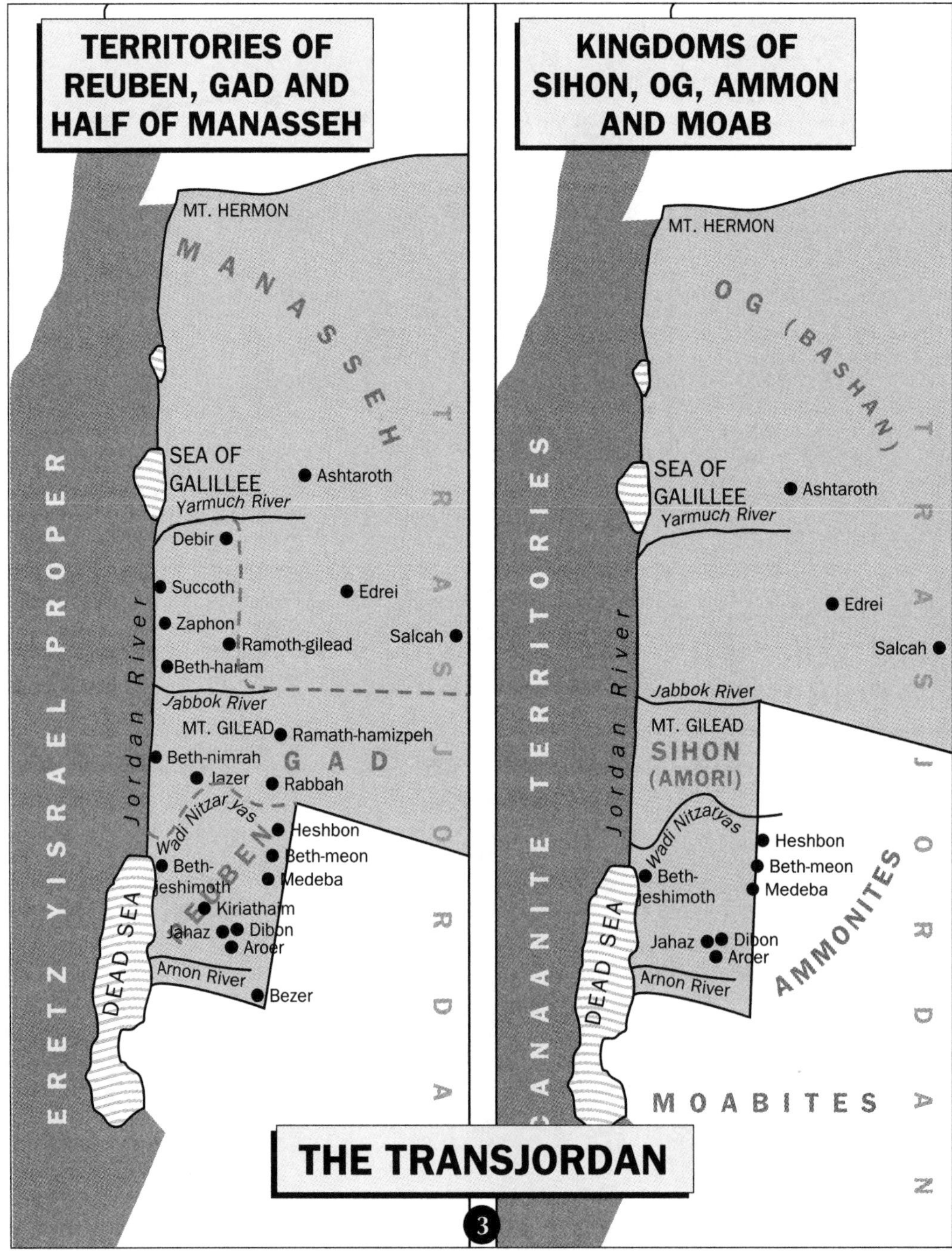
TERRITORIES OF REUBEN, GAD AND HALF OF MANASSEH
MT. HERMON
MANASSEH
SEA OF GALILLEE
Ashtaroth
Yarmuch River
Debir
Succoth
Edrei
Zaphon
Ramoth-gilead
Salcah
Beth-haram
Jabbok River
MT. GILEAD
Ramath-hamizpeh
Beth-nimrah
GAD
Jazer
Rabbah
Wadi Nitzaryas
Heshbon
Beth-meon
Beth-jeshimoth
Medeba
REUBEN
Kiriathaim
Jahaz
Dibon
Aroer
Arnon River
Bezer
DEAD SEA
Jordan River
ERETZ YISRAEL PROPER
TRANSJORDAN
KINGDOMS OF SIHON, OG, AMMON AND MOAB
MT. HERMON
OG (BASHAN)
SEA OF GALILLEE
Ashtaroth
Yarmuch River
Edrei
Salcah
Jabbok River
MT. GILEAD
SIHON (AMORI)
Wadi Nitzaryas
Heshbon
Beth-meon
Beth-jeshimoth
Medeba
Jahaz
Dibon
Aroer
Arnon River
AMMONITES
MOABITES
DEAD SEA
Jordan River
CANAANITE TERRITORIES
TRANSJORDAN
THE TRANSJORDAN
3

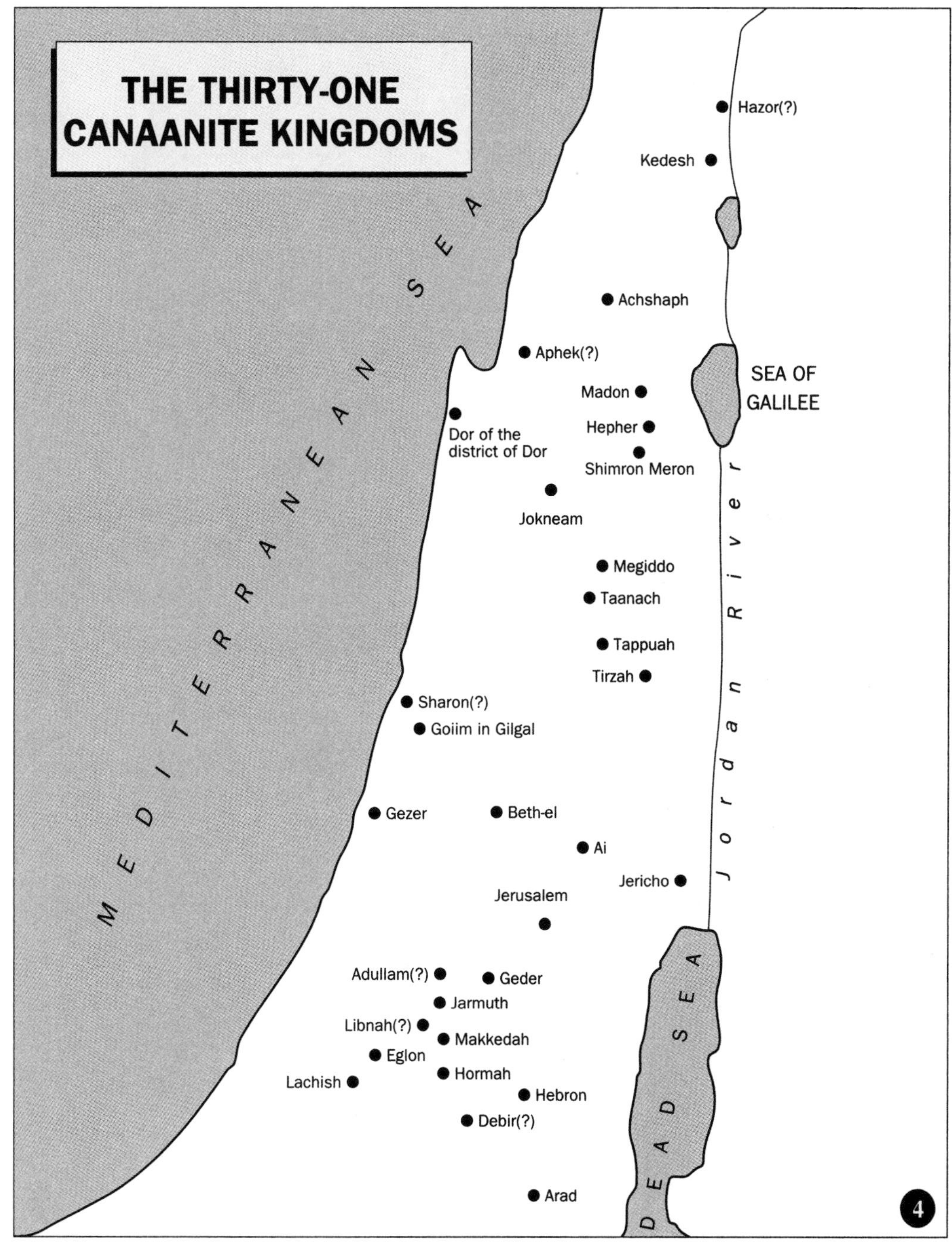
THE THIRTY-ONE
CANAANITE KINGDOMS
MEDITERRANEAN SEA
Hazor(?)
Kedesh
Achshaph
Aphek(?)
SEA OF
GALILEE
Madon
Hepher
Dor of the
district of Dor
Shimron Meron
Jokneam
Megiddo
Taanach
Tappuah
Tirzah
Sharon(?)
Goiim in Gilgal
Jordan River
Gezer
Beth-el
Ai
Jericho
Jerusalem
Adullam(?)
Geder
Jarmuth
Libnah(?)
Makkedah
Eglon
Lachish
Hormah
Hebron
Debir(?)
DEAD SEA
Arad
4

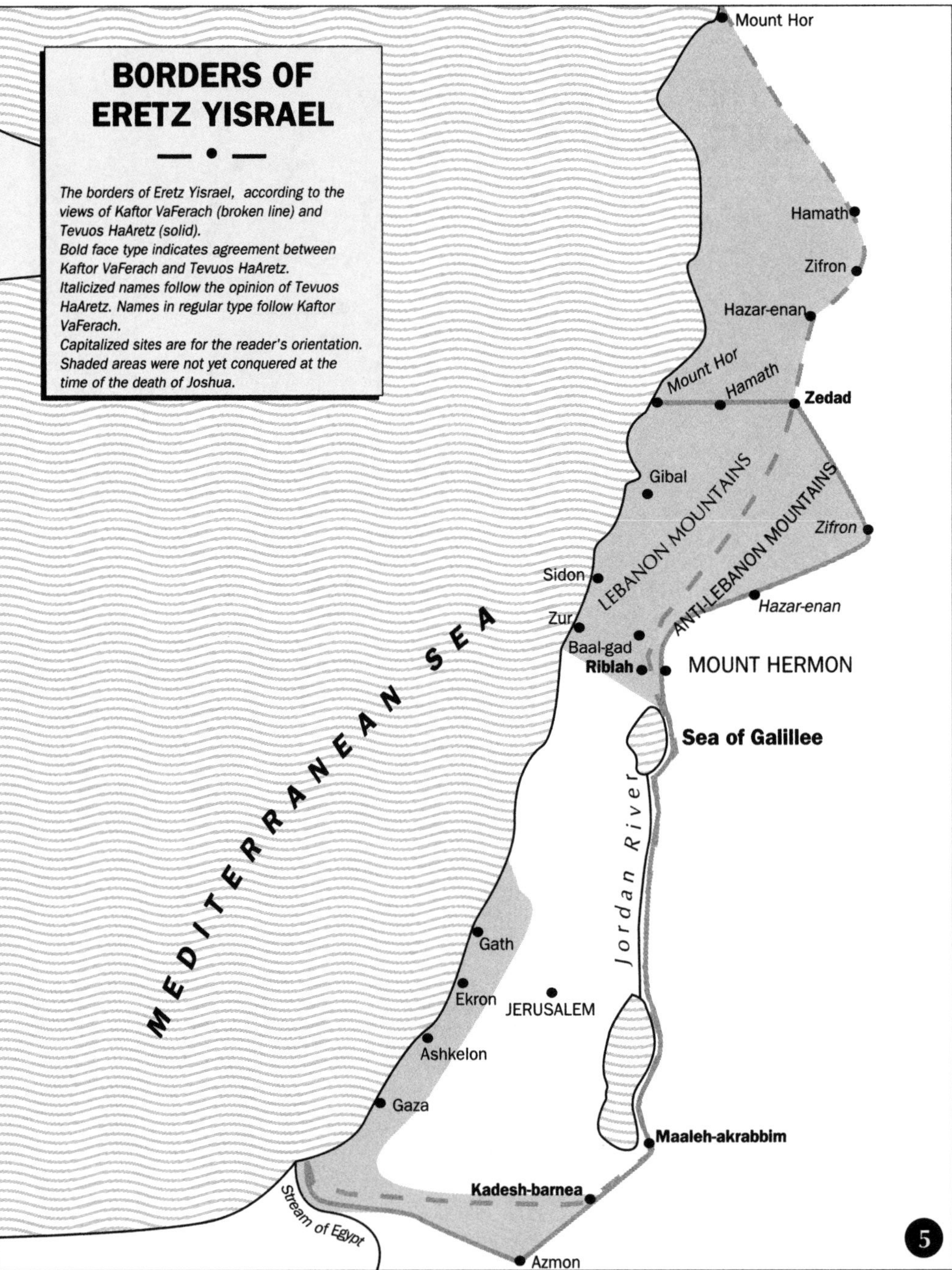
BORDERS OF ERETZ YISRAEL
The borders of Eretz Yisrael, according to the views of Kaftor VaFerach (broken line) and Tevuos HaAretz (solid).
Bold face type indicates agreement between Kaftor VaFerach and Tevuos HaAretz.
Italicized names follow the opinion of Tevuos HaAretz. Names in regular type follow Kaftor VaFerach.
Capitalized sites are for the reader's orientation.
Shaded areas were not yet conquered at the time of the death of Joshua.
Mount Hor
Hamath
Zifron
Hazar-enan
Mount Hor
Hamath
Zedad
Gibal
LEBANON MOUNTAINS
ANTI-LEBANON MOUNTAINS
Zifron
Sidon
Hazar-enan
Zur
Baal-gad
Riblah
MOUNT HERMON
MEDITERRANEAN SEA
Sea of Galillee
Jordan River
Gath
Ekron
JERUSALEM
Ashkelon
Gaza
Maaleh-akrabbim
Kadesh-barnea
Stream of Egypt
Azmon
5

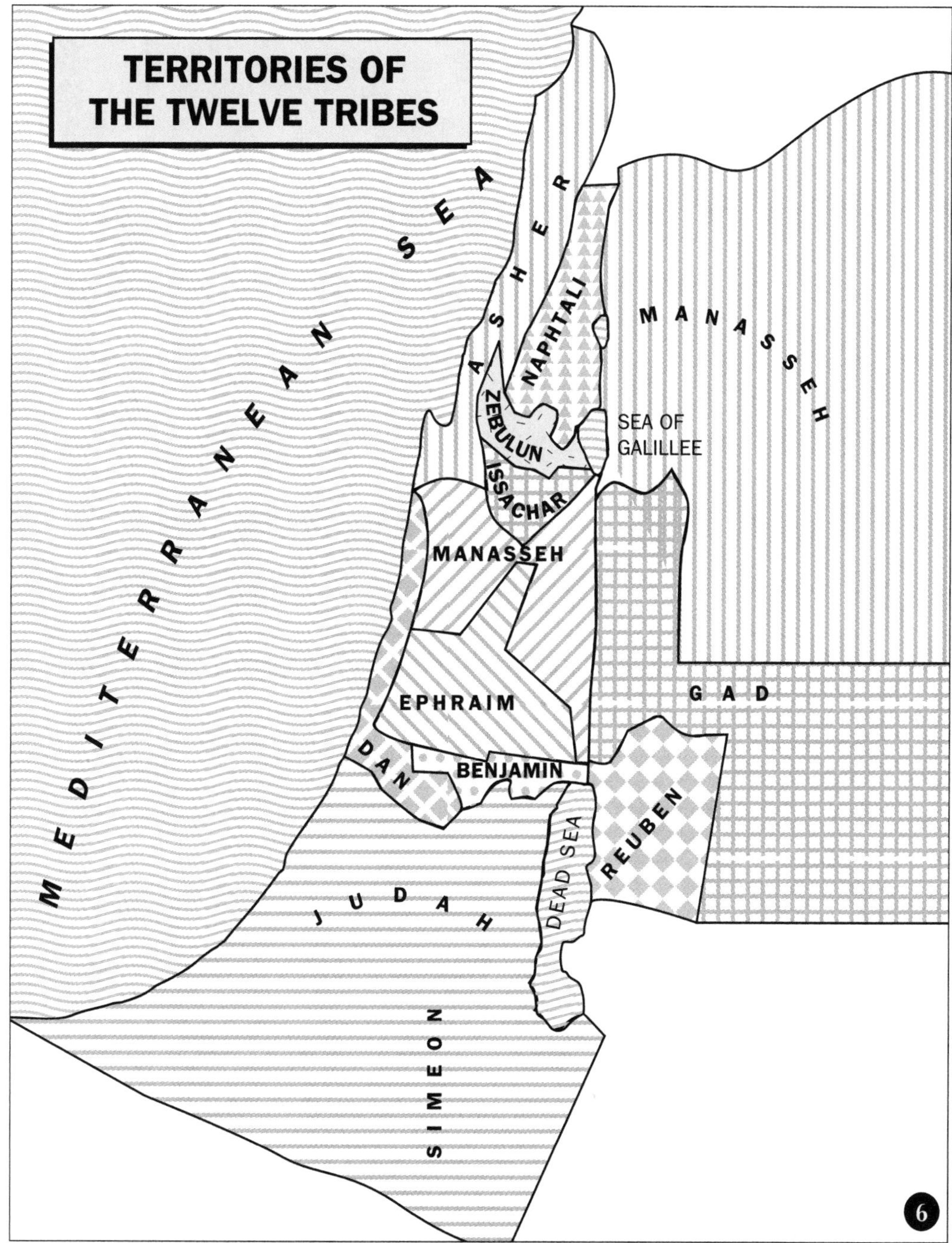
TERRITORIES OF
THE TWELVE TRIBES
MEDITERRANEAN SEA
ASHER
NAPHTALI
ZEBULUN
ISSACHAR
MANASSEH
SEA OF
GALILLEE
MANASSEH
EPHRAIM
GAD
DAN
BENJAMIN
REUBEN
DEAD SEA
JUDAH
SIMEON
6

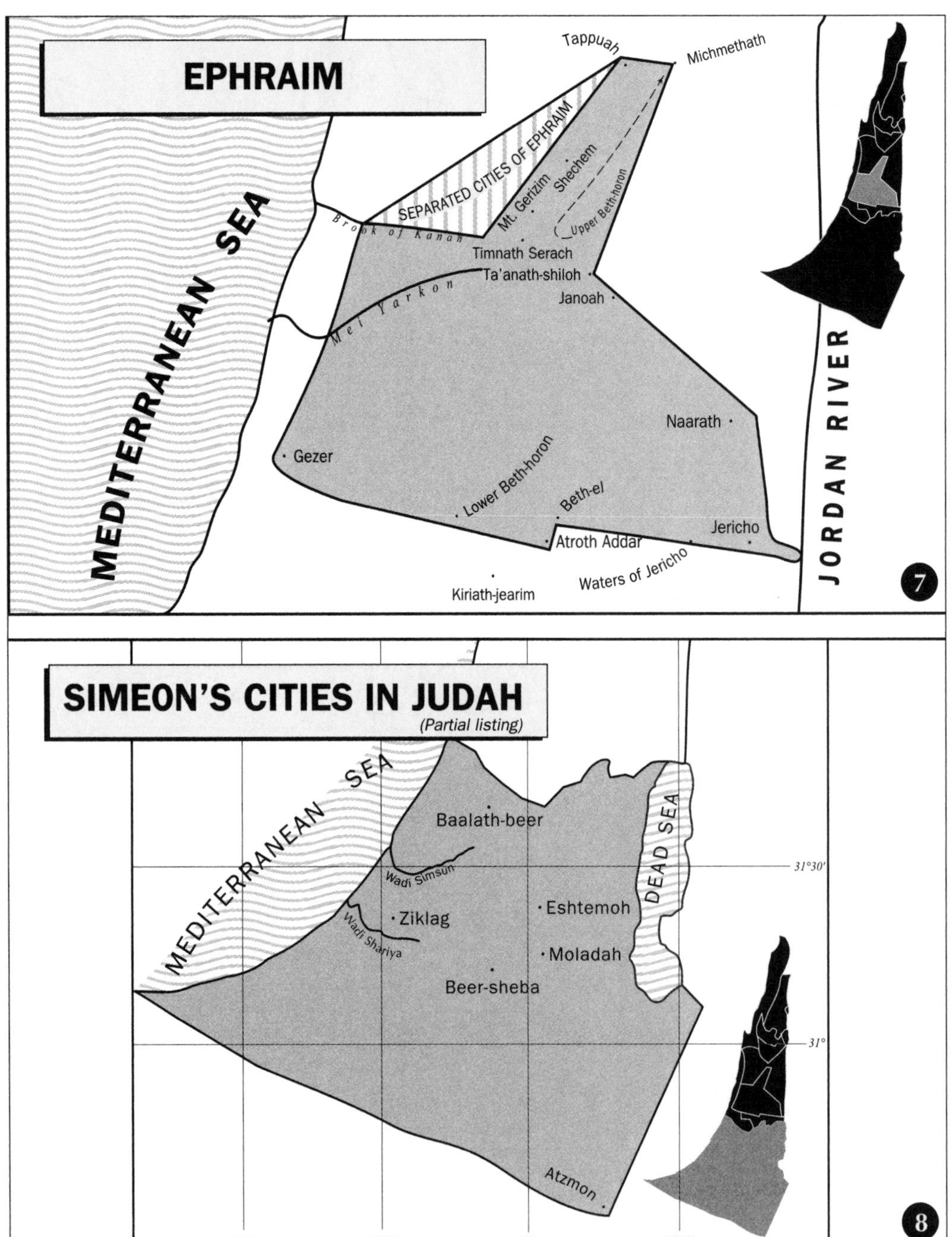
EPHRAIM
MEDITERRANEAN SEA
SEPARATED CITIES OF EPHRAIM
Tappuah
Michmethath
Shechem
Mt. Gerizim
Upper Beth-horon
Brook of Kanan
Timnath Serach
Ta'anath-shiloh
Janoah
Mei Yarkon
Naarath
Gezer
Lower Beth-horon
Beth-el
Atroth Addar
Jericho
Waters of Jericho
Kiriath-jearim
JORDAN RIVER
7
SIMEON'S CITIES IN JUDAH
(Partial listing)
MEDITERRANEAN SEA
Baalath-beer
DEAD SEA
Wadi Simsun
Wadi Shariya
Ziklag
Eshtemoh
Moladah
Beer-sheba
Atzmon
31°30'
31°
34°
34°30'
35°
35°30'
8

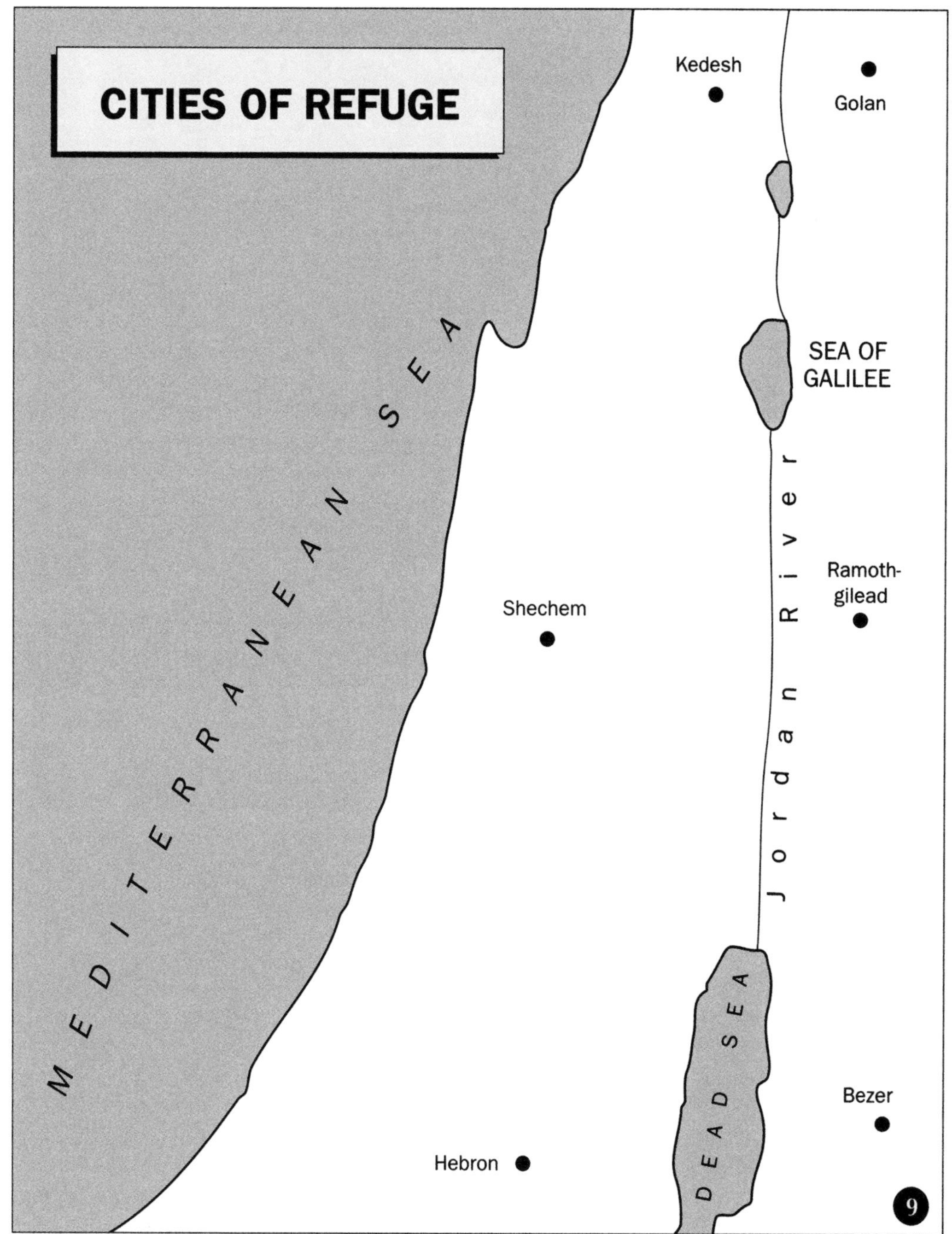
CITIES OF REFUGE
Kedesh
Golan
SEA OF GALILEE
MEDITERRANEAN SEA
Jordan River
Ramoth-gilead
Shechem
DEAD SEA
Bezer
Hebron
9

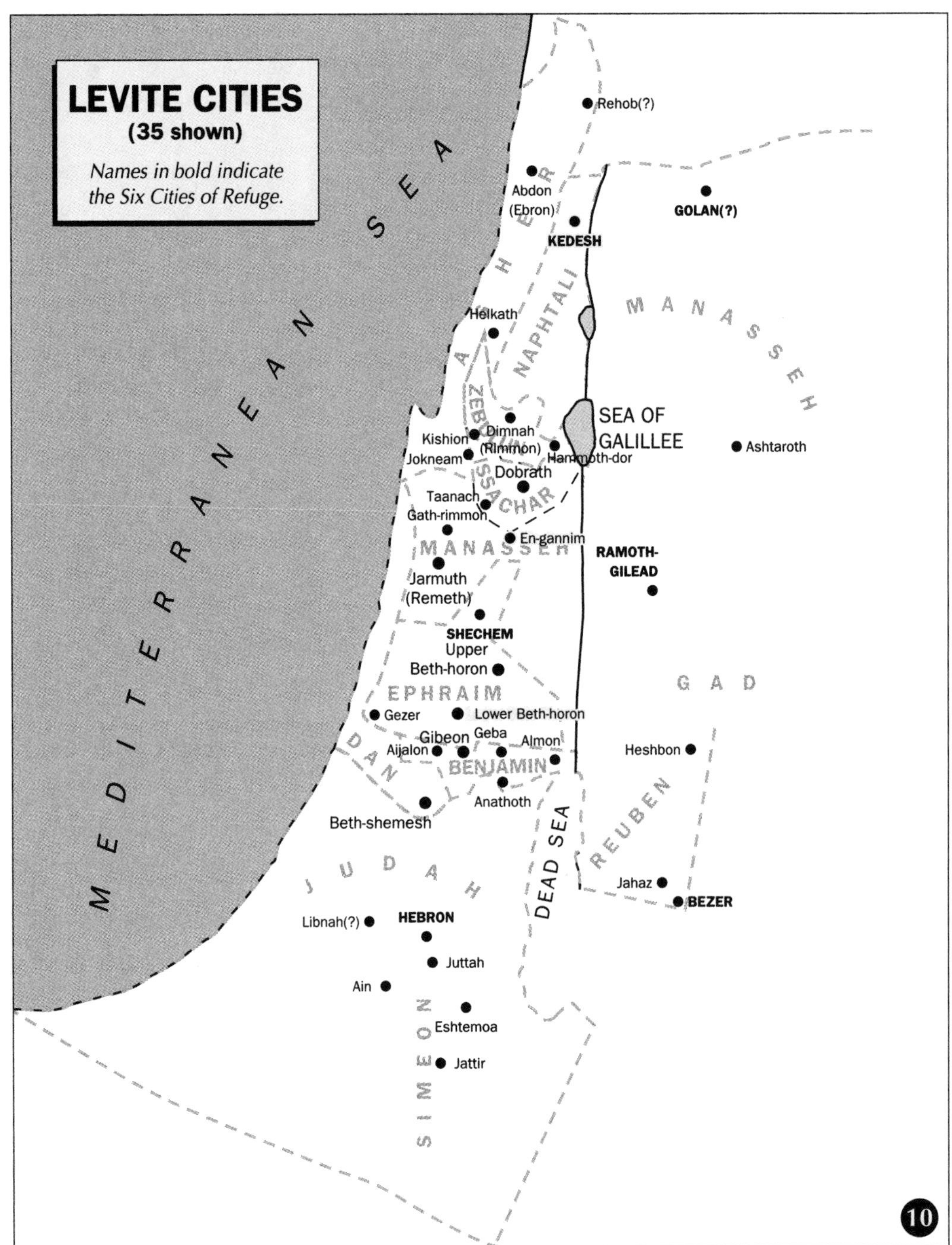
LEVITE CITIES
(35 shown)
Names in bold indicate the Six Cities of Refuge.
MEDITERRANEAN SEA
Rehob(?)
Abdon
(Ebron)
GOLAN(?)
KEDESH
ASHER
NAPHTALI
MANASSEH
Helkath
ZEBULUN
SEA OF
GALILLEE
Kishion
Dimnah
(Rimmon)
Jokneam
Hammoth-dor
Ashtaroth
Dobrath
ISSACHAR
Taanach
Gath-rimmon
En-gannim
MANASSEH
RAMOTH-
GILEAD
Jarmuth
(Remeth)
SHECHEM
Upper
Beth-horon
GAD
EPHRAIM
Gezer
Lower Beth-horon
Gibeon
Geba
Almon
Aijalon
Heshbon
DAN
BENJAMIN
Anathoth
REUBEN
Beth-shemesh
DEAD SEA
JUDAH
Jahaz
BEZER
Libnah(?)
HEBRON
Juttah
Ain
Eshtemoa
Jattir
SIMEON
10

THE FIELDS AND VINEYARDS OF A LEVITE CITY

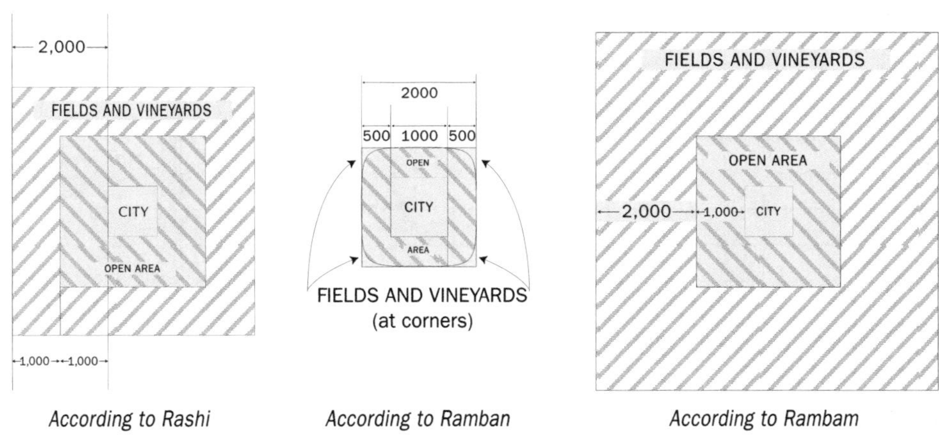

According to Rashi *According to Ramban* *According to Rambam*

	SIZE OF CITY	OPEN LAND	FIELDS AND VINEYARDS	TOTAL AREA
Rashi	1,000,000[1]	8,000,000	16,000,000	25,000,000
Ramban	1,000,000[1]	2,785,898	214,602	4,000,000
Rambam	1,000,000[1]	8,000,000	40,000,000	49,000,000

NOTE: All measurements are in cubits.

1 - According to Rashi and Rambam, the city could be any size or shape. For comparative purposes, we have used the size of 1,000 cubits square, which is the size of the city according to Ramban.

11

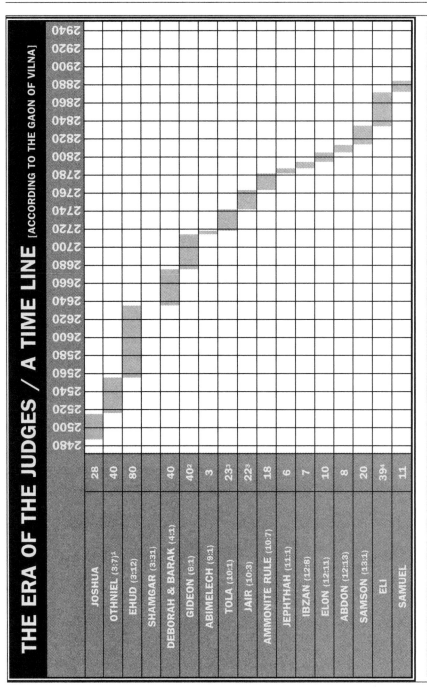

THE ERA OF THE JUDGES / A TIME LINE [ACCORDING TO THE GAON OF VILNA]

Years: 2480 2500 2520 2540 2560 2580 2600 2620 2640 2660 2680 2700 2720 2740 2760 2780 2800 2820 2840 2860 2880 2900 2920 2940

Judge	Years
JOSHUA	28
OTHNIEL (3:7)[1]	40
EHUD (3:12)	80
SHAMGAR (3:31)	
DEBORAH & BARAK (4:1)	40
GIDEON (6:1)	40[2]
ABIMELECH (9:1)	3
TOLA (10:1)	23[3]
JAIR (10:3)	22[3]
AMMONITE RULE (10:7)	18
JEPHTHAH (11:1)	6
IBZAN (12:8)	7
ELON (12:11)	10
ABDON (12:13)	8
SAMSON (13:1)	20
ELI	39[4]
SAMUEL	11

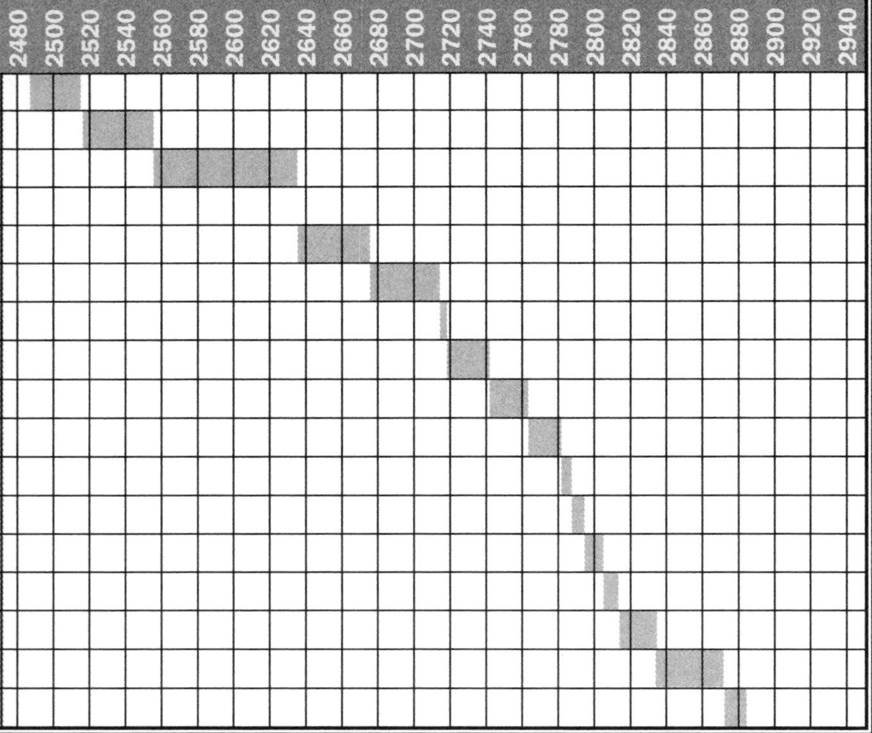

1. Numbers refer to chapter and verse in the *Book of Judges* where the rule of the judge is first mentioned.
2. Includes 7 years of Midianite rule.
3. There is one year which counts for both Tola and Jair.
4. While the verse (II Samuel 4:18) refers to Eli having led Israel for 40 years, the last year was incomplete and is therefore not counted for the purposes of the chronology.

Translation of Names in Tanach

(IN HEBREW ALPHABETICAL ORDER)

א

Abigail	אֲבִגַיִל/אֲבִיגַיִל
Abi	אֲבִי
Abijah	אֲבִיָּה
Abihail	אֲבִי הַיִל
Abihail	אֲבִיחַיִל
Abihu	אֲבִיהוּא
Abijam	אֲבִיָּם
Abimelech	אֲבִימֶלֶךְ
Abinadab	אֲבִינָדָב
Abiner	אֲבִינֵר
Abiram	אֲבִירָם
Abishag	אֲבִישַׁג
Abishai	אֲבִישַׁי
Abiathar	אֶבְיָתָר
Abner	אַבְנֵר
Abraham	אַבְרָהָם
Abram	אַבְרָם
Absalom	אַבְשָׁלוֹם
Agag	אֲגָג
Edom	אֱדוֹם
Adalia	אֲדַלְיָא
Adam	אָדָם
Adoni-bezek	אֲדֹנִי־בֶזֶק
Adonijah	אֲדֹנִיָּה
Adoni-zedek	אֲדֹנִי־צֶדֶק
Adoram	אֲדֹרָם
Adrammelech	אַדְרַמֶּלֶךְ
Ehud	אֵהוּד
Oholiab	אָהֳלִיאָב
Aaron	אַהֲרֹן
Evil-merodach	אֱוִיל מְרֹדַךְ
On	אוֹן
Onan	אוֹנָן
Uri	אוּרִי
Uriah	אוּרִיָּה(וּ)
Urijah	אוּרִיָּה (הַכֹּהֵן)
Ahab	אַחְאָב
Ahaz	אָחָז
Ahaziah	אֲחַזְיָה
Ahijah	אֲחִיָּה
Ahimelech	אֲחִימֶלֶךְ
Ahinoam	אֲחִינֹעַם
Ahiezer	אֲחִיעֶזֶר
Ahisar	אֲחִישָׁר
Ahitophel	אֲחִיתֹפֶל
Ahasuerus	אֲחַשְׁוֵרוֹשׁ
Job	אִיּוֹב
Jezebel	אִיזֶבֶל
Ichabod	אִיכָבוֹד
Elon	אֵילוֹן
Ish-bosheth	אִישׁ בֹּשֶׁת
Ithamar	אִיתָמָר
Achish	אָכִישׁ
Elah	אֵלָה
Elhanan	אֶלְחָנָן
Eliab	אֱלִיאָב
Elihoreph	אֱלִיחֹרֶף
Elijah	אֵלִיָּהוּ
Elihu	אֱלִיהוּא
Elimelech	אֱלִימֶלֶךְ
Eliezer	אֱלִיעֶזֶר
Eliphaz	אֱלִיפַז
Eliakim	אֶלְיָקִים
Eliashib	אֶלְיָשִׁיב
Elishama	אֱלִישָׁמָע
Elisha	אֱלִישָׁע
Elazar	אֶלְעָזָר
Elkanah	אֶלְקָנָה
Amon	אָמוֹן
Amaziah	אֲמַצְיָה
Amraphel	אַמְרָפֶל
Enosh	אֱנוֹשׁ
Asa	אָסָא
Asenath	אָסְנַת
Asaph	אָסָף
Esar-haddon	אֵסַר חַדֹּן
Esther	אֶסְתֵּר
Ephraim	אֶפְרַיִם
Ephrath	אֶפְרָת
Araunah	אֲרַוְנָה
Ornan	אָרְנָן
Ashpenaz	אַשְׁפְּנַז
Asher	אָשֵׁר
Ittai	אִתַּי

ב

Bigthan	בִּגְתָן
Bidkar	בִּדְקַר
Boaz	בֹּעַז
Baladan	בַּלְאֲדָן
Belshazzar	בֵּלְאשַׁצַּר/בֵּלְשַׁאצַּר
Bildad	בִּלְדַּד
Bilhah	בִּלְהָה
Belteshazzar	בֵּלְטְשַׁאצַּר
Balaam	בִּלְעָם
Balak	בָּלָק
Ben-hadad	בֶּן־הֲדַד
Benaiah	בְּנָיָהוּ
Benjamin	בִּנְיָמִין
Baanah	בַּעֲנָא
Baanah	בַּעֲנָה
Baasha	בַּעְשָׁא
Bezalel	בְּצַלְאֵל
Berodach	בְּרֹאדַךְ
Baruch	בָּרוּךְ
Barzillai	בַּרְזִלַּי
Bera	בֶּרַע
Barak	בָּרָק
Birsha	בִּרְשַׁע
Bethuel	בְּתוּאֵל
Bath-sheba	בַּת־שֶׁבַע

ג

Gabriel	גַּבְרִיאֵל
Gad	גָּד
Gedaliah	גְּדַלְיָה
Gideon	גִּדְעוֹן
Gog	גּוֹג
Gehazi	גֵּיחֲזִי
Goliath	גָּלְיָת
Gomer	גֹּמֶר
Gaal	גַּעַל
Gershom	גֵּרְשֹׁם
Gershon	גֵּרְשׁוֹן

ד

Deborah	דְּבוֹרָה
Doeg	דּוֹאֵג
David	דָּוִד
Dinah	דִּינָה
Delilah	דְּלִילָה
Dalphon	דַּלְפוֹן
Dan	דָּן
Daniel	דָּנִיֵּאל
Darius	דָּרְיָוֶשׁ
Dathan	דָּתָן

ה

Abel	הֶבֶל
Hegai	הֵגַי
Hagar	הָגָר
Hadad	הֲדַד
Hadadezer	הֲדַדְעֶזֶר
Hadassah	הֲדַסָּה
Hadoram	הֲדֹרָם
Hoham	הוֹהָם
Hosea	הוֹשֵׁעַ (הנביא)
Hoshea	הוֹשֵׁעַ
Heman	הֵימָן
Haman	הָמָן
Horam	הֹרָם

ו

Vaizatha	וַיְזָתָא
Vashti	וַשְׁתִּי

ז

Zeeb	זְאֵב
Zabad	זָבָד
Zebadiah	זְבַדְיָהוּ
Zabud	זָבוּד
Zebudah	זְבוּדָּה
Zebulun	זְבוּלֻן/זְבֻלוּן
Zichri	זִכְרִי
Zechariah	זְכַרְיָה(וּ)
Zilpah	זִלְפָּה
Zimri	זִמְרִי
Zerubbabel	זְרֻבָּבֶל
Zerah	זֶרַח
Zeresh	זֶרֶשׁ

ח

Habakkuk	חֲבַקּוּק
Haggai	חַגַּי
Eve	חַוָּה
Huram	חוּרָם
Hushai	חוּשַׁי
Hazael	חֲזָאֵל
Hezekiah	חִזְקִיָּה
Hiel	חִיאֵל
Hiram	חִירָם
Hilkiah	חִלְקִיָּהוּ/חִלְקִיָּה
Hamutal	חֲמוּטַל
Hannah	חַנָּה
Enoch	חֲנוֹךְ
Hanani	חֲנָנִי
Hananiah	חֲנַנְיָה
Hophni	חָפְנִי
Hefzibah	חֶפְצִי־בָהּ
Hezron	חֶצְרוֹן
Harbonah	חַרְבוֹנָא
Haran	חָרָן

ט

Tob-adonijah	טוֹב אֲדוֹנִיָּה
Tobiah	טוֹבִיָּה
Tobijah	טוֹבִיָּהוּ

י

Jair	יָאִיר
Jaazaniah	יַאֲזַנְיָה
Josiah	יֹאשִׁיָּהוּ
Jabin	יָבִין
Jeduthun	יְדוּתוּן
Jedidah	יְדִידָה
Jehu	יֵהוּא
Jehoahaz	יְהוֹאָחָז
Jehoash	יְהוֹאָשׁ
Judah	יְהוּדָה
Jehozabad	יְהוֹזָבָד
Jehoiachin	יְהוֹיָכִין
Jehoiakim	יְהוֹיָקִים
Jehonadab	יְהוֹנָדָב
Jehonathan	יְהוֹנָתָן
Jonathan	יְהוֹנָתָן/יוֹנָתָן (בן שאול)
Jehoaddan	יְהוֹעַדָּן/יְהוֹעַדִּין
Jehozadah	יְהוֹצָדָק
Jehoram	יְהוֹרָם
Jehosheba	יְהוֹשֶׁבַע
Jehoshabeath	יְהוֹשַׁבְעַת
Joshua	יְהוֹשֻׁעַ
Jehoshaphat	יְהוֹשָׁפָט
Joab	יוֹאָב
Joah	יוֹאָח
Joel	יוֹאֵל
Joash	יוֹאָשׁ
Jobab	יוֹבָב
Jozacar	יוֹזָכָר
Johanan	יוֹחָנָן
Joiada/Jehoiada	יוֹיָדָע/יְהוֹיָדָע
Jochebed	יוֹכֶבֶד
Jonadab	יוֹנָדָב
Jonah	יוֹנָה
Joseph	יוֹסֵף
Joram	יוֹרָם
Jotham	יוֹתָם
Jezreel	יִזְרְעֶאל
Jahaziel	יַחֲזִיאֵל
Jahzeiah	יַחְזְיָה
Ezekiel	יְחֶזְקֵאל
Jecoliah	יְכָלְיָה(וּ)
Jabez	יַעְבֵּץ
Jedi the Seer	יֶעְדִּי/יֶעְדוֹ
Jael	יָעֵל
Jacob	יַעֲקֹב
Japhia	יָפִיעַ
Japheth	יֶפֶת
Jephthah	יִפְתָּח
Isaac	יִצְחָק
Joktan	יָקְטָן
Jerubbaal	יְרֻבַּעַל
Jeroboam	יָרָבְעָם
Jerusah	יְרוּשָׁא/יְרוּשָׁה
Jeremiah	יִרְמְיָה(וּ)
Ishvi	יִשְׁוִי
Jeshua	יֵשׁוּעַ
Jesse	יִשַׁי
Ishmael	יִשְׁמָעֵאל
Isaiah	יְשַׁעְיָה(וּ)
Israel	יִשְׂרָאֵל
Issacher	יִשָּׂשכָר
Jether	יֶתֶר
Jethro	יִתְרוֹ
Ithream	יִתְרְעָם

כ

Chedorlaomer כְּדָרְלָעֹמֶר
Cyrus כּוֹרֶשׁ
Cush כּוּשׁ
Cushan-rishathaim כּוּשַׁן רִשְׁעָתַיִם
Cozbi כָּזְבִּי
Chileab כִּלְאָב
Caleb כָּלֵב
Chilion כִּלְיוֹן
Cononiah כָּנַנְיָהוּ
Canaan כְּנַעַן

ל

Leah לֵאָה
Lo-ammi לֹא עַמִּי
Lo-ruhamah לֹא רֻחָמָה
Laban לָבָן
Labben לַבֵּן
Levi לֵוִי
Lemuel לְמוּאֵל
Lamech לֶמֶךְ
Lappidoth לַפִּידוֹת

מ

Mehuman מְהוּמָן
Maher-shalal-hash-baz מַהֵר שָׁלָל חָשׁ בַּז
Moab מוֹאָב
Mahlon מַחְלוֹן
Michael מִיכָאֵל
Micah מִיכָה/מִיכָא
Micaiahu מִיכָיְהוּ (הנביא)
Micajehu מִיכָיְהוּ (מהר אפרים)
Michal מִיכַל
Mishael מִישָׁאֵל
Meshach מֵישַׁךְ
Mesha מֵישַׁע
Malachi מַלְאָכִי
Malchizedek מַלְכִּי־צֶדֶק
Malchishua מַלְכִּישׁוּעַ
Queen of Sheba מַלְכַּת שְׁבָא
Memucan מְמוּכָן
Manoah מָנוֹחַ
Menahem מְנַחֵם
Manasseh מְנַשֶּׁה
Mispar-begvai מִסְפַּר־בִּגְוַי
Maacah מַעֲכָה
Mephiboshet מְפִיבֹשֶׁת
Merab מֵרַב
Mordechai-bilshan מָרְדֳּכַי בִּלְשָׁן
Mordechai מָרְדֳּכַי
Merodach-baladan מְרוֹדַךְ בַּלְאֲדָן
Miriam מִרְיָם
Merari מְרָרִי
Moses מֹשֶׁה
Meshullemeth מְשֻׁלֶּמֶת
Methusael מְתוּשָׁאֵל
Mattan מַתָּן
Mattaniah מַתַּנְיָה
Mithredath מִתְרְדָת

נ

Nebuzaradan נְבוּזַרְאֲדָן
Nebuchadnezzar נְבוּכַדְנֶאצַּר
Nebuchadrezzar נְבוּכַדְרֶאצַּר
Naboth נָבוֹת
Nabal נָבָל
Nadab נָדָב
Noah נֹחַ
Nahum נַחוּם
Nahor נָחוֹר
Nehemiah נְחֶמְיָה
Nimrod נִמְרֹד
Nahash נָחָשׁ
Nahshon נַחְשׁוֹן
Naamah נַעֲמָה
Naomi נָעֳמִי
Naaman נַעֲמָן
Naphtali נַפְתָּלִי
Nathan נָתָן
Nethanel נְתַנְאֵל

ס

Sibbecai סִבְּכַי
Sihon סִיחוֹן
Sisera סִיסְרָא
Sanballat סַנְבַלַּט
Sennacherib סַנְחֵרִיב
Saph סַף

ע

Obed-edom עֹבֵד אֱדוֹם/עֹבֵד אֱדֹם
Ebed-melech עֶבֶד־מֶלֶךְ
Eber עֵבֶר
Eglon עֶגְלוֹן
Oded עֹדֵד
Iddo עִדּוֹ
Adriel עַדְרִיאֵל
Obed עוֹבֵד
Obadiah עוֹבַדְיָה
Og עוֹג
Uzzah עֻזָּא
Uzziah עֻזִּיָּה
Ezra עֶזְרָא
Azariah עֲזַרְיָה
Achan עָכָן
Achsah עַכְסָה
Eli עֵלִי
Amon עָמוֹן
Amos עָמוֹס
Amminadab עַמִּינָדָב
Amalek עֲמָלֵק
Omri עָמְרִי
Amram עַמְרָם
Amasa עֲמָשָׂא
Ephron עֶפְרוֹן
Er עֵר
Oreb עֹרֵב
Orpah עָרְפָּה
Asahel עֲשָׂהאֵל
Esau עֵשָׂו
Athaliah עֲתַלְיָה
Othniel עָתְנִיאֵל

פ

Potiphar פּוֹטִיפַר
Poti-phera פּוֹטִי־פֶרַע
Pul פּוּל
Puah פּוּעָה
Poratha פּוֹרָתָא
Peleg פֶּלֶג
Palti פַּלְטִי
Paltiel פַּלְטִיאֵל
Pelatiah פְּלַטְיָהוּ
Ploni Almoni פְּלֹנִי אַלְמֹנִי
Phinehas פִּנְחָס
Peninnah פְּנִנָּה
Pekah פֶּקַח

Pekahiah	פְּקַחְיָה
Purah	פֻּרָה
Parmashta	פַּרְמַשְׁתָּא
Pharaoh	פַּרְעֹה
Pharaoh-neco	פַּרְעֹה נְכוֹ
Perez	פֶּרֶץ
Parshandatha	פַּרְשַׁנְדָּתָא
Pashur	פַּשְׁחוּר

צ

Zibiah	צִבְיָה
Zadok	צָדוֹק
Zedekiah	צִדְקִיָּה
Zophar	צוֹפַר
Ziba	צִיבָא
Zelophehad	צְלָפְחָד
Zemah	צֶמַח
Zephaniah	צְפַנְיָה
Zipporah	צִפֹּרָה
Zaphenath-paneah	צָפְנַת פַּעְנֵחַ

ק

Kohath	קְהָת
Kore	קוֹרֵא
Keturah	קְטוּרָה
Cain	קַיִן
Kish	קִישׁ
Korah	קֹרַח

ר

Reuben	רְאוּבֵן
Rebecca	רִבְקָה
Rabashakeh	רַב־שָׁקֵה
Regem-melech	רֶגֶם מֶלֶךְ
Ruth	רוּת
Rezon	רְזוֹן
Rahab	רָחָב
Rehoboam	רְחַבְעָם
Rachel	רָחֵל
Reuel	רְעוּאֵל
Reelaiah	רְעֵלָיָה
Rezin	רְצִין
Rizpah	רִצְפָּה

ש

Saul	שָׁאוּל
Shearjashub	שְׁאָר יָשׁוּב
Shebna	שֶׁבְנָא
Sheba	שֶׁבַע
Shadrach	שַׁדְרַךְ
Shavsha	שַׁוְשָׁא
Shechem	שְׁכֶם/שֶׁכֶם
Shecaniah	שְׁכַנְיָה
Shelah	שֵׁלָה
Shallum	שַׁלּוּם
Solomon	שְׁלֹמֹה
Salmah	שַׂלְמָה
Shelomith	שְׁלֹמִית
Shalmaneser	שַׁלְמַנְאֶסֶר
Shem	שֵׁם
Shemeber	שֶׁמְאֵבֶר
Shamgar	שַׁמְגַּר
Shammah	שַׁמָּה
Samuel	שְׁמוּאֵל
Shemiramoth	שְׁמִירָמוֹת
Shimeah	שִׁמְעָא
Simeon	שִׁמְעוֹן
Shimei	שִׁמְעִי
Shemaiah	שְׁמַעְיָה
Shemer	שֶׁמֶר
Samson	שִׁמְשׁוֹן
Shimshai	שִׁמְשַׁי
Shinab	שִׁנְאָב
Seir	שֵׂעִיר
Shaashgaz	שַׁעַשְׁגַּז
Shephatiah	שְׁפַטְיָה
Shaphan	שָׁפָן
Sarezer	שַׂרְאֶצֶר/שַׁרְאֶצֶר
Sarah	שָׂרָה
Sarai	שָׂרַי
Seraiah	שְׂרָיָה
Sheshbazzar	שֵׁשְׁבַּצַּר
Seth	שֵׁת
Shethar-bozenai	שְׁתַר בּוֹזְנַאי

ת

Tibni	תִּבְנִי
Tiglath-pileser	תִּגְלַת פִּלְאֶסֶר
Tola	תּוֹלַע
Tamar	תָּמָר
Toi	תֹּעִי
Terah	תֶּרַח
Tirzah	תִּרְצָה
Teresh	תֶּרֶשׁ
Tartan	תַּרְתָּן
Tattenai	תַּתְּנַי

Index